El amante de Shangai

El amante de Shangai

MICHÈLE KAHN

Traducción de Belén Gala

Grijalbo

Título original: *Shanghaï-la-juive*

Primera edición: julio, 2007
Segunda edición: octubre, 2007

© 2006, Éditions du Rocher
© 2007, Random House Mondadori, S.A.
   Travessera de Gràcia, 47-49. 08021 Barcelona
© 2007, Belén Gala, por la traducción

Printed in Spain – Impreso en España

ISBN: 978-84-253-4116-8

Depósito legal: B. 39.544-2007

Compuesto en Fotocomposición 2000, S. A.

Impreso en Litografía SIAGSA

Encuadernado en Imbedding

GR 4 1 1 6 8

Para Pierre

I
Wiener Café

1

¡Shangai! Estaba en Shangai.

Walter observó estupefacto los elevados edificios que perforaban el cielo. ¡Bancos, casas comerciales, palacios! Guarnecidos con pilastras y columnatas, algunos exhibían con orgullo su frente de cíclope en la que, sobre enormes relojes, las agujas doradas percutían a cada segundo la llamada urgente del hermanamiento sagrado: el tiempo y el dinero. «Cualquiera de ellos —pensó— podría admirarse en la más hermosa de las avenidas de Manhattan.»

Sin embargo, el olor del río a su espalda delató al joven que miles de kilómetros lo separaban de Manhattan, lo separaban todavía de Manhattan. Pestilente, una mezcla de cáscaras de frutas podridas y de pescado putrefacto, el olor emanaba de las aguas del Whangpoo. Walter Neumann había desembarcado en Shangai veinticuatro horas antes y daba sus primeros pasos por el Bund.

Desde la borda del *Conte Rosso*, en la que había permanecido la víspera desde que el transatlántico se adentró en el Yangtze antes de bifurcarse en el cenagoso Whangpoo, había visto aparecer, irreales, las elevadas construcciones de la «Perla de Asia» a través de una brecha en la bruma. Ese mismo día, a pesar del frío de diciembre, Walter había estado paseando durante mucho tiempo para volver a encontrarlas.

La admiración se mantenía intacta.

Una imagen ya antigua, que databa tal vez de 1936, dos años antes, surgió en su cabeza. En Viena, aquel día se encontraba en el diario *Wiener Post*, en el despacho de su padre, periodista y asimismo accionista, que recorría con la mirada el primer ejemplar del número en prensa. Un empleado con un guardapolvo gris acababa de llevarlo. «¡Escucha un momento! —exclamó Arthur Neumann mientras se ajustaba los lentes—: "En Shangai, una ciudad surgida de las ciénagas y el fango, los financieros han construido frente al puerto un ribete de bancos, hoteles e inmuebles de oficinas adornados con cúpulas, torres, columnas y estatuas neoclásicas..." ¡En plena China! ¿Te imaginas?».

El joven se acordaba de aquel día por partida doble. Por la tarde, Arthur Neumann había regresado preocupado. Su médico le había comunicado que a partir de entonces debería ponerse cada día una inyección de insulina.

Aquí y allí, anuncios luminosos resplandecieron de pronto sobresaliendo de las aristas de los edificios. Era la hora en que las oficinas de Shangai se vaciaban de sus empleados, que, occidentales en su mayor parte, afluían a raudales. Un tráfico caótico se había adueñado del bulevar. Tirando de sus rickshaws, los culis se abalanzaban zigzagueando entre la interminable oleada de bicicletas, peatones, motos, coches, carretillas con bultos informes, carretas tiradas por caballos escuálidos, que el autobús de dos pisos dominaba. El estruendo de bocinas, campanillas y palabrotas, de ejes y cubos chirriantes no afectaba a nadie.

Limusinas impávidas se paraban delante de un gran edificio coronado con un tejado piramidal. Los botones abrían las puertas a personas elegantes que inmediatamente eran engullidas por la puerta giratoria y reaparecían bajo el centelleo de una araña de cristal, mientras los coches iban a aparcar en el muelle.

Atraído por las luces, Walter empezó a atravesar la calzada, desafiando a los conductores, ciclistas y culis, hendiendo la marea con paso decidido. «Como si fuera el tío Karl», pensó. ¡Cuántas veces de pequeño, al mirar la fotografía del héroe sobre la consola, se había jurado ser digno de su parecido físico con el hermano de su madre! Del aviador abatido durante la Gran Guerra a los mandos de su aeroplano, Walter había heredado el rostro casi cuadrado, las mejillas ligeramente hundidas, los ojos de un azul claro muy dulce y pronto a la cólera, la silueta espigada. ¡Y Walter, como el pobre Karl hasta que la madre patria los traicionó, a él y a todos los ciudadanos judíos, se había considerado ante todo austríaco! ¡Austria, con todas sus declaraciones, los había tenido bien cogidos! Walter estaba todavía vivo, pero el soplo pútrido de la muerte le había abierto los ojos.

Tanto de día como de noche seguían atormentándolo las pesadillas.

Se veía de nuevo en Dachau, en el campo de concentración, siete u ocho semanas antes. Walter estaba de servicio. Los hombres tenían que transportar unas piedras pesadas y afiladas. ¿Para qué? Nadie lo sabía. Los de las SS se reían viendo a los detenidos pelearse por aquellas cuyas aristas parecían menos afiladas. La porra se abatía sobre los que elegían las más livianas.

Estaba prohibido caminar. Había que correr, correr continuamente con aquellos zuecos que desollaban los pies. Correr acarreando piedras de varios kilos a lo largo de centenares de metros. Y a continuación, regresar arrastrándose por el camino inundado por la lluvia.

Era entonces cuando se desbocaba ese cerdo de las SS. Una alegría perversa alumbraba sus ojos cada vez que ordenaba a los detenidos que se levantaran. Exultaba con la visión de los cuerpos embadurnados de barro. «Sucios judíos, ¡miraos! —gritaba haciendo rechinar las mandíbulas—. ¡Asquerosos, eso es lo que sois! ¡Yo, yo voy a enseñaros lo que es la limpieza!» Escogía a tres hombres y colocaba una lata de conserva vacía sobre la cabeza de cada uno.

Entonces el SS retrocedía unos metros, apuntaba a la lata y disparaba. No todos los prisioneros quedaban indemnes.

Después de haber asistido por primera vez a este espectáculo, Walter discurrió rellenar el fondo de su gorra con hojas secas y logró la hazaña de recogerlas sin que lo pillaran. Su temblor no era menor cuando tuvo que alinearse entre otros dos prisioneros.

«¡Yo voy a enseñaros lo que es la limpieza!», gritaba el SS apuntando a la lata colocada sobre la cabeza de un valeroso muniqués de treinta años, maestro, padre de dos hijos. El hombre se había desplomado. Walter cerró los ojos; era su turno. «¡Papá! ¡Mamá!», imploró en secreto como un niño pequeño. El estallido lo había aturdido. Se creyó morir, pero no estaba herido. Su gorra había rodado por el suelo, atravesada. El SS se había dado cuenta del relleno y molió a golpes a Walter con la culata.

Su actitud hacia la vida había cambiado en el momento en que sus camaradas lo ayudaron a levantarse. Había que continuar la marcha. Walter sabía que una bala de pistola lo abatiría si se caía. Con todas sus fuerzas en tensión reprimió los gritos de dolor que le arrancaba cada movimiento. Se aferró a la imagen de su padre, a quien esas mismas SS habían dejado morir como un perro. Con toda claridad, por un instante, vio que él lo sostenía. «Papá, te lo prometo, no podrán conmigo —juró—. Ni ellos, ni nadie.»

Walter volvió al presente. Una inscripción en letras de oro, CATHAY HOTEL, coronaba la entrada del edificio con el tejado piramidal. Guirnaldas y bolas doradas a la moda europea animaban la fachada ese fin de año. Dos parejas occidentales aparecieron alegremente y traspasaron el umbral. La ropa de vestir, los rostros joviales, la ligereza del paso anunciaban un té danzante. A continuación se detuvo un gran Daimler.

«Conozco a ese tipo», pensó Walter al ver al hombre que salía del coche. Cara rosada, gafas con montura dorada. «¡Qué tontería —se corrigió—. Es justo uno de esos rostros vulgares que pueblan los barrios burgueses de las grandes ciudades.» El desconocido tendía la mano hacia el interior de la limusina para ayudar a una mujer que, con dificultad, salía lentamente. El rubio de sus cabellos destelló en la claridad de las luminarias cuando puso el pie en la acera. Retocó la caída de su abrigo de gasa rosa y deslizó la cabeza de su piel de zorro sobre la espalda. Entonces Walter se dio cuenta. La habría reconocido entre mil. Esa silueta de mujer con una piel de zorro…

Tenían unos quince años, Thomas Schoenberg y él. Anton, el padre de Thomas, había regalado la piel de zorro a su esposa un día en que habían llegado los dos juntos a la hora de la merienda. Apenas había entrado en el salón, cuando Thomas estalló en carcajadas al percibir la silueta de su madre. «Mutti no se ha quitado su zorro en todo el día. ¡Estoy seguro de que se muere de calor!» Ella se había reído de felicidad y se había puesto a desfilar, con aire travieso, yendo y viniendo. De pronto, vuelta hacia su esposo, había ocultado el mentón en la piel sedosa y Walter había visto entonces cómo la cara vulgar de Anton enrojecía y se turbaba mientras estrechaba a la vez a la mujer y a la piel. «Delante de los chicos, no», había murmurado Elna, que se había zafado y se afanaba en llamar para que trajeran los pasteles y el café.

El *Apfestrudel* de los Schoenberg, coronado con un bonete de chantillí, estaba perfumado con corteza de naranja confitada. Walter había engullido tal cantidad que luego le fue imposible, para gran disgusto de su madre, tomar bocado hasta el día siguiente.

Thomas fascinaba a Walter por sus ojos de distinto color, verde y marrón. Los dos se habían convertido en buenos compañeros. Pero en enero de 1937, Anton Schoenberg, exasperado por las consignas antisemitas que cada mañana cubrían los muros de su fábrica, había abandonado Viena repentinamente. Su destino permaneció en secreto. En la ciudad, algunos no se abstuvieron de calificarlo de miedica.

«¡Miedica, pero vivo!», pensó Walter con los dientes apretados. De pronto se precipitó hacia la puerta del Cathay Hotel gritando:

—*Frau Schoenberg! Herr Schoenberg!*

Por el vestíbulo recubierto de espejos, la pareja avanzaba hacia el ascensor, mientras que botones y ascensoristas cacareaban saludos solícitos remarcados con reverencias. Ninguno de los dos oyó la llamada de Walter. Se abalanzó, pero el portero chino le cortó el paso.

—*Frau Schoenberg!* —volvió a intentarlo.

Demasiado tarde. El ascensor había absorbido a la señora Schoenberg, a su zorro y a su esposo. Walter intentó seguirlos. El chino le hundió un puño enguantado de blanco en el estómago.

—*Friends of mine!* —protestó el joven de buena fe aunque, en este caso, la palabra «amigos» fuese impropia.

Con el puño todavía clavado en las costillas de Walter, el chino ladraba palabras incomprensibles y con la mano libre, como se aparta a un perro que merodea alrededor de una pierna de cordero, le indicaba que se largara. A Walter le palpitaban las sienes. Iba a reaccionar con violencia cuando otra pareja, navegando en una nube perfumada, apareció delante del ascensor. El hombre llevaba una bufanda de color marfil sobre un abrigo oscuro; las perlas de la mujer, vestida de blanco, evocaban gotas de rocío sobre los pétalos de una azucena. Walter bajó los brazos y dio media vuelta. Había reconocido el reflejo que le habían devuelto las lunas, el de un chico cubierto con un abrigo estrecho y ajado, debajo del cual se veían las perneras de un pantalón mugriento que se le pegaba a la piel desde hacía más de dos semanas. ꞌ

Ante la puerta ya se habían aglomerado algunos chinos, que, con sus pequeños y penetrantes ojos fijos sobre el extranjero, se mesaban su perilla rala. Walter atravesó el grupo con un gesto seco, provocando gañidos. Se puso a correr con rabia como si tuviera que deshacerse de sus rivales. Casi ni se sorprendió del camino que se abría ante él entre la muchedumbre igual que el mar Rojo ante Moisés. Corría.

Lo detuvo un puente rematado con un arco de metal, por el que patrullaba un centinela británico. Walter reconoció el puente, tierra de nadie limitada por sacos terreros y alambre de espino. Veinticuatro horas antes lo había atravesado en el camión que, por calles sombrías y hormigueantes, flanqueadas de escombros, transportaba a los inmigrantes dando tumbos, en medio de los gritos aterrados de las mujeres que temían perder el equilibrio. Hacia un lugar acogedor, imaginaba todavía Walter. Pues, con una amplia sonrisa que descubría la carne plástica de su dentadura, un miembro del Comité de Acogida había subido a bordo para explicarles en inglés: «Ahora, ya no sois ni alemanes, ni austríacos ni checos ni rumanos, no sois más que judíos. Los judíos del mundo entero os han preparado *Heime*...».

Y a pesar de la formulación, que le recordaba dolorosamente la que había oído y odiado en el campo de Dachau («No olvidéis jamás que aquí vosotros ya no sois nadie. Ni médicos, ni abogados, ni sastres, ni nada de nada. ¡No sois más que judíos y ese es el nombre al que responderéis!»), Walter, como los demás pasajeros, se había dejado acunar por esa palabra.

«Aquí —había añadido el delegado con gesto cómplice—, todo el mundo utiliza la palabra alemana.» ¿Qué hay más dulce que un *Heim*, la casa propia?

Tras haber recorrido las calles bordeadas de ruinas, el camión se había detenido finalmente delante de una vasta construcción moderna. «El propietario es un rico mecenas sefardí —había declarado el delegado con una extraña mezcla de hostilidad y presunción—, que ha ofrecido a los refugiados la primera planta de su edificio de oficinas.»

«¿Solo hay una ducha?», se había preguntado Walter. «Siéntense con cuidado —habían recomendado las señoras del Comité de Acogida—, porque los bancos son nuevos y no muy resistentes.»

Una de ellas consultaba una lista. Con semblante desconcertado, intentando recoger los mechones que se le escapaban del moño, había advertido de inmediato a los acompañantes que iba a faltar una cama. «¿Está segura?», inquirió el médico, un hombre de unos treinta años con gafas. Había venido en el

Conte Rosso con el delegado y se había apresurado a vacunar a los emigrantes contra la viruela, antes incluso de arribar al muelle. «¡Seguro! —había contestado la mujer del moño—. Tengo las cuentas claras. Ni siquiera tenemos espacio ya para poner un colchón.»

El médico se aclaró la voz y luego gritó: «¡Un voluntario para ir a vivir a otro sitio!». «¡Yo!», vociferó Walter, dispuesto a todo para escapar de ese lugar siniestro. Había sido el único en presentarse. De ese modo había dejado el Embankment Building en compañía del médico, Horst Bergmann. Sus compañeros de viaje y de infortunio se habían quedado al otro lado del puente, un puente vigilado aquí por un centinela británico y allí por soldados japoneses.

Apartándose de la estructura metálica, Walter se precipitó hacia la izquierda, a lo largo de un afluente del río y, jadeante, chorreando de sudor, aminoró su carrera algunos metros más lejos. Desde las orillas nauseabundas ascendía un rumor y un olor a sopa. Escudriñó la oscuridad, descubrió la colonia de sampanes en la que se pudría un pueblo desvalido, hacinado en las inmundicias y la humedad. Un niño gemía convulsamente, víctima de las pesadillas que provocan las fiebres mortales. El río, Walter estaba advertido, arrastraba cadáveres que vomitaba en la orilla de fango.

«Shangai, ciudad surgida de las ciénagas y el fango.» La frase leída por su padre en el *Wiener Post* le volvió a la memoria, vocecita insistente, que terminó por saturarle la cabeza como un carillón de campanas. «Shangai, ciudad surgida de las ciénagas y el fango», «Shangai, ciudad surgida de las ciénagas y el fango». Y de este fango había surgido el mármol y el oro. El Bund era un diamante salido del fango. Por el momento, Walter se encontraba hundido en el fango. Apenas emergía, apenas respiraba. Pero un día, se juró, se convertiría en diamante.

Para empezar, tendría su dureza.

2

Regresó a las calles iluminadas con la impresión de haber cambiado de mundo. A pesar de los letreros en chino, esas calles, desde la Concesión Internacional a los edificios de ladrillo rojo llenos de rótulos luminosos, recordaban a algunos barrios de Londres. MERRY CHRISTMAS, HAPPY NEW YEAR, se leía en la mayoría de los escaparates. En lugar de abrirse paso entre la ajetreada muchedumbre azul y gris, Walter seguía el bordillo de la acera.

Un harapiento conductor de rickshaw se afanaba desde hacía un buen rato en seguirlo. A voces llamó una vez más a Walter sonriendo con su boca desdentada a la vez que elogiaba su carroza con un brazo huesudo.

—*Coolie chop chop!** —agregó.

Supuso que hablaba en pidgin.**

—¡No te molestes, amigo! —soltó Walter en alemán—. Estoy tan pelado como tú.

Como el otro insistía dando a entender con sus gestos que tenía niños a los que alimentar, Walter probó en inglés:

—¡Otro día, cuando tenga dinero!

«Y la tripa llena», pensó para sí, pues el hambre y la sed lo atormentaban.

---

* «¡Culi muy rápido!»
** Mezcla de idiomas utilizada en las ciudades internacionales del Extremo Oriente, que incluye términos del inglés y el portugués con un simulacro de sintaxis china. La palabra *pidgin* es una deformación de la palabra inglesa *business*.

El chino, sin embargo, no se desanimó. Lo siguió a lo largo de la calle y lo abordó de nuevo cuando llegaron a una encrucijada.

¿Qué calle tomar para llegar a su triste alojamiento? Walter no reconocía ninguna. Se detuvo zarandeado por la agitación que lo rodeaba. Finalmente localizó el tejadillo de un edificio que había visto a la ida y suspiró reconfortado.

Los gritos de los vendedores ambulantes brotaban de todas partes. Té, arroz, buñuelos, hojuelas humeantes. Los chinos se apretujaban en esas cantinas portátiles y a continuación se ponían a comer en cuclillas. Sostenían el tazón bajo la barbilla y manejaban los palillos a una velocidad vertiginosa. Unos sonoros eructos daban testimonio de su satisfacción. A Walter el hambre y la sed lo torturaban. Miró la hora en su reloj de pulsera: solo eran las seis.

Golpeando el suelo con los pies, un europeo esperaba delante del misterioso tenderete de una joven china provista de un fogón y de una gran sartén en la que removía una mezcla de alimentos. ¿Trozos de carne? ¿Verduras? Además, había puesto a freír en aceite una especie de buñuelos alargados, que desprendían un olor a rancio. ¿Qué iba a comer ese hombre? Walter se detuvo a observarlo.

Ya en el barco, los refugiados habían recibido numerosas advertencias de evitar las verduras crudas, cultivadas en un suelo abonado con excrementos humanos, así como los alimentos preparados en la calle. Los peores trastornos físicos amenazaban a los temerarios. Pero, de pronto, Walter se sintió agarrado por la pernera del pantalón. Dos mendigos lo habían aferrado. ¡Y qué mendigos! Ni siquiera en Dachau, donde cada día morían hombres de miedo, de dolor, de hambre o de frío, había visto nada parecido. Descoyuntados, temblorosos, escrofulosos, aquellos seres se arrastraban sobre muñones.

—¡Soltadme! —gritó Walter lleno de compasión, espanto y repugnancia, mientras buscaba ayuda a su alrededor.

Los conductores de rickshaws salían a toda prisa y los viandantes miraban a otro lado. Walter intentó liberar su pierna, pero uno de los mendigos desde el suelo lo tenía bien sujeto. El otro, que se había enderezado, le apresó el brazo con mano vigorosa, oprimiéndoselo con la fuerza de una tenaza, mientras que el primero, deforme y tenso, mantenía una escudilla contra su cuerpo.

—¡Dejadme en paz!

Walter forcejeó, avergonzado de su fuerza, y finalmente se zafó del abrazo viscoso. Se marchó corriendo obsesionado por la visión de la pelea. La caridad era uno de los pocos preceptos de la religión judía que su familia todavía observaba. Walter era todavía un niño cuando su madre le enseñó a dar algunas monedas a los pobres.

Interrumpió su carrera al advertir con alivio unas ruinas que había visto a la ida. A la derecha, una cubierta ennegrecida por el fuego atestiguaba la antigua presencia de una fábrica. A la izquierda, los edificios habían quedado reducidos a un montón de ladrillos chamuscados. «Los bombardeos de 1937», pensó Walter acordándose con disgusto de la preocupación puramente profesional con que en aquella época había seguido las etapas del conflicto chino-japonés.

En el mes de agosto de aquel año, él, un estudiante recién salido del Gymnasium, era el periodista más joven del *Wiener Post*. El futuro le sonreía. Entre baño y baño en la gran piscina nueva de Viena, comentaba la invasión japonesa con Gustav, Liselotte y Magdalena. Creía que lo sabía todo sobre las derrotas del ejército de Chiang Kai-shek.

«¡En Shangai —anunció de pronto Gustav, que acababa de abrir la *Neue Freie Presse*— aviones chinos han bombardeado por error a sus propios civiles!» Todos lo habían rodeado para leer el artículo. Los cabellos largos de las chicas se enmarañaban encima de las hojas. «¡Una avispa!», gritó Magdalena derramando con un movimiento brusco un zumo de frutas sobre el artículo, que quedó ilegible. Se estuvieron riendo y luego se zambulleron en el agua. ¡Felices días de despreocupación! Tal vez Gustav y Liselotte se hubiesen casado.

De entre los escombros, Walter vio por fin surgir el pequeño edificio de oficinas antiguas en el que había pasado la noche. ¿Debía sentir agradecimiento hacia Horst Bergmann, el médico que lo había conducido allí? No sabía. Una decena de hombres de diferentes edades, que hablaban en alemán, ocupaban ya la habitación cuando Horst empujó la puerta. «¡Uno nuevo!», anunció.

De una barra en el techo colgaba ropa raída. Las maletas apiladas hacían de mesa.

«Y ¿dónde vas a meter al nuevo?», había chillado uno de mal humor con voz nasal. «Os podríais apretar un poco, ¿no? —soltó Horst con mirada desafiante sin dirigirse a nadie—. En alguna parte he visto dos colchones sobre una cama.»

Finalmente Walter heredó el colchón suplementario y durmió encajonado entre la pared y la cama de Horst. En su madriguera, como una rata, era feliz a pesar de todo. Había vivido peor. Aquí, al menos, era libre.

Por la mañana, entre sueños, había oído vagamente a los hombres ponerse en marcha y cuando se despertó, al mediodía, la habitación estaba vacía. Horst le había dejado un mendrugo de pan cortado en rebanadas muy finas y una nota en que le decía que pasaría a buscarlo a partir de las siete, para conducirlo a un *Heim* donde les darían de cenar. Walter hirvió agua con un pequeño infiernillo en el pasillo («¡Jamás, nunca jamás bebas agua sin hervir, ni siquiera la uses para lavarte los dientes!», le había ordenado Horst) y, después de unas breves abluciones en uno de los dos lavabos, se marchó al Bund.

El mendrugo había constituido el único alimento de ese día y ya el hambre, como una ventosa, aspiraba el estómago de Walter. ¿Durante cuánto tiempo tendría que esperar antes de reencontrarse con Horst y poder comer? Se detuvo bajo una farola para consultar de nuevo su reloj. No le quedó más remedio que aceptar lo que estaba viendo: su muñeca estaba desnuda.

3

Habían entrado en un hermoso edificio blanco, en el que los ángulos alternaban con las líneas curvas, y hacían cola con un plato, una cuchara y una taza de hojalata abollada en la mano.

—Esta es la sinagoga de Beth Aharon —le explicó Horst—. La de los sefardíes. La flor y nata de la comunidad judía en Shangai. Son unas mil personas. Estas familias, que vinieron de la India y de Irak en la década de 1870, se forraron con el opio y el algodón. Algunas, como los Sassoon, los Kadoorie y los Hardoon, se han hecho increíblemente ricas. Silas Hardoon ha hecho construir esta sinagoga. ¡Seguro que no se imaginaba que serviría de comedor a unos pobres diablos! —se burló—. En un año han llegado mil quinientas personas desde Alemania. Mil quinientas, ¿te das cuenta?

Hombres y mujeres tenían el rostro ceniciento, los hombros caídos, la ropa raída. Los niños se aferraban a sus padres.

Delante de Walter esperaba una anciana acostumbrada a los salones de té berlineses. Iba tocada con un turbante de fieltro arrugado y sujetaba su miserable vajilla con guantes de cabritilla deslucida. La reconoció por haberla visto en el *Conte Rosso,* entre los pasajeros de primera clase. Su compañero, con un abrigo de paño basto, se puso de puntillas para averiguar el contenido de un plato que pasaba y protestó:

—¡Otra vez esa sopa asquerosa! ¡Al menos podían variar el menú!

—¡Hacen lo que pueden, Gerhardt! —replicó harta la mujer—. ¡Deberías estar contento de que te la den!

—¡Eso sí! Si de ti dependiera para comer, estaría muerto de hambre.

Horst dirigió una sonrisa triste a Walter. Los pensamientos de ese delicado berlinés parecían estar agitándose de continuo bajo la frente despejada, que quedaba surcada de arrugas cada vez que se subía las gafas hacia las pobladas cejas. Extraordinariamente serio, nunca se reía y no sonreía sino de medio lado.

«¡Un auténtico berlinés!», pensó Walter. Se acordó de los chistes que, en Viena, protagonizaban los alemanes, considerados miserables, fríos, pusilánimes e incluso hipócritas. Por su parte, estos criticaban el esteticismo, la despreocupación y la ligereza de los austríacos con especial encono porque a menudo resultaban derrotados en el último momento tanto en los negocios como en las pistas deportivas.

¡Todavía faltaban casi tres metros de cola para llegar a las ollas! En varias ocasiones Walter tuvo que dominar la debilidad que le doblaba las piernas. El hambre, el cansancio. Y también las emociones. Se palpó la muñeca desnuda.

—Unos mendigos me han robado el reloj —murmuró.

—¿Era de valor? —se preocupó Horst.

Walter se quedó firme con las mandíbulas apretadas y la mirada fija en la olla:

—¡No!

Finalmente cada uno recibió un plato de sopa, tres rebanadas de pan casi transparentes y una manzana. Les costó dar con un par de asientos contiguos en un banco estrecho, delante de una mesa cubierta de manchas. El vecino de Walter, un hombre gordo con gafas de miope, examinaba un trozo de pan, acercándose uno y otro lado a la nariz.

—Ten cuidado con los gusanos —le advirtió Horst, mientras se aplicaba al mismo ejercicio.

Con la punta de los dedos cogió su presa y la arrojó al suelo. Walter hizo una mueca.

—He debido de tragarme alguno esta mañana.

—No te preocupes. Había espulgado tu pan… Esta sopa no es precisamente exquisita, ¿verdad?

Casi parecía que Horst se estuviera disculpando.

—Tiene el mérito de acabar con el hambre. ¿A quién hay que agradecérselo?

El berlinés esbozó una media sonrisa.

—A los judíos ricos de los que te acabo de hablar. Crearon comités de asistencia desde la llegada de los primeros refugiados. Dan de comer, procuran alojamiento, ofrecen empleo, ayudan a fundar pequeñas empresas, curan a los enfermos en dispensarios como en el que yo trabajo. Pero, según tengo entendido, sus cajas pronto estarán vacías.

Walter le escuchaba distraído, mientras se pasaba una y otra vez la mano derecha por la muñeca izquierda. Horst se dio cuenta.

—¿Quién te regaló el reloj?

—Mi padre, cuando vinieron las SS a detenerlo. Se lo llevaron a Dachau.

Y como Horst, mudo, lo miraba con compasión, Walter continuó, con el corazón henchido de una mezcla de tristeza y asco.

Desde la anexión,* Arthur Neumann había pronosticado que lo peor estaba por llegar, sin imaginar, no obstante, de qué estaba compuesto ese peor. Sus editoriales en el *Wiener Post* constituían una advertencia incansable contra la fiebre de los camisas pardas. Tal vez se imaginase la detención, pero humana, respetuosa con la vida de los hombres. Sin embargo, Arthur Neumann, diabético, había muerto en Dachau por no recibir sus inyecciones de insulina. Al enterarse, Walter escribió un artículo lleno de cólera y dolor que presentó al jefe de redacción del *Wiener Post*.

Cuando este lo leyó, su rostro se tornó escarlata de furor:

---

* 11 de marzo de 1938. Las tropas de Hitler invaden Austria y ocupan Viena.

«¿Se cree que está en Nueva York o en Jerusalén? ¿Por quién me ha tomado? ¿Por un loco o un imbécil? Tengo mejores cosas que hacer que publicar las elucubraciones difamatorias de un judío que se atreve a pisotear al Reich. ¡Ha arruinado su oportunidad, Walter! Debido a su talento le había mantenido en este puesto a pesar de las presiones de sus colegas. Y mire cómo me lo agradece. A partir de este momento no tiene nada que esperar ya de esta casa. ¡Adiós!», añadió señalando la puerta.

El dolor se apoderaba del cuerpo de Walter al recordar esos días. Centenares de sabios célebres, que habían honrado a la patria con su actividad científica, fueron abocados al suicidio o asesinados. Sorprendidos en la calle, rabinos y mujeres eran obligados a realizar tareas humillantes. Jueces, abogados y médicos, empleados, funcionarios y obreros perdían su derecho al trabajo. Sin posibilidad de ganarse el sustento estaban condenados al hambre. Las fábricas y las casas comerciales judías eran cerradas o saqueadas. Miles de hebreos eran detenidos, expulsados de sus casas, despojados de sus bienes. Walter había sufrido tanto por estos actos como por la imposibilidad de informar de ellos a sus lectores.

Luego ocurrió lo que tenía que suceder cuando se juega con fuego. Fue detenido —¿denunciado?— dos días más tarde. En septiembre, Walter había ido a parar al mismo campo de concentración que su padre.

—Y pudiste salir el día siguiente a la Noche de los Cristales Rotos —concluyó Horst con suavidad.

Walter asintió con la cabeza y se pasó la mano por sus largos mechones rubios.

—Noche de los Cristales Rotos —se rió sarcástico—. ¡Un nombre tan poético, tan mágico para designar una noche de saqueo y matanza! ¡Doscientas sinagogas incendiadas, siete mil quinientos comercios destruidos, miles de judíos humillados, golpeados, encarcelados! ¡Y a eso lo llaman la Noche de los Cristales Rotos! Me dan ganas de vomitar.

Apartó su plato lo justo para tener un poco de espacio. El

banco se tambaleó como cada vez que alguien se sentaba o se levantaba. El llanto de los niños dominaba la algarabía.

—¿Cómo es que no te cortaron el pelo? —preguntó Horst—. Creía que afeitaban a todos los presos nada más llegar. Un pasajero del *Conte Biancamano* me dijo que en el barco se reconocía a los que salían de Dachau por su cabeza rapada.

Walter bajó los párpados y suspiró. Odiaba evocar esos recuerdos. Lo hizo por Horst, a quien no quería llevar la contraria.

—De chiripa. Cuando llegué, un SS apasionado de la música se fijó en mí. Me estuvo mirando con insistencia y luego me preguntó si tocaba el piano. Su pianista acababa de contraer el tifus. Ordenó al peluquero que me hiciera un corte normal. Iba a su casa todas las noches, me ponía un traje negro y tocaba durante tanto tiempo como a él le apeteciese. La primera vez me dio una lista con sus piezas preferidas y nunca me volvió a dirigir la palabra. Yo era un mueble. Me utilizaba de fonógrafo. Pero no tocaba lo suficientemente bien para él y me cambió por un pianista profesional. ¡Tuve una suerte tremenda! Si no, seguiría allí.

—Hay más gente recién llegada —dijo Horst con precaución— que fue liberada de Buchenwald por la misma razón que tú. Allí los nazis también querían hacer hueco para los miles de personas detenidas durante la Noche de los Cristales Rotos. ¿Te gustaría conocerlos?

Esta vez Walter estalló.

—¡No quiero saber siquiera que existen! No quiero saber nada más de ese pasado. Lo he vivido y con eso es ya suficiente. No tengo ningunas ganas de volver a vivirlo, ni siquiera con el pensamiento.

—Discúlpame, no quería que te disgustaras. Todo lo contrario.

—Ya lo sé. No te preocupes.

—Ven —dijo Horst levantándose—, aquí hay mucho ruido. Vamos a comprar chocolate en el mostrador.

—Ya no tengo hambre —mintió Walter.

—Te invito.

A Walter no le costó decidirse.

—La próxima vez me toca a mí —advirtió—. Eres muy amable, Horst.

El chocolate lo reanimó. Experimentaba un extraño sentimiento de bienestar, como si el robo del reloj le hubiese estimulado. «Al menos —pensó con cierta alegría—, ya no me tendrá atado al pasado.» A partir de ese momento sus bienes se limitaban a la ropa que llevaba puesta y a algunos objetos: una cámara fotográfica, una pluma y algunas partituras de música. A los diez marcos* que les estaba permitido llevar a los refugiados, se había añadido la calderilla que había ganado en el *Conte Rosso*. En total el equivalente a diez dólares de Estados Unidos, algo más de sesenta dólares de Shangai. En resumidas cuentas, una miseria que le concedía la total libertad de demostrarse su propio valor.

En la calle, caminando a paso ligero con las manos en los bolsillos, tenía la mirada de un gato que escruta las ramas de los árboles.

—¿Has conocido por casualidad a un chico que se llama Thomas Schoenberg? —preguntó—. Un austríaco.

Horst sacudió la cabeza.

—¿Quién es?

—Un antiguo compañero. Un chico con recursos. Hace un rato he visto a sus padres. También él debe de estar en Shangai. Estoy convencido de que él me podría echar una mano… Tengo que encontrar pronto otro sitio para dormir. Me doy cuenta de que los molesto en la habitación.

—Si no molestas a esos, vas a molestar a otros. Todos los dormitorios colectivos están llenos a reventar. Ha habido que poner colchones en la plataforma de la sinagoga. Por el momento no tienes recursos para alquilar una habitación. En el distrito de Hongkew lo más barato que se puede encontrar es

---

* Diez marcos de la época del Tercer Reich equivalen a unos setenta y cinco euros.

una ratonera sin agua corriente por diez dólares al mes y te piden cincuenta por una habitación con un simple lavabo. Si fuera tan fácil, yo ya lo habría hecho.

Walter encajó sus palabras sin replicar, con sus grandes ojos azules reducidos a una ranura.

Horst le repitió entonces lo mismo que ya había aconsejado a todos los pasajeros del *Conte Rosso*: que se presentara lo antes posible al Comité Internacional de Refugiados Europeos. Le extrañaba mucho que Walter no se hubiera apresurado a ir allí a primera hora de la mañana en lugar de quedarse durmiendo. Un chico inteligente como él y que, además, hablaba inglés, seguro que encontraba trabajo. El salario sería mínimo, unos veinte dólares, pero Walter se sentiría útil, estaría ocupado y, al menos, dejaría de tener la horrible impresión de vivir de la beneficencia.

—No me has entendido, Horst. Necesito el dinero enseguida. Mucho dinero. No me voy a quedar aquí, en esta ciudad infecta, criando moho. En cuanto pueda, me largaré a Nueva York y me dedicaré a mi carrera de periodista. No puedo perder el tiempo en obras de caridad. ¿Has visto el aspecto que tiene la gente que está en la cola de Beth Aharon? Están hechos unos zorros, parecen larvas, perros sarnosos. ¡No, gracias, es demasiado poco para mí! Quiero vivir o reventar, pero no vegetar.

Horst se ajustó las gafas. Su rostro se había endurecido.

—Cálmate, Walter, estás exagerando. Todo lo que se te pide es que actúes con un poco de orden y disciplina.

—¡Ya vale! —gritó Walter parado en la acera, gesticulando con los ojos desorbitados—. ¡Estoy harto del orden y la disciplina! ¡Si vinieses de Dachau, como yo, sabrías de qué sirven el orden y la disciplina!

Dos chinos que se habían aproximado, examinaban de cerca a Walter, uno muerto de risa, el otro con estupor.

—Discúlpame —farfulló Horst con un gesto tranquilizador—. Eres joven, estás desorientado. Quería darte un buen consejo. Ven, vamos dentro de nuevo.

Unos metros más allá le preguntó:

—¿Cómo has venido aquí?

—El día siguiente a la Noche de los Cristales Rotos, mi madre recibió una carta de la Gestapo en la que se le informaba de que me soltarían si ella prometía que yo abandonaría inmediatamente el Reich. Yo apenas me daba cuenta de la situación. No comprendía que el mundo entero me estaba vedado. Nada más regresar, exploté. Me negaba a venir a China. Quiero ser periodista, ¿me entiendes? Se lo debo a la memoria de mi padre. ¿Cómo voy a ser periodista en China? A mi juicio, era mejor ir a Hamburgo e intentar conseguir un visado para Estados Unidos. Pero mi madre me explicó que yo tenía que abandonar inmediatamente el Reich o sería encarcelado de nuevo, y que Shangai era el único lugar en el mundo en el que se podía entrar sin visado.

Se caló el sombrero. ¡Con qué placer se habría fumado un cigarrillo! El deseo se apoderaba de él a oleadas.

—Es cierto —confirmó Horst con tono seco—. El único lugar en el mundo. Sin visado e, incluso, sin papel alguno. ¿Sabes que los japoneses son los verdaderos dueños de la ciudad?

Walter asintió. Se acordaba perfectamente de que en noviembre de 1937 el *Wiener Post* había titulado un artículo a tres columnas «Ocupación de Shangai por los japoneses». El autor del artículo explicaba que, con todo, los nipones tenían que respetar la neutralidad de la Concesión Francesa así como la Concesión Internacional, barrios que albergaban a cierto número de refugiados chinos. «Es extraña la manera en que funciona la memoria —pensó Walter, sorprendido de recordar los detalles de un artículo que había leído hacía más de un año—: "Una gran parte de la ciudad está en ruinas. Hay calles enteras en el distrito de Hongkew que no son más que escombros y las callejuelas están llenas de cadáveres".»

—Aquí los aduaneros se limitan a ver pasar a los judíos que son expulsados de cualquier otra parte del mundo —prosiguió Horst con amargura.

—¿De qué nos vale semejante generosidad por parte de los japoneses? ¿Tienen ellos algún interés en el asunto?

—Ninguno. Sencillamente se han visto sobrepasados por los acontecimientos. Cuando tomaron la ciudad, cerraron la oficina china de pasaportes y no han sabido sustituirla con ningún otro organismo.

—En definitiva, es el caos —resumió Walter—. ¿Y estás contento de estar aquí?

—Estoy contento de haber dejado Alemania, eso es todo. Por lo demás… Me habría gustado ir a Brasil, a casa de una hermana de mi padre, pero ni siquiera Brasil ha querido saber nada de mí. Mi título de médico no les ha parecido una garantía suficiente… ¿Tu madre piensa quedarse en Viena?

Walter suspiró e intentó resumir la dolorosa conversación que mantuvieron durante su breve regreso a casa.

—Nuestra intención es reunirnos aquí dentro de uno o dos meses, junto con mis abuelos. Ella se negaba a dejarlos solos. Yo hubiese preferido marcharnos los cuatro juntos, pero la idea de ir a China los aterraba. Es comprensible: tan de repente, tan lejos, en un país cuyas costumbres son tan extrañas; entre gentes que se expresan en una lengua desconocida, tan ajena; y además, a Shangai, ciudad que ellos consideran la capital mundial del vicio y del crimen. A su edad no es fácil cambiar de casa de un día para otro, abandonar su pequeño mundo de toda una vida… Será más fácil cuando les haya enviado noticias tranquilizadoras. Lo mejor sería que yo pudiera partir cuanto antes para Nueva York y encontrarnos todos allí.

—Te voy a dar una hoja de papel de carta y un sobre —prometió Horst—. Y pegamento. Hay tanta humedad aquí que el papel se deforma y la goma no agarra.

El olor acre y fétido de los cuerpos mal aseados, un olor a macho cabrío, asaltó a Walter cuando entraron en el dormitorio. Sus compañeros de noche estaban ya durmiendo. Uno de ellos roncaba con un ruido de locomotora jadeante. Los dos jóvenes se acostaron en silencio. A Horst le costó dormirse, atormentado por el sentimiento de haber herido a Walter con palabras torpes. Encontraba conmovedor al vienés por su entereza, su pudor, la mirada aguda con que contemplaba el mundo, la salvaje determinación que habitaba en él. Walter, sin embargo, ya se había olvidado de la discusión.

Una voz quejumbrosa le despertó por la mañana al día siguiente.

—¡Antes uno ya no sabía dónde dejar sus cosas, pero ahora es el colmo! Ni siquiera se puede pasar entre las camas.

Walter miró de arriba abajo al tipo, rechoncho y rubicundo, vestido con unos calzoncillos largos y una camiseta demasiado ancha. Los pliegues del cuello le colgaban como la papada de una vaca, tristes recuerdos de un pasado próspero.

—¡Cálmese, pronto dejaré el piso! Estará de nuevo a sus anchas.

Se vistió rápidamente e iba a salir con un portazo cuando Horst regresó del servicio. El médico le obligo a beberse un té y le dio el trozo de pan que cada tarde cogía en el dispensario donde trabajaba. Le propuso a Walter llevarlo, sentado en la barra de su bicicleta, a la sede del International Committee.

Montaron. El sol se resistía a salir, pero los culis, ya fuera tirando de un rickshaw o empujando una carretilla, corrían ya, la mayoría en sandalias y ropa fina de algodón a pesar del frío húmedo. Un chino harapiento, junto a un carro que se hundía bajo un cargamento informe, cogió del suelo un pequeño fardo y lo arrojó sobre el montón.

—Un bebé —dijo Horst, mientras pedaleaba con energía—. Ese hombre se gana la vida recogiendo cadáveres cada mañana. Los chinos mueren de hambre y de enfermedad. Desde siempre la hambruna hace estragos en China y parece que ha empeorado desde la ocupación japonesa… He oído decir que se han incinerado treinta y tres mil setecientos cadáveres recogidos en seis meses en las calles. ¡Treinta y tres mil setecientos! —recalcó con desesperación.

Empezó a resoplar con la respiración cada vez más agitada.

La pasividad exasperaba a Walter. Le habría gustado salvar a los bebés de Shangai, alquilar un apartamento en el que alojar como a reyes a sus compañeros de noche, sobre todo al rechoncho en calzoncillos, y ofrecer un taxi a Horst.

—Déjame pedalear a mí —le ordenó con firmeza—. Peso más que tú.

—No importa…

—¡Déjame, te estoy diciendo!

Con peligro para los dos, Walter saltó.

—¡Estás loco! —gritó Horst—. ¡Podríamos haber chocado con un rickshaw o haber sido atropellados por un coche!

—¿Vienes, sí o no? —preguntó Walter que entretanto le había quitado la bicicleta de las manos.

—La primera calle a la derecha —dijo Horst enojado, subiéndose a la barra—. Y no olvides que aquí se circula por la izquierda. ¡No te fíes de tus reflejos!

—¡Me tomas por un auténtico zote!

Horst no pesaba mucho más que una chica, pero se encogía hacia el manillar. Las chicas, por el contrario, pensó Walter, se abandonaban junto a su pecho. Sintió el fresco perfume del cabello de Anna, el día en que toda la pandilla fue a bailar a un merendero de Grinzig. Solo tres semanas lo separaban de la ruptura con Magdalena, la hermana de Anna, demasiado caprichosa, y Walter aguardaba con impaciencia y discreción que pasara algo de tiempo. Sabía que también Anna aguardaba.

¿Qué habría sido de Anna en todo ese tiempo?

Un hombre alto y enjuto, de frente despejada y con los ojos muy juntos por encima de una gran nariz, recibía a los refugiados en el International Committee. En un despacho, cuya puerta permanecía abierta, rellenaba con cuidado una ficha por solicitud. Su nombre, Joseph Kramer, se leía en un letrero colocado frente a la silla en que recibía a los visitantes. Walter esperaba impaciente. La fila detrás de él se alargaba a medida que transcurría el tiempo.

Cuando le llegó su turno, Walter manifestó su intención de

trabajar duro. Le vendría bien cualquier cosa que le permitiera alquilar en poco tiempo una habitación individual. Ascensorista, camarero, botones, cualquier cosa.

—Mire usted, joven —dijo el señor Kramer con voz empalagosa—, nosotros tenemos que mantener cierta categoría. Los europeos no pueden dedicarse a los trabajos manuales. Dejémoslos para los chinos. Por otra parte, puede jugar otras bazas. Habla inglés, puede redactar…

—También sé algo de francés y leo el latín y el griego.

—¡Estupendo! Está de suerte, joven. Le puedo ofrecer el cargo de secretario de las reuniones del Comité. Sin duda, un periodista será capaz de redactar con esmero las actas de las reuniones, con frecuencia tumultuosas, en las que se enfrentan los representantes de las comunidades judías. Además, una buena presencia es indispensable. En cuanto tenga un traje decente, de color oscuro, estará listo para el empleo. En cuanto a la habitación individual, lo hablaremos más adelante. Mientras tanto, recibirá alojamiento y comida en un *Heim*. Con los veinte dólares al mes se podrá permitir algunos gastos.

Walter suponía que se aburriría con ese trabajo y que, tarde o temprano, se le haría insoportable, pero el exiguo beneficio le ayudaría a despegar. Tras un momento de duda, iba a aceptar cuando alguien soltó desde la puerta:

—¡A mí me iría muy bien!

Walter se volvió y vio al que le seguía en la fila, un tipo con cara de hurón, paticorto e inquieto.

—Por favor, quédeselo —dijo Walter con una inclinación—. ¡Seguro que ese trabajo le va como anillo al dedo! Sin complicaciones, relajado. ¡Una bicoca! ¡Aprovéchelo!

Saludó a un desconcertado Joseph Kramer y se marchó silbando la *Fantasía húngara*.

4

Dominado por la rabia, Walter avanzaba en línea recta sin alzar la cabeza. De pronto una enorme casa china le llamó la atención. Dos leones esmaltados custodiaban la entrada. La casa, de poca altura, se extendía entre dos residencias occidentales de cuatro plantas cuyos tejados de tejas rojas surgían de unos elevados muros. Aquí se podía respirar. Por supuesto la avenida estaba repleta como todas las partes de coches, carretas, carretillas, rickshaws, bicicletas y de una multitud hormigueante, y era muy ancha. Dos filas de árboles la bordeaban. ¿Plátanos? ¡Sí, sin duda! Algunos frutos redondos, peludos, colgaban todavía de las ramas desnudas.

AVENUE JOFFRE, leyó Walter en un cartel. Estaba atravesando el barrio francés. En efecto, el agente de policía en su garita lucía un quepis, mientras que los japoneses con su gorra de plato o los sijs cubiertos con turbantes y vestidos con el uniforme británico vigilaban las calles que se extendían hasta allí. Sin embargo, las dos mujeres occidentales que discutían en la acera, hermosas, vivaces y presumidas, hablaban en una lengua cantarina, muy alejada de los agudos sonidos del francés.

—*Zamechatelno!* —profirió una de pronto con los ojos brillantes, aunque sin poner fin a la marea de palabras de su compañera—. *Zamechatelno!*

¡Era ruso! «¡Maravilloso!… ¡Maravilloso!», exclamaba esa bella mujer. Walter se repitió la palabra por placer. Le gustaba el

35

brío, la alegría, la fantasía de los rusos. Unos pasos más lejos, en el escaparate de una tienda de comestibles vio unos letreros en ruso y chino mezclados. Intrigado, se detuvo. El tendero, escuchimizado y de un amarillo peculiar, abrió la puerta con numerosas reverencias para atraerlo hacia su colmado. Su perilla cepillaba el cuello de su traje enguatado, lleno de brillos por la mugre y el desgaste. De la tienda emanaba un fuerte olor a *Bortsch* acentuado por una mezcla de especias desconocidas. El chino, al que la nariz le goteaba como un grifo, se secaba los mocos en la manga. Walter eludió la invitación con una sonrisa y se marchó.

Miles de rusos, ya lo sabía, habían encontrado refugio en China tras la revolución bolchevique de 1917. Aquí debía de anidar su colonia. Otros indicios se lo confirmaron. Por ejemplo, un aviso redactado en ruso y colocado a la vista en el escaparate con cintas, puntillas y perifollos que exponía el almacén À la mode de Paris. Desde lejos, Walter vio acercarse a una joven rubia de ojos soñadores, envuelta en un amplio abrigo de cuadros rojos que flotaba a su alrededor. ¡También ella era rusa, sin duda! Se cruzó con su mirada y, feliz por lo que había visto en ella, se prometió regresar al barrio.

Mientras tanto, el olor del *Bortsch* había despertado a su vieja enemiga, el hambre. Lo acometía de manera silenciosa. Por la mañana, Horst, al despedirse de Walter, le había indicado que durante la entrevista los encargados del International Committee le informarían de dónde podría comer gratis. También eso le había salido mal a Walter. ¡Bah!, ya se las arreglaría. No se lamentaba de nada. «*Fè!*», resopló acordándose de Joseph Kramer, con su nariz como el pico de una cafetera, sus montones de fichas bien ordenados, sus tres lápices ya afilados y sus prejuicios arraigados.

Nada le parecía más conveniente para expresar su repugnancia que esta interjección yídish, aprendida de la cocinera que durante más de veinte años se había ocupado de los fogones de los Neumann. La buena de Rebecca la utilizaba frunciendo el ceño y dejando a la vista sus dientes, cuando se daba cuenta de que la leche se había cortado, la nata se había estropeado o cuando Arthur Neumann llevaba a casa embutidos, que a él le encantaban y que iba a comprar en persona aunque de mal humor. Odiaba aventurarse en las tiendas de comestibles, pero no quería imponer a la cocinera acudir a una carnicería en la que ostentosamente se mostraban cochinillos enteros y otros animales impuros, lo que se oponía a sus convicciones religiosas.

¡Qué lejos quedaba todo eso! ¡Pertenecía a otro planeta! Walter respiró profundamente para expulsar la opresión que se apoderaba de él. Entonces un perfume de la infancia lo fue invadiendo. ¿Estaba soñando? Aspiró el aire con frenesí y descubrió que el maravilloso olor a canela emanaba de un tragaluz por el que surgía un ligero vapor. Allí, en la esquina de la avenue Joffre, había un establecimiento cuyo rótulo era todo un anticipo: WIENER CAFÉ.

El corazón de Walter empezó a latir con furia. De dos saltos se plantó delante de la cristalera de un pequeño café-restaurante austríaco y creyó estar viendo el paraíso. ¡Delante de él había *Apfelstrudel*, cruasanes rellenos, brazo de gitano, *Linzer Torte*, *Sachertorte*! La carta anunciaba sus platos preferidos. Pegó la nariz a la luna y con las manos vacías se alimentó del espectáculo que se le ofrecía.

Cuando vio pasar a un camarero que llevaba un plato con dos deliciosas *Würstchen*, pan y mostaza, pensó que iba a desfallecer. Al mismo tiempo que se incitaba a proseguir su camino, pues el banquete causaría un grave perjuicio a su bolsillo, Walter se veía sentado a la mesa ante las humeantes salchichas. De repente no pudo resistirse más. ¡Después de todo, era tan pobre, estaba tan necesitado que no habría diferencia!

Entró. Le asaltaron los efluvios del café. «El olor del paraíso», pensó. Vio un velador libre y se sentó. Poco a poco, gracias al agradable calor se le relajaron los músculos helados. Cuando se quitó el abrigo, percibió la mirada de desprecio que sus ropas arrugadas y sin brillo inspiraban a una pareja de necios, unos recién casados con sus anillos todavía brillantes, que se pavoneaban con sus trajes nuevos.

El camarero que le tomó nota era un occidental con acento berlinés, un hombre enclenque con cara de pollo. Lo sacudía una tos de perro. Mientras la bandeja estaba llena, lograba reprimirse, pero, tan pronto como había depositado la última taza o plato, dejaba estallar la tos y se marchaba temblando.

—¡Esa tos no suena nada bien! —se compadeció Walter cuando el pobre diablo le sirvió finalmente—. Sé bien lo que es. Es como tragarse una antorcha encendida. Y además se queda uno desmadejado.

—Llevo así tres semanas. ¡Va a acabar conmigo! ¡Nunca había visto semejante porquería de clima! ¡No merecía la pena atravesar los mares para venir a morir aquí!

El camarero se dio la vuelta dominado por un nuevo ataque de tos y dejó a Walter cara a cara con sus *Würstchen*. ¡El sabor de las salchichas! Aunque por lo general Walter engullía la comida con avidez, esta vez se preocupó de cortar porciones lo suficientemente grandes como para que el gusto le llenase la boca, pero no demasiado para no dilapidar su capital en dos bocados. Encantado, no levantó la cabeza hasta haber rebañado el plato con la última miga de pan.

El reloj de péndulo marcaba un poco más de las doce. La sala se había llenado. El dueño, un hombre alto y desabrido de ojos saltones, había apartado el piano para añadir algunas sillas alrededor de una animada mesa en la que se hablaba ruso. Un inglés, con cojera, monóculo y bastón con empuñadura de plata, se sentó a una mesa reservada. Un chino vestido a la europea devoraba su periódico, descifrando las líneas verticales, si bien su rostro parecía animado por una perpetua conformidad.

La ira, ya olvidada, se apoderó de Walter. «¡Y pensar que soy incapaz de leer ese maldito periódico chino!», pensó. ¿Cuándo podría desempeñar de nuevo su oficio? Se le ocurrió una única solución: «Ganar un buen montón de dinero y sacar enseguida un billete para Estados Unidos». El chino cambió su periódico por otro en inglés. Walter se dio cuenta entonces de que los clientes estaban leyendo publicaciones en diferentes lenguas europeas, pero esta apreciación no modificó en nada su deseo de irse a América. Su compañero Thomas Schoenberg podría ayudarlo, de eso estaba seguro, pero ¿cómo encontrarlo en una ciudad de más de cuatro millones de habitantes? Después de todo, ¡tal vez Thomas frecuentase ese café!

—¡Camarero! ¡Camarero!

—¿Qué desea?

—¿Conoce usted a Thomas Schoenberg, un austríaco?

—No, no lo conozco. ¡Hay tantísimos austríacos! Llegan barcos enteros cargados de austríacos.

La observación, fría y un poco grosera, atizó la cólera de Walter. Bramaba en su interior como una tempestad en medio del mar, cuando entraron una abuela, su hija y su nieta, buscando en vano una mesa libre. Por la mirada del propietario fija sobre él, Walter comprendió que no podía seguir ocupando el sitio sin consumir nada más. Harto, llamó al camarero para pedir la cuenta, pero se oyó decir:

—¡Una *Sachertorte* y un café, por favor!

Se rió para sus adentros, feliz por no haberse dejado acobardar, saboreando de antemano el momento en el que hundiría sus dientes en el pastel denso y suave.

Sin embargo, solo el primer bocado le proporcionó el deleite esperado. La amargura le estropeó el resto. Walter recordaba cómo había ganado su dinero, céntimo a céntimo, en el *Conte Rosso*. Durante la escala en Port-Said habían subido a bordo miembros de la comunidad judía con refrescos, dulces, cigarrillos, algo de dinero y ropa. Walter no tocó nada de lo que había recibido. Una semana más tarde, acechando la ocasión, vendió todo a los miembros de la tripulación y a algunos pasajeros con recursos o afortunados. Algunos, según se decía, habían logrado sacar oro y diamantes. Otros utilizaban sus habilidades: un joven peluquero se había hecho con un pequeño capital cortando el pelo a los marineros. A Walter las manos le eran útiles para tocar el piano, pero con ellas no había conseguido ningún ingreso. El capitán no le permitía tocar más que para sí mismo y su salud mental, pues la música calmaba la rabia que vibraba en él como un motor.

Y esa rabia volvía a apoderarse de él debido a la idea de gastar en ese establecimiento por una comida ya consumida el fruto de tantos cálculos, artimañas y privaciones. Con todos sus sentidos alerta, intentó empaparse del ambiente del Wiener Café. El dueño se había sentado en frente de un hombre de espalda ancha que fumaba cigarrillos turcos. Desde allí, haciendo girar de continuo sus ojos como canicas, registraba el más mínimo movimiento en la sala.

Una mujer de rostro afable, a todas luces la esposa del dueño, se paseaba entre las mesas informándose sobre los platos de unos y el bienestar de otros. Con un paso ligeramente renqueante, llevó los pedidos a la cocina y regresó al comedor retocándose con una mano el moño bajo de color caoba. Sus hermosos ojos zarcos se detuvieron en el camarero sacudido por una tos que partía el corazón. Un cliente reclamaba la cuenta con impaciencia.

—Déjalo —dijo—. Yo me encargo de la caja.

El camarero se soltó el cinturón de cuero donde en un amplio bolsillo guardaba un voluminoso monedero y se lo tendió. Ella se lo ajustó a la cintura.

Las mejillas de Walter ardían por la decisión que había tomado y el corazón le palpitaba cuando ella se acercó. Se inclinó con gesto amable.

—¿Todo bien? ¿Estaba rico?

—Sí, delicioso.

Con la mano, Walter se echó hacia atrás unos mechones que le cubrían la frente.

—¿Desea alguna otra cosa?

Walter dudaba, pestañeó. El sudor le corría por las sienes. Finalmente clavó su mirada en la de ella y articuló:

—No puedo pagar.

—¿Y le parece normal?

Ella se había enderezado. Con los ojos llenos de cólera y los brazos en jarras lo miraba de arriba abajo.

—Lo siento —dijo Walter—, lo siento muchísimo, pero así es.

La angustia le oprimía el estómago. Sin embargo un extraño sentimiento le exigía que aguantase.

—¡Franz! —llamó la mujer—. ¡Ven a ver!

Walter se levantó, dispuesto para cualquier eventualidad, mientras agarraba su abrigo colocado sobre el respaldo de la silla. El dueño se acercó con el ceño fruncido.

—¿Qué ocurre?

Casi había hablado en voz baja, visiblemente preocupado por evitar que el ruido de un altercado llegara a los oídos de la clientela.

—No puedo pagar —repitió Walter—. Lo único que quiero es trabajar. Haré todo lo que me pidan.

—¿Y tú crees que eso es así de sencillo? ¡No, de ninguna manera! ¡La policía, sí, voy a llamar a la policía! ¡Eso es lo mejor que se puede hacer con tipos como tú. —Escupía de ira al hablar—. Así tendrás comida gratis, pues eso es lo que te preocupa. ¡Esto no es un *Heim*, esto es un restaurante! ¡La próxima vez notarás la diferencia!

El dueño se dirigía ya al teléfono, cuando Walter lo agarró del brazo.

—¡Por favor! Llegué ayer mismo a Shangai. Vengo de un campo de concentración, Dachau, ¿lo conoce? ¡Deme una oportunidad! De buena gana haré todo lo que me pida, ir por carbón, lo que sea, para compensarle. Y prometo devolverle el dinero en cuanto trabaje.

Un acceso de tos cavernosa se alzó por encima de la algarabía.

—¡Dale una oportunidad, Franz! —dijo entonces la mujer con voz tranquila—. Puede sustituir a Fengyong en el fregadero y Fengyong echará una mano en el comedor. Kurt tiene una tos que parte el corazón. No va a aguantar.

Walter y Fengyong se cruzaron en la cocina atestada, delante de los barreños de agua grasienta. El chico de tez pálida y muñecas finas, tan delgado que habría podido pasar por una chica, se desató el delantal y se lo tendió estirando el brazo como se pasa una antorcha.

5

Ni siquiera un músculo del rostro de Chen* Fengyong se había estremecido cuando oyó a la *Missee* indicarle en pidgin que se secase las manos para ayudar en el comedor; sin embargo, en sus venas se destilaba una alegría salvaje.

Estaba viviendo el momento durante tanto tiempo esperado.

A los doce años Fengyong había empezado como vendedor de agua caliente en el mercado. Por lo general, el dueño del establecimiento solo confiaba a los niños el agua fría, menos valiosa. Pero, al advertir la destreza de Fengyong, enseguida colgó del balancín del chico dos cubos de madera llenos de agua caliente bien cerrados. Fengyong corría con los pies desnudos y rellenaba los termos de los vendedores del mercado. Vendedores de cangrejos, de anguilas plateadas, de piñas o de caña de azúcar, de salsas, de leche de soja, de huevos de mil años, de sandías, de erizos de mar o de patos ahumados colgados de sus largos cuellos.

Por la tarde regresaba con algunas monedas de cobre, orgulloso de ganarse su cuenco de arroz, feliz de no depender de Feng-si, su hermana mayor, que desde el accidente del viejo Chen, el padre, vendía su cuerpo a los diablos extranjeros. Su madre estaba exhausta. Los otros seis hermanos y hermanas pe-

---

* En China el apellido va en primer lugar.

queños no sabían más que abrir el pico y reclamar como pajarillos. El menor todavía no sabía andar y dormía en su nido de telas viejas enguatadas.

Desde entonces, el padre, tendido sobre su estera durante el día entero en un rincón de la casa, cuyo suelo era de tierra apisonada, repasaba sus recuerdos en silencio: cuando él era el culi más rápido de Shangai; cuando los señores extranjeros se disputaban su rickshaw; cuando el empresario que lo contrataba, contento con sus ganancias, le había asignado el vehículo más moderno, con un bonito toldo a rayas. Pero un día, en plena carrera, se había desplomado sin conocimiento y sus piernas, desde entonces, no lo soportaban.

Feng-si, con rostro de princesa y manos de marfil, tenía entonces quince años. El precio de su virginidad pagó las medicinas del padre. La alegría abandonó sus ojos tan dulces como pétalos de pensamiento. Cuando los hermanos pequeños se pusieron a llorar de hambre en medio de la noche, Feng-si cogió el camino de la calle. Fengyong, que quería estudiar y que había aprendido a caligrafiar, se convirtió en aguador. Por la noche se dejaba caer durante unas horas sobre su estera.

Así habían transcurrido dos años. El padre inmóvil fumaba sin tregua. La madre, cada día con el rostro más arrugado, se hundía. Los músculos de Fengyong sobresalían bajo la piel. Colgados sobre una caña de bambú, los vestidos de seda de Feng-si brillaban con crueles reflejos tornasolados.

Un día Fengyong se fue del mercado un poco antes de lo habitual. Era un día muy frío del año anterior. Había vendido mucho. No podía más. Con las manos azules, regresó a casa para beber, él también, un poco de agua caliente y sorprendentemente encontró a Feng-si sirviendo el té. El asombro de Fengyong aumentó cuando descubrió que la visitante era una extranjera.

Era la primera vez que veía a una tan de cerca. Le pareció horrorosa, con sus cabellos rojos, la nariz grande, los ojos de pálida porcelana y la piel más clara que el arroz. La consideró maleducada: había cometido la grosería de mirar la basura amontonada bajo la mesa.

Un día extraño, sin duda. Fengyong se enteró de que por la mañana su madre había sufrido un cólico tan violento que la dejaba paralizada. Como el dolor no se le pasaba, había enviado al mayor de los pequeños a buscar un rickshaw para que la llevase al hospital. Feng-si ignoraba esto cuando, llena de agradecimiento, había convidado a la *Missee* a hacerle el inestimable honor de ir a su miserable vivienda a apaciguar la sed.

Fengyong solo averiguaría más tarde cuál era el vínculo entre Feng-si y la señora Bauer. En su desgracia, Feng-si había disfrutado de una suerte extraordinaria, realmente poco común. Su «madre adoptiva», la vieja y rica prostituta retirada que la había comprado y negociaba con sus encantos, había ido traspasando poco a poco sus otras fuentes de ingresos para quedarse solo con Feng-si, desde entonces su medio de subsistencia además de su dama de compañía. Cuando, tras la apertura del Wiener Café no lejos de su casa, descubrió los dulces vieneses y la nata montada, adoptó la costumbre, verdaderamente muy extraña, de satisfacer allí su glotonería a la vez que exponía los encantos de la joven china, tan fina como un junco y tan resplandeciente como un nenúfar.

Un día, en el tranvía, Klara Bauer se había sentado por casualidad enfrente de Feng-si, por una vez sin su «madre», y se había dirigido a ella. Molesta, la china había apartado sus ojos tristes, pero, como Klara insistía, le había contestado en pidgin:

—No debes hablarme, *Missee*. No soy una buena chica.

Una sonrisa burlona alteró el rostro de los chinos cercanos.

—Ya lo sé, Feng-si. Con todo, querría hablar contigo.

—No aquí, *Missee*.

Tras un momento de duda, había invitado a Klara a tomar el té en el miserable alojamiento familiar. La austríaca había aceptado, intrigada por ver qué tipo de gente era la que había vendido a su hija. Por el camino Feng-si le contó el accidente del culi.

45

Se detuvieron en una callejuela próxima al puerto, delante de una casucha, y Feng-si entró sola para advertir a sus padres. El padre, desde su jergón, le informó de la enfermedad de la madre, que todavía no había regresado del hospital, y Feng-si creyó que iba a morirse de vergüenza al ver los cacharros sucios amontonados en los barreños y los pequeños sumidos en sus propios excrementos.

Rápidamente lavó a los niños y envió al mayor a comprar agua caliente. Barrió, ocultó el polvo y los desperdicios debajo de la mesa y convidó a la *Missee* a entrar. Apenas acababa de servir el té, claro y humeante, cuando apareció Fengyong, azul por el frío, con la intención de que su cuerpo dolorido entrase en calor.

—¡Los cacharros! —suplicó Feng-si.

Fengyong se deslizó junto a los barreños, rápido, eficaz y silencioso, tan ágil como un gato. Mientras fregaba cuencos y sartenes, sentía sobre su espalda el peso de la mirada de la extranjera. Ignoraba que con esos gestos mil veces realizados en su breve vida se estaba jugando su destino.

La buena noticia llegó al día siguiente. Feng-si le anunció que el señor Bauer, el dueño del Wiener Café, deseaba contratarlo para sustituir a su lavaplatos, un adicto al opio que escupía sangre y al que el señor Bauer temía ver de nuevo desplomado al pie del fregadero.

Fengyong se figuraba cuál sería el destino del pobre hombre y se juró que nunca sucumbiría a la droga. Rápidamente fue aceptado en la cocina y asimiló en poco tiempo el pidgin, pues, al parecer, los extranjeros eran incapaces de aprender el chino.

Cuando iba a colocar la vajilla, Fengyong aprovechaba para echar una mirada al comedor del restaurante. La primera vez que vio a chinos vestidos a la europea, que fumaban cigarrillos y conversaban de forma animada con los extranjeros, se prometió que se convertiría en uno de ellos cuanto antes. Tenía claro que, para eso, en primer lugar tenía que aprender inglés y alemán, y tal vez también ruso y francés. Además sentía gran envidia de Kurt, el camarero berlinés, que, a la vez que trabajaba, podía conversar con los clientes.

El momento durante tanto tiempo esperado por fin se estaba produciendo.

Tan pronto como tuvo las manos secas, Fengyong se desató rápidamente el delantal, cogió la chaqueta blanca con la que disimularía sus andrajos y se la puso como si se tratase de una vestidura sacerdotal. Le estaba demasiado grande. Con cuidado se dobló el puño de las mangas.

6

El picaporte emitió una sucesión de chirridos. Horst, que no estaba dormido, encendió su linterna y se puso las gafas. Walter, con los zapatos en la mano, andaba de puntillas.

—¡Ah, por fin has llegado! —resopló el médico—. Estaba empezando a preocuparme de verdad.

—¡Aquí tienes, en compensación! —respondió Walter, depositando sobre la cama de Horst una bolsa de papel llena—. ¡Auténticas galletas vienesas!

—¿De dónde las has sacado?

—¡Silencio! —gritó alguien—. ¿Sabéis qué hora es?

—Casi las dos de la mañana —pregonó Walter—. ¿Es demasiado pronto o demasiado tarde? ¿Hay una hora fija para comer galletas y pasteles?

La luz se encendió. De debajo de las mantas surgieron rostros grises y pálidos con los ojos rojos.

—En dos horas se habrán estropeado —enunció Ernst.

Este antiguo profesor de matemáticas de la Universidad de Stuttgart, convertido en secretario del tesorero de un Comité de Asistencia, experimentaba la necesidad de cuantificar todas las informaciones.

—En esta ciudad todo se pudre —se quejó Heinrich, el rubicundo en calzoncillos.

—Si las ratas se lo permiten —añadió su compañero.

Todos miraban con avidez la bolsa de galletas.

—Ya se han puesto blandas —lamentó Walter—. ¡Tomad, compartidlas!

El paquete milagroso pasó de mano en mano y el ruido de una masticación religiosa se elevó en la habitación. Walter miraba feliz. Se llevó la mano al pelo y, de pronto, muerto de risa, se quitó la pinza que le había prestado la señora Bauer para sujetarse los mechones que se le metían en los ojos.

—¿Y? —preguntó Horst—. ¿Dónde has estado?

Walter relató su jornada en el Wiener Café. Había tomado una comida suculenta. Luego, en el fregadero, había lavado pilas y pilas de platos, de tazas, de vasos, de platitos, mientras que detrás de él se afanaban los pequeños pasteleros y cocineros chinos. Pero la descripción de su actividad silenciosa y diligente, de sus desplazamientos furtivos sobre las suelas de fieltro y de sus risas repentinas apenas parecía interesar al médico, que solo relajó la crispación de sus labios apretados para preguntar:

—¿Has estado trabajando hasta ahora por el precio de tu comida?

—No. A eso de las cinco, estaba agotado. Se me nublaba la vista…

Sin una palabra, el dueño había tendido a Walter un cuchillo mal fregado. «Este joven bien se merece un respiro», observó entonces la señora Bauer. Le indicó una silla y le ofreció un panecillo, que él devoró a toda prisa, junto con una taza de café bien caliente. Walter se lo agradeció con un guiño y una sonrisa. Una chispa había conectado sus miradas. «¿Qué le parecería continuar por el precio de su cena?», le propuso. De un salto Walter se puso en pie.

Horst, con la mirada baja, secaba metódicamente los cristales de sus gafas con la camisa.

—Entre el guiso infecto del *Heim* y los *Knödel* del Wiener Café —comentó Walter—, cualquier imbécil habría hecho la misma elección.

—¡Yo no! —dijo Horst con sequedad.

Se volvió a poner las gafas. Los cristales emitieron destellos coléricos.

—¡Es un trabajo para chinos! —explotó—. Cuando se dedica a tareas serviles, el blanco no solo se degrada, sino que les quita el pan a los amarillos.

—¡Querrás decir el arroz!

—¡No tiene gracia, Walter! Yo me desvivo por ayudarte a que empieces lo mejor posible y tú…

—¡Gracias, Walter! —gritó Ernst—, ¡ha sido un banquete! ¡Así puedes despertarme todas las noches! ¡Que descanses!

—¡Hasta mañana! —dijo Horst con tono cortante y se dio media vuelta.

Los otros lo imitaron y la luz se apagó.

Los pensamientos de Walter vagaron por la cocina en la que había pasado casi diez horas y se acordó del agradable calor de los hornos, que tuvo que abandonar después de la cena para regresar al frío húmedo. «¡Buena suerte en Shangai!», había dicho la señora Bauer mientras le tendía la bolsa con las galletas.

Había esperado una palabra más, que le hubiese invitado a regresar al Wiener Café, pero ella se había alejado.

«¡Es una pena! ¡Una auténtica pena!», repetía Walter decepcionado. Negaba el descanso a sus párpados que se le hacían más y más pesados. Un oscuro sentimiento le ordenaba que luchase. De pronto se sentó de un brinco en el colchón.

¿Qué había hecho con la pinza de la señora Bauer? ¡La pinza del pelo, por Dios! ¿Dónde la había metido?

Febril, cogió su ropa a tientas, hurgó en los bolsillos y encontró finalmente la horquilla en el bolsillo de su chaleco. Con tanto cuidado como lo hubiese hecho con una moneda de oro, la colocó en la parte más segura de su cartera. Luego pensó aún que el día siguiente iba a poner fin al año 1938, un año de desgracias, y se durmió.

7

«¡Esta horquilla ha sido un buen talismán!», pensó Walter tres días más tarde. Estaba supervisando el trabajo del muchacho chino que barría el suelo, pasaba el trapo por las mesas y colocaba las sillas. Los habituales ya habían traspasado el umbral del Wiener Café. Un ruso con patillas, cuadrado como un armario, un vigilante nocturno que bebía a sorbos un vaso de té caliente antes de ir a acostarse y el señor Bradford, el inglés de la pierna rígida, con su monóculo y su bastón con empuñadura de plata. Se sentaban en dos mesas contiguas sin saludarse jamás. El odio de uno igualaba el desdén del otro, pero sus ojos se encendían con un desprecio idéntico cuando aparecía la rubia periodista estadounidense, acompañada de su pequeño mono, Mr. Pooh, un gibón de Singapur, al que su propietaria vestía en el mejor almacén de ropa infantil de la avenue Joffre. Bajo el nombre de Emily Stone, firmaba las semblanzas, redactadas con ágil pluma, de las personalidades de la alta sociedad de Shangai.

Acodado en el piano, Walter disfrutaba observando a través de la cristalera la plaza con el embrollo de los temerarios y demacrados culis, que de viva voz o con el timbre respondían a las bocinas y los cláxones de los conductores. No obstante, permanecía atento a los ruidos del local. En la cocina, los pinches preparaban el *Apfelstrudel*, mientras intercambiaban palabras que sonaban como una sucesión de ladridos a los oídos de los occidentales y tan alto que se les oía en todo el comedor.

Con una rapidez pasmosa pelaban las manzanas y las cortaban en láminas mucho más finas de lo que jamás hubiese logrado la excelente Rebecca, a pesar de su experiencia. Tenían que preparar diferentes hornadas a lo largo del día, pues a los clientes les gustaba templada, como debe ser, y los oficiales japoneses, una vez que la habían probado así, no la concebían de otra manera.

La puerta de entrada a la cocina giró sobre sus goznes. Franz Bauer, el dueño, regresaba del mercado con su cargamento diario de carne, huevos, leche de soja, frutas y verduras. ¿Cómo hacía para entenderse con los lugareños ese hombre, que no sabía ni una palabra de chino y apenas chapurreaba el inglés? Era un misterio.

El viento se metió hasta el comedor y heló la nuca de Walter, que sintió un escalofrío. Las órdenes de Klara Bauer, la dueña, lograron que la operación se ejecutara aprisa y la puerta de la cocina se cerró finalmente. Con todo, el aire frío seguía circulando. El ruso acercó su silla a la estufa de cerámica y se levantó el cuello del abrigo.

Por esa misma pequeña entrada de servicio Walter había regresado al establecimiento. El día siguiente a su aventura en el Wiener Café, con las sienes palpitándole y la pinza de la señora Bauer apretada en la mano izquierda dentro del bolsillo del abrigo, iba y venía por la avenida sopesando si era mejor entrar por el restaurante o presentarse en la puerta de la cocina. De pronto, como por arte de magia, Fengyong, con su remolino en la coronilla, apareció en el umbral y le hizo discretamente una señal para que se acercara. Mediante algunos signos le dio a entender que el que tosía estaba cansado.

Poco después Walter había regresado a su sitio delante del fregadero, con sus cabellos adecuadamente recogidos por la pinza de la señora Bauer. Le sorprendió el brillo leonado que se filtraba entre los párpados de Fengyong bajo el flequillo a trasquilones, mientras el muchacho se ponía la chaqueta blanca.

Fengyong tenía continuamente en la cabeza un relato de la

época en que el sistema feudal estaba vigente en China: un hombre, que estaba deseoso de proporcionar a su familia una posición elevada, tras imaginar planes que le llevarían decenios, llevó a cabo la ejecución de su arduo proyecto aun a sabiendas de que este solo se cumpliría en el transcurso de algunas generaciones.

El esfuerzo exigido excitaba el entusiasmo de Fengyong. No sabía el número de años que necesitaría para convertirse en uno de esos chinos vestidos a la occidental, pero lo lograría. En primer lugar, estudiaría idiomas. Cuando los hubiese aprendido, abriría un comercio. Tenía que garantizar el bienestar de su familia, proporcionar estudios a sus hermanos, comprar la libertad de su hermana Feng-si. Fundaría un hogar y reuniría todas las oportunidades en la cuna de su hijo. Solo la muerte podría detenerlo en su carrera hacia el éxito.

Fengyong se alegró aún más con la idea de ayudar a Kurt en el comedor desde que, la primera vez, había hecho un descubrimiento estupendo: ¡un camarero se quedaba con las propinas! ¡Eso eran céntimos, incluso dólares inesperados! Esta perspectiva le había sugerido enseguida una mejora en su plan: dentro de unos meses podría comprar una bicicleta y por una pequeña comisión se la confiaría a su amigo Guang, que ya alquilaba la suya a los marineros estadounidenses.

Sin embargo, Franz Bauer, lejos de imaginar la abrupta montaña que el joven chino se proponía escalar, había aclarado a Walter que lo contrataba solo por ese día. «¡Que no haya malentendidos! Yo espero que Kurt esté bien mañana y que retome su ritmo habitual. No necesito un empleado suplementario, tenlo claro.»

Walter no se hacía ilusiones, pero, como buen vienés, no se preocupaba demasiado por el día siguiente. Solo le importaba el futuro a largo plazo. ¡Ojalá pudiera encontrar a Thomas Schoenberg! Entretanto, feliz con la idea de haberse asegurado la comida del día (ganaría incluso algunos céntimos, le había prometido la señora Bauer), se puso a silbar *Un americano en París*, pues las melodías de Gershwin le correteaban por la cabeza en los momentos de alegría.

Desde la cocina oyó de pronto unos gritos. Un alemán congestionado profería una sarta de imprecaciones. Fengyong acababa de servirle el plato del día, «solomillo de buey Stroganoff» humeante, mientras que el hombre, que ya estaba digiriendo sus salchichas y veía que su café se le enfriaba, esperaba con impaciencia una porción de tarta.

El dueño, colorado, había ordenado solemnemente a Fengyong, clavándole la mirada con sus grandes ojos saltones, que a partir de ese momento se abstuviese de tomar nota. Bastaría con que llevase los platos a los clientes que se le indicaran y que limpiase las mesas. Los hombros de Fengyong se hundieron bajo la chaqueta blanca, mientras las voces de los cocineros comentaban el suceso.

¡Día tormentoso en el Wiener Café! Poco después se oyó la observación molesta de una cliente a propósito de la tos de Kurt. De acuerdo, el camarero tosía en su pañuelo, pero el pañuelo lo sujetaba con la mano y era esa misma mano con la que él manipulaba los platos y servía las tartas. ¡Si alguien tomaba la decisión de gastarse el dinero en el café, era para pasar un buen rato y no para atrapar microbios! La señora Bauer, temerosa de ver cómo huía la clientela, ordenó entonces a Kurt que se fuera a casa y que no regresara hasta su completo restablecimiento.

Fengyong observaba desde un rincón. Las mandíbulas le temblaban y tenía las mejillas hundidas, mientras seguía la conversación con la mirada. No comprendía las palabras, pero su instinto le servía de intérprete. Vio cómo Kurt, abatido, se dirigía hacia el vestuario del personal y se ponía el abrigo. ¡La fortuna giraba en beneficio suyo! Tenía su destino entre las manos. Ahora debía ser lo suficientemente vivo como para recuperar la confianza de los Bauer. Cada vez que sirviese una fuente o un plato, preguntaría su nombre. No escatimaría recursos para aprender rápido. En poco tiempo, los jefes podrían contar con él.

Sin embargo, a dos metros de Fengyong, Franz Bauer estaba examinando a Walter.

—Parece que eres fuerte y tienes buena salud… ¿Serías capaz de servir las mesas?

—¡Pues claro! —contestó Walter—. He frecuentado lo suficiente los mejores cafés de Viena para saber cómo tengo que manejarme.

En un abrir y cerrar de ojos, el dueño había despojado a Fengyong de su chaqueta para dársela a Walter, quien, tras desdoblar las mangas, comprobó que era justo de su talla.

Así habían transcurrido tres días. Cada mañana Walter se presentaba en el café temiendo que reapareciese el hombre con cara de pollo, pero Kurt todavía no se había dejado ver. «¡Que me quiten lo bailado!», pensó Walter mientras con una amplia sonrisa abría la puerta a dos acaudalados señores que llegaban.

8

A Chen Fengyong, con las manos metidas en el agua sucia, no se le pasaba el enfado.

Había perdido su prestigio.

El muchacho había considerado la idea de suicidarse olvidándose de un precepto fundamental asimilado desde la infancia: la vida que mis padres me han concedido, solo mis padres tienen el derecho de quitármela. Más valía la muerte que el ridículo, había decidido Fengyong, incapaz de soportar su vergüenza. Podía arrojarse desde lo alto del Park Hotel o bien desde la vigesimosegunda planta de las Broadway Mansions, que dominaban el Garden Bridge. Fengyong, no obstante, se había echado atrás ante la dificultad de acceder a esos lugares. ¿Podría evitar la humillación de entrar por error en el ascensor reservado a los extranjeros?

A continuación había pensado en tomar veneno, cosa que había hecho una antigua vecina, Yen Szefong. Una joven enfermera, que había perdido su prestigio durante una disputa que la enfrentó con una de sus colegas en el hospital San Min. Un empleado la había descubierto agonizante con un tubo de pastillas vacío en la mano. Había muerto esa misma noche sin haber recuperado el conocimiento. Pero ¿dónde podría encontrar Fengyong esas pastillas?

«¡La mejor de las venganzas —pensó de pronto con una especie de alegría— sería colgarse o degollarse en la habitación de ese huevo de tortuga!» Fengyong ignoraba, no obstante, dónde se alojaba Walter.

En ese caso, no le quedaba sino irse del «lugar de su deshonra». Pero entonces Fengyong, pensando en su padre en cama, en su debilitada madre, en Feng-si, que se sacrificaba, en los hermanos pequeños, se dio cuenta de que él no era libre de elegir su destino: los trabajos no se regalaban.

Echaba pestes. Ninguno de esos blancos con la cara cubierta de pelos como monos, todos ellos hijos de una tortuga, se quedaba a salvo. Solo ver a Walter se le revolvía el estómago. «¡Que la viruela o el cólera se lleve a ese hijo y nieto de tortuga! ¡Que le corten la lengua! ¡Que mueran todos sus hijos! ¡Que el cadáver de esa basura sea devorado por los perros! ¡Que toda su familia sea apilada en el mismo ataúd!» Injurias que apenas consolaban el lastimado corazón del joven chino, pues lo irreparable se había producido: él, Chen Fengyong, había perdido su prestigio. Y su vida miserable le obligaba a conservar su resentimiento y su rencor ocultos en lo más profundo de sí mismo.

Pero habían quedado allí, plantados como grano bueno en tierra fecunda.

9

¡Así que esto era Hongkew! Dentro de la distinguida Concesión Internacional, este distrito se parecía tanto a Shangai como Stammersdorf a Viena o Saint-Ouen a París. Por allí no pasaban más que chinos miserables, japoneses de pocos recursos, los rusos, judíos o no, de menor lustre, alemanes y austríacos pobres. Aquel mundo estaba excluido del risueño barrio francés con alquileres siete veces más altos que en Hongkew, al igual que las mejores calles del barrio inglés, menos asequibles aún, trufadas como estaban de despachos y comercios elegantes. Solo los puentes unían el distrito con el resto de la concesión, puentes vigilados por los japoneses que obligaban a respetar el toque de queda entre la una y las cinco de la mañana.

¿Cómo se crean los sobrenombres de los lugares? ¿Quién los inventa, quién los pone en circulación? La Concesión Francesa era *Frenchtown*; su avenue Joffre, *Moscow Boulevard,* y Hongkew, *Little Tokyo*.

Walter escribió su nueva dirección en una esquina de su libreta. A partir de ese momento, para bien y para mal, se alojaría en el número diecisiete de esa callejuela, Chusan Road, semiesquina Ward Road. Sería solo por un tiempo: estaba más decidido que nunca a irse a Estados Unidos.

Desconcertado, con el ánimo turbado, se sentó sobre el catre de tijera y, bajo la luz pálida de la bombilla desnuda, empezó a evocar recuerdos al azar, como se sacan a suertes unos papeles de un sombrero. Walter no tenía ganas de acostarse. Sin embargo, le hubiese bastado con dejarse caer.

El día anterior había enviado una carta de aliento a su madre: confiaba en que a finales de enero habría alcanzado una buena posición y podría alquilar un piso grande. De casualidad, en el momento de indicar su dirección, pensó en poner la del Wiener Café mejor que la del dormitorio colectivo.

Las miradas del rubicundo y de los demás y luego sus palabras acusadoras le habían decidido a mudarse. Lo había hecho la víspera, justo veinticuatro horas antes. Unas caras grises habían acogido su regreso a última hora. Algunos ya estaban dormidos y Walter, sin querer, los había despertado. Se había deslizado lo más aprisa posible bajo la manta pidiendo disculpas, y Ernst, que ocupaba la cama junto a la puerta, apagó la luz. Entonces se propagó un olor infecto, adelantándose por poco a las picaduras de las chinches. Primero atacaron al rubicundo Heinrich, pero enseguida todos se estaban rascando. Por la mañana, Walter fue el blanco de todas las acusaciones. Según ellos, él había llevado las chinches del *Conte Rosso*. Horst lo defendió: Shangai entero estaba plagado. No sirvió de nada. No daban su brazo a torcer. Fuera de sí, a pesar de las exhortaciones del médico berlinés, Walter cogió por la mañana su maleta y cerró de un golpe la puerta.

Sus precarios recursos no le permitían alojarse en Frenchtown. ¿Cómo hacerse entonces con un refugio?

Sin hacer caso de su amor propio ni de la mirada despectiva del señor Kramer, Walter había conseguido la víspera un subsidio por cuenta de una asociación de asistencia estadounidense, así como una mensualidad de algunos dólares chinos concedidos por el Comité de Shangai, que tendría que devolver. Su fortuna ascendía, pues, a trescientos miserables dólares de Shangai. Una gota de agua en el mar de China. Y, sin embargo, al pensarlo bien, Walter se quedó maravillado. Gente para la que él, un completo desconocido, no representaba más que un nombre en una hoja de papel, se las ingeniaba para socorrerlo, ¡a él y a otros mil quinientos individuos como él!

Mientras se dirigía con su maleta hacia el Wiener Café, se había encontrado por casualidad con Greta Fischer. Esta mujer adorable, una refugiada vienesa de primera hora que había llegado a bordo del *Conte Biancamano*, trabajaba desde no hacía mucho en la cocina de los Bauer. A nadie le salía la *Linzer Torte* con mermelada de albaricoques como a ella.

«¿Te mudas?», inquirió Greta. Tras escuchar sus explicaciones, le indicó que una habitación junto a la suya en una casa de Hongkew acababa de quedarse libre. Walter no encontraría nada más barato. Tenía que darse prisa en hallar al propietario, un óptico japonés.

Ni Greta ni su marido hablaban inglés, lo que les complicaba mucho la vida diaria. Ella le contó lo sucedido a Klara Bauer, que no tardó en coger el teléfono.

Walter había llegado de ese modo «a su casa», en una de esas *row-houses* de dos plantas, típicas de las concesiones.

Casas seguidas e idénticas unas a otras formaban una hilera. «Un *lilong* en shangainés», le había enseñado Klara. Cada *lilong* vivía replegado sobre sí mismo, con sus reglas de buena vecindad… ¡y de vigilancia mutua! Familias enteras se amontonaban cada una en su habitación y, a veces, compartían la cocina.

No había agua en el piso. El propietario se reservaba el uso de la cocina, así como el de los dos únicos servicios de la casa. El bacín, un balde nauseabundo, que ocupaba un rincón de la habitación, se lo había alquilado junto con el catre de tijera y la manta.

Mientras servía con diligencia a los clientes del Wiener Café, Walter había conseguido hojear la variada prensa local, cuya lectura tenía la amabilidad de facilitar el establecimiento a los clientes. En un periódico en inglés dirigido por un sefardí, apasionado defensor de la causa sionista, cuya familia había emigrado a Shangai a finales del siglo anterior, Walter leyó sin dar crédito un anuncio de alojamiento en el que se decía: «*No refugees wanted!*».

Se rió sarcástico. ¡Las servilletas no se mezclaban con los

trapos de cocina! Lujosamente instalados en sus casas coloniales y en sus inmuebles de renta, los judíos locales expulsaban a los refugiados hacia Hongkew para mantenerlos a distancia. Con sus pasaportes ingleses, esa gente se comportaba como si fuesen descendientes de la reina Victoria, emperatriz de las Indias. Orgullosos, puritanos, convencionales. Hacían alarde de su desprecio hacia los judíos rusos, que hablaban en ruso o en yídish en lugar de expresarse en inglés, que bebían el té no en tazas de fina porcelana decorada sino en vasos. En definitiva, estos últimos los escandalizaban con su conducta. ¡Empañaban el prestigio del hombre blanco sometiéndose a la realización de oficios manuales! ¡Y sus mujeres se rebajaban a trabajar en cabarets, como bailarinas o incluso prostitutas! ¡Y sus hijas se envilecían hasta convertirse en amantes de chinos o de oficiales franceses!

Walter no era el único impresionado por la hostilidad que se respiraba. Dona Williams, una joven periodista estadounidense que frecuentaba el café con su novio japonés, había realizado una instructiva investigación sobre este tema. De diez propietarios que rechazaban alquilar habitaciones a los refugiados, dos eran alemanes del consulado germánico y los demás eran cinco rusos, dos ingleses y un italiano.

Por fin se decidió a apagar la luz; luego se envolvió con la manta y se estiró, intentando apaciguar la cólera sorda que obstaculizaba el paso del sueño.

Una mala sorpresa le esperaba esa mañana en el Wiener Café. Kurt estaba de vuelta. El hombre de cara de pollo todavía tosía un poco, pero los Bauer le habían dejado retomar su ocupación. Durante su ausencia, Walter se había enterado de algunos datos que lo obligaban a respetarlo y, aunque la reincorporación del camarero fuera contraria a sus intereses, no podía censurar a los propietarios del café. Eran buena gente. Volvería. Tal vez como cliente. Como asiduo, si la suerte le sonreía.

¡La historia de Kurt no era nada común! Había dejado Berlín en 1933, pues, ya mientras estudiaba, la primera oleada de detenciones hitlerianas lo había puesto en peligro, y había encontrado refugio en España, de donde lo había expulsado la Guerra Civil en 1936. Italia le había abierto las puertas, pero solo hasta septiembre, cuando Mussolini adoptó la legislación antisemita de Hitler. Todos los judíos recién llegados y los naturalizados desde fecha reciente tuvieron que dejar el país en seis meses. Luego Kurt había pasado a Suiza, que no le concedió más que un permiso de residencia de cuatro semanas. Su única solución fue partir para Valparaíso donde vivían un tío y una tía. Kurt se fue a París con la intención de obtener un visado para Chile, que fue validado por el cónsul en Suiza. Cuando por fin llegó a Chile, tras varias semanas de navegación, fue rechazado: se había sobrepasado el cupo de inmigración. Como ningún otro país de América Latina aceptaba acogerlo, el desdichado Kurt tuvo que enviar a su tío un telegrama en el que le pedía el dinero necesario para sacar un billete que le permitiese regresar a Europa. Tanto Suiza como Francia le negaron la entrada. Un permiso para permanecer dos días en Italia le proporcionó la ocasión de adquirir un pasaje para Shangai, adonde llegó tras otras seis semanas en barco. Su sueño había sido convertirse en arquitecto y se ganaba el pan como camarero en un café, el único oficio que había podido ejercer a lo largo de su odisea.

En comparación, los Bauer podían pasar por una pareja bendecida por la fortuna. Habían llegado en 1934, animados por unos primos rusos de Klara, rusa por parte de madre, que habían hecho negocio con la fundación de Wiener Sausages, una fábrica de salchichas vienesas. Franz Bauer, propietario de un bar en Viena, se daba cuenta de que Shangai, abierta a todas las esperanzas, le permitiría mejorar su situación y había aceptado su oferta de empleo. Unos años más tarde abrió el café con la ayuda del primo, mediante un acuerdo que lo obligaba a proveerse en la fábrica de este de ristras de salchichas y barriles de cerveza.

Con el regreso de Kurt se acababa el contrato de Walter. La

señora Bauer le permitió quedarse en el café hasta que terminara el turno de Greta y disfrutar además del almuerzo. En el camino de vuelta, se detuvieron para recoger la cena en un *Heim*. Desde por la mañana Greta llevaba un recipiente en el que pudo guardar también la ración de Walter. Hasta que las cosas fueran mejor, no tendría asegurada más que esa comida al día. Además, un trayecto de cuarenta minutos a pie lo separaba del *Heim*. ¡Resultaba difícil mantener la cabeza fuera del agua en semejantes circunstancias! De nuevo Walter se rió sarcásticamente. ¡Y pensar que, según algunos, el nombre de Shangai significaba «por encima del mar»!

La humedad helada empezaba a metérsele hasta la médula. Después de haberse puesto una encima de otra toda su ropa de abrigo, no le quedaba más remedio que hacerse una bola para evitar en todo lo posible coger frío. «Dios me proteja... si es que existe —pensó, aunque un debate metafísico a esas horas de la noche no era lo más apropiado—, Dios me proteja, no es más que una expresión, de la tos que consume al pobre Kurt.»

Para el desdichado berlinés las desgracias no se habían acabado... Un habitual del Wiener Café, un ruso contratado por un acaudalado chino como guardaespaldas de su hijo, al enterarse del regreso de Kurt y haberlo oído toser de nuevo, había llamado a la dueña: «¡Prohíbo a ese tipo de ahí —gritó en un alemán excelente apuntándolo con el dedo— que toque mi plato o que se acerque a mi mesa! Podrían tener un poco más de respeto hacia la clientela y abstenerse de contratar a un tuberculoso». Congestionado, miraba a Klara Bauer con aspecto furibundo sin dejar de mover sus mandíbulas llenas como si estuviese masticando su cólera.

El nombre de la enfermedad había asustado a la dueña. «¡Tuberculoso! ¿De dónde se ha sacado eso?» Mirándola de arriba abajo, el ruso afirmó con sequedad que había obtenido la información de una fuente segura y que no se quedaría ni un minuto más en el local. Se levantó, susurró al oído de la señora Bauer que su hermano Serguei era un camarero excelente y que por casualidad estaba disponible en ese momento; que tenía que decidirse deprisa, pues todo el mundo se lo iba a quitar de las manos y que regresaría al día siguiente para conocer la decisión de los Bauer, que, en su opinión, sería positiva. Lo contrario solo les causaría inconvenientes, pues él tenía influencias. No se privaría de divulgar que en el Wiener Café servía las mesas un tuberculoso.

Un largo grito sincopado, procedente de la calle, despertó a Walter. Algo así como: «*Moo-dong… moo-dong… aya whei…*»,* que se repetía sin fin. Un amanecer gris se filtraba a través del cristal. Intrigado, Walter se levantó y abrió el ventanuco. Vio llegar a un culi harapiento que profería su grito a la vez que arrastraba una carreta. Delante de las casas de ladrillos había hombres y mujeres con un cubo de madera a sus pies. El chino los vaciaba en su carreta. El hedor apestó la habitación.

En el dormitorio de al lado, Greta Fischer sacudía a su hijo.

—¡Levántate, Hans! ¡Rápido! ¡Date prisa en bajar!

El tabique era tan fino que la orden le llegó a Walter con tanta claridad como si Greta estuviera en su casa.

«Los ejecutivos no están todavía sentados en sus oficinas —le había explicado Horst con un tono en el que se adivinaba un germen de admiración—, cuando los campesinos transportan ya a varios kilómetros de distancia de las ciudades sus cubas con las inmundicias de la noche.»

Con su bacín en la mano, Walter corrió tras el culi que, alejándose con su carreta, dejaba un hilillo húmedo y pardusco a lo largo de la callejuela.

* *Matong*: orinal. «Orinales… orinales… ¡vamos!»

10

Se acordaba de su bañera en el piso de la Krugerstrasse, cerca de la Ópera, en Viena. Era una bañera profunda con los lados lisos, blanquísima, en la que el agua manaba de unos grifos semejantes a cuellos de cigüeñas con un ruido de cascada alpina. Una raja negra afeaba el esmalte de su hermoso borde desde que un frasco de cristal, al caerse, lo había desportillado. ¡Cómo le gustaba a Walter meterse en esa bañera una vez que estaba llena y el agua abrasaba con el ardor de sus esperanzas y sus sueños!

Ese día, a pesar de su pobreza, Walter había sido incapaz de resistirse a la tentación de ese aristocrático placer. Sorprendido en la calle por un violento chaparrón, se refugió en el primer soportal hospitalario. Era una casa de baños. Aguardaba ya allí, bien perfumado, un inglés, tan irritado porque la lluvia lo retuviera que no se molestaba en disimular la repugnancia que le inspiraba su vecino. La humillación anegó la garganta de Walter, que se dio media vuelta hacia el interior del edificio.

La cantidad concedida por el comité le permitía únicamente pagar su modesta comida diaria. Cualquier persona sensata le habría recomendado que ahorrase hasta el último céntimo. Aun así, Walter, acomodado en una bañera, desangraba su bolsillo mientras lo lavaba un chino, o más bien lo restregaba, como hubiese hecho un cocinero encargado de preparar una carpa.

El chino recogió el producto de su cosecha sobre la tripa de Walter. Un montón de fideos negruzcos, que señaló varias veces, lleno de orgullo, esparciendo una risa penetrante.

La bañera se vació con un ruido agudo. Walter suspiró de gusto al oír cómo corría el agua cargada de sedimentos. Su último baño había sido en Viena. Por fin se había quitado la mugre del tren, del barco, del dormitorio con chinches, de la tos de Kurt, de las miradas aviesas de Fengyong, que había sorprendido continuamente en los espejos desde el momento en que tuvo que cederle la chaqueta blanca.

Walter se sintió limpio como un bebé, nuevo por completo, listo para empezar de cero y, como la lluvia había cesado, dispuesto para buscar un nuevo medio de sustento. Las ganas de reencontrar a Thomas Schoenberg volvieron a atenazarlo. Esta vez, costara lo que costase, tenía que lograrlo. Pero ¿cómo hacerlo? Mientras se estrujaba los sesos chapoteando en la acera convertida en una sucesión de charcos, vio una oficina de correos. ¡La guía telefónica! ¿Cómo no se le había ocurrido antes? Se lanzó febril, conteniendo su impaciencia hasta que, por fin, se apoderó del anuario inglés. En él figuraban tres Schoenberg, con nombres, por suerte, diferentes. Anton vivía en la calle más bonita de la Concesión Internacional, de cuyos elegantes comercios Walter había oído hablar: Bubbling Well Road. Una dirección de buen augurio.

—*Master Schoenberg no home* —respondió el criado—. *Missee Schoenberg no home.*

Walter ya se había familiarizado lo suficiente con el pidgin como para entender que la pareja se había marchado lejos y por mucho tiempo.

—¿Thomas Schoenberg?

Los dedos de su mano libre temblaban de impaciencia.

—*My no savey, my no savey.*

Desanimado, Walter regresó a las calles. Todo su plan quedaba desbaratado. Thomas, de eso estaba seguro, estaba forrado. Su mayor placer en Viena era complacer a sus amigos. De ese

66

modo se había creado una corte de bufones a la que arrastraba de un café a otro, donde un chasquido con los dedos le bastaba para satisfacer los deseos de sus compañeros. Y todo eso, sin duda, lo seguiría haciendo en Shangai.

Rumiando su decepción, Walter avanzaba con paso rápido aunque sin rumbo. Navegaba a su antojo entre los bulevares a la europea y las bulliciosas callejuelas, donde, cada vez que se abría una puerta, brotaban los agudos sonidos de la música china. Los paseantes se cruzaban en barahúnda, unos reían, otros daban voces, otros tosían, otros escupían. Los chinos se abrían paso bruscamente, pero sin molestar, con una especie de firmeza ágil.

Walter llegó enseguida al barrio francés y, como si una amante lo atrajera, se dirigió hacia el cruce de la avenue Joffre con la route Cardinal-Mercier. Hacia el Wiener Café.

Esta vez entró por la puerta principal, eligió un periódico y luego se sentó en un velador, con aire ostensiblemente desenvuelto. La sangre le palpitaba en las sienes.

Unas mesas más allá, Kurt esperaba para tomar nota. ¡Klara Bauer no se había dejado impresionar por el ruso! Parecía como si el cliente, un hombrecillo pelirrojo de piel muy blanca, quisiera leer la carta desde el primer hasta el último renglón. La repasaba de izquierda a derecha y de derecha a izquierda con la mirada atenta y el gesto glotón, mientras su compañera manifestaba un notable hastío. Un caniche bostezaba a sus pies. Un ataque de tos obligó a Kurt a encerrarse en el vestuario.

Cuando regresó, Walter le pidió unas *Würstchen*. Sintió que la mirada del dueño con sus ojos saltones se posaba sobre él y de inmediato depositó encima de la mesa el dinero necesario. ¡Otra locura más! Por el precio de ese par de salchichas podría aprovisionarse de comida varias veces en los puestos de Hongkew.

—¿Y para beber? —preguntó Kurt.

—Nada.

Walter se entristeció. Se sentía mezquino.

—¿Agua hervida? —propuso Kurt con una amable sonrisa.

—Con mucho gusto.

Se alegró de no haberla tenido que mendigar y se abalanzó sobre una de las grandes rebanadas de pan que el camarero acababa de dejar sobre la mesa.

Paco se sentó al piano. El músico filipino interpretaba las melodías europeas con una facilidad desconcertante, saltando de los valses vieneses de Johann Strauss a las *Polonesas* de Chopin, pasando por los *Preludios* de Rachmaninov. Como si hubiese nacido a las orillas del Danubio.

Las mesas vecinas estaban ocupadas por la habitual sociedad cosmopolita. A británicos, estadounidenses y franceses les costaba saludar a los alemanes, que, nadie lo olvidaba, habían perdido la guerra del catorce, y esos grandes señores desdeñaban a los italianos, portugueses, suizos y demás representantes de pequeñas potencias. Pero todos estaban de acuerdo en considerar con desprecio a los rusos, que ni siquiera tenían pasaporte.

Walter reconoció al cosaco guarnecido de condecoraciones, que se rumoreaba había comprado en la tienda de disfraces japonesa; a los traficantes chinos con sus grandes sortijas en los dedos, que veían todo y parecían no mirar nada; al inglés de la pierna rígida (en cierta ocasión le había descrito a Walter, no sin orgullo, el accidente de polo que lo había dejado tullido); el asiduo grupo ruso, que evocaba la vida en San Petersburgo o Moscú, convenciéndose cada uno a sí mismo de que allí había sido un príncipe, un duque o una condesa; a los dos juerguistas nazis que habían pasado la noche fuera y acudían por la mañana a que se les pasara la borrachera a base de grandes tazas de café; a la periodista estadounidense, siempre acompañada de Mr. Pooh, aquel día con traje escocés.

Con la original elegancia que la caracterizaba, la periodista cubría su corto cabello con un sorprendente sombrero escultura, realizado con cortezas de árbol dispuestas en abanico por encima de la frente. Walter, a quien la estadounidense le fascinaba, la vio mirar de pronto su reloj, vaciar el monedero en la mesa, agarrar su mono, su bolso y su abrigo y salir corriendo. Llamó un rickshaw y desapareció en la avenue Joffre. Había dejado abandonado en la mesa *Le Journal de Shanghaï*, abierto por los anuncios locales. Walter lo cogió.

Percibió con un centelleo, en una especie de calidoscopio, cómo la vida regalada seguía allí su curso, lejos de la Guerra Civil española, lejos de los procesos y las purgas soviéticas, lejos de las amenazas de Hitler y sus nazis, lejos de los campos de concentración y de su terror, lejos también del hambre tan cercana y de los cadáveres chinos que se desplomaban cada día en las calles, lejos de los mendigos lisiados que se aferraban a sus últimos harapos.

Los amantes del Hai-alai,* la pelota vasca, estaban convidados a admirar a las siete de la tarde el juego de Arana y Salsamendi, arropados por sus excelentes equipos. Quienes prefiriesen las carreras de galgos podían acudir a las dos y media o las siete y media de la tarde al canódromo. Urgía vender una máquina eléctrica para adelgazar, visible de diez de la mañana a seis de la tarde en la avenue Pétain. El Park Hotel, el hotel más moderno de Shangai, ofrecía por las tardes una cena con baile en la parrilla. Los peleteros Suhanoff acababan de recibir un gran surtido de hermosos y raros zorros plateados, capturados en estado salvaje en los bosques de Kamchatka, mucho mejores que los zorros de criadero; ofrecían también diferentes variedades de pieles de astracán, topo, petigrís, caracul y marta. Si se quería probar la mejor cocina china, el restaurante cantonés Sun Ya garantizaba el aire acondicionado. Y si lo que uno quería era divertirse de verdad, tenía que acudir de inmediato al Palais Café, que ofrecía un nuevo programa de atracciones con miss Wong Chung-Yin, una luchadora de reputación mundial, en su cabaret abierto toda la noche con cien hermosas bailarinas y una animada orquesta. Con todo, el night-club más chic era el Tower, en el que cada noche se reu-

* Así era como se llamaba en Shangai el jai-alai.

nían a partir de las nueve y media todos aquellos a los que les gustaba reír, vivir y bailar. «Vamos al Tower», era la consigna más agradable de oír. «Las mujeres que son invitadas al Tower Night Club, la sala de baile del Cathay Hotel —leyó Walter—, tienen auténtica suerte. ¡Es la mejor galantería que se les puede hacer! ¡El ambiente del Tower tiene un encanto único! ¡En la Torre mágica que domina todo Shangai, la música y las atracciones aseguran a todo el mundo la más alegre de las veladas!»

Allí era a donde se dirigían los padres de Thomas cuando Walter los vio delante del Cathay Hotel… Tal como había oído decir, Shangai era la ciudad de todos los excesos. Dejó de leer en un estado extraño, mezcla de repugnancia y exaltación.

—¡Bueno, Walter! ¿Qué tal te va?

No había visto acercarse a Klara Bauer.

—¡Espero mejorar! —respondió con gesto desafiante.

Klara le retiró los cabellos que le caían por la frente, con un gesto tan lleno de ternura que los ojos se le empañaron. Los Bauer no habían tenido hijos. El rostro de Lisa, su madre, se superpuso al de Klara.

—Me he tomado la libertad de dar a mi madre la dirección del café para que me escriba aquí. Así podré estar seguro de que su carta no se va a perder.

—Bien hecho.

—Vendré de vez en cuando…

—No te preocupes. Tan pronto como llegue la carta, se la daré a Greta.

—Eres muy amable. Gracias.

La dueña se dio la vuelta para recibir a dos chinas. La mayor, obesa, abotargada y excesivamente maquillada, apoyaba su mano cargada de sortijas y pulseras en la empuñadura cincelada de un bastón. Unos pesados pendientes le estiraban los lóbulos de las orejas. Un imponente broche de oro le cerraba el cuello del abrigo de un azul cegador. Andaba con dificultad, jadeante, sostenida por la más joven, una muñequita menuda de tez marfileña. Sus espesos cabellos negros le caían por la espalda como una cortina, enmarcando su fino rostro.

La joven se quitó el abrigo. Llevaba un largo vestido chino de seda verde agua, con una abertura que dejaba ver una torneada pierna rematada por un zapato de piel con un tacón altísimo.

Klara Bauer se sentó con ellas, cosa que Walter nunca la había visto hacer con nadie, y escuchó a la anciana que parecía quejarse de su salud con la mano reposando en su pecho deforme. ¿En qué idioma estaban conversando? Sentada en un taburete de terciopelo verde almendra, la compañera de la señora mayor se mantenía recta en la aureola de luz que emanaba de una lámpara de la pared con fanales en forma de corola, iluminándola como a una estatua de la Virgen sobre un pilar en una iglesia. La boca carnosa, de un rojo cereza, no se inmutó siquiera cuando un oficial alemán ocupó la silla que la señora Bauer había dejado libre.

Entonces, como Paco había dejado de tocar, Walter oyó la conversación de sus vecinos. Los dos austríacos examinaban con orgullo un periodicucho extendido en su mesa llamado *Shanghai Nachrichten*.* Walter se enteró de que era el primer número de un periódico destinado a la comunidad judía. Uno de los hombres consiguió finalmente llamar la atención del propietario. Franz Bauer miró con interés el periódico, les dijo que él solía anunciarse en el *Shanghai Evening Post*, pero que, en cualquier caso, de ese tipo de decisiones se encargaba su mujer.

—¡Ya saben ustedes, ellas son las que mandan siempre! —afirmó con voz aguda y, moviéndose con dificultad, rodeó la mesa, tras dirigir una sonrisa a Walter.

Al joven se le desbocaba el corazón en el pecho. Las manos le sudaban. Uno de los hombres alzó la cabeza buscando a la dueña, e intentó atraer su mirada. Tamborileaba con los dedos en el mármol. Su compañero encendió un segundo cigarrillo

* *Noticias de Shangai.*

con el mismo que acababa de fumar. Finalmente Klara Bauer se acercó con una especie de risueña majestad. Se pusieron de pie descubriéndose y se presentaron.

—Oskar Bloch, jefe de redacción.

—Arthur Blum, encargado de publicidad.

Mientras volvían a sentarse, Walter rozó la muñeca de Klara. Sus ojos se encontraron y Walter tuvo la certeza de que ella le había comprendido. Bloch estiró el pliego con orgullo:

—¡La primera publicación de los refugiados! Por el momento es semanal, pero tenemos la intención de que sea un diario. Contiene un artículo general sobre política mundial y una página con información local, además de nuestra especialidad, noticias sobre la inmigración.

—¡Un buen comienzo! —apreció Klara.

Los rostros fatigados de los dos hombres se iluminaron con una sonrisa. La señora Bauer se puso las gafas, hojeó una de las páginas interiores y, de pronto, frunció el ceño.

—¡Pero si está plagado de faltas!

El jefe de redacción se revolvió en la silla.

—Solo son erratas.

—¿Cuál es la diferencia?

—Esto sucede porque el tipógrafo…

—¿El tipógrafo?

—El hombre que reúne las letras para formar las palabras… Sucede cuando reemplaza las letras una a una.

—Y ¿por qué? ¿Cómo puede ocurrir?

—¡Es normal, también pasa en nuestro país, en Viena! Aquí es más frecuente porque los tipógrafos son chinos. No entienden lo que leen. Reproducen visualmente un texto mecanografiado.

—Todo eso está muy bien —dijo la señora Bauer devolviéndole la hoja—, pero no voy a confiar la publicidad a un periódico plagado de faltas. Miren, déjenme que les presente a Walter Neumann, un excelente periodista vienés.

A continuación se alejó. Los dos hombres, que tenían prisa

por partir, se marcharon tras haber fijado una cita con Walter para el día siguiente. Su corazón estallaba de alegría. Entonces se percató de que la hermosa china había desaparecido. El oficial alemán también. Solo quedaba la anciana.

11

Walter, con el segundo número de los *Shanghai Nachrichten* entre las manos, regresaba desilusionado de su cita. Había pensado que Oskar Bloch le confiaría al menos un breve artículo (se veía ya escribiéndolo febril, inspirado), pero todo lo que le pedían era que corrigiera los errores de composición causados por los empleados chinos. Y todo por una cantidad ridícula que apenas le aseguraba una comida.

Había estado a punto de mandar a paseo al austríaco, pero se contuvo a tiempo y se puso manos a la obra. Era para echarse a llorar. En cada prueba de impresión los trabajadores chinos inventaban por lo menos diez faltas más. «¿Podré comportarme con sensatez?», se preguntó con cierta irritación. Una voz interior le insistía en que todo tenía un principio, que lo más importante era meter la cabeza y que tenía que aferrarse. Ya podría renunciar luego, si la situación no evolucionaba.

Con todo, seguía decepcionado. Avanzaba cabizbajo por Wayside Road cuando se chocó con alguien. Levantó la cabeza tras el encontronazo, con el ánimo dividido entre la intención de disculparse y las ganas de insultar.

—¡Walter! —exclamó el otro.

—¡Werner!… Ya estamos, Werner —profirió con una mirada dura—, ¿es que siempre tienes que estar fastidiando a los judíos?

—¡Déjalo, Walter, eso es agua pasada! He cambiado, lo sabes. Reconozco que era un cretino, un auténtico cretino, pero te juro que eso se ha acabado.

Habían sido compañeros de camarote en el *Conte Rosso*. En parte, Walter le debía incluso poseer un traje completo.

Antes de dejar Viena, su madre había encargado para él un traje. Pero el sastre, por la premura, no pudo entregarle la chaqueta. A esto se añadió que en el tren le habían robado su segunda maleta, que contenía un esmoquin, dos trajes y libros.

Walter vagabundeaba por el puerto de Génova mientras esperaba para subir a bordo, cuando se le acercó un muchacho alto y musculoso. «¿No serás Walter Neumann?» Walter asintió. «Yo soy Werner Eisenberg, de Berlín. Acabo de ver a un vienés, Willi Löwenthal, que te busca. Tú no lo conoces, pero tu madre, que conoce a la suya, le ha dado una chaqueta para ti». Willi se había marchado de Viena un día más tarde que Walter. Y así, gracias a la ayuda de Werner, Walter conoció a Willi y consiguió la otra mitad de su traje.

Los tres tenían el deseo de llegar en poco tiempo a Estados Unidos. Se habían caído bien y, junto con Wolfgang Kaufmann, un primo de Willi, completaron el cuarteto para poder compartir un camarote. Las cuatro W, como ellos se llamaban en broma, consiguieron un camarote de tercera clase, estrecho y oscuro. No tenían un céntimo y a veces las ganas de fumar para engañar su hambre juvenil los enloquecía.

En cierta ocasión Walter y Werner decidieron ponerse su traje y se aventuraron en la cubierta de primera clase. Con un poco de suerte, alguno de los pasajeros acaudalados les ofrecería cigarrillos. Estaban mirando cómo algunas parejas, radiantes a pesar de que algunos habían salido de campos de concentración, bailaban un vals en la pista, cuando vieron pasar a un camarero con una cubitera con champán. De pronto Werner estalló en cólera. La frente le sudaba: «Mira a los judíos, bailan, se ponen las botas, fuman y beben champán. Los nazis tienen razón. Son ellos, con sus narices ganchudas, los que dirigen el mundo». «¿Cómo que ellos? —le preguntó Walter estupefacto—. ¿Es que tú no eres judío? ¿Qué estás haciendo aquí?»

Werner solo era judío por parte de padre. Había elegido la religión de su madre, se había sentido plenamente alemán, se había alistado en la Wehrmacht, había llevado con enorme deleite el uniforme con la cruz gamada y había disfrutado desfilando al paso de la oca por las calles. Pero un día había conocido a una joven aria y había vivido con ella con la intención de casarse. Entonces fue acusado de *Rassenschande*. Fue juzgado y se le declaró inocente (¿cómo podía él mancillar la raza aria si su propia madre lo era y había servido en el ejército alemán?), volvió a ser juzgado y de nuevo la causa fue sobreseída. Por último, un tercer juicio le costó la cárcel durante ocho meses y, luego, la liberación a condición de abandonar Berlín. Se le privó de su cruz gamada.

En ese punto de su relato, se detuvo repentinamente: «Pero dime, Walter, tú tampoco eres judío, ¿verdad?». «Sí —respondió Walter cortante y era la primera vez en su vida que reivindicaba su origen con semejante énfasis—. ¿Cómo puedes pensar lo contrario?» Werner tenía los ojos como platos. «¡Eres alto, tienes los ojos azules y el pelo rubio!»

Desde aquel día su amistad se volvió menos firme. Dejaron de entregarse a aquellos combates en los que se agarraban con un placer áspero. Werner, musculoso, muy entrenado, era el más fuerte. Hasta entonces a Walter le había dado igual perder. A partir de aquel día, rehusó el combate.

—Te juro que se ha acabado —repitió Werner en Wayside Road escupiendo al suelo—. En el barco, todavía era antisemita a medias. Se me han abierto los ojos. Ahora, puedes creerme.

—Vale —refunfuñó Walter—. ¿Y cómo te las arreglas aquí?

Werner abrió el maletín que sujetaba con su ancha mano. Aparecieron gamuzas, betún, cepillos para piel y para ante, cordones, calzadores. Todo nuevo, rutilante.

—¿Y te va bien?

—Voy tirando.

—¿Crees que así vas a ganar el dinero necesario para sacar el billete para América?

Werner suspiró sacudiendo la cabeza.

—No, tendré que pedir ayuda. Y además tengo que esperar primero a Hilda, que hasta abril no podrá venir. Los barcos están llenos, no hay posibilidad de embarcar. ¡Mira, escucha lo que dicen en el *Times*! Y es de hace quince días.

Werner dejó su maletín en el suelo y de su cartera sacó un recorte de periódico arrugado y empezó a leer el texto inglés con un acento deplorable, vacilando en cada palabra:

—«Trágica sit... situación de los refugiados judíos en Shangai. Se espera un nuevo contingente de mil personas en esta quin... quincena y los billetes de los barcos...» Eso ya te lo he contado —resumió en alemán y a continuación siguió—: «Solo se ha podido encontrar trabajo para una décima parte más o menos de los recién lle... llegados y como las or... organizaciones locales de asistencia...».

—Dámelo —lo interrumpió Walter arrebatándole la hoja.

Werner le indicó con el dedo dónde se había quedado y Walter prosiguió leyendo en silencio.

> ... están ya desbordadas por la ayuda que ofrecen a los refugiados de guerra chinos, los refugiados judíos corren el riesgo de morir de hambre, a no ser que la comunidad judía de Shangai les proporcione nuevos recursos. Esta, tras haberse hecho cargo de numerosos desempleados, sostiene que le resulta imposible socorrer al creciente número de recién llegados. Como Shangai es el único puerto del mundo abierto a los refugiados judíos, ha lanzado un llamamiento a las organizaciones extranjeras para que la marea de refugiados judíos sea conducida a otro lugar.

A Walter, la lectura de estas líneas le dio dentera, como si se tratase de un zumo de limón muy ácido. De mal humor le devolvió el trozo de papel a Werner, que dijo mientras lo guardaba en la cartera:

—Estoy preocupado. ¡Imagínate que ya no dejan entrar en Shangai a Hilda!

—Pero ya tiene el billete, ¿no?

—Eso creo, pero no estoy seguro de haber entendido bien lo que me decía en su carta.

¿Oyó Walter sus palabras? Las ideas bullían en su cabeza.

—¡Hay que irse de aquí lo antes posible!

—¿Crees que los padres de Edith podrían enviarnos afidávits?*

Edith Neugewirtz y Walter habían tenido un romance en el *Conte Rosso*. Los padres de la joven, joyeros acaudalados de Düsseldorf, disponían de visados para Estados Unidos. En Shangai permanecieron a bordo a la espera de zarpar de nuevo hacia Kobe, puerto japonés que servía de lugar de tránsito hacia América del Norte.

Edith, por desgracia siempre escoltada por uno de sus hermanos, parecía profundamente enamorada. Walter sabía que no la amaba. Después de lo que había vivido, su corazón se había secado, estaba muerto para el amor. Pero el único medio de escapar a la locura era hundirse en el presente y tomar lo que se le ofrecía. Los ojos inocentes de Edith, su cuerpo blanco y regordete lo conmovían.

Al principio, el matrimonio Neugewirtz, que viajaba con sus tres hijos en primera clase, vio esta relación con malos ojos. Temerosos de ser considerados unos advenedizos por los pasajeros de orden, entre los que figuraban una princesa india, lords y ladies embarcados con sus suntuosas galas para un viaje encantador, los Neugewirtz consideraban, y con razón, que la compañía de Walter, que surgía de un apestoso camarote, no contribuía a realzar su posición. Luego, al conocerlo mejor, terminaron por apreciarlo y, en el momento del adiós, manifesta-

---

* Documento solicitado por las autoridades estadounidenses en el que familiares o amigos se comprometían a atender las necesidades de los inmigrantes.

ron su deseo de volver a verlo. ¿Cómo habría podido Walter cumplir su palabra? Lo había prometido por educación. Y además también para ahorrarse el espectáculo en el rostro todavía infantil de Edith de una desesperación que él estaba lejos de compartir.

Walter y los Neugewirtz habían acordado que, tan pronto como él llegase a Nueva York, los buscaría a través del listín de teléfonos.

—Tenían buenos amigos en el barco —recordó Werner—. Una gente de Düsseldorf también. Bajaron con nosotros. ¡Eran peluqueros! ¿Sabes? ¡Voy a entrar en todas las peluquerías y a ver qué pasa!

Walter le sonrió y, al mismo tiempo, recibió una gorda gota de agua en la mano. Unos discos grandes dejaron su huella en el suelo, Walter deslizó los *Shanghai Nachrichten* bajo el abrigo, los transeúntes se pusieron a correr, un culi se detuvo para cubrirse los hombros con una tela impermeable. Los dos muchachos se intercambiaron sus direcciones, se prometieron que permanecerían en contacto y cada uno buscó resguardo. Walter vivía a unos pocos portales del lugar donde se había topado con Werner. Llegó a su casa calado sin saber qué hacer con sus ropas, que estaban chorreando.

12

Recordaba a un camarero del Café Landtmann dotado de una memoria prodigiosa, capaz de tomar cuatro o cinco notas de corrido sin apuntar nada y de servir a cada cliente el plato y la bebida que este había pedido sin equivocarse jamás. ¿Tendría algo que ver con esa habilidad la cercanía del Burgtheater? A los actores les bastaba con atravesar la plazoleta atestada de coches de punto abierta al Ring para penetrar en ese «cuartel general» donde los más famosos podían contemplar sus fotos colgadas de la pared. Tal vez ese chico, quién sabe, había soñado un día con ser actor. Intentando igualar su actuación, Walter mantenía sujeto el lápiz detrás de la oreja y anotaba los pedidos en un bloc.

Corregir las pruebas del periodicucho semanal apenas le daba para comer un día. Había sido una suerte haber conseguido de nuevo el puesto de camarero, tras haber buscado en vano trabajo en Hongkew y haber aceptado luego conducir uno de los camiones que recogían a los nuevos refugiados en el quai des Douanes y los dejaban a la puerta de sus albergues. Cuanto más viejos eran los recién llegados, más acentuado era el abatimiento que desfiguraba sus facciones.

Los que habían logrado pasar algo de dinero se apresuraban a alojarse por su cuenta en Hongkew. Los Goldstein, una pareja alemana acompañada del anciano padre de uno de ellos, ocupaba en ese momento la habitación al lado de la de Walter.

Sarah Goldstein se negaba a deshacer el equipaje. Acababa de darse cuenta de que ninguna prenda de las que había traído la protegería de aquellas lluvias y que sus vestidos de verano no resultaban convenientes. En su ignorancia, se había fiado de una opereta de tres al cuarto que presentaba Shangai como un lugar de veraneo tropical. Acurrucada en un abrigo que, impregnado por la llovizna persistente, no se secaba jamás, sollozaba todo el rato con la única esperanza de poder partir de nuevo. Su marido, bastante buen comerciante como para haberle asegurado un confortable pasado, recorría desesperadamente las calles en busca de un trabajo.

Quienes tenían experiencia en la construcción se empleaban en casas ruinosas que ellos mismos reconstruían añadiéndoles equipamiento sanitario. Otros se aventuraban en el comercio y cada día se abrían almacenes nuevos a la moda de Berlín o Viena. Por ejemplo, Alex Fessler's European Hair Salon, Springer's Broadway Shoes y Hans Schwarz's Quick Restaurant. Al parecer, sus propietarios habían conseguido que los familiares emigrados a Estados Unidos les enviasen fondos. Y además, justo en la esquina de Chusan Road con Wayside Road estaba la carnicería y tienda de ultramarinos Flatow. ¡Walter era incapaz de pasar por delante sin salivar!

En el Wiener Café, la enfermedad de Kurt se había agravado tras una ligera mejoría y, una tarde, mientras Walter estaba intentando poner por escrito sus recuerdos de Dachau con la esperanza de interesar a Oskar Bloch para los *Shanghai Nachrichten*, Hans Fischer, el hijo de Greta, había llamado a su puerta. «Walter, ¿estás en casa?»

Cada domingo, el chaval, de doce años, se pasaba por el Wiener Café para ver a su madre, seguro de que la dueña le ofrecería un buen pedazo de tarta. Sus ojos negros, ojos de corzo joven, reían de felicidad cuando anunció a Walter: «Kurt está enfermo de nuevo y la señora Bauer quiere saber si tú podrías ir mañana».

¿Que si podía? ¡Vaya pregunta! «Kurt tiene muy mala pata

—pensó Walter—, pero si alguien tiene que sustituirlo, ¡mejor que sea yo!» Se abrazaron saltando de alegría y el abrazo se convirtió en combate de lucha, el deporte preferido de Hans. Una pasión que le costaba la hinchazón de sus orejas. «Te voy a presentar a mi amigo Werner Eisenberg —le prometió Walter—. Es mucho mejor que yo. Te enseñará a hacer presas.»

En Viena, Hans se entrenaba en el equipo júnior de Hakoah, el club hebreo creado a comienzos de siglo por los amantes del deporte, preocupados por forjar una imagen fuerte del judío moderno. Habían obtenido la recompensa a esta política en los Juegos Olímpicos de Los Ángeles en 1932, cuando el atleta Micki Hirschl, formado por completo en el club, ganó dos medallas de bronce.

En su equipo de júniors, Hans levantaba también pesas, procurando por todos los medios fortalecer sus músculos. En realidad no estaba muy dotado para la lucha, pero adoraba ese deporte y le encantaba sentir que cada día se hacía más fuerte, que cada vez podía acarrear cargas más pesadas, pues esto satisfacía su deseo más íntimo: convertirse en indispensable para los adultos. «*Kann ich helffen?*» era su muletilla. Ayudar, buscaba todas las ocasiones de ayudar.

Cuando Greta Fischer propuso a Walter que se alojara en la habitación contigua a la suya, no suponía que de ese modo conseguiría consolar un poco a Hans de la tristeza que le causaba la ausencia del padre, que todas las tardes en Viena le proponía a su hijo un combate.

Sin embargo, Otto Fischer, el padre, a quien Walter no conocía, también vivía en Shangai. Procedente de una familia modesta, había tenido que renunciar a su sueño, ejercer la medicina, para dedicarse al diseño industrial. Diplomado en socorrismo, sentía interés por todo lo que concerniese al cuerpo humano. En Viena, los domingos se llevaba de excursión a los niños del Karl-Marx-Hof, la colonia de viviendas sociales en la que vivía su familia, y Greta preparaba un picnic delicioso a precio de coste.

El padre de Hans, por desgracia, no sabía ni una palabra de inglés y, al llegar a Shangai, no había conseguido más que un trabajo de enfermero, día y noche, junto a un chino riquísimo, el señor Wu. Este conocía el alemán, pues había sido el *comprador** de la compañía Siemens. Otto dormía cerca de la habitación de su patrón, en un cuchitril de tres metros por tres, amueblado con una cama, un baúl defectuoso y una bombilla de quince vatios. La mansión era una de las más hermosas de la Concesión Francesa.

De vez en cuando, el viejo señor Wu otorgaba a Otto media hora de libertad, siempre de manera imprevista y durante las horas en que Greta trabajaba en el Wiener Café. El matrimonio no se había visto desde hacía tres semanas.

Así pues, Walter, contento, se incorporó de nuevo al café el día siguiente a aquel en que Hans había ido a llamar a su puerta. «Kurt tiene que hacer reposo durante unos días», le había explicado la dueña y Walter se preguntó si la amenaza del burdo ruso no contribuiría a su aspecto sombrío.

¿Cómo aprovechar esta oportunidad y entablar contactos útiles?

Walter se había fijado en dos austríacos de unos cuarenta años, originarios de Graz, ciudad universitaria de Austria, uno de ellos escritor y el otro, un antiguo industrial, que proyectaban fundar un nuevo periódico. Walter se acercó a secar su velador con un cuidado extremo. Tan pronto como se produjese una corriente de simpatía, y él se emplearía a fondo para que ocurriese, les daría a conocer quién era él en Viena.

Ese día el comedor estaba abarrotado. Hasta la semana anterior, Paco, el pianista filipino, solo tocaba los sábados y los domingos, pero había empezado a actuar todos los días, decisión tomada no sin pena por Franz Bauer, que había visto cómo su clientela disminuía debido a la reciente inauguración del Fiaker

---

* Con el nombre portugués de *comprador* se designaba a los intermediarios comerciales entre chinos y occidentales. Pertenecían a familias acomodadas, relacionadas con personas bien situadas.

un poco más lejos, en la avenue Joffre. Sus propietarios no habían escatimado ni dinero ni esfuerzos para crear un establecimiento de altos vuelos. Ofrecía especialidades húngaras y austríacas: «*Gylas, Schnitzel, Ente mit Rotkraut, Gefüllte Paprikas*»,* así como un entretenimiento diario: «*Pepi am Klavier unterhält*». La chispeante pianista Pepi atraía a las celebridades locales y a las señoras de la mejor sociedad británica. De ahí la costosa decisión para el siempre roñoso Franz Bauer de contratar a Paco los siete días de la semana y de poner anuncios en el *Shanghai Evening Post*.

Nadie sabía nada de ese filipino. Una repetida crispación en sus mandíbulas agitaba a veces su rostro terso. Otras, se deshacía en exquisitas atenciones con una amplia sonrisa que mostraba sus dientes hermosos y regulares, si bien un velo tamizaba de continuo el brillo de sus ojos. ¿Dónde vivía? ¿Cómo? ¿Con quién? Muchos misterios. Nunca contaba nada, tampoco preguntaba. Se pasaba las pausas fumando cigarrillos Camel y contemplando los anillos de humo.

«¡Qué memoria!», pensó Walter, que estaba observando a Paco. El filipino no echaba más que una ojeada a las partituras desplegadas ante él. Sus ojos iban sin cesar del teclado a la entrada del café.

Estaba interpretando las *Danzas españolas* de Granados con un énfasis un poco excesivo a juicio de Walter, cuando la puerta se abrió de nuevo. Penetró una bocanada de aire fresco, que despabiló el ambiente cargado del comedor, a la vez que entraban dos hombres con sus sombreros bien calados en la cabeza. El ala les ocultaba los ojos.

Con las manos en los bolsillos, se dirigieron con paso uniforme hacia el piano. La música se interrumpió de repente. Paco, que se había levantado como un resorte, les arrojó su banqueta a las piernas y salió corriendo hacia la cocina. Se chocó con Franz Bauer, que perdió el equilibrio, dejó caer su ban-

---

* «Gulash, escalopes, pato con lombarda, pimientos rellenos.»

deja y se desplomó empapado de cerveza y café. Los dos individuos se lanzaron en su persecución y los tres desaparecieron por la puerta de servicio.

Reinaba la consternación. Mujeres presas del pánico agarraban sus abrigos y, sin habérselos puesto siquiera, corrían hacia la salida. Entonces, Walter dio un salto, recogió la banqueta y se sentó al piano. Dejó correr los dedos por las teclas, empezó a tocar la *Canción de cuna* de Chopin y regresó la calma. Walter tocaba con emoción, pues esa obra le recordaba a su madre, que se la había enseñado. Lisa resplandecía de orgullo cuando una noche, después de cenar, él, tal vez tuviera doce años, la había ejecutado para los invitados de sus padres. Ella misma era una pianista excelente y Walter permanecía horas escuchándola, sobre todo cuando interpretaba las *Rapsodias húngaras* de Liszt…

Tan pronto como las últimas notas de la *Canción de cuna* se disiparon en el aire, Walter regresó a la realidad y observó el comedor. Había recuperado su aspecto habitual. A lo sumo, las animadas discusiones trataban sobre los acontecimientos que habían perturbado la tranquilidad de esa tarde. Paco seguía invisible. Walter tropezó con la mirada de Klara que le ordenaba que siguiese y él no escuchó más que su deseo.

Sonreía a las mujeres que lo miraban. Sonrió a Emily Stone, la periodista estadounidense, mientras interpretaba *Rhapsody in Blue*, sonrió a Greta que le daba ánimos desde la puerta de la cocina, sonrió a la enigmática y encantadora china, vestida con un pantalón de seda blanca bajo una túnica bordada, sonrió a la vieja dama que la acompañaba, sonrió a Fengyong, que lo miraba como si fuese el diablo.

Cuando Walter cerró la tapa del piano, vio a Franz Bauer plantado delante de él con las manos en los bolsillos del pantalón que se acababa de cambiar. Lo miraba fijamente con sus ojos de langosta.

—No tocas mal del todo, no… Se ve que te gusta tocar, ¿eh? Has disfrutado tocando, ¿no?

Walter presintió la trampa y adrede se puso agresivo y burlón:

—¿Quiere que le compense por el uso del piano?

Franz se rió con una risita de conejo.

—Pero ¿cómo? ¡No! ¡Qué cosas tienes! Eres muy curioso, Walter. Sencillamente estaba pensando que si Paco no vuelve mañana, podrías tocar en su lugar, ya que te agrada tanto.

—¿Cuánto? —replicó Walter aparentemente con gran frialdad, al mismo tiempo que extendía su mano abierta.

El corazón le latía con violencia. Franz, de repente al acecho, como un gato que ve aparecer un perro en el horizonte, dijo finalmente con los labios apretados:

—Cincuenta céntimos al día. Es lo que cobra Paco, un profesional.

—Mañana veremos —respondió Walter.

13

Esa noche el comedor se vació hacia las once y Franz Bauer decidió cerrar de inmediato. Como no cabía esperar mucha clientela, optó por economizar en electricidad. A esa hora los bares y los cabarets tenían más éxito que los restaurantes. ¡Una suerte para Walter! Sabedor de la tacañería del dueño, no dejaba de preguntarse: «¿Cuánto cobra un pianista en Shangai?». ¡Y resulta que el azar le permitió realizar sus pesquisas! Los nombres que había oído intercambiarse a los clientes juerguistas del Wiener Café le rondaban por la cabeza.

Se precipitó a la calle y empezó a correr hacia Hongkew para ir a cambiarse y ponerse su traje. Luego moderó el paso llamándose idiota y paró un rickshaw. Dos conductores se disputaron el favor de llevarlo. Eligió al menos esquelético.

—*Where Master go?*

—*Chusan Road. Savey?*

—*Savey, savey* —respondió con presteza el culi que, uncido a las varas, se abalanzó con un paso elástico.

La carrera le iba a costar entre veinte y treinta céntimos, una cantidad elevada para Walter, pero el gasto podía valer la pena. Ignoraba, sin embargo, que los culis siempre respondían «*savey*», a fin de no perder su prestigio confesando su ignorancia.

El hombre avanzaba con un trote regular. Walter se acordó de una conversación con Horst Bergmann. Por dos veces le habían robado la bicicleta a uno de sus colegas y, desde entonces, el médico subía la suya a todos los pisos, donde quiera que fuese. «Es agotador», afirmaba. «¿Por qué no utilizas los rickshaws?», le preguntó Walter. Horst frunció el ceño. «Me niego a contribuir a la degradación de un ser humano.» Walter estalló en carcajadas. «*Quatsch!* ¡Tonterías! Lo único que haces es privar a esa pobre gente de algunos cuencos de arroz. Estoy convencido de que los culis serían los primeros sorprendidos si se enterasen de tus consideraciones con ellos. ¿No sabes que la mayoría duerme en la calle o, en el mejor de los casos, en la cochera de su patrono?» El matemático de Stuttgart intervino entonces mitad en broma, mitad en serio. «¡Vosotros, los austríacos, tenéis auténtica facilidad para tomaros la vida con humor!» Sonó como un reproche.

Al atravesar la avenue Edward VII, Walter vio a los sijs, colosos con turbante y barba negra, que seguían a los pequeños gendarmes anamitas. Lo adelantó un rickshaw que arrastraba a una francesa gorda y desgreñada que insultaba a su conductor para que acelerase. «Cerdo» fue la única palabra que Walter comprendió de la perorata. La mujer desentonaba entre los pasajeros de la noche, sobre todo hombres solos, muchos marineros en grupos festivos que, a la salida de bares señalados con faroles, instigaban a sus rickshaws a carreras desenfrenadas. Unos enamorados, sentados en dos rickshaws que rodaban uno al lado de otro, iban cogidos de la mano. Algunas parejas más afortunadas se estrechaban en la banqueta doble de los triciclos, protegidos de la lluvia.

El conductor desembocó en Bubbling Well Road. Walter reconoció un anuncio luminoso. El panel representaba la silueta de un joven chino que proclamaba en grandes caracteres de dos metros su satisfacción por fumar cigarrillos Burleigh. Cada vez que pasaba por allí, con la cabeza vuelta hacia la izquierda, contemplaba ese panel preguntándose cuántos miles de bombillas lo compondrían. Pero, esa vez, ¡el cartel se encontraba a su derecha! No había duda: iban en dirección contraria al río, en lugar de dirigirse al Bund.

—¡Eh! ¡Eh! ¡Para! —gritó Walter.

Creyendo que el cliente le reprochaba su lentitud, el conductor se lanzó a lo loco con formidables zancadas, rozando el tranvía, rasando los automóviles. Walter consiguió por fin agarrarlo del cuello de su vestimenta guateada y obligarlo, a costa de sus vidas, a dar rápidamente media vuelta.

Volvieron a partir como una flecha, sin preocuparse por los peatones. En la esquina de Park Road, Walter, aferrado a las varas del rickshaw, reconoció el Park Hotel, uno de los más hermosos edificios de Shangai, delante del cual unos sirvientes vestidos de blanco, a la europea, regulaban el tráfico de los coches y abrían las puertas. Sin duda, desde las plantas superiores se podían ver por la tarde los caballos que corrían justo enfrente, en el hipódromo del Shanghai Race Course.

Esta vez, Walter vigiló el recorrido, dando un toque en el hombro del culi cada vez que quería girar. ¿Qué habría hecho sin ese sentido de la orientación que dejaba impresionados a sus amigos durante las escapadas en coche por los alrededores de Viena? En el Garden Bridge el aire, a pesar de su sombrero, le heló las orejas. Hundió los puños desnudos en los bolsillos del abrigo.

La luna llena se reflejaba en las aguas del Whangpoo. Algunos barcos anclados cabeceaban suavemente: paquebotes que enarbolaban la bandera de todas las marinas del mundo, cruceros ingleses, estadounidenses o japoneses, mercantes, chalanas, remolcadores y, además, también los juncos de elevada borda y los sampanes que componían el eterno decorado de Shangai.

En Hongkew, el conductor esquivó por los pelos a un cocinero ambulante, cuyo cargamento estuvo a punto de caer al suelo. Llevaba los alimentos, combustibles y platos sobre sus hombros. Walter coincidía con él todas las tardes. Era difícil no reconocer esa gran osamenta con las rodillas flexionadas hacia fuera. Por lo general, el cocinero se detenía en la esquina de las calles y pregonaba su presencia golpeando su caja de madera con un palo de bambú. Los chinos bajaban adormilados, envueltos en sus mantas, a comprar un cuenco de tallarines calientes. El conductor y el cocinero intercambiaron insultos para dar y tomar.

Un sij, con la porra al cinto, vigilaba la verja de la entrada que daba paso al callejón 17. Miró de hito en hito al culi, que se encogía más y más, y después a Walter. Finalmente la puerta giró sobre sus goznes con un chirrido. Al llegar a la casa del óptico, Walter explicó por gestos al chino que se iba a cambiar de ropa y que volvería.

—*Allight** —asintió el conductor, resguardándose bajo la capota.

Cuando Walter regresó, estaba tan profundamente dormido que aquel tuvo que zarandearlo. Apenas despierto, el culi se puso en pie de un salto y empezó a trotar en el sitio.

—*Where Master go?*

Tenía que decidirse.

—Park Hotel… *Savey?*

—*Savey, savey, yesyes!* —aseguró de nuevo el culi.

Quizá esta vez sí que supiera, pues el Park Hotel era uno de los lugares más elegantes de Shangai. «*Wenn schon, denn schon!*»,** pensó Walter, repitiéndose con ternura el refrán preferido de su padre, enemigo de las medias tintas.

En Nanking Road, rutilante por las luces, un rickshaw rozó el suyo y continuó avanzando a su altura. A bordo iba una de esas encantadoras «flores» de Shangai, que algunos llamaban las *singsong girls*. Sus cabellos como de laca negra recogidos en la nuca con una camelia y sus ojos tallados en forma de almendra sobre la naricita chata la hacían exquisita. Lo envolvió en una mirada lánguida.

—*Hello, handsome!* —profirió con voz infantil.

Walter adoptó un aspecto contrariado.

—*Too bad!* —se lamentó ella.

La hermosa mujer se despidió con un gesto y su rickshaw

---

* En lugar de «*all right*»: «muy bien».
** «¡Lo que tenga que ser, que sea!»

se adentró en la profundidad negra de una callejuela hacia los faroles de cristal marcados con letras rojas que, según se decía, se traducían por nombres como Casa del Placer Asegurado, Templo de la Felicidad Suprema o Jardín de las Flores Perfumadas.

Al llegar ante el Park Hotel, el porteador soltó tan bruscamente las varas que Walter, sumido en un ensueño, casi fue a parar sobre su espalda. El otro se desternillaba de la risa y la cohorte de botones se carcajeó.

«No ha pasado inadvertida mi llegada», pensó Walter, sordo a los aspavientos del conductor, que intentaba sacarle un suplemento. Walter se desentendió de él con gesto seguro y entró en el vestíbulo enjugándose las lágrimas causadas por el frío.

Por si no tuviera suficiente, su ridícula llegada le recordaba que él desentonaba en ese lugar suntuoso. Una amplia vitrina exponía productos cuya existencia Walter había olvidado: perfumes *Soir de Paris* o Lenthéric, polvos Coty, sales de baño a la bergamota o a los extractos de pino… Mientras pasaba entre las mesas bañadas por el murmullo de las conversaciones y el entrechocar de vasos y botellas, se sintió fuera de lugar, desplazado. Gente vestida de noche degustaba champán, whisky, cócteles, licores. Estallaban carcajadas. Esencias embriagadoras competían entre sí. Se oía música procedente del bar, del comedor del restaurante también.

Con aire desenvuelto, Walter se dirigió con paso indolente hacia el bar. Ya en el umbral le habría gustado encender un cigarrillo y ocultar su indecisión al abrigo de la llama. Los maîtres y los camareros se deslizaban sobre una gruesa moqueta. Encaramada a un taburete, una morena con un largo vestido verde con falda de tubo, engalanada con esmeraldas y calzada de raso verde, fumaba un cigarrillo verde ante un cóctel de menta. De entre sus párpados maquillados de verde se derramó una breve mirada helada sobre Walter.

Un pianista de complexión rusa, con los dedos gruesos como salchichas, producía un sonido de una rara delicadeza, desgranando una melodía sentimental extraída de una película estadounidense. ¿Cómo trabar conversación con él sin tener que pedir una consumición? Walter no podía permitirse ese gasto. En ella se le iría un mes de alquiler. Se estaba devanando los sesos cuando de pronto oyó resonar su nombre.

—¡Walter! ¡Eh, Walter!

Se dio la vuelta y, tras dudar durante un segundo, reconoció a Max.

Max Herzberg, un pasajero del *Conte Rosso*, se confundía en la masa de los infelices alojados en tercera clase. Sus compañeros de camarote se burlaban de él porque dormía con los zapatos puestos, unas recias botas de montaña atadas con unos buenos cordones de cuero. «¿Es que tienes el pie hendido, que no lo puedes enseñar?», le había preguntado finalmente uno de ellos. «¡Peor!», respondía Max con un aire trágico que no cuadraba con su cara redonda y rosada ni con sus costumbres meridionales, heredadas de una madre turco-italiana. Nadie insistió.

No menos extraña para un hombre tan jovial era su otra costumbre, la de recluirse en el camarote, tumbado en la litera. No se dejaba ver más que a las horas de la comida y a veces, ni eso. Sin preocuparse por las normas de urbanidad, aparecía para el plato principal, engullía lo que podía y se marchaba de inmediato.

Delante de un whisky con soda, Max estaba fumando un grueso puro cuya ceniza se le cayó sobre el esmoquin cuando se levantó para saludar a Walter. Sus pies lucían unos finos zapatos de charol negro.

—¡Qué cambio, Max!

Walter estaba atónito.

—¡Siéntate, camarada! —le propuso el vienés examinándolo con una mirada crítica—. ¿No tienes ropa de vestir?

A pesar de la decena larga de años que los separaba, enseguida se habían tuteado y el «tú», cómodo en alemán, les volvía con naturalidad.

—Tenía el esmoquin en la maleta que me robaron en el

tren. ¡No importa! Ya encontraré otro. No he tenido tiempo, eso es todo.

Su fanfarronada no coló.

—Te puedo dejar uno, si quieres. Este es totalmente nuevo, el otro se me ha quedado demasiado estrecho.

—Desde luego, parece que te va bien. ¿Me lo puedes explicar?

Max estalló en una carcajada atronadora.

—¿Te acuerdas de mis botas?

Walter hizo un gesto afirmativo. ¿Cómo habría podido olvidarlas?

—Mi padre me dejó una pequeña joyería en la Mariahilfer Strasse —prosiguió Max—. Justo después de la anexión, cuando vi cómo se estaban poniendo las cosas, conseguí canjear mis existencias, con pérdidas por supuesto, por diamantes y lingotes. Permanecí todo el tiempo posible con mi madre, que estaba muy enferma, pero cada vez era más peligroso. Mi mejor amigo era guarnicionero. Puso los diamantes en los tacones de mis botas y fundió en oro los herrajes y los clavos de mi maleta. Astuto, ¿verdad? Vendí un diamante, eso es todo.

Estaba radiante.

—¡Has jugado bien tus cartas! —reconoció Walter—. ¿Tienes ya un visado para algún lugar?

Max bebió un trago largo de whisky, parpadeó y chasqueó la lengua.

—Todavía no. Estoy dudando entre Australia, Estados Unidos y América del Sur. No tengo prisa. Aquí se pueden hacer negocios fabulosos. Voy a tomarme un tiempo para forrarme. Y tú, ¿qué? Pero, ¿no bebes nada? ¿Un scotch doble?

—Me conformo con uno simple. He perdido la costumbre…

—¡No te preocupes! ¡Te emborracharás más rápido!

Pidió dos dobles.

Lo que Walter podía contar, comparado con el relato que acababa de escuchar, le recordaba a una caricatura en la que aparecían un pollo todo huesos al lado de un capón bien cebado. Terminó explicando que había ido con la esperanza de averiguar cuánto ganaba un pianista y disimuló su fastidio saboreando el whisky que les habían servido.

Max prorrumpió en carcajadas, agitando su barriga, como si le hubiesen contado el mejor de los chistes.

—¡El hijo de Arthur Neumann apenas gana en un mes lo que su padre gastaba en puros al día! ¡Ja, ja, ja! ¡Ver para creer…! ¡No malgastes tu energía en esos trabajillos ingratos, amigo! Te las arreglarás mejor estableciendo contactos útiles, planeando golpes.

Walter aguantó, conteniendo sus ganas de romperlo todo, de derribar las mesas con vasos y botellas, de desgarrar la camisa de seda del joyero. Aspiró profundamente y preguntó:

—¿Qué clase de golpes?

—¡No te preocupes! Eres observador y astuto, enseguida te darás cuenta. Encuéntrame cosas interesantes para comprar, tráeme clientes y yo te pagaré una comisión en ambos casos. Cogerás una habitación aquí, conmigo. Al principio yo te ayudaré y te prestaré a mi criado. Se pasa el tiempo pensando en las musarañas, pero plancha muy bien las camisas. No hay más que hablar, ¿verdad? —concluyó Max propinándole con el reverso de la mano un golpecito amistoso en el estómago.

La oferta era tentadora. Walter empezó a morderse el interior de los labios. El pulso le latía desbocado.

—*Hallo! Hallo!* —llamó de pronto Max gesticulando con los brazos—. *Hier, Erik! Ich bin hier!**

Walter se volvió y vio a Erik Oldenburg, actor al que había admirado en los escenarios vieneses, en compañía de un cincuentón con el pelo blanco. Los dos tenían el pelo revuelto y sus ropas, aunque elegantes, estaban hechas un guiñapo. Barrían la sala con una mirada que no veía nada.

Los periodistas vieneses adoraban a Erik Oldenburg, cuyas extravagancias eran la comidilla del momento. Alto, ancho de

---

* «¡Eh! ¡Eh! ¡Aquí, Erik! ¡Estoy aquí!»

hombros y de caderas armoniosas, con un hermoso rostro de sienes plateadas, tenía la frente surcada por una arruga como un corte de sable. Coleccionaba hermosos coches y conquistas femeninas. Su preferencia eran las esposas de banqueros o joyeros, algunos de los cuales le habían retado en duelo. Pero un día desapareció dejando amantes desconsoladas y deudas de juego fabulosas, según se supo algo más tarde.

¡Así que había huido a Shangai!

Herzberg consiguió finalmente captar su atención y los dos hombres se acercaron con paso inestable. De una rápida ojeada, Walter se dio cuenta de que en el bar no había ningún asiento vacío. Sin embargo, en el vestíbulo se quedaba libre una mesa. Se la indicó y todos fueron a instalarse allí. De paso, el compañero de Erik cogió una silla.

Por las presentaciones se enteró de que este último era un periodista francés que se llamaba Robert Duguay. Tras haber sido corresponsal en Viena, fue a Shangai para cubrir el conflicto chino-japonés. Se había enamorado de la ciudad y había solicitado quedarse. Su mirada era incisiva y la boca fláccida. Su rostro reflejaba una mezcla de desidia y determinación.

Oldenburg pidió una ronda de vodka con el pretexto de que era el único alcohol que no había probado esa noche. Duguay se echó a reír emitiendo un prolongado gorgoteo.

—¡Por el éxito de nuestro futuro *taipan*! —exclamó el actor levantando su vaso hacia Herzberg.

—¿*Taipan*? —preguntó Walter.

—Es el nombre que se da aquí a los grandes propietarios, a los magnates —le aclaró Duguay.

—Fuman grandes cigarros en los asientos traseros de interminables limusinas negras y relucientes —completó Oldenburg—. Herzberg desempeñará muy bien el papel.

Walter, fascinado, repetía en su interior la palabra *taipan*, que parecía expresar a la vez el misterio y el poder, como esos toques de trompa que preceden a la apertura de las espesas cortinas de terciopelo púrpura. *Taipan!*

Duguay se había situado de tal modo que no se perdía nada del espectáculo que continuamente se ofrecía en el vestíbulo.

—¡Ahí está Ehrhardt! —anunció.

—¡El coronel Ludwig Ehrhardt! —precisó Max al oído de Walter—. Es un oficial nazi. Vive aquí, en el Park.

Duguay tenía el oído fino, pues completó:

—Es el jefe del servicio secreto alemán en el Extremo Oriente.

Hablaba un alemán muy correcto, pero con su mejor acento francés.

—¡Oye! —intervino Oldenburg sin preocuparse por la discreción—. ¿Sabes el apodo del barón Jesco von Puttkamer?

—El Goebbels del Extremo Oriente —replicó el periodista, cuyos ojos iban de izquierda a derecha y de derecha a izquierda como si estuviera siguiendo una partida de pimpón.

—Es el director de la oficina alemana de información, encargada de difundir la propaganda nazi —precisó Herzberg para Walter, que sintió cómo la náusea le iba subiendo a la boca.

Pero tal vez no fuera más que la mezcla de alcohol.

—Con Klaus Mehnert —añadió Oldenburg—. Que es, a su vez, el editor del periodicucho nazi. ¡Hip!

—*Ostasiatischer Lloyd…* —soltó Duguay—. Y aquí está, querido Max, uno de tus correligionarios y tocayos, el camisero Max Sulzberger en persona… Vaya, vaya, ¡está hablando con Ehrhardt! ¡El señor Sulzberger está hablando con el coronel Ehrhardt! ¡Qué interesante!

Duguay sacó de su bolsillo una libreta gastada, garrapateó tres líneas en zigzag y con un chasquido de dedos llamó a un camarero que pasaba.

—¿Qué desea, señor? —dijo el asiático en francés con una profunda reverencia—. ¿En qué puedo servirle, señor?

—¿Qué novedades hay, Shisan? —le interrogó Duguay, también en francés, poniendo unas monedas en la mano del muchacho.

Este frunció el ceño por el esfuerzo para concentrarse.

—Un hombre y una mujer totalmente borrachos se han caído desde la terraza de la primera planta, señor.

—Eso ya me lo has dicho —se impacientó Duguay, con el lápiz en la mano.

—Me fastidian con su francés —soltó Erik a los otros dos—. ¿Usted lo entiende?

—Un poco —respondió Walter—. ¿Cómo es que el camarero lo habla tan bien?

—Se educó con los jesuitas de Zikawei, ¡hip! Evangelizan a los amarillos. Este trabaja aquí por las tardes para ayudar a su familia. Sus viejos están enfermos y a sus hermanos mayores se los han cargado los japoneses, ¡hip! Shisan en chino quiere decir «Pequeño tercero». Imagínate que yo me llamase «Gran primero», ¡hip!

Este último hipo acabó con el aguante de Oldenburg. Hundido en su sillón se cayó de bruces. El alcohol había agudizado la percepción de Walter. Los pensamientos se entrecruzaban en su cerebro como los cohetes de los fuegos artificiales. Por el rabillo del ojo veía que Herzberg lo estaba examinando. Al mismo tiempo escuchaba con atención las informaciones que recitaba Shisan para uso de Duguay.

—Un portugués se ha pegado un tiro en la cabeza en el servicio de caballeros, señor.

—Bien y ¿qué más? —lo apremió Duguay mientras escribía.

—La princesa Ivanovna ha empeñado su vestido de plumas de avestruz en el monte de piedad, señor.

—¿Algún amante a la vista?

—Está buscando a alguien que la presente a las familias Hardoon, Sassoon, Ezra, Kadoorie o Gubay, señor.

—Los nababs judíos —precisó Duguay guiñando el ojo a Walter, que se veía obligado a tomar una decisión rápida, pues acababa de mirar la hora en el reloj de péndulo.

El toque de queda impuesto por los japoneses prohibía atravesar el Garden Bridge entre la una y las cinco de la mañana. Casi eran las cinco. Si Walter se marchaba, llegaría justo a tiempo para repasar los deberes de inglés de Hans Fischer, tal y como se lo había prometido. El hijo de Arthur Neumann jamás dejaría sin cumplir una promesa. Se levantó de un salto como un resorte y cogió a Duguay del hombro.

—¿Cuánto gana un pianista en Shangai?

Había hablado en francés y fue Shisan quien le respondió con una mirada soñadora:

—El pianista del bar gana diez dólares chinos, señor.

Walter dio las gracias a Herzberg, le prometió que pronto tendría noticias de él y puso pies en polvorosa.

14

Entre jadeos, mientras corría, se preguntó: «Diez dólares chinos… diez dólares chinos… ¿Al día o al mes? Al día sería muchísimo… Diez dólares chinos al mes, eso harían… diez dividido por treinta… a ver, diez dividido por treinta… unos treinta y cinco céntimos por día… o sea, ¡menos de lo que me ha ofrecido Bauer! Entonces, ¿diez dólares al día? ¡Increíble…!».

Se quedó perplejo. Razonaba con dificultad a causa de la carrera pero también porque un descubrimiento lo atormentaba: «¡Pensar que Herzberg ha venido a Shangai con tanta pasta! ¡Qué imbécil he sido… qué cretino… qué inocente! No hay palabras suficientes para describir mi estupidez… Todo el mundo ha corrido riesgos, bueno, no todos, muchos… Pero yo quería respetar la ley. Me negué a burlar la confianza del nazi que vino a supervisar lo que me llevaba en las maletas… Me consideraba noble, estaba orgulloso de mi conducta irreprochable, pero ¡qué idiota!… ¡Qué idiota!…». Una anécdota que había oído en el café le taladraba el espíritu. Un matrimonio joven de Karlsruhe había descosido el oso de peluche de su hijo, le metieron un diamante en la narizota y otras joyas en la cola, luego lo volvieron a coser y ¡aquí paz y después gloria! Y como el niño se negaba a dormir sin su osito ¡era normal que los padres lo quisieran más que a la niña de sus ojos! Habían pasado… Estaban viviendo en un bonito piso y el padre había abierto una consulta. Era especialista en enfermedades venéreas, de modo que ganaba dinero a espuertas.

A lo largo del camino, como para castigarse por su suicida rectitud, por esa necedad que quería erradicar, Walter fue haciendo recuento de otras tentativas afortunadas, que se habían divulgado entre los clientes del café: la madre que, en la almohada de su bebé, había sustituido el cordoncillo de la cenefa por una larga y gruesa cadena de oro, y todas las que habían usado los forros del monedero, los dobladillos del abrigo, las presillas de pantalón para esconder dinero o joyas...

Bien mirado, esas mañas eran sobre todo propias de mujeres. Walter amaba, adoraba a esa madre que lo había cuidado, mimado, criado como a un príncipe, pero tenía que reconocer que su existencia consagrada a la música, al bordado, a las fiestas y a las recepciones la había incapacitado para cualquier apoyo práctico. Arthur Neumann había disfrutado construyéndole una vida alegre, sin preocupación alguna. «Las mujeres son flores —acostumbraba a decir a Walter— y tu madre es una de las más extraordinarias.»

Se le presentó la imagen de su padre, con la barba recortada y la mirada clara y atenta. Disponía de un saber enciclopédico y era un fino analista político. Amaba la rectitud intelectual, moral y física. Walter comprendió entonces por qué razón, contra toda lógica, rechazaba mezclarse en los chanchullos de Max Herzberg. Embarcarse en los tejemanejes en los que participaba un Robert Duguay, ese granuja pusilánime y palurdo, que se atrevía a llamarse periodista y no era más que un correveidile, hubiera sido traicionar a su padre.

No obstante, Walter enseguida fue incapaz de pensar. El frío húmedo le entumecía los pies y entorpecía su carrera. En el Garden Bridge el ulular del viento le lastimó los tímpanos. Con todo, unos metros antes de llegar al punto de control japonés, se quitó el sombrero. Los nipones no se andaban con chiquitas en lo tocante al respeto que, en su opinión, se les debía.

Como consecuencia del altercado entre un centinela y un periodista chino, el portavoz japonés había recordado la obligación para todos de descubrirse ante un guardia y había declarado que estaba prohibido pasar por delante con la pipa en los labios. Los incidentes se multiplicaban. Un día era un estadounidense el que, como se había retrasado en quitarse el sombrero al atravesar el puente al volante de su camión, fue abofeteado por el centinela y conducido al cuartel general. Allí durante dos horas de detención quisieron obligarlo a limpiar el suelo; como se negó, lo abofetearon de nuevo. Un día más tarde, en una oficina, un guardia japonés le había arrancado el sombrero a una hermosa estadounidense que había acudido a solicitar un permiso de recogida de muebles y ¡se atrevía a permanecer cubierta delante de él! Numerosos chinos preferían ir con la cabeza desnuda para no tener que someterse. Un recuerdo todavía fresco ocupaba las mentes. En marzo, soldados japoneses habían golpeado a un tranquilo anciano antes de arrojarlo al Whangpoo. Desde el otro lado del puente los centinelas británicos habían contemplado impotentes cómo el viejo se ahogaba bajo las risas y los aplausos de los soldados del Mikado. Walter sintió un escalofrío al pasar por delante del japonés patizambo, que, con una mirada aviesa, lo examinó y le ladró la autorización a regañadientes.

Hans estaba llamando a la puerta de Walter cuando este apareció en el pasillo. El aspecto ansioso del muchacho dejó paso al alivio y luego a la inquietud cuando vio los labios azules de su amigo. Entró en tromba en la habitación que compartía con su madre y regresó con una taza de agua caliente, que Walter apretó entre sus manos contra su pecho.

15

En el Wiener Café se esperaba a Paco con interés. ¿Regresaría? Si lo hacía, ¿qué diría?, ¿cómo se comportaría? ¿Iría a sentarse a la banqueta como si nada hubiese ocurrido, con el terso rostro que componía su máscara habitual?

La señora Bauer estaba leyendo el periódico cuando dejó escapar un grito. En unos renglones se relataba que, la víspera, un filipino llamado Paco Buguay había sido alcanzado por una bala de revólver en la route Père-Robert, a un centenar de metros del hospital Sainte-Marie, donde había expirado poco después. La policía, que de inmediato había abierto una investigación, consideraba que se trataba de un ajuste de cuentas.

Paco se había llevado sus secretos al otro mundo.

Walter, impasible, continuó con su trabajo. Luchaba contra el cansancio provocado por su noche en blanco y procuraba olvidarse de los dolores causados por los sabañones en los pies y las grietas en los labios y las manos.

—¿Has visto qué hora es? —embistió Franz Bauer—. ¡Ya tendrías que estar al piano!

Walter se retiró los mechones rebeldes hacia atrás y compuso una mirada dura.

—¿Cuánto?

Finalmente el dueño aceptó pagarle un dólar al día. El instinto de Walter le había inspirado que los cincuenta céntimos constituían el salario inicial de Paco, pero que con el tiempo tuvo que aumentar. No obstante, la dueña consideraba que él, esta vez, ya no podía tocar con la chaqueta blanca de camarero y que su vestimenta particular estaba ajada.

—¿Qué te parece tu traje azul, que se te ha quedado estrecho? —le comentó a su marido.

El señor Bauer salió a buscarlo echando pestes. Walter aprovechó para mostrar a Klara sus manos escamosas, marcadas por estrías sanguinolentas. Ella le puso un poco de pomada.

—Mientras llega algo mejor —dijo ella—. Tan pronto como venga la señora Yang, le preguntaré la composición de su bálsamo e irás a que te lo preparen en la farmacia china.

Precisamente a causa de ese remedio, la austríaca y la china habían trabado conocimiento un día del invierno anterior, en el mes de marzo, cuando Shangai estaba cubierta por diez centímetros de nieve. La señora Yang se había compadecido de las manos agrietadas que le habían servido su porción de nata montada.

Greta Fischer dio rienda suelta a su asombro cuando Walter apareció con sus mechones rubios bien alisados, vestido con el traje azul marino del jefe, que, refunfuñando, había llevado también una camisa blanca y una corbata a lunares rojos.

—¡Qué guapo estás, Walter! —exclamó—. ¡Pareces salido de una auténtica estampa de moda!

Estaba al piano cuando la puerta dio paso a la anciana dama china sofocada, la señora Yang, acompañada de la encantadora joven de rostro de porcelana, esta vez, con un vestido chino de seda rosa pálido. «Rosa espino albar», pensó. Ella se sentó inmóvil, semejante a una estatuilla en una vitrina.

Klara Bauer se les unió en la mesa y enseguida señaló a Walter. Vio que las dos chinas lo miraban, pero la joven apartó los ojos en cuanto se encontraron con los suyos. Cuando llegó el descanso, Klara le hizo una seña para que se acercara. Lo presentó a la señora Yang, cuyos ojos de un blanco turbio lo traspasaron, y a la joven Feng-si, de labios sellados. Una silla lo aguardaba.

A su vez, en la cocina, a Fengyong la cabeza le daba tantas vueltas como el agua de fregar. Pensaba que Walter, cuando estaba al piano, no podía garantizar el servicio. ¿Iban a volver a llamar a Fengyong al comedor? Las noticias sobre la salud de Kurt, entonces hospitalizado, no dejaban esperar un pronto regreso.

Este pensamiento recordó al joven chino el agravamiento, durante esos últimos días, del estado de su padre. ¿Habría que hospitalizarlo también a él? ¿Costaría eso mucho dinero? ¿Ganaba lo suficiente su hermana?

Hacía una semana que la hermana mayor de Fengyong había dejado de vivir en casa. Su «madre» le había ofrecido en su piso, además de la habitación puesta a su disposición para recibir a los clientes, un cuarto en el que vivir. ¡Un cuarto para una persona sola! Era increíble. Fengyong nunca había oído cosa igual. ¿Qué había peor que la soledad? Le bastaba con pensarlo, para que la idea de dormir solo le pusiese la carne de gallina. ¿No se corría el peligro de que los demonios y los espíritus malignos se introdujeran en el espacio vacío?

Feng-si, intrépida, se había llevado sus vestidos, sus peines y sus afeites. En la casucha del culi tenían entonces un poco más de espacio, pero escaseaba el dinero para alimentar a los niños. Fengyong tenía que hablar del asunto con su hermana.

Estiró el cuello para ver qué pasaba en el comedor, para saber si Feng-si había acudido ese día y, cuando vio a Walter sentado a su lado, enseñando sus manos a la «madre», la sangre se le subió a la cabeza.

—¡Ese huevo de tortuga! ¡Esa chinche apestosa en una bola de estiércol! ¡Si toca a Feng-si, le arranco los ojos y los pongo a hervir!

Volvió a estirar el cuello, sin entender lo que ocurría. La señora Yang garrapateaba en un trozo de papel.

Una vez que hubo escrito la composición de la crema ancestral, sujetando el lápiz en alto, como lo habría hecho con su pincel, la señora Yang entregó el trozo de papel a Walter. Agradecido, le preguntó qué melodías podría tocar que le agradasen. Ella se declaró muy conmovida por la propuesta, afirmó que le gustaba toda la música y que prefería que él mismo eligiera una melodía que le pudiera complacer. *September Song* vino a los dedos de Walter. En el barco, con un pianista estadounidense, había aprendido esa melodía de un tal Kurt Weill, que le encantaba. Con las primeras notas, una sonrisa nostálgica relajó el rostro de la señora Yang. Dijo unas palabras a Fengsi, que asintió, se puso el abrigo y, etérea, salió.

Al volver, la joven tenía un pequeño tarro que entregó a su «madre». Esta lo puso a la vista sobre la mesa y, mediante señales, dio a entender a Walter que le estaba destinado. Walter sonrió, luego inspiró profundamente, dichoso, y sus manos se deslizaron aún más vivas por el teclado como si el bálsamo ya estuviera actuando.

II
Casino

1

Cada vez que se encontraba con una cara nueva, Walter mencionaba el nombre de Thomas Schoenberg sin haber obtenido respuesta hasta el momento. No descartaba, sin embargo, toparse un día con su antiguo compañero y seguía convencido de que este le ayudaría a dar un vuelco a su destino.

Sus manos agrietadas habían sanado rápidamente (hizo una mueca al acordarse de que en la fabricación de la crema maravillosa intervenía una buena parte de grasa de vísceras de cerdo) y sus dedos corrían con ligereza sobre las teclas del piano, mientras rememoraba, ese día gris y lluvioso de mediados de febrero, las peripecias de las tres últimas semanas.

El día siguiente a la muerte de Paco, Walter, desafiando el sentido común, había optado por arriesgarse, una decisión de la que en ese momento se alegraba. La monotonía de la rutina empezaba a asfixiarlo. Por eso, sin pensarlo, había anunciado a un Franz Bauer atónito que renunciaba a su papel de camarero, a pesar de ser más lucrativo gracias a las generosas propinas, y que se dedicaría solo al papel de pianista. La palabra «papel» le había venido a los labios, pues, en ambas ocupaciones, a él le parecía estar actuando. En su opinión, ninguna constituía un trabajo, aún menos un oficio. Su oficio era el periodismo y no se podría dedicar a él a no ser que encontrara tiempo.

Un día, en el Wiener Café, se le había ocurrido una idea al oír a un profesor del Liceo Francés mondarse de risa con la lectura de un anuncio aparecido en *Le Journal de Shanghaï*: «Refugiado alemán, que habla con soltura el francés, con experiencia en los negocios, contable, experimentado, busca un trabajo cualquiera». Al tiempo que se reía, el profesor se palmoteaba los muslos. Entre dos hipos explicó a su compañera: «Ese tipo presume de hablar con soltura el francés… y, ¡ji, ji!… ¡ja, ja!… ¡busca un "trabajo cualquiera"!».

Con toda su erudición, el hombrecillo de tez encarnada no había sabido leer entre líneas. Sin embargo, no hacían falta muchas luces para descifrar la llamada desesperada de un padre de familia, que, en su país, debía haberse ganado honorablemente la vida y que, sin blanca desde su llegada a Shangai, buscaba una salida como una rata apresada en un laberinto.

Walter había entendido que «un trabajo cualquiera» se traducía en «sumo desamparo» y lo percibió, sin poder precisarlo, como material periodístico.

A decir verdad, la angustia y la ruina constituían la suerte cotidiana en Shangai. Cada día se representaban dramas de todo tipo, tanto en los escenarios más rutilantes como en los bajos fondos de la ciudad. La prensa había relatado la tragedia acontecida bajo las arañas del Park Hotel: el encargado de personal, por todos apreciado, disfrutaba de una excelente posición, pero perdía su salario sobre el tapete verde hasta el punto de que su mujer, harta, lo había abandonado. Encontró una nueva prometida y tuvo que preparar un gran banquete de bodas. Pidió prestado a un amigo doscientos dólares y acudió a una timba con la esperanza de redondear su capital. Una vez más se fue desplumado. Entonces subió al piso decimocuarto del Park Hotel y se tiró desde una ventana. ¡Seguro que esa historia había sido de enorme interés para Robert Duguay!

Bajo la firma del periodista francés, que no carecía de causticidad, Walter había leído el relato por entregas de una tremenda estafa. Una joven rubia con un espléndido abrigo de paño verde había entrado en una de las joyerías más hermosas de Nanking Road, donde birló y sustituyó por una pieza falsa un solitario de más de dos quilates. La rubia de verde era tan guapa que los vendedores, hipnotizados, mantuvieron los ojos fijos en su rostro mientras ella discutía el precio.

Se llamaba Lenia, recordó Walter. Un bonito nombre ruso...

Cuando el deseo lo torturaba, Walter soñaba con tener una amante rusa. No una tanguista, no. Más bien una de esas aristócratas que tenían tanta clase, como la bailarina de ballet que, en la mesa de al lado, balanceaba la pierna mientras fumaba un largo cigarrillo. Estaba peinada y maquillada con gracia y vestía elegantemente. Se decía de las hermosas mujeres rusas que eran expertas en el amor... Walter lanzó las primeras notas de la más lánguida de las melodías de su repertorio ruso, procurando atrapar la mirada de la bailarina, pero ella no le concedió ni la sombra de un parpadeo. Walter se había olvidado de su evidente condición, la de un pobre pianista, que, entre dos actuaciones musicales, se convertiría, a partir del día siguiente, en un oscuro chupatintas.

El anuncio del pobre contable alemán, dispuesto a aceptar un «trabajo cualquiera», había sugerido a Walter la idea de proponer a Oskar Bloch, el jefe de redacción de los *Shanghai Nachrichten*, trazar las semblanzas de refugiados que habían vivido odiseas espectaculares. Consideraba que a los lectores les reconfortaría el relato de vidas semejantes a las suyas en la medida en que aquellas estuviesen realzadas con pruebas aún más dolorosas.

Según su costumbre, el austríaco había acudido al Wiener Café para llevar a Walter el juego de pruebas que tenía que corregir. Sentado a su mesa preferida, cerca de la ventana, había escuchado a Walter a la vez que se rascaba el tórax por encima del jersey. «Picaduras de chinches», reconoció Walter. Bloch estaba preocupado por un rumor acerca de la próxima aparición de una publicación semanal que haría la competencia a la suya. Tras un silencio, clavó sus ojos enrojecidos en los de Walter y luego respondió: «De acuerdo, ¡vamos a intentarlo!».

De vuelta en su cuchitril, como no era demasiado tarde, Walter llamó a la puerta de los Fischer para compartir su felicidad con ellos. La alegría de Hans era tan pura que Walter tuvo el deseo de darle inmediatamente un capricho. Por un rato privó a su madre de su compañía y juntos los dos se fueron en busca del «semijudío ex nazi», como Walter designaba para sus adentros a su antiguo compañero de camarote. No se habían vuelto a ver desde su encuentro en Wayside Road. Al llegar delante de la sombría casa de Werner Eisenberg y no saber cómo encontrarlo allí, Walter tuvo la idea de silbar el *Horst Wessel Lied*, canto nazi por excelencia. Se abrió una ventana y, poco después, entre risas caían el uno en brazos del otro.

Pero el buen humor de Werner duró poco, pues un disgusto lo afligía. Unas semanas antes, durante una ronda por los pequeños hotelitos de Frenchtown con su maletín con material para calzado, había trabado conocimiento con una pareja de judíos alemanes que habían considerado prudente huir del nazismo ya en 1934. El relato de Werner, al ser preguntado por Hitler y la evolución de Alemania, había interesado tanto al señor y la señora Weiss que rogaron al joven que se quedara a comer. La mesa muy bien puesta, los platos deliciosos, el café acompañado de un puro y de un licor de ciruelas le proporcionaron a Werner, por unas pocas horas, la impresión de estar todavía en Berlín. Solo había una diferencia: los criados chinos. Antes de marcharse, el anfitrión le había comprado el contenido de su maletín animándole a que regresara otro día.

«Como apenas había vendido nada esta semana —contó Werner a Walter y al joven Hans, todo oídos a pesar de su impaciencia—, he regresado allí hoy. Pero el portal estaba cerrado y habían instalado un timbre. He llamado y ha abierto un criado. Al ver mi maletín, ha dicho: "*No padling!*"* y ha estado a punto de darme con la puerta en las narices. Le he pedido que me dejara hablar con la señora Weiss y ha ido a buscarla. Ella

---

* En lugar de: «*No peddling!*» («¡Venta ambulante no!»).

me ha dicho: "Lo siento, pero cuando usted vino, era el primero. Después el desfile no ha cesado. Se podría abrir un almacén para vender todo lo que hemos comprado. Ya no queremos nada más".» No solo se había cerrado la puerta para Werner, sino que se veía forzado a idear otra forma de ganarse la vida. Decenas de maletines idénticos al suyo corrían en ese momento por las calles. El pequeño judío ruso que se lo había vendido debía estar frotándose las manos.

Con todo, Werner había aceptado una partida de lucha con Hans. El aprendiz casi ni se había despegado del suelo, pero durante el camino de regreso estaba radiante de felicidad. «¡Qué contento estoy de poder ponerme a escribir!», se alegraba a su vez Walter.

Pero, al día siguiente, la noticia del fallecimiento de Kurt, el pobre muchacho que había atravesado el océano para contraer la tuberculosis, lo iba a entristecer. A pesar de su decisión, Walter, por echar una mano a los Bauer, había accedido a garantizar el servicio hasta que hubiesen contratado a otro camarero.

Durante esos últimos meses, en Dachau y luego en Shangai, el camino de Walter había estado alfombrado por tantos heridos, moribundos y cadáveres que la muerte de los demás lo dejaba frío. Sin embargo, había sentido pena por el alma de Kurt. No estaba seguro de que su espíritu, después de tantos peregrinajes, hubiese alcanzado finalmente el reposo.

Ese mismo día, la lectura de los periódicos lo había reafirmado en su idea de que tenía un buen tema para el reportaje. Los europeos que huían de la persecución antisemita seguían afluyendo a Shangai. Más de cuatrocientos pasajeros habían llegado el domingo anterior en el *Conte Rosso* y se esperaba casi un millar más del *Conte Biancamano*, lo que elevaba a tres mil el número de estos refugiados. La tarea sobrepasaba la capacidad del Comité de Asistencia, que publicaba llamamientos a fin de suscitar la donación de artículos de menaje usados o sobrantes: ropa de cama, vajilla, cuchillos, tenedores.

Los comentarios habían estallado en el Wiener Café. «Por

desgracia, en la situación actual —había lamentado el antiguo jugador de polo tamborileando sobre el velador— no existe ningún recurso legal para impedir a nadie que desembarque en Shangai. La ciudad ya ha quedado muy afectada a lo largo de estos dos últimos años. Ha de reaccionar si quiere evitar enfrentarse con un problema irresoluble.» Por su parte, Franz Bauer, acariciándose la barriga, había hecho la siguiente observación: «Los judíos, en nuestro país, son sobre todo artesanos. ¡Los pobres! ¡Jamás podrán competir con las tarifas de la mano de obra china! ¡Se van a morir de hambre, seguro!». Al día siguiente, los diferentes consulados extranjeros en Shangai pidieron al presidente del Consejo Municipal que tomara todas las medidas necesarias a fin de detener la inmigración.

Habían pasado quince días.

Walter abandonó el repertorio ruso, que no parecía conmover a la bailarina más que a un pingüino el hielo, y empezó a tocar *La posada del caballo blanco*, en homenaje esta vez a su definitivamente última jornada como camarero, que acababa de terminar. Al día siguiente, el nuevo camarero empezaba a trabajar. Los Bauer, tal vez bajo la impresión de dos muertes en un mes, habían resuelto finalmente dar una oportunidad a Serguei, el hermano del guardaespaldas ruso.

Curiosamente, la señora Yang y Feng-si no habían vuelto a dejarse ver desde el día en que, con una amabilidad increíble, habían ofrecido a Walter el tarro de crema salvador. Lo atormentaba un remordimiento. No se lo había agradecido como era preciso. Un chino rechoncho, con cara de carnicero, vestido en apariencia por alguno de los mejores sastres de la avenue Joffre, se las había llevado enseguida. Y, a causa de sus horarios de trabajo, Walter no había podido hacer nunca la visita de cortesía que consideraba que les debía. Decidió hacerlo el día siguiente. Y es que ese día sería de nuevo un hombre libre.

Se dio cuenta de que nunca había oído la voz de la joven.

2

El amanecer de esa prometedora jornada se presentó igual que los anteriores: gris y hediondo. El encargado de vaciar los bacines había hecho las veces de despertador.

Walter trazó su plan mientras subía por las escaleras. Como el piano del Wiener Café lo esperaba a las cinco, haría antes una visita a las dos damas chinas que, según le había indicado Klara Bauer, vivían a unos cincuenta metros en la misma avenue Joffre. Antes tendría que ir a comprar una flor. Corría el riesgo de que el regalo resultara demasiado oneroso para su presupuesto, pero estaba decidido. Era una cuestión de dignidad.

Greta le había informado de que sin duda le resultaría más barato en la Ciudad China. Esta, encerrada en Frenchtown, era fácil de encontrar. «¡Sobre todo no te arruines!», le había recomendado la amable vienesa. Él se lo había prometido entre risas.

Walter decidió pasarse primero por Ward Road, donde el Comité de Asistencia a los Refugiados acababa de abrir un asilo. Allí realizaría su investigación y luego, mientras se dirigía a las marmitas del Embankment Building, reflexionaría sobre la redacción de su artículo. La única sombra en el cuadro de la libertad: a partir de ese momento tendría que preocuparse cada día de su comida, el *tiffin*, palabra de origen indio con la que la llamaban allí todos.

Por casualidad su cámara fotográfica estaba cargada con un

carrete. La utilizaría para hacer un retrato de la persona entrevistada, así como para fotografiar Shangai. Se había propuesto hacer un álbum —ya había recortado imágenes de periódicos viejos cogidos en el café—, que enviaría a su madre con la intención de animarla a que se reuniera con él. Los nuevos refugiados parecían unánimes en una cuestión: en poco tiempo todos los judíos tendrían que abandonar el Reich.

De pronto, Walter se sentó en la cama perplejo: se disponía a sumergirse en la miseria de la que él había procurado escapar desde su llegada, y esto con el propósito de huir de esa misma miseria. Era absurdo.

El recuerdo de Max Herzberg le vino a la mente. ¿Por qué limitarse a los pequeños trabajos? ¿De qué servía mantenerse honesto a cualquier precio? Walter se tumbó para reflexionar mejor; se envolvió en la manta, reencontró el agradable calor de la noche... y lo despertó un pálido rayo de sol.

Dio un salto. ¿Qué hora era? Walter escuchó los ruidos del edificio: Hans y Greta ya se habían ido. Salió al pasillo donde, para su asombro, se propagaba el olor a comida, y bajó corriendo al patio para coger agua. El óptico japonés echaba el cerrojo a la puerta de su trastienda. ¡Era mediodía!

Demasiado tarde para ir a Ward Road, pues Walter se negaba a posponer para otro día la visita a la señora Yang y Feng-si. Se dio cuenta, detalle en el que no había pensado antes, de que se tendría que poner ya su traje gris si quería estar presentable, pues el azul marino que le había prestado Franz Bauer lo dejaba por la tarde en el vestuario del café. ¡Ojalá no se le manchase en el banco del comedor!

No obstante, todo se desarrolló bien y, con el estómago apaciguado y el corazón contento, Walter se dirigió hacia la Ciudad China.

Bordeó el muro que la delimitaba, encontró la entrada de una callejuela en la avenue des Deux-Republiques y se sumergió en la multitud. Lo asaltaron ruidos y olores hasta el punto de aturdirlo. Se distinguía a las carretillas por sus terribles chirridos. Cuando se recuperó, advirtió una serie de tiendas de animales: pájaros de colores, peces para acuarios, saltamontes, cigarras, grillos enjaulados. Viejos comerciantes, sentados en taburetes ocultos por sus ropas, fumaban una larga pipa de cazoleta diminuta. En medio del cálido y delicioso olor a ajo y aceite, Walter distinguió de inmediato los diferentes gritos de los vendedores de castañas, de habas, de arroz y de mil artículos más, desconocidos para él, cuya forma y color lo fascinaban. Finalmente desembocó en el mercado y, allí, encontró lo que buscaba.

Cuando la vendedora de flores, una mujer muy fea con cabeza de caballo, escribió una cifra en un trozo de periódico, Walter vio claramente que le estaba haciendo un precio de extranjero: el doble o incluso el triple. No podía gastarse esa cantidad, pero deseaba a toda costa obtener la ramita doble, adornada de botones rosa pálido, que había atraído su mirada. Ofreció un tercio del precio anunciado. Con todos sus dientes fuera, la vendedora empezó a soltar chillidos tan agudos que habrían alertado a cualquier policía austríaco. Walter pensó que más le valía largarse, pero ella lo alcanzó y, con las mejillas coloradas por la excitación, propuso con su mugriento periódico un importe equivalente a la mitad del precio inicial. Walter se apresuró a aceptar y, al coger la rama que le tendía, se extrañó del aspecto alegre, amistoso de la mujer. Entonces comprendió que había desempeñado el papel que ella esperaba de él, sin el cual la transacción habría carecido de encanto a los ojos de la china, y se prometió poner en práctica esta estrategia en su siguiente compra.

¿Cuánto tiempo había durado la negociación? Sin duda demasiado. Walter se apresuró, creyendo que regresaba por el mismo camino que había tomado a la ida. Sin embargo, fue a parar a la calle de los vendedores de paño, luego a la de la seda. Se había perdido. Los chinos a los que preguntó lo miraban impasibles o le indicaban que no le entendían; las chinas no le hacían caso o se morían de risa cubriéndose con la mano. Walter tenía la sensación de que su estómago se había convertido en un reloj y sufría con dolor el avance inexorable de las manecillas. Se precipitó de una callejuela a otra, vio barberos, fabricantes de ataúdes, cesteros. Por fin encontró una salida. Allí, una bonita francesa, cuyo reloj marcaba las cuatro, le indicó amablemente el camino.

Le quedaba, pues, muy poco tiempo para realizar su visita a las damas chinas, pero no podía posponerla. Después del Wiener Café, sería demasiado tarde y, si esperaba al día siguiente, corría el riesgo de que las flores que tanto le habían costado se hubiesen estropeado.

Walter se puso a correr, sorteando a los peatones, los rickshaws y las carretillas. Mientras pasaba por delante de un restaurante chino, retumbó una fuerte explosión y una *amah** se desplomó junto a él, aullando. Como la mujer se estaba deslizando hacia el suelo aferrada a un saco de arroz, que se vaciaba lentamente, Walter la sostuvo con su mano libre. Pero, como también él perdía el equilibrio, tuvo que soltarla. La mujer se derrumbó entre sollozos, a dos pasos de un peatón chino, que se había caído, al haberse lastimado una pierna cuando se produjo la detonación. El propietario y los camareros del restaurante, que habían salido berreando, gesticulaban ante la visión de los cristales rotos. ¿Estaba herida la *amah*? Su cuerpo se estremecía dentro de su vestido de algodón azul. Walter se agachó, puso su mano en el hombro de la mujer con la esperanza de tranquilizarla y de pronto vio cómo se caían dos florecillas. Su frágil ramo estaba a punto de ser destrozado por la muchedumbre que se agolpaba. Entonces se acordó de que apenas le quedaba tiempo para llevarlo a casa de la señora Yang, antes de dirigirse al Wiener Café. Se irguió bruscamente, atravesó el grupo de mirones y huyó azorado.

Solo cuando llamó a la puerta de la hermosa casa china sintió que un líquido caliente resbalaba por su pierna. Al agachar

* Criada china: niñera, doncella, costurera, ayudante de cocina, etc.

la cabeza vio que tenía los bajos del pantalón hechos jirones. Pero un criado estaba abriendo. En la niebla que lo envolvió, Walter no discernía más que una imagen, la de la joven china de labios sellados. Con un suspiro pronunció su nombre.

—Feng-si.

El criado respondió en inglés que miss Feng-si tenía visita en ese momento y preguntó al visitante si deseaba esperar. Walter asintió y de inmediato se encontró sentado en un pequeño gabinete con muebles de madera roja. Un segundo criado pasó cargado con una botella de champán y dos copas de cristal sobre una bandeja. Abrió una puerta. Un fonógrafo estaba en funcionamiento. Reconoció la voz de Marlene Dietrich, oyó una risa masculina y obtuvo la respuesta a una pregunta que nunca se había planteado: la princesa del rostro de porcelana era una profesional del amor.

Se pasó la mano por la pantorrilla y la retiró pringosa de sangre y arroz sucio. Turbado, miró la rama de florecillas rosas que mantenía apretada con la otra mano. Aflojó los nudillos, la depositó en un taburete recubierto de seda púrpura y se levantó. Entonces vio delante de él a la señora Yang ataviada con un pesado vestido chino, en el que se veía bordado un dragón que echaba lenguas de fuego. Apoyada sobre su bastón, respiraba con dificultad y parecía mirar a través de las paredes. Walter se preguntó si lo estaría viendo. Ignoraba qué había ido a hacer allí. En su confusión, quiso tender la mano a la anciana dama, pero se acordó de que esa costumbre occidental era objeto de burla entre los chinos. Se inclinó y señaló su presente.

—Para Feng-si —suspiró.

La señora Yang agachó la cabeza y dirigió sus ojos hacia la rama florida. Walter se inclinó una segunda vez delante de ella, se dio la vuelta y las puertas que se abrían ante él lo guiaron hacia la salida.

Fue solo en ese momento cuando se preguntó por el proyectil que lo había herido. ¿Quién había lanzado esa bomba o esa granada? ¿A quién iba dirigida? Consternado, advirtió que la pernera del pantalón de su traje estaba hecha jirones, pero no se entretuvo en el examen. Sabía que llegaba tarde.

Las manecillas doradas que corrían por la esfera negra enmarcada en caoba del reloj nuevo se lo confirmaron.

—¡Por fin has llegado, Waldi! —gritó Klara Bauer cogiéndolo de las manos cuando hubo entrado en el café abarrotado—. ¡Qué pálido estás! ¿Vienes del lugar de la explosión?

Hizo un gesto afirmativo, abrió la boca y la cerró. Las palabras no llegaban a sus labios.

—Pero no estarás herido, ¿verdad? ¡Tengo tanto miedo! Como no venías, he mandado allí a Franz. ¿No lo has visto?

Walter sacudió la cabeza y apoyó el pie en la barra de una silla. Le escocía la pierna por encima del tobillo.

—¡Estás herido! ¡Ven que te cure!

Al volverse para seguir a la señora Bauer, Walter se chocó con el coloso pálido de bigote y patillas. Estaba plantado con las piernas separadas en el pasillo. Era Serguei, el nuevo camarero. La dueña se lo presentó rápidamente antes de arrastrarlo hacia el servicio. Las heridas parecían superficiales, pero ella le aconsejó una visita al consultorio. Walter se negó, pues el piano lo estaba esperando. Una vez vendado, se cambió de traje (de las vueltas de su pantalón se escaparon unos granos de arroz) y se dirigió hacia su banqueta.

—Tómate antes un café caliente —ordenó la dueña—. Fíjate, la gente está hablando de la explosión. ¡Mira, ya está Franz de vuelta con el señor Cohen! Nos contarán las novedades. Luego oiremos música.

Se abrió la puerta y la fornida silueta de Morris «Two-Gun» Cohen ocupó el marco de la puerta. Antes de entrar, sacudió al suelo el agua de lluvia, que colmaba el ala de su sombrero de fieltro. Fuera estaba jarreando.

—¡Una bomba fabricada con una caja de cigarrillos Ruby Queen! —anunció en inglés—. Más pánico que daño. Un peatón y una *amah* heridos en las piernas, nada grave.

Two-Gun se sentó en un velador y de inmediato se formó

un círculo alrededor de él, pues nadie estaba mejor preparado que el hombrecillo con espalda de luchador de feria para interpretar el acontecimiento.

Nacido hacía más de cincuenta años en la portería del guarda de una sinagoga londinense, el joven Morris se lo había hecho pasar tan mal a sus padres que terminaron por enviarlo a una granja canadiense, al abrigo de toda mala influencia. Pero no por mucho tiempo. Morris se escapó y se hizo bandolero. Había seguido en cuerpo y alma a un grupo de chinos revolucionarios y un día se había encontrado en presencia del gran jefe, el doctor Sun Yat-sen, fundador del partido nacionalista, el Guomindang, así como de la República de China, que había acudido a Canadá a comprar armas. El médico filósofo, a cuya cabeza habían puesto precio, contrató entonces como guardaespaldas al excelente tirador Morris Cohen, llamado Two-Gun porque dos pistolas, disparaba con ambas manos, guarnecían siempre sus costados. Tras la muerte de Sun Yat-sen en 1925, Two-Gun prosiguió su camino con el partido, presidido a partir de entonces por el general Chiang Kai-shek. Se sospechaba que Morris Cohen compraba armas por cuenta de los nacionalistas que, en otras regiones del país, continuaban una encarnizada guerra contra los japoneses.

La periodista Emily Stone, vestida de sport (traje con chaqueta de lana verde a cuadros ceñida por un cinturón a juego con una falda tableada), se deslizó en la silla contigua a la de Two-Gun y, con un cuaderno en la mano y su mono en el hombro, acaparó al héroe.

—¿Se puede relacionar esta explosión con las otras cuatro que se produjeron ayer por la noche en las salas de baile de la Concesión Internacional?

Cohen resopló.

—Sin duda. Ha habido otras muchas este verano. ¡Solo el 7 de julio se produjeron doce atentados!

La joven reflexionaba mordisqueando el extremo de su lapicero.

—Las explosiones de ayer por la noche iban dirigidas contra cientos de personas —retomó ella— y las octavillas que se lanzaron ayer en la calle decían que era vergonzoso que hubiera chinos bailando y divirtiéndose mientras sus hermanos eran asesinados por la libertad. Sin embargo, la bomba de hoy ha asolado un restaurante casi vacío.

Two-Gun solo consintió responder tras haber pedido una ración de *Strudel*.

—Iba dirigida contra el propietario. Castigado por sus simpatías projaponesas… ¡Ocurre a diario! Ayer la policía encontró cinco bombas de esas en un apartamento de Seymour Road. ¿Y se ha enterado de lo que ocurrió la semana pasada donde Dah Sen?

—¿La timba de la avenida Connaught Road?

Como Cohen hizo un signo afirmativo, Emily Stone estalló en risas.

—¡Sí, sí! —dijo ella riendo todavía—. ¡Qué farsa!

Por el rabillo del ojo Two-Gun evaluó la calidad del auditorio que empezaba a reunirse a su alrededor. Le gustaba hablar para la galería.

—Llegaron unos tipos vestidos de chinos —explicó él con ayuda de gestos—. Sacaron las pistolas que ocultaban debajo y ¡pan! ¡pan! ¡pan! Se largó todo el mundo, los jugadores y los croupiers dejaron sus apuestas encima de las mesas. ¡Me pregunto quién se habrá quedado al final con el dinero!

Disimulaba su risa con una tos seca que le hacía brincar en el taburete.

—¿Cree usted que el movimiento antijaponés se va a extender? —preguntó la estadounidense, preparada para anotar.

Cohen fingió que exhalaba un suspiro resignado.

—Le voy a responder, señorita, pues me cuesta tanto resistirme a las mujeres hermosas como a los dulces vieneses… Todos los indicios apuntan en esa dirección… He oído hablar de una sociedad secreta en una ciudad próxima que se dedica al rapto de empleados projaponeses del ayuntamiento. Se anuncia una guerra sin cuartel. Unos y otros pueden esperar las peores represalias.

Después de haberse zampado un enorme trozo del *Strudel* caramelizado, prosiguió:

—¡Fíjese! No hace más de una semana, el director de un periódico chino recibió una caja que contenía una mano amputada, con una nota que decía: «Si persiste en su propaganda antijaponesa, seguirá recibiendo regalos». ¡Elementos que pueden darle una idea de cómo se va a desarrollar la situación!

Cohen soltó una carcajada atronadora y el auditorio, impresionado, le secundó con una risa ahogada.

—Si yo fuera la señorita Li Ming —exclamó Emily Stone con el espanto pintado en el rostro—, estaría terriblemente asustada.

Contó que la artista de cine china, que había representado el papel principal en la película titulada *El camino hacia la paz en el Extremo Oriente*, rodada en Tokio, acababa de firmar un contrato con la Manchukuo Motion Picture Company,* según el cual exigía que todos sus vestidos fuesen diseñados y realizados por modistos de Pekín y que se reservaba el derecho de consumir cinco cajas de bombones ¡al día!

Emily Stone, que sabía más sobre el asunto del terrorismo de lo que aparentaba, quiso ver hasta dónde podía llegar. Sin detenerse en las nuevas carcajadas provocadas por sus revelaciones, continuó:

—Y dígame, señor Cohen, ¿es cierto que usted sospecha que los japoneses están arrojando bombas con gas venenoso sobre la población china?

Él la escudriñó con el rostro helado, manteniendo el tenedor en el aire. Ese fue el momento elegido por Mr. Pooh, el mono, para apropiarse de un zarpazo del último bocado de pastel que quedaba en el plato.

---

* Las tropas japonesas invadieron Manchuria en 1931 y la transformaron en 1932 en el Estado de Mandchukuo (o Manchukuo), poniendo al frente al emperador títere Pu-yi, último descendiente de la familia imperial china.

Two-Gun depositó el tenedor y clavó su mirada en la periodista entornando los ojos.

—Su mono está muy mal educado, señorita. Enséñele que no se pica de un plato ajeno sin haber sido invitado.

Encontró un cigarro en su bolsillo, lo encendió morosamente, luego se levantó y, tras despedirse del pequeño círculo, se unió a dos chinos con gafas que acababan de instalarse en el otro extremo del comedor.

Un inglés rechoncho, con un sello en el dedo y el pelo ondulado, dio una palmadita en el hombro de la periodista:

—Señorita, ¿sabe usted por casualidad si el proyecto para el catódromo ha sido aceptado por el Consejo Municipal?

Estupefacta, miss Stone parpadeó varias veces con sus largas pestañas.

—¡Un catódromo! ¿Ha dicho catódromo?

El amante de los felinos explicó, con los pulgares hundidos en los bolsillos del chaleco, que la velocidad con la que los perros perseguían a su liebre disecada era igualada o incluso superada por la de los gatos que corrían tras un ratón.

—¡Incluso superada! —repitió dando un resoplido.

Walter decidió que era el momento de ponerse al piano. Igual que Paco el filipino, ahora tocaba con los ojos fijos en la puerta. Esperaba que apareciera Feng-si, cuyo nombre, le había explicado Klara, significaba «Felicidad del Fénix». La señora Yang debía de haberle entregado el ramo. Nadie, pensó Walter, podía imaginarse lo que le había costado. Solo lamentaba desconocer cómo lo había recibido Feng-si, no haber podido ver su rostro en ese instante. A pesar de su ausencia, Walter tocaba para ella. Que fuera una profesional del amor ya no le molestaba. Se imaginaba que era recibido en la casa china. Feng-si lo miraba con una dulzura infinita y, sentada delante de la ventana, su silueta se perfilaba a contraluz mientras se soltaba el cabello largo y sedoso. Tenía que reconocer que la señorita Felicidad del Fénix ejercía sobre él una extraña fascinación, como nunca había sentido por ninguna otra mujer.

3

Al día siguiente por la mañana, Walter penetró temprano en el *Heim* de Ward Road, un antiguo cuartel de los rusos blancos, que, dañado durante la ofensiva japonesa, había sido luego reparado por el Comité de Asistencia. Una batería de chimeneas de fábrica dominaba por encima del tejado de las amplias cocinas, que entonces reemplazaban a las de la sinagoga Beth Aharon y abastecían al Embankment Building.

Walter se había imaginado que podría entablar conversación fácilmente. No obstante, a través de una puerta entreabierta vio que la gente permanecía encerrada en los dormitorios. Agrupados por familias, con sus maletas apiladas, se las ingeniaban tendiendo sábanas o mantas con el objetivo de preservar una apariencia de intimidad en torno a una superficie que no debía exceder los cuatro metros cuadrados. Sin querer, escuchó comentarios irritados. ¿Cómo desembarazarse de dos hombres que con sus ronquidos mantenían todas las noches al dormitorio en vela? Estos, abriendo unos grandes ojos inocentes, se extrañaban de lo que se les reprochaba.

Dejándose guiar por sus pasos, Walter llegó junto a una mesa en la que un vendedor alineaba golosinas y cigarrillos. Una joven pelirroja de cabellos largos y rizados, envuelta en un chal, permanecía un poco apartada, dubitativa. Finalmente se acercó, señaló un paquete de galletas y cogió su bolso. Al hacer el movimiento para asirlo, la bandolera se desprendió. Tras un instante de sorpresa, prorrumpió en sollozos, acurrucada, y se habría desplomado si Walter no le hubiese acercado una silla a tiempo. Después de la *amah* herida por la granada, también esta se derrumbaba en sus brazos. ¡Curiosa fatalidad!

Miró el bolso y vio que la bandolera estaba simplemente descosida. Unas puntadas serían suficientes para reparar el daño.

—¡No se disguste por tan poca cosa, señorita! He visto a un zapatero ambulante detenerse aquí al lado. ¿Quiere que la acompañe?

Al pasar, se había detenido a examinar las herramientas dispuestas en los extremos del palo que el chino transportaba al hombro.

Ella aceptó, pero, luego, después de algunos pasos, desistió y empezó de nuevo a sollozar. En un primer momento este comportamiento molestó a Walter (¡estaba perdiendo el tiempo con esa remilgada!), pero de pronto lo intrigó. ¡Las reacciones de la muchacha eran tan excesivas!

Con dulzura, le preguntó de dónde venía, cuándo había llegado, si su familia la acompañaba. Ella empezó respondiendo con monosílabos y movimientos de cabeza, pero, a fuerza de paciencia, Walter terminó por sacarle su historia.

Josefine Mayer («de unos veintitrés años», juzgó Walter) era originaria de Hannover. Sus padres, muertos en un accidente de ferrocarril, no la habían dejado sin recursos. Atraída por la alta costura, se había ido a París y había sido contratada en un comercio del faubourg Saint-Honoré, pero las autoridades francesas habían rehusado renovarle el permiso de residencia. Como unos primos le habían manifestado su intención de emigrar a Shangai, Josefine había decidido sacar un pasaje en el *Félix Roussel*, paquebote de las Messageries Maritimes y adelantárseles. Tras desembarcar en el quai des Douanes con la intención de buscar un hotel, se dio cuenta de repente de que no tenía dinero local y de que no podría pagar a los culis. Confusa, permanecía junto a su equipaje cuando un hombre joven y guapo le preguntó en un francés teñido de un fuerte acento alemán si podía ayudarla. Tan pronto ella le hubo explicado su situación, él exclamó en alemán que el destino hacía bien las cosas, pues también él era un refugiado judío y trabajaba para el Comité de Asistencia. «No tengo más que libras esterlinas», le explicó ella. «No importa —respondió él—, le anticiparé lo que necesite.» Josefine rechazó el ofrecimiento, pero le pidió al joven que le cambiase un billete de una libra y luego también, si le haría el favor de depositar a su nombre un fonógrafo en la consigna. Volvería a buscarlo cuando hubiese encontrado alojamiento. Él aceptó de buena gana las dos misiones y rogó a la muchacha que lo esperase. Una hora más tarde, ella se decidió finalmente a pedir ayuda a la policía y, sin darse cuenta, había acabado en Ward Road Heim, mientras esperaba la llegada de sus primos.

—Ahora entiendo que desconfiase de mí —dijo Walter—. Ha hecho bien, señorita. No confíe en nadie. Esta ciudad está plagada de estafadores.

Era conmovedora, con su bolso apretado contra sí, los cabellos extendidos sobre el chal de flores y las lágrimas que brillaban como perlas en sus ojos color avellana.

—¡No, no! —protestó ella tomándole del brazo—. Usted, usted me parece honrado… Lléveme a su zapatero, ¡se lo ruego!

Su voz se había vuelto serena. Un ligero rubor cubría sus mejillas y un resplandor de confianza dulcificaba su mirada. Colgada del brazo de Walter aguardaba levantando hacia él un rostro encantador con una sonrisa en los labios.

—¿Qué pasa con ese zapatero? —le acució ella, temblorosa.

Walter sintió que ella lo esperaba todo de él. El zapatero, la ternura, el amor, una vida en la que uno se abrazase al otro con fuerza, la boda vestida de blanco y coronada de flores. Se soltó del brazo:

—Si no se ha movido, lo verá a la derecha al salir de aquí. Discúlpeme, señorita, no tengo tiempo para acompañarla. ¡No se lo tome a mal! ¡Buena suerte!

Walter se alejó cabizbajo por haber acrecentado la pena de

la muchacha. ¡Lo único que había hecho era protegerse! Se prometió que preguntaría por ella en breve.

A primera hora del mediodía tenía el material para su primer artículo, recabado en la mesa del *tiffin* común. Un hombre de manos temblorosas comía su sopa sin que, en apariencia, se diese cuenta de las salpicaduras que provocaba ni se preocupase por el preciado líquido que perdía. No participaba en ninguna conversación.

Una vez más Walter encontró las palabras de la persuasión. Cuando, para sorpresa de sus vecinos, Leopold Laufer se puso por fin a hablar, relató su historia de un tirón con la fuerza de un torrente y una mirada que atravesaba las paredes.

Walter admitió que no estaba muy dotado para adivinar la edad de las personas que pasaban de los treinta. A su parecer, Leopold Laufer debía de rondar los sesenta años. Sin embargo, apenas tenía cuarenta y seis.

Se trataba de un gran fabricante de harina, que se había establecido a las afueras de Viena. En marzo de 1938 fue enviado al campo de Buchenwald. Al salir de allí en el mes de diciembre siguiente, se enteró de que su hermano había sido asesinado durante el pogromo de la Noche de los Cristales Rotos y de que su mujer, que había enloquecido, había conseguido matarse en un segundo intento de suicidio.

Su fábrica de harinas había sido «vendida», pero a él no le llegó ni un céntimo de la transacción. Conminado a abandonar Austria o regresar al campo, Leopold Laufer era todavía, a pesar de todo, lo suficientemente rico como para conseguir un pasaporte extranjero. Creyó que eso le favorecería. No obstante, el plazo que le habían concedido transcurrió sin que hubiese obtenido el visado. El hombre se dirigió entonces a la frontera francesa, que unos pasadores lo ayudaron a cruzar. Les pagó sus últimos marcos a cambio de un mapa de carreteras de la región limítrofe. Consiguió llegar a una pequeña ciudad y allí Leopold Laufer pidió limosna a las familias judías. Aquella gente le dio algunos francos y un billete de tren para París, donde recurrió al HICEM, el Comité Judío de Asistencia Internacional. Resultó, sin embargo, que esa asociación no podía ayudarlo porque él había entrado de forma clandestina en el país. Le dieron una carta para la prefectura, que le concedió un permiso de residencia de dos semanas. Transcurrido el tiempo, la policía lo detuvo.

En Francia, Leopold Laufer era un indeseable y no podía ir a ningún sitio. Fue detenido varias veces. El juez admitió que no se le podía acusar en tanto no hubiera obtenido un visado cualquiera. Por último, el judío errante consiguió ser transportado a Shangai en un vapor francés. El hombre que hasta marzo de 1938 había sido un fabricante de harinas feliz y próspero llegó quebrantado, sin familia ni dinero. Un mendigo.

Ni pensar en hacer una foto. Leopold Laufer pidió a Walter que no publicara su nombre. Temía por su hermanastra, que se había quedado en Austria.

Cuando Walter se marchó del *Heim* a primera hora del mediodía, estaba exultante con la idea de tener el material para su primer artículo. Pero su alegre emoción dejó pronto sitio a las escoceduras del alma y del cuerpo. Sabía que se había portado mal con Josefine, quien, además, le había hecho pensar en Anna. ¿Qué habría sido de Anna? Recordó su último encuentro en la pequeña sala de música de los padres de la joven. Walter tocaba al piano *Lieder* de Schumann y ella cantaba con aquella voz que a él le gustaba tanto, semejante a un arroyo de montaña que brinca de piedra en piedra… ¿No debería haberle escrito para que acudiera a Shangai? ¡Quizá todavía estuviese a tiempo! ¡Pero su indigencia allí era total! La decepcionaría. ¿Entonces…?

Por otra parte, Walter tenía que reconocer que Feng-si ocupaba sus pensamientos. Era extraño. No habían intercambiado ni una palabra. ¿Por qué no hablaba nunca?

Las punzadas de dolor en la pantorrilla, cada vez más agudas, le decidieron a examinar sus rozaduras. Se le habían infectado. Lo anegó la ira, tenía ganas de destrozarlo todo. Dio un puñetazo a una valla de bambú y la oyó vibrar como si hubiese sido agitada por un fuerte viento. Solo la preocupación por preservar sus dedos lo detuvo.

¿Qué medida inteligente podía tomar que no lo arruinase? Klara Bauer y Greta, que hasta ese momento le habían hecho las curas lo mejor que habían podido, no disponían de los productos necesarios para limpiar una herida purulenta. El dolor le perforaba hasta la ingle y le cortaba la respiración. Recordó haber visto en Ward Road Heim a un hombre con la mano vendada que había pasado por una puerta que, al abrirse, había dejado escapar un olor a éter.

Walter regresó sobre sus pasos, abrió aquella puerta, guarnecida, en efecto, con una cruz roja, y se encontró con la mirada de tres personas sentadas en hilera en un estrecho pasillo. Una cuarta silla lo aguardaba.

Una mujer con la mejilla hinchada, que respiraba con dificultad, acechaba los ruidos que provenían del fondo.

—Esto se alarga —se quejó.

El silencio le respondió. ¿La había oído su vecino? Con un gesto de dolor, este se llevaba continuamente la mano a los ojos cerrados, apretando sobre los párpados.

—¿Tiene mal los ojos? —indagó ella.

Él la miró sin verla. El tercer paciente hizo una seña a la curiosa para que se callara. Al ver a Walter intrigado, se inclinó hacia su oído para confiarle:

—Está así desde el 10 de noviembre… Sabe, la Noche de los Cristales Rotos… Vio a su padre arder en casa y, desde entonces, está obsesionado por esa visión.

Por fin se abrió la puerta, que dejó paso a una joven madre y su bebé. Otro niño con los ojos todavía llenos de lágrimas se aferraba a su falda. En cuanto vio al médico con camisa blanca, Walter reconoció a Horst Bergmann, el compañero de sus primeros pasos en Shangai.

El reencuentro no fue ni bien ni mal. Horst era el mejor de los hombres, pero a Walter le irritaba su rigidez moral. Se preguntaba si la obsequiosidad del berlinés no estaría más bien dictada por el sentido del deber que por un impulso del corazón.

Horst le preguntó por las circunstancias de la lesión. Luego, mientras con manos expertas se dedicaba a limpiar, desinfectar y vendar la herida, la conversación tomó un giro más agrio.

—Te voy a decir lo que realmente pienso, Horst. Aquí los blancos, los que dirigen el Consejo Municipal y los que limpian su conciencia dedicándose a las obras de caridad, sencillamente tienen miedo de la competencia. ¡Por eso encierran a los refugiados en Hongkew! ¡Como en un gueto! ¡Por eso los mantienen apaciguados con su comedor de beneficencia! ¡Por miedo a la competencia! Todos miran por sus habichuelas, desde el conductor ruso de autobús al buhonero japonés pasando por el judío inglés que se ha asegurado monopolios jugosos. Nosotros, con nuestro deseo de vivir dignamente, molestamos. Pero no sirve de nada que yo intente hacerte comprender mi punto de vista, porque tú y yo, Horst, no tenemos la misma concepción de la dignidad.

—¡Cálmate, Walter! En cualquier caso, no nos vamos a enfadar.

Walter ansiaba un cigarrillo, pero Horst no fumaba. También sobre ese tema habían discutido ya. Walter consideraba que fumar era un deber desde que los nazis estaban intentando frenar el gusto por el tabaco. Julius Streicher* había declarado que los judíos habían extendido entre los alemanes la costumbre de fumar para socavar a la nación alemana y enriquecerse al mismo tiempo, que la nicotina era el mayor enemigo del Reich pues minaba la fertilidad de las mujeres alemanas y, por último, que ni Mussolini ni Hitler fumaban, lo que les había permitido llevar a cabo grandes acciones.

—No —repitió Walter pasándose la mano por la cara—, no nos vamos a enfadar.

* Dignatario del partido nazi. Director del semanal antisemita *Der Stürmer*, presidente de la campaña de boicoteo a las empresas judías.

Su gesto le recordó el del hombre que había visto en el pasillo, con su incesante sufrimiento. Tal vez un día consiguiese su relato… De repente se dio cuenta de que el médico, bien situado para conocer a la gente, podría orientarlo hacia los «casos» interesantes. Entusiasmado, le describió entonces su proyecto de semblanzas para los *Shanghai Nachrichten* y vio con estupor cómo el rostro de Horst se descomponía.

—¿Cómo se te ocurre? —bramó el berlinés—. El comité ha prohibido formalmente a los refugiados que hablen con los periodistas. Lo que aquí ocurra no le incumbe a nadie. ¿No te lo han dicho?

—No —respondió Walter, que, con los puños apretados, se esforzaba por permanecer sereno—. La gente con la que he hablado parecía contenta de poder desahogarse.

Un amplio vendaje cubría ya la parte inferior de su pantorrilla. Le dio las gracias y se sentó en un taburete para ponerse el calcetín y el zapato. Horst, que lo miraba actuar mientras se subía las gafas hacia las espesas cejas, no pudo evitar comentar:

—De verdad que tienes habilidad para meterte en situaciones imposibles… ¿Qué se te había perdido en casa de esas chinas? Son prostitutas, ¿no? ¡Desconfía de las chinas, amigo! Los especialistas en blenorragia son los médicos más ricos de Shangai. ¡A no ser que estés deseando contribuir a su fortuna!

Se rió con una risa de conejo.

—¿Hablas en serio, Horst? —le preguntó Walter indiferente, con una mano en el picaporte de la puerta—. ¿De verdad crees que las chinas están más contaminadas que las rusas? Y las putas alemanas, ¡quizá ellas no tengan microbios!

Se despidieron secamente. Fuera caía la lluvia. En los charcos se hinchaban pompas semejantes a tripas de sapos.

4

Detrás de su ventana, Feng-si veía cómo estaba cayendo el chaparrón que maltrataba a los árboles. El tranvía de ojos amarillos se deslizaba sobre los raíles brillantes y escupía su cólera en los cables.

Ráfagas de viento y lluvia azotaban la ciudad desde hacía tres días, desde la muerte de Yang Laoma. Su cuerpo había abandonado ya la casa al son de la música fúnebre y Feng-si, por primera vez, se encontraba sola.

Se dejó caer, rota, en uno de los bancos que se extendían a lo largo de las paredes del salón, cubiertas de telas blancas y despojadas de todos sus muebles para la ceremonia de despedida. Retorciendo un pequeño pañuelo de seda entre las manos, Feng-si reflexionó. ¿Se habría olvidado de alguno de los ritos necesarios para honrar al espíritu de la difunta? ¿Estaría este dispuesto a derramar la buena suerte sobre su persona como lo había hecho la señora Yang en vida?

Elevó los ojos hacia el retrato, rodeado de blanco, que dominaba el altar rebosante de numerosos platitos llenos de flores, frutas y golosinas de colores cálidos. Iluminada por la llama de dos cirios, la sonrisa de Laoma conservaba su enigma.

Su repentina muerte había sumido la casa en un torbellino. Feng-si sabía que su benefactora estaba enferma, la veía moverse cada vez con mayor dificultad, pero no imaginaba que la muerte se encontrase tan cerca. El doctor Cheng se había mostrado incluso esperanzado el día, no tan lejano, en que la señora Yang había dejado de fumar con su pequeña pipa.

Feng-si pensó en los últimos instantes de Laoma. Esa tarde, su valedor Wu Yutsing estaba de visita, como era habitual. Los tres se encontraban en el salón amueblado de roble blanco. Sabedora de que a él le agradaba, Feng-si había puesto en el fonógrafo un disco de Marlene Dietrich. De repente Laoma se había levantado de su asiento. «¿Quiere que la acompañe, mamá?», había preguntado Feng-si. «No, hija mía, tu sitio está aquí.»

Feng-si oía aún la voz jadeante pero firme.

Laoma había regresado poco después sujetando entre sus dedos con las uñas pintadas una rama de ciruelo rosa, que tendió a su «hija». Su último gesto consciente. Abrió la boca para hablar, tal vez para decir de dónde venía la ofrenda, pero se había desplomado sobre un sillón, pálida como el papel, con la cabeza inclinada hacia un lado y un poco de espuma en la comisura de los labios.

El doctor Cheng, al que habían llamado de inmediato, solo pudo constatar el fallecimiento. ¿Cuál era la procedencia de esa rama de ciruelo? Los criados lo ignoraban.

Feng-si la había colocado en el jarrón que le había llevado Huilan, una jovencísima *amah*, y la habían dispuesto sobre el altar. Algunos capullos empezaban a abrirse exhalando un aroma a primavera.

Laoma se había quedado en la extraña situación de no tener ya familia. Sus padres eran unos pobres campesinos a los que ayudaba, así como a su hermano y a los suyos, con el dinero que ganaba en Shangai. Pero la familia fue diezmada por oponer resistencia a los soldados que habían acudido a requisar las cosechas. Habían dado muerte al padre, a la madre, al hermano y a su cuñada; a los niños se los habían llevado y habían incendiado la casa. Nunca se encontró a los tres pequeños.

Así, el clan de las hermanas juramentadas, que en una ceremonia secreta se habían prometido solidaridad en el infortunio como la unión entre labios y dientes, constituía junto con Feng-si, su hija adoptiva, la única familia de Laoma.

Tan pronto como Feng-si las llamó, acudieron las dos «tías» todavía válidas. La ayudaron a vestir a Laoma con el más hermoso de sus vestidos de seda y, con el objetivo de asegurarle la felicidad en el más allá, Feng-si deslizó bajo su cabeza el cojín adornado con una pequeña tela blanca en forma de gallo,* que aguardaba en un baúl.

El adivino de la rue Brenier-de-Montmorand había determinado el día y el lugar para la inhumación. En una habitación llena de estatuas de Buda, el hombre de gafas redondas y perilla, ataviado con un vestido de guata gris, había consultado sus libros de la sabiduría reclinado sobre una mesa en la que había una jaula donde daba vueltas una ardilla. Había fijado el entierro para dos días más tarde, tras realizar unas averiguaciones en el cementerio. Allí, pertrechado con un compás, una brújula y un espejito para ver pasar los efluvios del *fengshui,*** había estudiado el aspecto del terreno, la sombra de las montañas y de las colinas próximas, el ángulo formado por los ríos y arroyos cercanos para asegurarse finalmente de que la corriente del Tigre Blanco pasaría a la derecha de la tumba y la del Dragón por su izquierda.

En el fondo de la habitación, el cuerpo de Laoma había esperado bajo las flores, oculto por una cortina que lo separaba del altar, en un ataúd elegido por Feng-si. El féretro estaba hecho de madera de cedro aromático, barnizado con esmero y realzado con dorados.

Durante dos días la casa había estado llena. Los sonidos del gong, de la flauta y de la trompeta rivalizaban con los cláxones de la calle. Eran tantas las visitas que desfilaban en medio del

---

* Las dos palabras, *gallo* y *felicidad*, se pronuncian en chino de la misma manera: *ji.*
** Geomancia: *feng* significa «viento» y *shui* «agua», ambos considerados como los principales vehículos de la buena y de la mala suerte. Hay tres principios que rigen el *fengshui*: 1) los cielos y los astros gobiernan la tierra; 2) el cielo y la tierra reinan sobre los seres vivos, pero el hombre tiene el poder de utilizar esa influencia en beneficio propio; 3) la suerte de los vivos depende de la benevolencia de los muertos.

olor a incienso y cigarrillos que los criados que servían el té y la limonada no daban abasto. Cada uno de los que llegaban se prosternaba tres veces ante el retrato de la desaparecida, sobre la alfombra dispuesta al pie del altar, y Feng-si, por su parte, les devolvía el saludo prosternándose tres veces. Al final de la jornada, semejante cortesía la había agotado hasta el punto de que dos de sus «hermanas», Susu y Manli, tuvieron que ayudarla a levantarse. Incluso el hombre de confianza de Du Yuesheng había detenido su coche con cristales a prueba de golpes para presentar sus condolencias. Eso significaba que el poder oculto del jefe de la Banda Verde, la sociedad secreta más importante, seguiría protegiendo a Feng-si y nadie se atrevería a molestarla.

El planto lúgubre de la trompeta, el tañido a intervalos regulares del gong, así como las melodías profundamente tristes habían acompañado las reverencias, llantos y gritos. En contraste con esos momentos de aflicción, la orquesta había tocado todas las melodías que a Laoma le gustaba escuchar en el Wiener Café, desde *El Danubio azul* hasta *Carmen*, pasando por *Le Ranz des vaches* y *La marcha de Radetzky*, sin olvidar *El bolero*. «¡Pero, con todo, ha faltado una!», pensó Feng-si. La que el guapo pianista rubio, con esos mechones que le caían por la frente, había tocado para Laoma cuando ella le ofreció el bálsamo para curar sus manos agrietadas. Ninguna de las dos había escuchado esa música antes. A Laoma le había encantado. Deseaba conocer su título, pero tuvieron que irse rápidamente y no habían vuelto ya más al café. Era la última vez. Otras «últimas veces» se habían sucedido con tanta despreocupación…

Feng-si se prometió consultar al pianista en recuerdo de Laoma. Luego acudiría al almacén Lyra Radio y Music House, compraría la partitura y después le prendería fuego para que la melodía le llegase a la difunta.

Se habían quemado las réplicas de papel maché con un gran fuego en el paseo de grava. Su magnitud había mostrado a los vecinos en qué medida Yang Laoma, rodeada por sus fabulosos bienes así como por los objetos que había amado durante su estancia en la tierra, sería feliz en el otro mundo. Allí estaban los habituales lingotes de oro y plata, los fajos de dólares y también, entre otros, un Cadillac blanco, un mueble para la radio y el fonógrafo, instrumentos de música y multitud de pares de zapatos. Las «hermanas» de Laoma habían ofrecido una casa de tres pisos que bien podía medir tres metros de alto. No faltaba nada, ni el delicado mobiliario del salón, ni el suntuoso dormitorio, ni la mesa de *mah jong*, ni el sofá, ni su numeroso personal de criados y *amahs*. Las «hermanas» de Feng-si habían ofrecido un triciclo a tamaño natural incluido su conductor, que estaba tan bien imitado que parecía a punto de coger la toalla sobre el hombro para enjugarse el sudor. También había acudido la señora Bauer con réplicas de *Strudel*, de café y de chocolate vienés con nata montada y de otros dulces más. Seguro que Laoma en el más allá lo apreció. No había que olvidarse de dar las gracias en especial a la austríaca judía que había sabido acomodarse con tanta delicadeza a las costumbres budistas.

«¿Por qué dicen que Klara Bauer es judía? —se preguntó Feng-si—. ¿Qué diferencia hay con los demás extranjeros?» Por más que reflexionó, no encontró ninguna.

Feng-si también había prendido fuego al cuenco del té, la tetera y la pipa de la fallecida, para que esos queridos objetos no le faltasen allí donde estuviera. A continuación, con gran estrépito, habían roto la vajilla de Laoma para apartar los malos espíritus más temerarios y luego, a la hora fijada por el *fengshui*, ni antes ni después por miedo a que el alma de la fallecida no regresara a buscar otra alma, los seis porteadores habían transportado el ataúd a la carroza fúnebre, negra y blanca, flanqueada por dos dragones.

Con anterioridad habían dispuesto cuidadosamente sobre el féretro los dos cirios encendidos, los dos cuencos con agua, los dos huevos colocados cada uno sobre un cuenco de arroz, los dos haces de varas de bambú. Las llamas apenas habían vacilado, el agua apenas había oscilado, los huevos no se habían movido en su peana de arroz y ninguna de las varas se había caído: el alma de Laoma había traspasado con total tranquilidad el umbral de su casa…

—Su té, joven señora.

Huilan depositó la bandeja sobre el banco y se prosternó ante el altar. Estaba tan delgada que se le vieron las vértebras cuando inclinó la nuca. Esa delgadez irritó a Feng-si. Trataban bien a la muchacha. ¿Es que no comía? Parecía contenta de estar allí empleada. La propia Huilan contaba que la niña vendida por sus padres a la familia de la casa de enfrente servía de la mañana a la noche sin cobrar jamás remuneración alguna.

Feng-si, al pensar en Huilan, dio gracias al cielo por haberla mimado. De haber sido menos hermosa, habría engrosado la cohorte de desdichadas niñas esclavas. No obstante, tendría que movilizar todos sus recursos para rehuir los peligros que amenazaban a las chicas de su profesión.

Gracias a la protección que Laoma le había procurado, Feng-si no tendría que temer a los chantajistas chinos. En cuanto al señor Piquet, el inspector de la policía francesa, habría que advertirle lo antes posible de que recibiría ingresos tan regulares como con la señora Yang.

¿Seguiría trabajando Feng-si sola en la casa? Sería triste. Pero Susu y Manli, sus «hermanas» preferidas, habían ido a parar a la casa de una comadre mucho más codiciosa que Laoma y no estaban en condiciones de liberarse de ella. Lianyin estaba muerta, estrangulada y despojada de sus joyas por uno de sus clientes, que había perdido una buena suma en las apuestas de caballos. En cuanto a la desdichada Siaosiu, abotargada por el alcohol, había caído en manos de un chulo que la obligaba a trabajar en Blood Alley, el callejón donde la fuente de los placeres extraía su venero de la miseria humana y que, algunas noches, marineros borrachos teñían de sangre. En esos momentos, Siaosiu se ganaba la vida en una de esas «tiendas de carne salada» que los estadounidenses llamaban *ham shops*,* despreciables salas de baile en las que

---

* Tiendas de jamón.

tanguistas chinas, japonesas, coreanas o rusas aguardaban ser elegidas por un parroquiano que les pagaría la cerveza y la entrada. Si al cliente le apetecía, ellas lo arrastrarían a una de las habitaciones del primer piso. Con suerte, se quedaría hasta por la mañana.

Diez yuanes por el servicio y sesenta por la noche. Siaosiu no recibía más que la quinta parte.

Una sonrisa se dibujó en los labios de Feng-si. Era la heredera de la difunta, de modo que podría disfrutar del dinero que la «madre» el día mismo de su fallecimiento había llegado a cobrar tras la visita del coronel alemán, uno de los asiduos de Feng-si. Los billetes, dólares americanos, ocupaban el doble fondo secreto del tocador de Laoma. Extraña situación, sin duda, que de pronto permitía a Feng-si disponer a su entera libertad de los ingresos.

¡Sobre todo no había que echar a perder esa independencia inesperada con maniobras torpes! El deseo más grato para Feng-si era ofrecer a Fengyong la posibilidad de abrir un comercio para que él pudiera ocuparse de la familia. El muchacho, sin embargo, era todavía un poco joven. Feng-si debía seguir trabajando hasta que las espaldas de su hermano se hubiesen vuelto robustas. Entonces sería estupendo convertirse en la segunda esposa, o incluso en la concubina, de un hombre rico. Si en Shangai nadie la quería, Feng-si, estaba decidido, recomenzaría su vida en una ciudad donde nadie la conociera.

Mientras tanto, había que mostrarse lúcido. «En cualquier empresa sé previsor —afirmaba una máxima del sabio mandarín Chu—. Piensa en cubrir tu techo antes de que caiga la lluvia y en cavar tu pozo antes de que llegue la sed.» A Feng-si el espejo le devolvía aún la imagen de una mujer joven y lozana, pero sabía, por haberlo observado en el rostro de sus «hermanas», qué fugaz era la belleza.

Tenía, pues, que imaginar una actividad con la que ella pudiera apoyarse en otras. Feng-si pensó que nada agradaría más al espíritu de Laoma que una casa animada donde en todas las habitaciones resonaran la música y las risas.

¿Por qué no abrir un salón de té con cantantes, contadoras de cuentos y otras mujeres que interpretasen música, adonde acudirían señores ricos y cultivados a distraerse?

Desde el lugar en el que se encontraba, Feng-si veía sobre el altar el rostro de la desaparecida enmarcado por las flores de ciruelo. Laoma sonreía, feliz.

5

Aunque se había despertado bajo un manto de escarcha blanca, a mediodía Shangai bullía como el mosto de uva que fermenta en la cuba. Aquel domingo, 19 de febrero, en un ambiente de efervescencia, en las casas chinas se preparaba la celebración del Año Nuevo que marcaba el comienzo de la primavera. Para recibir el año de la liebre, se habían almacenado petardos y del umbral de los domicilios pendían farolillos de papel rojo, color de opulencia y felicidad. Circulares, cuadrados o alargados, rivalizaban con sus flecos y borlas.

Todo el mundo, *taipan* o culi, se había preocupado de reunir el dinero necesario para pagar las deudas, que debían quedar saldadas antes del último día del año, y también los atracadores habían redoblado su actividad. Intimidaban a los criados, entraban a plena luz en las hermosas mansiones chinas, sacaban las pistolas ocultas bajo sus largos vestidos azules o negros, reunían a los miembros de la familia en una habitación, arramblaban con las joyas con que se habían engalanado las mujeres, registraban la morada, obligaban a que se les abriera la caja fuerte, se embolsaban diez o veinte mil dólares, arrancaban el cable del teléfono y desaparecían. Luego se dispersaban por las casas de baños o las peluquerías, pues es conveniente entrar limpio de toda mancha en el nuevo año.

De vuelta al oeste de Shangai, en sus casas, limpiadas de arriba abajo por sus esposas, los granujas disponían ofrendas sobre el altar consagrado al culto de los antepasados: naranjas, pastel de arroz, carne, té, licor. Nada los diferenciaba de la gente honrada cuando, ante las mesitas de laca con el nombre de los desaparecidos, encendían las varillas de incienso que se consumirían a lo largo de la noche.

En el otro extremo de Shangai, en una callejuela de Hongkew, Erna Gruenbaum, ignorante del Año Nuevo chino y de sus costumbres, encendía una de las gruesas velas de *Jahrzeit*,* que había llevado consigo desde Alemania por temor a no encontrar ese tipo de vela en China y que ardería durante veinticuatro horas ante la fotografía de Oskar, su marido. En diciembre del año anterior había sido golpeado hasta morir durante su segunda detención, justo unos días antes de embarcarse, según habían planeado, hacia Shangai. Enviaron a Erna a la oficina del campo de concentración donde un SS le entregó una pequeña caja: «Estas son las cenizas de su esposo, Oskar Gruenbaum».

Erna se había ido sola a Shangai. En el barco se vino abajo. Allí había un médico, Robert Wertheimer, que la había tratado con tranquilizantes. Había perdido toda energía, no lograba superar su desesperanza. Al tercer día perdió un empleo de vendedora que había logrado de milagro, pues su jefe consideraba que tenía un «comportamiento anormal». Fue entonces cuando se decidió a visitar al doctor Wertheimer, que había abierto consulta en Bubbling Well Road. Había acudido allí el día anterior, el sábado.

A Erna le pareció que el médico había adelgazado mucho. No aceptó que le pagase y le regaló frascos de pastillas. Ese domingo, mientras ella se tomaba dos grageas con un poco de agua a la vez que recordaba con emoción la amabilidad del doctor y decidía, a pesar de su abatimiento, que haría un *Kugel* para llevárselo, el criado de Robert Wertheimer lo descubrió inerte. Se había tomado un tubo de veronal. Habían transcurrido tres semanas desde su llegada.

---

* Aniversario del fallecimiento.

¿Cuántos suicidios se produjeron en Shangai en vísperas del Año Nuevo? ¿Decenas, centenas? Un *comprador* ataviado con un vestido de brocado, que la víspera se había jugado y perdido a su hija en la mesa de *mah jong*, se descerrajó un tiro en la cabeza bajo el baldaquín de su lecho. Dos bailarinas chinas, cuya cabellera recubría su frágil cuerpo, habían apostado sus últimas monedas a la grulla.* En la miserable habitación de hotel que acababan de alquilar les habían servido té. La mayor tenía en el bolso una cajita negra y dorada. La caja contenía la cantidad de opio que, según pensaban, las libraría para siempre de ese mundo cruel, tan pronto como la hubiesen consumido.

Habían adquirido la droga en la Concesión Francesa, donde fabricantes, comerciantes y traficantes de pasta para fumar untaban a la policía, que, a cambio, una vez al año se incautaba de cestos de opio, morfina y heroína, de utensilios de los fumaderos y de las casas de juego y teatralmente lo quemaba todo en el patio del tribunal. Ese domingo del Año Nuevo lunar, el pérfido opio, ese oro que entraba en las cajas fuertes de unos y salía convertido en humo por la pipa de otros, continuaba con su danza de la muerte. En los fumaderos, las casas de té y los cuartos de los hoteles, los cien mil opiómanos de Shangai se abandonaban al humo terroso que les abría las puertas de un paraíso ante el cual los placeres del vino o del amor parecían vanos.

En el quai de France el dolor abrumaba la espalda y los riñones de Wang, uno de los cincuenta mil estibadores de Shangai. Contó las monedas de cobre guardadas en su faja. Concederse el grato humo que calmaría sus males suponía volver a casa sin la esperada comida. Dudó por un instante cuando vio pasar una carretilla cargada de coles. Hizo acopio de todas sus energías, tomó impulso y robó una col. Como el vendedor lo perseguía, Wang se precipitó en la calzada para huir de él y, esa víspera de Año Nuevo, lo atropelló un Buick.

* Uno de los treinta y siete símbolos de la lotería de las Flores.

Desde el asiento trasero del Buick el *taipan* inglés ordenó al conductor ruso que siguiese su rumbo. Tenía una cita en el Shanghai Club con un administrador del Consejo Municipal a través del cual esperaba obtener una adjudicación que podría hacerle doblar su fortuna. Eran tantos los cadáveres que cada día alfombraban las calles de Shangai que ese no cambiaría en nada el decorado. El *taipan* se felicitó por sus reflejos cuando, al salir del coche delante del número tres del Bund, vio llegar el Packard de su interlocutor. Se dieron la mano y entraron en el Shanghai Club, institución británica cuyo vestíbulo de mármol no atravesaba nunca una mujer y que se enorgullecía de poseer el mayor bar del mundo. Cincuenta metros de largo acogían a quinientos bebedores. Mil genios embotellados se reflejaban en los espejos enmarcados por arcos de palisandro. Cien ventiladores hibernaban en el techo a la espera del verano. Al otro lado de la barra unos pálidos chinos bebedores de té preparaban para los rubicundos extranjeros cócteles del mundo entero. Se oían carcajadas, el entrechocar de vasos y los dados al caer.

Justo enfrente del Shanghai Club, el soberbio paquebote blanco de las Messageries Maritimes, el *Félix Roussel*, se pavoneaba en la cala del río de color marrón. El señor y la señora Armand Boutard de Salany, con el deseo de reunir a todos sus amigos de Shangai antes de su partida definitiva, habían organizado a bordo un baile de disfraces con el tema de *Las mil y una noches*.

La anfitriona inspeccionaba la caída de los drapeados de la vela irisada mientras que en Amherst Avenue, una de sus invitadas, Mrs. Lawrence, hacía temblar al personal de su mansión con la más terrible de las cóleras. La *amah* costurera no se había presentado ese día, justo cuando tenía que rectificar el dobladillo de su vestido de bayadera. Mrs. Lawrence iba y venía como un tigre enjaulado, mientras aguardaba el regreso de Culi Número Uno que, en el rickshaw privado, había ido a buscar a la *amah*.

Cuando Culi Número Uno llegó a Robinson Road, oyó chillar a la muchedumbre al tiempo que una bocanada de humo se le agarraba a la garganta. Esa víspera de Año Nuevo la *amah* se había levantado muy temprano en su casita de madera con los estrechos escalones exteriores, para preparar los raviolis de la cena de medianoche. Con las prisas, había volcado el infiernillo. Las llamas se extendían ya en ese momento por el serrín de un almacén de corcho colindante. Soldados y agentes de policía estaban regando la valla de bambú que lo separaba de un *lilong*. A pesar de sus esfuerzos, una de las chozas, habitada por demasiada gente, estaba ya crepitando. Los ocupantes se empujaban en las escaleras y arrojaban sus posesiones por las ventanas. Los críos, agrupados bajo un montón de mantas, berreaban de terror. Un anciano, con los ojos completamente rojos, se despedía compungido de sus provisiones de huevos frescos, comprados esa misma mañana, que se habían cocido en la hoguera.

A su vez, precisamente por un solo huevo, la señorita Sandor perdió la vida esa misma víspera de Año Nuevo. La joven rusa vivía con un capitán estadounidense en un apartamento de las Broadway Mansions. Durante el desayuno había reprendido al criado porque el pan estaba demasiado tostado. Luego le siguió regañando porque no había arreglado el dormitorio, porque se le había pasado quitar el polvo del mueble de la radio, porque uno de sus amigos lo había llamado por teléfono. El sirviente había soportado esos bufidos sin rechistar. Más tarde, la señorita Sandor descubrió un huevo roto sobre la mesa de la cocina y dio una bofetada al criado. Este se la devolvió y se enzarzaron en una pelea. Ella lo mordió y él le propinó un cabezazo. Por temor a que ella se quejara al capitán, el criado cogió una botella y se la rompió en la cabeza. ¿Cuántos asesinatos se produjeron en Shangai esa víspera de Año Nuevo? ¿Cuántas almas se entregaron al descanso eterno?

En cambio, una tanguista japonesa se despertaba y con ella la amargura. El Venus Café despedía a la señorita Shiroki. Todo había empezado en diciembre cuando el cabaret se había trasladado de Chapei para instalarse al otro lado del Garden Bridge, en Frenchtown. El propietario se había vuelto aún más exigente. Había gastado mucho dinero en la enorme bola de plata suspendida del techo, única en Shangai, compuesta por cantidad de bombillas, que difundía una iluminación muy particular durante el vals. Al principio no se había admitido a hombres de uniforme. Luego, al ver que muchas de sus cien bailarinas no tenían trabajo, el propietario había indicado en la publicidad que los militares de uniforme eran bienvenidos. Aun así, la señorita Shiroki había seguido de miranda… Se vistió con esmero, bajó a la calle y se dirigió hacia el Club del Loto. Un pianista estaba tocando como si participara en un espectáculo nocturno, disfrazando de cabaret lo que no era sino un burdel. En las habitaciones del primer piso las chicas de color excluidas de las salas de baile de las concesiones se intentaban ganar la vida por su cuenta. Ahora bien, el elevado alquiler exigía un buen rendimiento. Si la señorita Shiroki también fracasaba allí, no le quedaría más remedio que recorrer la avenue Edward VII o hacer la calle en Foochow Road para ofrecerse a los marineros y soldados de parranda, entre los miles de chicas a las que los chinos clasificaban en la categoría de los «pollos salvajes». Sumida en sus pensamientos, la señorita Shiroki se chocó con un joven chino que vendía nandinas, ramas de un arbusto semejante al bambú. De pequeña, en Japón, ella había disfrutado con el sabor de sus bayas escarlatas. «¡Felicidad para el Año Nuevo! ¡Felicidad para el Año Nuevo!», gritaba el muchacho. La señorita Shiroki prorrumpió en sollozos.

Eran las cinco. Por todo Shangai circulaban vendedores de nandinas. Uno de ellos se encontraba en la esquina de la route Cardenal-Mercier con la avenue Joffre. Reclamaba a los transeúntes con un grito que intrigó a Walter. Se encontraba sentado al piano y desde allí, estirando el cuello, pudo ver los racimos de bayas cuyo color le recordó los labios de Feng-si. ¿Qué habría sido de Feng-si? ¿Le habría podido entregar la señora

146

Yang su ramo antes de morir, hacía ya cuatro días? ¿Cómo saberlo?

Era domingo. Sentado en un taburete, el pequeño Hans Fischer terminaba con aire satisfecho una buena porción de *Sachertorte* que le había servido Klara Bauer, mientras Walter tocaba los últimos acordes de *El Danubio azul*.

—¿Me puedes hacer un favor, Hans?

El corazón del muchacho brincó de alegría. Nada le gustaba más que ayudar a los adultos e idolatraba a Walter. A toda prisa llevó el platito a la cocina, tropezando al pasar con Serguei, el camarero ruso, que le dirigió una mirada torva, y se plantó delante de Walter en posición de firmes.

—Ve a la calle a preguntar el precio de esas flores. Te diré cuántas tienes que comprar y luego las llevarás aquí al lado, a una dirección que te indicaré.

Hans salió muy orgulloso andando con sus piernas rechonchas y Walter empezó a tocar *September Song*.

Presentía que debía acercarse a Feng-si con extremada prudencia, con una delicadeza que, a sus ojos, ninguna otra mujer había requerido jamás.

6

La gente decía que nunca se había visto un mes de mayo tan lluvioso. Ese primer día de junio, sin embargo, la lluvia dio paso a un fuerte calor, como si quisiera marcar una fractura. En los solares salía humo de los charcos que estaban desecándose. Walter se quitó la chaqueta y se aflojó el cuello de la camisa.

Las familias chinas se habían apropiado de la acera. Allí hacían la colada y la siesta, cocinaban con ajo y jengibre, jugaban a las cartas y esparcían las basuras. Vestidos de rojo y embadurnados de negro, los bebés se arrastraban por el suelo. Niñas y niños llevaban unos pantalones con una abertura que les dejaba el culito al aire.

Las radios berreaban a través de las ventanas abiertas. Parecía como si cada uno quisiera cubrir el ruido producido por su vecino. Para los oídos occidentales de Walter los chillidos sonaban como un chirrido de ruedas mal engrasadas. Aturdido por la algarabía, se alegró de salir a la avenue Joffre donde solo la campana del tranvía rivalizaba con los cláxones, los gritos, los timbres y... las ruedas mal engrasadas de las carretillas.

Caminaba cabizbajo. Por primera vez desde su llegada a Shangai, Walter se sentía desanimado, abatido.

A Werner Eisenberg, que se había convertido en vendedor ambulante de productos de belleza, dos pequeños representantes japoneses, adeptos al kárate, le habían partido un brazo en un *lilong*. A pesar de lo buen luchador que era, lo habían tumbado en el suelo de una patada, clamando contra la competencia desleal. Cuando Walter, alertado por Hans, había ido a visitarlo, Werner le contó una historia edificante.

Se había enterado de que el 20 de abril los alemanes de Shangai celebraban el cumpleaños de Hitler y el antiguo SS había ido a escuchar, por curiosidad, los discursos de los cabecillas nazis. «Incluso he cantado el *Horst Wessel Lied* y *Deutschland über alles*», confesó. Allí había coincidido con un maleante berlinés, un joven carterista, que odiaba Shangai. «¡Demasiada competencia también en ese sector!», bromeó Walter. El granuja aguardaba con impaciencia su partida hacia Estados Unidos, prevista para la semana siguiente. Había obtenido el visado gracias a un jesuita.

—¿Un jesuita? —exclamó Walter dando un brinco—. ¿Dónde? ¿Quién?

Werner no sabía nada más. Encontrar el rastro del religioso no había sido tarea fácil. Walter llamó varias veces al Park Hotel antes de poder quedar con Max Herzberg, quien lo invitó a tomar una copa en el bar con Robert Duguay, el cual realizó las pesquisas y, dos semanas más tarde, llamó a Walter al Wiener Café. Tras proporcionarle unas útiles informaciones, el periodista le reveló, con una risa sarcástica, la existencia de todo un bloque de casas de mala nota, que pertenecían a los misioneros franceses, adonde el padre curador iba una vez al mes para cobrar los alquileres.

La entrevista, que acababa de terminar, había llenado a Walter de resentimiento.

«Conviértase a la fe católica —había declarado el jesuita, un hombre gordo que ocultaba sus ojos tras unas gafas de cristales gruesos como culos de botella— y le conseguiremos un visado.» Entonces Walter, a quien le encantaba el cerdo, que trabajaba el día del sabat tanto como los demás días, que incluso se desentendía de la fiesta del Gran Perdón, se había oído gritar: «¡No hay visado que valga mi abandono de la religión judía!».

Todavía estaba temblando.

«Por ahora está jodido lo de Estados Unidos —pensó con amargura—. ¿Quién sabe por cuánto tiempo?» ¡Y Lisa, su madre, reducida a unas condiciones de alojamiento miserables en el barrio judío de Viena, seguía esperando! Era preciso que viniera lo antes posible a Shangai. Walter le escribiría al día siguiente como muy tarde.

¡Qué bien había hecho en no advertir a Feng-si de su gestión con el jesuita! Habría corrido el riesgo de perderla. Se había dado cuenta después de haber estado paseando juntos por los Jardines del Mandarín Yu… Un episodio feliz cuyo recuerdo lo reconfortaba como unas castañas asadas en un día de invierno.

Era el día siguiente al Año Nuevo chino. Feng-si había aparecido en el Wiener Café, acompañada por su amiga Manli. Sus encantadores labios sonreían mientras daba a Walter las gracias por las nandinas, pero su mirada permanecía muda. Con una voz grave que contrastaba con la dulzura de su rostro, le había dirigido unas palabras de circunstancias en una mezcla de pidgin e inglés elemental. A continuación había encendido un cigarrillo como para dar a entender que la conversación había llegado a su fin. Pero Walter, con el corazón palpitante, se había tomado la libertad de sentarse en la silla libre y de preguntarle si la señora Yang había llegado a entregarle la rama de ciruelo. «*Oh, it was you!*», había exclamado ella mirándolo de verdad. Walter sintió que, por fin, existía para ella. ¿Por qué asociación de ideas había deseado ella entonces conocer el título de la melodía que había tocado para la señora Yang, *September Song*?

La partitura no estaba disponible en Lyra Radio y Music House, le había informado ella, contrariada, tres días más tarde mientras disfrutaba con Manli de un chocolate caliente. Esa noche Walter pasó varias horas transcribiendo la melodía. Estaba a punto de pedir una vez más a Hans que fuera su mensajero, cuando cambió de idea y fue él mismo a llamar a la puerta de Feng-si.

Estaba sola. Poco después el timbre había vuelto a sonar.

Walter nunca sabría si el criado entró para anunciar a un visitante al que Feng-si había rehusado recibir.

La joven china no se confiaba, esquivaba las preguntas y su rostro mostraba todo el tiempo una superficie tersa e impenetrable. ¿Qué sentía ella por él? A Walter le preocupaba manifestarlo y no procuraba averiguarlo.

Por supuesto, Walter habría preferido que Feng-si ejerciera otra profesión. Sin embargo, como ella le gustaba, como él nunca se las había visto directamente con su oficio y como con él Feng-si nunca se valía de sus encantos, no iba a quejarse sin motivo.

Con las hojas que Walter había llenado de pentagramas y notas musicales en la mano, Feng-si lo había conducido aquel día ante el altar consagrado a Laoma. Había encendido varillas de incienso, las había sacudido inclinándose y luego, serena, había prendido fuego a la partitura. Walter, con los dientes apretados, había presenciado indignado pero mudo la destrucción del fruto de una noche de trabajo.

Solo después se enteró del significado de esa quema.

Unos instantes más tarde, mientras ella le servía el té, recuperó la sangre fría y se animó a preguntarle si ella aceptaría mostrarle la Ciudad China. Ella se mostró evasiva. «Otro día, tal vez», le contestó con una sonrisa cortés.

Desde hacía mucho tiempo soñaba con llevar a Feng-si de paseo. La agradable temperatura lo permitía. Walter había explorado incluso los Public Gardens que, a lo largo del Bund, dominaban el Whangpoo. La Shanghai Municipal Orchestra ofrecía conciertos en el templete del parque. Pero un cartel colocado al lado del centinela sij, delante de la verja, indicaba que a los chinos les estaba prohibido entrar.

Ninguna prohibición de ese tipo podía afectar a la Ciudad China, lo que había inducido a Walter a proponer ese lugar para el paseo.

Feng-si había seguido acudiendo al Wiener Café, donde con frecuencia hablaba con Klara. A menudo intercambiaba algunas palabras con Fengyong, cuando Serguei llamaba al muchacho para limpiar las mesas. Walter se había enterado de que eran hermanos. Mientras tocaba el piano observaba a Feng-si y los latidos de su corazón se aceleraban cada vez que se daba cuenta de que ella mantenía los ojos fijos en él.

El mes de marzo tocaba a su fin. Una tarde, Feng-si, en el momento de irse del café, mientras Walter en una pausa se afanaba por encontrar la partitura de *Moonlight Sonata*, le había pedido que fuera a «buscarla» al día siguiente a primera hora de la tarde para dar un paseo. Fengyong, que merodeaba alrededor de ellos, había debido de escucharlo. Cuando su hermana se hubo marchado, se plantó delante del piano. La crispación de sus puños, a uno y otro lado de su cuerpo en tensión, alertó a Walter.

—*No catchee my sister walkee tomollo! No catchee!**

El tono era amenazador, pero Walter, completamente feliz, se encogió de hombros. Pesaba el doble que el delgaducho chino. ¿Qué le podía hacer ese renacuajo?

«Yu Gardens», había propuesto Feng-si a la entrada de la Ciudad China. Habían recorrido calles bordeadas de casas con escaparates y balcones de madera labrada, luego habían atravesado callejuelas tortuosas y hediondas, donde se pudría la población, donde la ropa, puesta a secar en cañas de bambú a la altura de los primeros pisos, formaba casi un techo. En el extremo de una de ellas había aparecido, en medio de un estanque rectangular, el antiguo pabellón con forma de pentágono, una casa de té a la que luego regresarían.

Primero habían atravesado un gran patio plantado de árboles con formas extrañas y troncos nudosos, cuyo espeso follaje de vez en cuando dejaba pasar un rayo de sol. Un murete blanco estaba hendido con una abertura redonda, «con forma de luna llena», había recalcado Feng-si. Guardada por dos leones, uno con un cachorro y el otro con una pata sobre un globo, esa puerta daba acceso a los jardines.

---

* «¡No vayas a buscar mañana a mi hermana para ir a pasear!»

Templetes y galerías, pequeñas colinas y peñascos, estanques y puentes, árboles centenarios y arbustos componían un mundo en miniatura. Unos dragones magníficamente esculpidos decoraban el caballete de los tejados que se dirigían hacia el cielo. El limitado vocabulario inglés de Feng-si no le permitía traducir el nombre de todas las construcciones. Ponía fin a sus torpes intentos con una risa que ahogaba con su delicada mano de uñas rosas. Estaba el Pabellón de los Nueve Leones, el de las Diez Mil Flores, el Pabellón para Admirar la Gran Rocalla, la Torre para Percibir la Luna.

Feng-si le había enseñado una palabra china: *shie, shie* y él le había indicado su traducción en alemán: *Danke*.

Muebles asombrosos, combinaciones de raíces tortuosas y centenarias adornaban el Pabellón de la Ternura. Allí, Feng-si le había contado que en aquel lugar todas las chicas de Shangai pensaban en la institutriz que se había arrojado al Whangpoo tras haber enviado una carta a los periódicos en la que señalaba al responsable de su muerte: un oficial francés que la había abandonado tras los juramentos pronunciados en el Pabellón de la Ternura.

En ese momento Walter no había prestado mucha atención a la confidencia de Feng-si. La observaba mientras hablaba. Se imaginaba sus pechos, dos manzanas doradas. Ardía como el fuego y se preguntaba si se atrevería a cogerla de la mano. Solo en ese momento, mientras se dirigía hacia el Wiener Café, se daba cuenta de la importancia del relato de Feng-si. ¡Qué acertado había estado al no advertirle de su gestión con el jesuita! Sin embargo, a pesar del presentimiento de que llegaría un día en que la traicionaría, no podía evitar el feroz deseo de ser amado por ella.

«Imposible conseguir un visado si no es gracias a una suerte extraordinaria», se repitió con un nudo en la garganta. Estaba condenado a quedarse. Los beneficios que obtenía con el piano y escribiendo artículos apenas eran suficientes para lo indispensable.

Los refugiados habían pasado de dos mil quinientos a finales de febrero a cuatro mil en marzo, el mismo día en que los periódicos anunciaban el desmembramiento de Checoslovaquia y la ocupación de las provincias checas de Bohemia y Moravia por las tropas alemanas. ¡Cuatro mil bocas que alimentar, cuatro mil cuerpos que albergar! Los comités de asistencia habían perdido la esperanza de hacer frente a la tarea. Trescientos bebés carecían de leche. A finales del mes de abril eran siete mil los refugiados que se amontonaban en los barracones improvisados y en esos momentos habían llegado ya a los diez mil. Lo peor era que se anunciaba un número semejante de llegadas en los próximos meses.

El mal humor debido a la competencia desatada en el mercado de trabajo rezumaba ya por todos los poros de la ciudad. Si de verdad el conjunto de refugiados procedentes de Mitteleuropa* alcanzaba la cifra de veinte mil personas, sobrepasaría en número al grupo de europeos titulares de pasaporte en regla. Grupo que incluía a los estadounidenses, pues, de manera extraña, estos tomaban el nombre de europeos ¡tan pronto como plantaban el pie en África o Asia! ¿Cómo se las ingeniarían las autoridades para administrar los servicios sanitarios de la ciudad? Se murmuraba que los señores Sassoon y Hayin, principales filántropos sefardíes, deseaban pedir a los japoneses que se cerrara el puerto a los inmigrantes.

La situación era tan alarmante que los ingresos del baile anual de la fiesta del Purim, organizada habitualmente por la comunidad judía en beneficio del asilo de ancianos y de la escuela, habían sido dedicados en esa ocasión a las necesidades de los refugiados. Walter se había enterado de que ninguna personalidad, fuera judía o no, que presumiera de pertenecer a la flor y nata de Shangai, podía faltar a los dos bailes anuales que organizaba la comunidad con ocasión de las fiestas de Purim y Hanuká.

* Europa Central.

Fue allí en el resplandor de las luces de la sala de baile del Cercle Sportif Français, el club más distinguido de Shangai, donde Walter vio con claridad pruebas de fortunas fabulosas.

Él nunca habría podido asistir a semejante velada.

¡Qué suerte haber simpatizado en el Wiener Café con el trío de estadounidenses! Uno trabajaba para la Metro Goldwyn Mayer, otro era director de cine y el tercero organizaba fiestas. Walter estaba encendiendo el cigarrillo de costumbre durante una pausa, cuando oyó que los tres hablaban de él.

—¡El pianista de este local! —proponía el cineasta—. Tiene buena presencia, una cara bonita y un buen repertorio.

—No toca mal del todo —sopesaba el representante de Hollywood.

Walter se las había ingeniado para pasar cerca de ellos atravesando el comedor y el organizador de fiestas lo detuvo.

—¿Tiene un esmoquin?

¿Seguiría disponible el traje que le había ofrecido Max Herzberg? Walter lo ignoraba.

—Sí —respondió, no obstante, con aplomo.

De ese modo lo habían contratado para completar, tras su servicio en el café, el conjunto de músicos que tocaría durante toda la noche para el baile de Purim en el Cercle Sportif Français. Tenía que sustituir a un pianista enfermo de escarlatina. Primer caso de una epidemia que, a partir del mes de mayo, causaría más de cien víctimas entre los refugiados.

El esmoquin estaba todavía disponible y le sentaba a la perfección. «Tengo que dar con un buen negocio para Herzberg —pensó Walter, mientras se apartaba los mechones que se le pegaban a la frente—. Ya son tres las veces que me echa una mano…»

Le obsesionaba la imagen de las parejas que había visto bailando en el Cercle bajo la vidriera semejante a un gigantesco cabujón. Cuánta soltura, cuánta ligereza. Sin duda, las características de la amplia pista oval contribuían a hacer revolotear los vestidos de tul y muselina, pero era evidente que un grueso colchón de lingotes de oro proporcionaba a esas mujeres su aspecto etéreo. Cuando, al bailar el *Lambeth Walk*, imitaban al obrero inglés que camina contoneándose y saluda a sus compañeros con un golpecito seco del antebrazo y el pulgar enhiesto: «*Oi!*», los dedos de algunas espejeaban con los diamantes que ocupaban la falange entera. Pululaban las diademas, collares y pulseras. Las papeletas para la tómbola habían volado a pesar de su precio extraordinario. A lo largo de la noche todo lo subastado, ya fuera un abrigo, un vestido o un sombrero, había alcanzado cifras desorbitadas.

Durante todo el tiempo que permaneció allí, Walter había escrutado cada rostro con la esperanza de encontrar a algún conocido de Viena. Los Schoenberg, por ejemplo. En vano.

El sol le daba en la nuca y Walter, que andaba deprisa, tal como había aprendido a fuerza de palos en Dachau (únicamente los culis podían rivalizar allí con él), sintió que el sudor le corría por las sienes. Mientras se enjugaba, intentaba imaginar un medio para dar con Thomas y una idea le surcó la mente.

En los dos últimos meses habían aparecido cuatro nuevos periódicos dirigidos a los refugiados, tres semanales y uno bimensual. Los cuatro publicaban avisos de búsqueda. «¿Conoce alguien la dirección actual de Peter Niels Heller, de Viena, y tendría la amabilidad de comunicársela al periódico?», había leído Walter en uno de ellos.

Las publicaciones más ambiciosas eran el semanal angloalemán *Shanghai Jewish Chronicle* y el bimensual *Die Gelbe Post*. Este último, que contaba con una treintena de páginas de una calidad impresionante tanto por la forma como por el contenido, era fruto del periodista austríaco Adolf Joseph Storfer, miembro de la Asociación de Psicoanalistas Vieneses, que había tenido la intención de seguir a su amigo Sigmund Freud a Londres, pero había ido a parar a Shangai. Al igual que Walter, Storfer había llegado a finales de diciembre. ¿Habrían cogido el mismo barco? De haber sido así, Walter sería presa de la rabia por no haber reparado en él a bordo. *Die Gelbe Post* trataba todos los temas que podían interesar a un espíritu curioso y cultivado, desde la vida artística y social china o japonesa a la integración de los refugiados («la recomendación expresa, enmarcada por un grueso trazo —recordó Walter—, de vacunarse contra el cólera»), pasando por análisis políticos como: «¿Qué pasaría en Shangai si estallaba la guerra en Europa?». ¡Un nivel muy distinto al de los *Shanghai Nachrichten*!

Sería ahí donde publicase un aviso de búsqueda para Thomas. Lo mejor sería que lo llevase en persona a Hongkong Road 117. Tal vez tuviese la suerte de conocer a Storfer.

La pasión de Walter por sus entrevistas continuaba. De ellas extraía retratos que, según parecía, interesaban a los lectores. Además, se enriquecía con estos contactos. Empezaba a aprehender la fantástica diversidad humana y poco a poco se iba forjando una opinión sobre el destino. «Aunque el destino de cada uno esté trazado —resumió—, somos sus artesanos por la manera en que dejamos escapar las oportunidades o las aprovechamos.»

Pero Walter solo podía aceptar con rabia dejar pasar en silencio el odio y el resentimiento que a todos les inspiraba el régimen nazi. Las autoridades japonesas espulgaban los escritos y no habrían tolerado ningún comentario que pudiera herir a los honorables súbditos de la comunidad alemana instalados en Frenchtown con su escuela Kaiser Wilhelm, su iglesia, su club, su cámara de comercio, su Gestapo y sus desfiles de la *Hitlerjugend*.

Entonces, Walter aspiraba a escribir otro tipo de textos. Sorprendido por el gran número de refugiados artistas, soñaba con publicar entrevistas en las que les preguntase por su oficio, artículos que solo una revista como *Die Gelbe Post* podría incluir entre sus páginas.

Cogió su libreta y, según iba andando, garrapateó algunos primeros nombres. Estaba Hildegard Orlowsky Rager, la gran cantante de cabaret berlinesa. Y además los dos realizadores de películas Luise y Julius Jakob Fleck, una pareja austríaca. Julius Jakob, que había podido salir de Buchenwald gracias a la intervención de Wilhelm Dieterle, el célebre actor y director emigrado a Hollywood, debía de tener recuerdos apasionantes. Habría que pensar también en el alegre director de orquesta de baile Giulio Veneto, otro berlinés cuyo seudónimo italiano le quedaba tan bien como a un pollo una pajarita. Y también Wiener, cuyo nombre Walter había olvidado, un bailarín profesional que se había dado a conocer durante el baile de Purim en el Cercle, interpretando *Tango moderno* y *Vals de amor* con una chispeante francesa. Había sido justo antes del número de Ruth Dani y sus Glamourettes. ¿Qué nacionalidad tendría Ruth Dani?

Completaron el inventario nombres de artistas que vivían desde hacía varios años en Shangai, entresacados de las lecturas de los periódicos. El dibujante Friedrich Schiff, caricaturista de talento, había realizado los murales que adornaban la sala de baile del Cercle Sportif Français. El maestro Valentinoff, de la Ópera de París, acababa de abrir una escuela de canto. El profesor Lazareff, que enseñaba piano, había organizado hacía poco en el American Women's Club un recital a cargo de sus alumnos. Sin olvidar a todos los artistas sin trabajo, músicos, actores, escritores, que malvivían en la calle.

De pronto un cartel en inglés atrajo la atención de Walter. Los Lafayette Gardens anunciaban para el 15 de junio un concurso de patinaje sobre ruedas, deporte que causaba furor. Feng-si le había hablado de él una vez que su «hermana» Manli había vuelto encantada de un espectáculo de patinaje al que la había invitado Johnson… Quizá Feng-si le envidiase ese estadounidense a Manli. Bill Johnson, un esbirro de Jack Laley, quien había introducido las máquinas tragaperras, que los chinos llamaban «tigres devoradores de moneda», llevaba a Manli a las salas de baile, timbas y restaurantes que él tenía que inspeccionar.

Los asiduos de Feng-si eran de tipo casero. Al alemán solo le gustaba escuchar óperas fumando un puro y el chino parecía tener buenas razones para no exponer demasiado su persona, lo que no incitaba a ninguno de los dos a buscar entretenimientos fuera. Sus visitas estaban reguladas como papel pautado. El primero llevaba sus discos, el segundo su opio. A ninguno de los dos, ni a ningún otro hombre, según se había enterado Walter, se le había ocurrido nunca llevar flores a Feng-si.

«Tengo que ofrecerle la ocasión de salir, de divertirse —pensó Walter—. Pero ¿de dónde voy a sacar el dinero? ¿Y el tiempo?»

Sin embargo, cuando Walter llegó al Wiener Café a eso de las cinco, su plan ya estaba organizado.

7

«Otra Sonja Henie», así habían descrito los clientes del café a una de las patinadoras, asegurando que merecía la pena ir a verla. Todo Shangai había acudido el febrero anterior a la gala de inauguración del Golden Gate Theatre para admirar a la noruega Sonja Henie, actriz y campeona olímpica de patinaje artístico sobre hielo, en la película *My Lucky Star* donde esbozaba románticas evoluciones en los brazos de Richard Greene.

En efecto, la joven shangainesa que patinaba sobre ruedas se parecía a la noruega como una gota de agua a otra, ¡excepto en la prestancia y el talento! Walter prefería, con diferencia, contemplar el rostro feliz de Feng-si, bien erguida en su asiento. Se embriagaba con su perfume de jazmín. Ella le dio a entender que el vestido de la patinadora le gustaba mucho. Una túnica corta de satén azul cielo, ribeteada con una ancha banda de conejo blanco, se ajustaba sobre un plisado turquesa. Unas ligas de color crema sujetaban las medias de seda.

A los chinos todo les divertía y subrayaban cada proeza con un sonoro «¡Ha!». La estrella local, una muchacha alta que no temía caerse, consiguió tantos aplausos como el curtido pequinés, la campeona rusa o el jurado, sentado a una mesa larga en un extremo de la pista, cuando consintió en renunciar a los bocadillos y la cerveza para comunicar su decisión.

Por parte masculina, con la primera copa de plata se recompensó al pequinés con esmoquin, la segunda fue a parar a un cantonés ataviado con un largo vestido de seda gris y la tercera le tocó a un ruso en mangas de camisa y tirantes.

Walter tiró del pliegue de su pantalón y acarició el tejido. Desde que se lo probó, había sentido que ese traje de elegante corte le iría perfectamente y el gesto de Feng-si, al alisar el interior de la chaqueta, se lo había confirmado.

Las piezas del pasado reciente encajaban como las de un rompecabezas. Cuando, el día de la explosión de la granada, Walter le había enseñado con rabia su pantalón desgarrado a Greta Fischer, esta se había mostrado encantada de poder agradecerle las clases que daba a Hans. Examinando los daños con ojo experto, había llegado a la conclusión de que se necesitaba la ayuda de una máquina de coser para repararlos. ¿Dónde podrían encontrar una? «¡El señor Silberstein!», exclamó y se marchó inmediatamente con el pantalón bajo el brazo.

Richard Silberstein había llegado de Viena con su encantadora mujercita, Silva, sus pequeñas gemelas rubias de ojos azules, de apenas un año de edad, y su hermano Markus. Ambos eran menudos. Richard era sastre y su joven hermano, violinista. El uno había acarreado su máquina de coser y el otro su violín.

El Comité de Asistencia había alojado a la cohorte de refugiados en un inmenso *godown** de los muelles, tras acondicionarlo con camas y mantas. Tan pronto como se despertó, Richard se fue al consulado de Argentina. Se alegraba de haber comprado pasaportes argentinos, aunque le hubiesen costado un ojo de la cara, y no dudaba que en breve inmigrarían a su país de adopción. «Sus pasaportes no tienen ningún valor», fue la respuesta del cónsul de Argentina en Shangai, al devolvérselos. Richard palideció y creyó que su corazón se detenía. «¿Cómo que no valen?», se defendió recordando los marcos reunidos con tanto esfuerzo. «No valen para inmigrar —precisó el agente del gobierno argentino—. Lo siento.» Unos meses

* Almacén.

más tarde Richard sería el primero en reírse de la equivocación, pero en ese momento se marchó rápidamente con un portazo para asegurarse de resistir a los deseos de destrozar la oficina del cónsul.

De vuelta al *godown*, estaba tan conmocionado que fue incapaz de compartir la alegría de su joven mujer. Una hermosa dama francesa había pasado y, al ver a Silva bañada en lágrimas junto a sus bebés, se le había acercado. Al punto había comprado un infiernillo, leche y dos suaves mantitas. Richard pudo dar las gracias a la señora Cohen esa misma tarde cuando ella regresó seguida por un criado cargado con las vituallas. Luego él les relató su chasco, mientras las gemelas se colgaban de los preciosos collares de la visitante emitiendo gritos de satisfacción. Ella hablaba muy bien inglés y Richard lo chapurreaba.

Al día siguiente por la mañana, la señora Cohen estaba de vuelta. «Tengo una gran casa —les había explicado—, en la que vivo con mi hermana y mis dos sobrinas. Todavía queda sitio en el segundo piso. Vengan a vivir conmigo.» De buena gana, Richard había aceptado el ofrecimiento para Silva y las pequeñas, pero lo había rechazado para sí y su hermano. Quería trabajar.

La mayor parte de sus compañeros, húngaros y austríacos, daban vueltas a la misma idea. Algunos días después de su desembarco, las aceras se habían llenado de perritos calientes y se oía a los shangaineses blancos gritar que los refugiados los desprestigiaban. Estos se habían defendido con sus últimas energías. El «*Wait and see*»* que se les proponía no les inspiraba más que cólera y desconfianza. Querían irse del *godown* donde los habían encerrado y ganar su independencia.

Richard y Markus Silberstein se habían ido a compartir una habitación en Chusan Road con una pareja austríaca a la que habían conocido en el barco. Mientras Richard instalaba su máquina de coser delante de la manta que, colgada en medio

---

* «¡Esperad a ver!»

de la habitación, la dividía en dos, Markus llamaba a las puertas y elogiaba la habilidad de su hermano. A Greta le bastó comprobar la elegancia del traje que vestía el joven violinista para convencerse y, al día siguiente mismo, persuadió a Franz Bauer para hacer una prueba. El dueño del Wiener Café, convertido en el primer cliente del sastre, jamás había poseído antes un traje con tan buen corte ni tan bien rematado.

Así pues, Greta había llevado el pantalón desgarrado por la granada a casa de Richard Silberstein, que enseguida se había mudado a una habitación de cinco metros cuadrados (¡qué lujo!). Propuso al sastre trocar el arreglo por un buen plato de *Knödel*.

Walter admiraba cómo Greta, en un espacio reducido y con medios precarios, lograba cocinar auténticas comidas sobre el minúsculo horno de carbón vegetal. ¿Que le hacía falta un acompañamiento de arroz? Cocía el agua y el arroz, luego colocaba el recipiente bajo la manta de Hans, la más abrigada, y el arroz se seguía haciendo en la cama mientras Greta preparaba otro plato.

De acuerdo con su costumbre, no le había ahorrado a Walter ningún detalle sobre la historia del sastre y él había pensado una y otra vez, ideando desesperadamente cómo encontrar dinero y tiempo para ofrecer a Feng-si el espectáculo de patinaje.

Se acordó de los pasaportes argentinos. Una ganga para Max Herzberg que, frotándose las manos, los había vendido de inmediato en el bar del Park Hotel a unos rufianes deseosos de impunidad. Había entregado a Walter una comisión suficiente para que pudiera comprar las entradas para el espectáculo así como la tela para un traje, cuya confección le regaló un agradecido Richard.

Solo quedaba librarse del concierto diario. Walter había conseguido convencer a Franz Bauer para que permitiera a su clientela apreciar el talento de un joven virtuoso del violín, Markus, el hermano del sastre.

El violinista estaba tocando en ese momento en el Wiener Café, mientras los chinos, en pie, aplaudían a rabiar a los campeones del concurso de patinaje. Feng-si entre ellos. Se volvió hacia Walter, le dirigió una sonrisa embelesada y, con la mano enguantada, se arregló el airón rojo que, a juego con sus labios, se le había deslizado por el cabello.

Estaba resplandeciente con su traje occidental inspirado en Oriente. Una chaqueta corta, bordada, se abría sobre un vestido de tubo de seda negra que, más corto que sus vestidos chinos, desvelaba sus finos tobillos.

Una opresión se adueñó de Walter. Acababa de entender que la tarde no podía acabar ahí, que Feng-si esperaba una noche típica de Shangai, la ciudad de miles de cabarets… ¡Apenas le quedaban algunos miserables dólares en el bolsillo! Además, ¡la cena de la que habitualmente disfrutaba en el Wiener Café empezaba a hacerle una cruel falta! Y Feng-si estaba esperando uno de esos recorridos en los que se iba de un lugar de esparcimiento a otro, permaneciendo media hora aquí, media hora allí, picando algo de comer, bebiendo, empujados sin cesar por la necesidad de ir a ver si en algún otro sitio se divertían más. La gente iba de la sala de fiestas china del gran local Wing On, donde un público bonachón se moría de la risa solo con ver aparecer a los prestidigitadores e ilusionistas, al Jessfield Club, donde Johny Bulmer, apodado Scotch Cossak, animaba a su orquesta Foxsky-Trotsky. Luego se precipitaban a una sala de baile japonesa con las paredes decoradas con pinturas que representaban los Alpes bávaros justo antes de darse una vuelta por el Eldorado, la sala de fiestas rusa, donde princesas de pega acompañadas de seudo ex oficiales de la Guardia Imperial bebían vodka en vasos de agua, balanceando la cabeza al ritmo de las balalaicas de una orquesta de falsos mujiks, para terminar finalmente la noche en el Del Monico, donde todo Shangai a las tres de la mañana se regalaba con unos huevos revueltos y sopa de cebolla, a no ser que se prefiriera el Jimmy's a las cinco, cuando las trifulcas entre marineros italianos y estadounidenses salpimentaban el *ham and eggs*. Y en todos los lugares de los que uno salía, echaba algunas monedas en el morro de los «tigres devoradores de dinero», con la esperanza de ganar al jackpot.

Nueve veces de cada diez la apuesta beneficiaba al propietario de las máquinas, Jack Laley, que había sabido explotar la pasión de los chinos por el juego.

El rostro de Walter se relajó con una sonrisa de victoria. Tomó a Feng-si de la mano y llamó a dos rickshaws para que los llevaran al 626, en la avenida Haig.

En Shangai existían numerosas casas de juego muy elegantes, que pertenecían a chinos. Su estrategia, que consistía en retener al cliente a toda costa, resultaba de lo más conveniente para Walter a esa hora: comida, bebida, golosinas y cigarrillos eran ofrecidos a discreción por la casa.

La puerta de entrada daba a un vestíbulo centelleante, rojo y oro, adonde llegaba el estruendo de las salas de juego. Un chino de cara plana los condujo hacia la caja donde había que cambiar el dinero por placas y fichas antes de ser admitido en el paraíso. Walter vació con vergüenza su bolsillo y en el último segundo se guardó los céntimos para el culi que, a la salida, lo dejaría en Hongkew. Sentía que Feng-si, a través de la estrecha hendidura de sus párpados, registraba cada uno de sus gestos vacilantes.

Espejos, arañas con colgantes y dragones proliferaban en las salas donde los jugadores, en su mayoría chinos ataviados con vestido, se agolpaban alrededor de las mesas, intercambiando gritos o hablando solos con voces que recordaban la crepitación de las ametralladoras. Junto a la sala había unos salones pequeños y confortables. Allí, camareras sinuosas, envueltas en vestidos con una pronunciada raja que les llegaba al muslo, servían platos chinos u occidentales, frutas, tartas, dulces y se paseaban con una cesta de puros, pipas y cigarrillos. Un bar ofrecía toda clase de bebidas.

En medio del espeso humo, Walter se topó con la mirada glauca de un supervisor con rostro de mármol, que a todas luces «estaba fotografiando» su comportamiento. Condujo a Feng-si hacia la primera mesa de juego y, entre los hombros oscuros y crispados, vio por primera vez en su vida una ruleta girando.

Walter recurrió a sus recuerdos cinematográficos para descifrar el paisaje. Los papeles del crupier, del jefe de mesa y de la banca eran allí representados por tres gracias de mejillas aterciopeladas, de movimientos suaves y con la flexibilidad de las lianas. Ofreció la mitad de sus monedas a Feng-si y colocó las suyas en el siete. Una superstición familiar lo vinculaba a ese número.

La crupier hizo girar la rueda y lanzó la bola de marfil que saltó, danzó, dudó y finalmente se metió en una casilla roja. El siete. Un montoncito de fichas aterrizó delante de Walter. No comprendió lo que le decían (no se habría enterado mejor en inglés o en alemán), y la rueda volvió a girar antes de que le hubiese dado tiempo a moverse. Esta vez el rastrillo le recompensó con placas entre las fichas. Lo recogió todo con una carcajada y se acercó a Feng-si, de quien la muchedumbre lo había apartado. También ella reía. Walter nunca la había visto tan contenta. De manera graciosa, ella retorcía una y otra vez sus manos vacías.

Se hundieron en unos sillones blandos, bebieron y comieron. Un sentimiento de irrealidad embargaba a Walter, feliz como un pez en el agua, mientras contemplaba a Feng-si que bebía un White Lady a sorbitos o se alisaba la sortija de su cabello a la vez que fumaba un cigarrillo inglés con boquilla dorada.

La noche era fresca cuando se abrieron camino sustrayéndose a las súplicas de los mendigos. La amargura experimentada por Walter en el momento en que el rastrillo se llevó sus últimas fichas había desaparecido. Solo le quedaba el recuerdo del rostro feliz y goloso de Feng-si.

Entre risas, Feng-si le señaló con la barbilla a un chino que salía de una tienducha cercana.

—*Look at shoes!**

Unas chanclas calzaban los pies del hombre vestido con esmoquin que se precipitaba al 626. Varias tiendas próximas, pegadas a la casa de juego, estaban iluminadas. ¿Qué se vendía allí? A través de un escaparate, Walter vio vestidos y objetos diversos apilados en estanterías. Delante de la caja, alguien mostraba un reloj. El vendedor lo cogió y se hizo con una lupa de relojero que se ajustó en el ojo. Eran casas de empeños y Feng-si, todavía riéndose, le indicó el montón de chanclas dispuestas adrede para aquellos que no tenían más que sus zapatos para empeñar.

Walter se alegró por haber reservado las monedas destinadas a los conductores de rickshaw. Pero, de pronto, Feng-si despidió al segundo culi. Tras animar a Walter para que se sentara en el rickshaw, saltó en sus rodillas con una carcajada. ¡Qué liviana era! ¡Un pajarillo! Él no leyó ningún equívoco en sus gestos o en su mirada. Feng-si había envuelto ambos en la inocencia de los juegos infantiles. El alba teñía de nácar una franja de cielo cuando se detuvieron en la avenue Joffre.

Feng-si hizo una señal a Walter para que indicara al culi que se marchara. Luego lo arrastró de la mano y aquella mañana fue su primera noche. Dejaron que hablaran el silencio y las risas, y empezaron a inventarse una lengua propia.

* «¡Mira sus zapatos!»

8

Al final de esa jornada Fengyong vio a su hermana Feng-si llegar sola al Wiener Café. ¿Dónde estaba Manli? ¿Dónde estaba Siaosiu? ¿Por qué no había pedido a ninguna de las dos que la acompañasen?

Se dio cuenta de que Feng-si habría podido elegir un velador en un sitio más despejado, pero había preferido colocarse muy cerca del piano. La vio intercambiar una sonrisa con ese perro de Walter. Y sobre todo comprendió, cuando el pianista se acercó a ella sonriente y se sentó a su lado sin haberla saludado antes, que los dos ya se habían visto ese día.

Fengyong sabía que la situación financiera de Walter le prohibía las tarifas de Feng-si. La verdad se mostró ante sus ojos. Ese huevo putrefacto que le había hecho perder el prestigio obtenía los favores de su hermana. Una oleada de odio le llenó los pulmones.

De vuelta en la cocina, golpeó las puertas de los armarios y lo salpicó todo con el agua de fregar. Interrumpió su tarea para ir cocina arriba cocina abajo, haciendo rechinar los dientes y refunfuñando. ¡Matar a ese piojo inmundo a palos, a dentelladas! ¡Ojalá ese infecto excremento de tortuga peluda reventase como un perro!

Con la cabeza gacha, Fengyong se puso a buscar alguna forma de venganza. ¡Lanzar una granada! ¡Perfecto! Parecería un atentado político… Pero no sabía cómo fabricarla y no conocía a nadie que pudiera ayudarlo. ¡Pensar que dos jóvenes ingleses se habían encontrado una en una zanja y la habían hecho explotar por divertirse! A uno de los dos la explosión le había arrancado una mano… Un precio demasiado alto. Una granada era algo demasiado complicado.

Fengyong se acordó entonces de algo que le había contado su amigo Guang. Un vendedor ambulante, en la rue du Consulat, vendía unos frasquitos que contenían un líquido que, según él, proporcionaba vigor a los hombres. La idea había seducido al hermano de Guang. Tras beber en un vaso de agua las dos gotas prescritas por el buhonero, enseguida había sido presa de terribles calambres, hasta el punto de revolverse por el suelo. Un policía lo había hecho llevar al hospital, donde yacían otros cuatro individuos envenenados por esa poción.

Fengyong iría a buscar al hombre de los frasquitos. Cinco gotas en el café de Walter y el asunto quedaría solucionado. Al chino se le dilataron las aletas de la nariz por la satisfacción. Sonreía, contento con su proyecto, cuando Serguei cayó sobre él como un tifón, gritando palabras incomprensibles. Lo empujó a puntapiés en el trasero hasta el comedor, donde le indicó una mesa cubierta de platos sucios que dos occidentales deseaban ocupar. No había oído la llamada del ruso.

Como este seguía con sus amenazas, el muchacho adoptó un gesto de infinita contrición y dijo en chino con tono de excusa:

—¡Anda y revienta, pedazo de carne putrefacta!

Algunos meses antes, Fengyong habría considerado que su honor había sido mancillado. Como ya había comprendido que a los extranjeros el honor de los chinos no les importaba ni un comino, se contentaba con insultarlos y jurárselas.

El coloso pálido fingió que se calmaba, pero se ahogaba de la rabia. Se había fijado en una chinita muy mona, la hermana de ese asno de Fengyong, que, por una vez, habría podido serle útil. La mimaba, le servía raciones dobles y la dejaba madurar. ¡Y ese pianista mocoso se la había birlado en sus narices!

Todo el mundo se quejaba de los alemanes y de los austríacos. Desde que habían llegado, las arcas de la ciudad se vaciaban en su provecho y más de un ruso había perdido su empleo. Solo había trabajo para esa gentuza. Era tanto más injusto cuanto, según había leído Serguei la víspera en un periódico ruso, un treinta por ciento de ellos eran ricos. Algunos ocupaban las mejores habitaciones del Cathay, del Palace, del Plaza y del Park. Había que verlos trincar champán en el café Delmonte y aprovisionarse en los mejores comercios. ¡Nada era lo suficientemente bueno para ellos! Y ¿quién pagaba? La gente honrada.

«¡Ojalá reviente ese asqueroso judío!», gruñó Serguei entre dientes, con una mirada de odio fija sobre Walter.

9

El termómetro sobrepasaba los veintisiete grados. Parecía un mes de julio normal. La humedad volvía el aire pegajoso y, algunos días, hacía a la gente sentirse como en un baño de vapor. Los cabellos se pegaban a la nuca. Los dedos lo dejaban todo sembrado de densas huellas. El calor exacerbaba la mezcla de olores típicos de Shangai: incienso, fritanga y sudor. Las moscas se apelotonaban en los hombros en carne viva de los culis a través de los jirones de sus harapos.

Era forzoso aguantar el rugido de los ventiladores eléctricos que hasta los chinos más pobres poseían. El primer gesto de Walter, al llegar a su pequeña morada con galería en la route Gaston-Kahn, fue poner el suyo en funcionamiento. Se alegraba de haber dejado el cuchitril de Chusan Road. ¡Menudo horno!

Unos días antes Feng-si lo había conducido hasta allí; era una casa china a cinco minutos de la avenue Joffre. Le dijo que la considerase su propia casa y le pidió que no le hiciese preguntas. Ninguna expresión se dejaba ver en el óvalo de su rostro, de cejas delicadamente arqueadas. A lo sumo, había espiado las reacciones de Walter con ojos curiosos. Él sencillamente había aceptado el regalo mostrando alegría. Feng-si tenía un duplicado de las llaves. Kiakiu, «el Noveno en la Familia», primo pequeño de Feng-si y un chico vivo y diligente como un gorrión, pertenecía al mobiliario. «¡Nacido el mismo día que

Fengyong! —había precisado ella con una risa semejante a un arrullo—. Es como si fueran gemelos.»

Los muebles de bambú ocupaban por suerte un espacio reducido de la pequeña habitación única. Walter podía plantearse alojar a su madre cuando por fin llegase. Ella dormiría bajo el mosquitero y él en un catre de tijera desplegado a lo largo de la pared contraria. ¿Albergaría Walter también a sus abuelos? Ignoraba la respuesta. Ante sus ojos se superponían diferentes imágenes: la del espacioso piso que la pareja ocupaba en otra época en Viena y las de las habitaciones en Hongkew donde vivían, cocinaban y dormían cuatro o cinco personas, incapaces de eliminar los reptiles y los insectos que se deslizaban por las paredes. En el mejor de los casos, esa gente compartía un servicio con otras familias. Se quejaban poco, saboreando la felicidad de haberse marchado de un país que comparaban con un tonel de pólvora ya prendido.

Walter se prometió terminar cuanto antes el álbum de fotos que había empezado para su madre y escribirle una extensa carta con la que la persuadiría para que, por fin, se reuniera con él.

¿Cómo había conseguido Feng-si ese alojamiento? Walter no tenía ni idea. Solo podía establecer suposiciones. ¿Sería regalo de un protector? ¿Herencia de Yang Laoma, la «vieja madre Yang»? O ¿era la propia Feng-si quien se hacía cargo del alquiler? Parecía que ganaba bastante. De un día para otro había reclutado a tres jóvenes exquisitas, que en la casa de la avenue Joffre cantaban, tocaban el laúd, la flauta y la cítara. La más guapa enseguida había sido sustituida. Feng-si la había «vendido» a un pequinés que, de acuerdo con su esposa, deseaba convertirla en su concubina.

Walter nunca había intercambiado ninguna palabra de amor, pero ella respondía con tanta intensidad a la violencia de su deseo que eso valía como todas las declaraciones del mundo. Hasta el momento no había conocido a ningún otro refugiado que tuviera relaciones con una china. Era cierto que existía la barrera del idioma, pero eso no lo explicaba todo. Un sentido exacerbado y huraño de la familia parecía impedir a las hijas del Reino del Medio unirse a un extranjero. Tal vez el ramo de ciruelo florido, entregado por Laoma a Feng-si, justo antes de exhalar el último suspiro, había jugado a su favor. Y además Klara Bauer, que ejercía sobre Walter una especie de afecto maternal, había debido de influir en Feng-si. «Un joven que se convertirá en un caballero», era como solía presentarlo ella.

Feng-si, cuyo mutismo había intrigado y seducido a Walter, se había vuelto muy locuaz con él. Le encantaba la ausencia de costumbres en la que navegaba su unión. ¿Que le entraban ganas de verla fuera cual fuese la hora de la noche o del día? Él se presentaba en su casa y ella lo recibía, si quería, si podía.

Junto a Feng-si descubría la cultura de un pueblo. En Viena había conocido a individuos que eran bibliotecas vivientes y, sin embargo, zafios y vulgares. Feng-si lo maravillaba, pues, a pesar de valerse de un vocabulario muy simple, le enseñaba mucho más sobre los valores humanos de lo que jamás habían hecho los profesores. Cualquier acto u objeto de su vida cotidiana era artístico. En su mano el par de palillos evocaba la carrera de una grulla y el pincel un patinador que bailase sobre el hielo.

A Walter le fascinaba la civilización china. Una vez que hubo comprobado que era capaz de manejar, sin la ayuda de una cuchara o del dedo, los champiñones y los resbaladizos raviolis, cogió gusto a los extraños platos que Feng-si le hacía descubrir. Tenía una manera encantadora de buscar los mejores trozos con el extremo de sus palillos y depositarlos en su plato.

En la cama le hacía divinamente feliz. Su poca experiencia con las mujeres occidentales provocaba en Walter una gran perplejidad. ¿Es que las chinas tenían mayor conocimiento sobre el placer masculino o es que Feng-si tenía un don especial? Ella se divirtió con su asombro al ver antiguos grabados eróticos.

Un sujeto obeso trataba con un mimo lleno de avidez los pies minúsculos, envueltos en un tejido fino, de una joven belleza. ¿Por qué esa costumbre bárbara de los pies vendados, los «lotos de oro»? Feng-si, con su risa de chiquilla inocente, le había revelado que tener aquellos piececitos entre sus manos era tan excitante como acariciar sus pechos. Y que el tocarlos provocaba en el hombre estremecimientos de una intensa voluptuosidad. Las grandes amantes del pasado despertaban el ardor de los viejos caballeros deslizando su somnolienta verga entre sus pequeños pies. «Así», había pretendido mostrarle graciosamente Feng-si, que se rió al descubrir que ya era demasiado tarde para despertar nada.

Walter se aplicaba en aprender la lengua china, se apasionaba con la lectura de los ideogramas, se interesaba por los horóscopos y la geomancia. Feng-si le había enseñado que las prácticas adivinatorias no servían para consultar acerca de los destinos individuales, sino para saber si convenía actuar o abstenerse. Se había familiarizado con el yin y el yang, principios femenino y masculino, estrechamente imbricados para formar un mundo completamente circular. Feng-si se preocupaba por buscar la armonía de las fuerzas que regían la humanidad, reconciliando la tierra y el cielo, la luz y la oscuridad, lo par y lo impar, lo caliente y lo frío, el este y el oeste, el bien y el mal. Tenía el arte de llegar a la perfección en todo lo que se proponía.

Eso no significaba que fuese perfecta. Era frecuente en ella encerrarse en silencios densos, imprevisibles, cuyo motivo, por lo general, desconocía Walter. También le molestaba la importancia que daba a los juramentos de amistad que, de pronto, la requerían por un tiempo ilimitado. Esos días, ella estaba consagrada a obtener la liberación del propietario de un cabaret, al que se consideraba sospechoso de instigar un atentado contra el jefe de policía del gobierno projaponés. Su conducta implicaba un profundo sentido de la amistad. Walter no dudaba que, si fuera necesario, Feng-si actuaría con la misma tenacidad a su favor.

De vez en cuando Walter pensaba en su amigo médico, al que no había vuelto a ver desde la herida en la pierna. ¿Qué diría Horst Bergmann si se enterase de que Walter se había convertido en el amante de una prostituta? Se rió imaginando su indignación. ¿Podrían las circunstancias haber inducido al berlinés a una mayor flexibilidad y comprensión? En el curso de sus entrevistas, Walter había conocido a refugiados forzados a decisiones dramáticas. Cada noche un antiguo profesor de alemán de la Universidad de Hannover llevaba a su joven esposa al Jardín de las Flores, un cabaret, donde ella ganaba los únicos ingresos de la pareja. Otras mujeres, tanguistas o camareras de bar, bailaban la noche entera y terminaban por resbalar desde el bar a la cama. ¿Qué otro medio había de alimentar a su familia, cuando el marido veía cómo se le cerraban todas las puertas? Y si una de ellas sufría una enfermedad venérea, ¿se negaría Horst a curarla? Si una de ellas quedaba embarazada, ¿se negaría Horst a interrumpir la gestación? ¿Podría abstenerse de mostrar su reprobación y de predicar una conducta moral?

El mundo estaba en llamas y su caparazón de principios rígidos se derretía con la combustión. La viuda de un general ruso blanco y su hija se habían labrado una sólida reputación entre los oficiales japoneses, a los que recibían en su minúsculo apartamento de la rue Molière. Dos judías (¿quién lo habría imaginado en Europa?) se peleaban por un sitio en la acera: la rusa Lisa Mosquito, flaca y desgarbada, adorada por los marineros, y Hava Ox, un auténtico tonel, se disputaban el terreno en una lucha feroz. Pero ambas eran también conocidas por frecuentar la sinagoga y subvencionar el orfanato.

Esos días de julio, cuando el calor húmedo evocaba el tufo de los lavaderos de Viena, el ventilador no proporcionaba más que una ilusión de frescor. A Walter la camisa se le pegaba al torso sudoroso, pero al menos podría darse una ducha antes de salir de casa. ¡Un lujo increíble para un antiguo habitante de Chusan Road!

Con todo, las condiciones de alojamiento en Hongkew habían mejorado. Algunos refugiados compraban casuchas hundidas, las dividían a la manera china y las arreglaban con las comodidades europeas para poder alquilarlas mejor. Esas instalaciones se realizaban a menudo de manera ilegal. A su vez, los encargados de recoger los orines en Chusan, Wayside o Broadway Road no pasaban más que una vez al mes, justo para percibir la propina que se merecía su buena voluntad diaria de ignorar una u otra casa.

Los exiliados, que no se daban por vencidos y se desvivían furiosamente por salir del fango, habían cambiado la cara de Hongkew. Nueve meses les habían bastado. Los japoneses acogieron estas transformaciones de diversa manera. Los comerciantes temían por su negocio. Los funcionarios que vivían en el barrio vieron con agrado que negocios audaces reemplazaran los comercios anteriores, japoneses es cierto, pero de pocos vuelos.

Cada día abrían nuevas tiendecitas: artículos para el hogar, panaderías, carnicerías y ultramarinos. Las pastelerías proponían tentaciones a las que ningún vienés de verdad se podía resistir. Un pollero se había asociado con un rabino para colocar, en pleno mercado chino, un puesto en el que se ofrecían pollos, ocas y patos sacrificados conforme al rito judío. Los refugiados hacían allí sus compras para el sabat, lo que les procuraba la ilusión de celebrar el día santo con dignidad. Médicos y dentistas ofrecían sus servicios. Los sastres remendaban, aprovechaban trajes viejos para hacer otros nuevos, daban la vuelta a los cuellos y puños de las camisas. Los zapateros se dedicaban al arreglo intensivo de zapatos que habían conocido momentos de gloria.

Por supuesto, esos tenderos contaban con gente como Richard Silberstein, que habían sido los mejores artesanos de Budapest, Berlín, Praga o Viena. La noticia corrió por las fiestas mundanas y las damas de Frenchtown o de la Concesión Internacional empezaron a frecuentar Hongkew para peinarse, vestirse o calzarse. Klara Bauer se mostraba encantada con la idea de pasar el invierno envuelta en un abrigo de piel de gamuza con un amplio cuello y unas largas mangas adornadas con zorro, que le estaba haciendo un peletero vienés y cuyo diseño ella mostraba con orgullo.

Se abrieron restaurantes y cafés en los patios interiores de las casas remozadas. Los camareros tiroleses del simpático Zum Weissen Rössl no daban ya abasto. Allí se daban a conocer algunos artistas, se bailaba bajo los farolillos. Todos estaban felices, excepto los músicos rusos, furiosos al ver cómo se hacía pedazos su monopolio. A veces provocaban broncas con los recién llegados y se armaban peleas en la calle.

Los chinos se introdujeron con soltura en ese barrio en ebullición. Criados y *amahs* chapurreaban el vienés en Chusan Road, el berlinés en Tongshan Road y el yídish en Seward Road. El zapatero ambulante aprendió a anunciarse en alemán: «*Schuhmacher! Schuhmacher!*», y un restaurador de porcelanas chillaba: «*Porzellan kaputt ganz machen*».*

La vida en Hongkew se había vuelto cálida, simpática y divertida a pesar de la miseria, pero vivir en la route Gaston-Kahn proporcionaba a Walter, aparte de la gratuidad del alquiler, otros muchos atractivos. ¡Se habían acabado los largos trayectos! Además, allí había más posibilidades de establecer relaciones de mejores perspectivas intelectuales o artísticas.

En la estrecha cabina de la ducha, Walter dejó que se deslizara por sus párpados el último hilillo de agua que manaba de la alcachofa. Cada perla era una gota de alegría. Se secó solo las manos y encendió un cigarrillo mientras formulaba el deseo de que la vida siguiera sonriéndolo como lo estaba haciendo desde hacía unas semanas. En concreto, desde la noche en que lo había apostado todo por Feng-si.

Al día siguiente, el propietario de un nuevo restaurante le había propuesto tocar los siete días de la semana en su local, desde por la mañana hasta la noche, por un salario que triplicaba el suyo. ¡Una propuesta apetecible e inesperada! Pero la imagen de su padre se impuso y, en el último minuto, Walter la re-

---

* «Porcelana rota reparar.»

chazó. Tenía que disponer de tiempo para el periodismo. Por suerte, los Bauer no se enteraron de esos tratos. Unos días más tarde Klara le presentó al creador de un programa para los refugiados en la emisora de radio estadounidense XMHA. Friedrich Dender preguntó a Walter acerca de su reclusión en Dachau y, en una fracción de segundo, esa primera experiencia radiofónica le reveló un campo de posibilidades infinitas. Como una corriente de simpatía le acercaba al entrevistador, Walter le propuso de inmediato realizar en la radio entrevistas en las que él daría la palabra a artistas refugiados, puesto que la revista *Die Gelbe Post* no había contestado a ese proyecto. La proposición fue aceptada con entusiasmo, aunque no cobraría. Daba igual. Lo importante era empezar.

El primer programa de Walter tuvo lugar quince días más tarde. Eligió a la compañía de Herbert Zernik, un antiguo cómico, que estaba empezando a actuar como cantante en el Black Cat, un night-club abierto hacía poco en la avenue du Roi Albert. Walter lo ignoraba todo sobre ese hombre acerca del cual había oído elogios en el Wiener Café. Se propuso descubrirlo al mismo tiempo que sus oyentes.

Como cada vez conocía a más gente, había conseguido diversificar su producción periodística. Cuando le faltaba tiempo para realizar un retrato, presentaba la traducción de artículos seleccionados en los diarios internacionales, el *North China Daily News* o *Le Journal de Shaghaï*.

Una anécdota lo divertía especialmente.

Los japoneses, cuyo servicio de censura examinaba toda la prensa shangainesa, tenían empleados a dos refugiados judíos para la traducción del periódico nazi *Ostasiatischer Lloyd*. «¡Es que conocen tan bien el alemán!», explicaban los nipones con la mayor seriedad. Cuando uno de esos traductores tuvo que ser ingresado urgentemente en el Emigrant's Hospital, donde intentaba sobrevivir a una disentería, los japoneses fueron a ver a Walter, que les propuso los servicios de Werner. Los progresos en inglés del antiguo nazi, que iba de un trabajillo a otro, lo justificaban. «Mira a ver si puedes redimirte —ironizó Walter— haciendo alguna tarea útil para el servicio de espionaje antinazi.» Pero apenas hubo empezado a trabajar, Werner compró una ración de sandía…

Era la estación de las sandías, enormes melones de un color verde esmeralda hasta entonces desconocidos para los refugiados. Se vendían en todos los cruces, en carretas, carretillas, cestos o sobre una estera. Solo costaban unos pocos céntimos chinos. Los vendedores harapientos esperaban impávidos a los clientes en su habitual postura de descanso, acuclillados sobre los talones, mientras daban caladas a una colilla. Con ese calor era difícil resistirse a la atracción de la pulpa roja, tan refrescante, que los vendedores (eso solo se sabía después) infectaban al infiltrarle agua para aumentar su peso. También Werner ocupaba en ese momento una cama en el Emigrant's Hospital. Walter se libró de la disentería.

En la relación de los episodios felices, no debía pasar por alto el encuentro con los primos rusos de Klara. La colonia rusa vivía replegada sobre sí misma. En alguna parte de Rusia, sus habitantes cerraron un día su comercio y abrieron otro dos o tres meses más tarde en Shangai. Desclavaron y volvieron a clavar el mismo cartel. No consideraron útil aprender inglés o francés, porque no contaban con otra clientela que sus compatriotas.

Tal vez Walter nunca hubiese entrado en ese entorno si la señora Shapiro, la prima de los Bauer, no hubiese participado en la organización de una velada por la caridad en el Jewish Club. También los rusos tenían sus pobretones, sus desharrapados, sus espíritus desdichados que había que sacar a flote. Las señoras llevaban, envueltos en un trapo, pasteles caseros de manzana, de queso o adormidera, sosteniéndolos con los brazos extendidos para evitar manchar sus bonitos vestidos. También habían organizado una rifa y habían solicitado los premios entre los comerciantes amigos del Jewish Club. El primer premio era un manguito de terciopelo forrado de petigrís.

Franz y Klara Bauer no frecuentaban el círculo, pero, a petición de la prima Shapiro, habían «prestado» a Walter, cuya reputación como pianista era cada vez mayor. La prima esperaba, además, que pudiera publicar una reseña elogiosa en la prensa. Bastó con pedir a Greta que se lo advirtiera a Markus, el violinista, y el asunto se solucionó con gran satisfacción para Walter, encantado de escapar de la rutina. Por entretenerse y también porque con cada novedad ganaba experiencia.

Walter, una vez arreglado después de la ducha, metió en el bolsillo el broche que le había prestado Greta y salió de casa. Un vistazo al reloj en su muñeca, un regalo de Feng-si, lo tranquilizó. A las cuatro en punto llegaría al Park Hotel, donde lo aguardaba Max Herzberg.

La familia Fischer ya no soportaba más la separación. Greta deseaba vender su broche para comprar una máquina de coser y trabajar en casa. Sabía hacer arreglos, remendar, aprovechar una prenda para convertirla en otra más pequeña y elaborar una pieza de patchwork con los retales. Si ella lograba una clientela fiel, Otto podría dejar al chino rico y despótico, avaro y colérico, para ocuparse de su familia. Tras la marcha de Walter, Hans tenía aún más necesidad de su padre. La pareja quería alquilar una habitación algo más grande y provista de un balcón donde pudieran criar conejos.

En el interior del bolsillo, Walter mantenía la mano sobre el broche. Era la hora en que los opiómanos de baja estofa, que carecían de droga y de dinero, al ver llegar con terror el final del día sin haber conseguido su dosis diaria, llevaban a cabo acciones desesperadas y peligrosas. Los robos a mano armada se multiplicaban. Por otra parte, Walter no olvidaba que le habían birlado el reloj. Las amenazas de la cofradía gobernada por el «Rey de los Mendigos» se hacían cada vez mayores. La policía no hacía ninguna mella sobre la corporación, administrada por su jefe y sus subalternos como no lo era ni siquiera la de los culis. Su Majestad, de uniforme con su atavío desgarrado, sucio, apestoso y lleno de pulgas, negociaba los pagos a cambio de no molestar a los invitados de las bodas chinas, de no perturbar los funerales, de no asediar los almacenes. El jefe poseía inmuebles y cuentas bancarias alimentadas por el porcentaje que se llevaba de la recaudación que los soldados llevaban cada noche al cuartel general.

Antes de entrar en la cofradía era preciso pasar un aprendizaje. Gravando a los comerciantes, ejerciendo sus represalias contra los recalcitrantes, cada «hermano» se creaba una clientela que le aseguraba unos ingresos fijos. Cuando esta se componía de europeos que viajaban, los mendigos se presentaban en su casa, tan pronto como aquellos llegaban, para cobrar los atrasos que, en su opinión, se les debían.

Walter no iba a sacar ningún provecho por la venta del broche. Entregar la cantidad íntegra a Greta era un gesto que le honraría. Se alegraba de poder hacerle ese favor, pues así Max Herzberg, quien un día se había jactado de poder comprar cualquier visado, lo seguiría teniendo en mente. Greta podría haber llevado su broche al depósito recién creado en Hongkew por el Comité de Asistencia, donde los refugiados se deshacían de jarrones, mantelerías para dieciocho servicios, pinturas al óleo, relojes de pared y colgantes, pero, como había oído quejas por las módicas cantidades obtenidas, pidió a Walter que probase por ella el filón Herzberg.

En su habitación de la décima planta, Max había hecho colocar unos grandes mosquiteros delante de las ventanas, que mantenía abiertas. Tres potentes ventiladores batían el aire de las dos habitaciones y el cuarto de baño.

El hombre de las mejillas sonrosadas se estaba probando un traje de sport en seda de color humo, elección por la que Walter le felicitó.

—Muy agradable —gruñó Herzberg—. Pero su aspecto es demasiado nuevo. El señor…

Con la barbilla señaló al sastre occidental, que con la boca llena de alfileres, daba vueltas alrededor de él, clavando uno aquí, otro allí.

—… El señor recomienda que un culi lo empape para quitarle apresto.

Una sonrisa cínica le crispó el mentón.

—¿Cómo que lo empape?

—Prestárselo para correr. Es muy bueno para la seda, el sudor.

Max soltó una risa semejante a un relincho. Walter, apartándose los mechones que se le pegaban a la frente, lo imitó para disimular. Herzberg había borrado de su vida toda ocasión de transpirar. En esos días tórridos solo los blancos sin un céntimo se desplazaban a pie. Walter ahorraba cada moneda. En su armario, sobre una vieja caja de medicinas se leía el letrero: «Billete a Nueva York» y lo que conseguía guardar en ella no volvía a salir.

¿Decía Herzberg en serio lo de empapar la seda?

—Y ¿entonces? ¿A quién le vas a confiar tu traje?

—A nadie —refunfuñó el italo-turco-vienés—. Necesitaría un culi conocido. Un rickshaw privado, ¿te das cuenta?… Y hoy ni siquiera tengo criado. Se ha ido a enterrar a no sé quién. Es una manía de ellos. Caen como moscas. Hazme un favor, Walter, deja tu broche sobre mi escritorio y vete a llevar este trozo de tela a Sulzberger. Dile que me prepare un juego de camisas y de corbatas. No te llevará mucho tiempo.

La petición le molestó a Walter, pero no estaba en condiciones de negarse. Se guardó la muestra y se marchó corriendo, preocupado por no retrasarse. Le esperaba una gran velada. Para celebrar los dieciocho años de su hija, un ruso acomodado había contratado al cuarteto especializado en melodías cíngaras y jazz, con el que Walter tocaba desde hacía poco. Tenía el tiempo justo de pasar por casa y ponerse el esmoquin.

Mientras atravesaba el vestíbulo con paso rápido, rumiando su resentimiento, «Herzberg me toma por su lacayo», alguien lo llamó con voz enérgica, arrastrando la primera sílaba de su nombre de pila y haciendo vibrar la *r* final a la austríaca:

—¡Waalterr!

Se dio la vuelta. Un desconocido agitaba la mano. Un traje de buen corte flotaba sobre su cuerpo alto y delgado.

—*Also Du bist jetzt auch in Shanghai!* —exclamó.*

¿Quién era? Con una media sonrisa en los labios, se acercaba dirigiendo a Walter una mirada fija, extremadamente brillante, que destacaba en la tez terrosa de piel fina y apergaminada. Entonces Walter reconoció la mirada, marrón y verde, de Thomas Schoenberg.

—¡Thomas!

No se trataba de un grito de reconocimiento, sino de dolor. Walter rodeó con sus brazos a su antiguo compañero, que le devolvió un abrazo blando y temblón.

—¡Te he buscado en casa de tus padres, Thomas!

—Ya no vivo con ellos —confesó el joven con una voz cascada—. Nos hemos peleado.

A Walter el corazón se le salía del pecho. Vio que el cuello de la camisa de Thomas estaba raído, pero lo atribuyó al descuido. ¿De qué cofrecillo sacaba entonces su dinero Thomas el pródigo, el príncipe manirroto?

—¿Estás trabajando? ¿A qué te dedicas?

—Tengo suerte en el juego.

Una sonrisa falsa hundió las mejillas demacradas de Thomas. Se ajustó el nudo de la corbata con una mano vacilante. La sortija le bailaba en el dedo.

De pronto Walter comprendió. Un «fumador de opio», le había revelado un día Feng-si, señalando a un individuo consumido.

Thomas había caído en el ciclo infernal del opio y del juego. Con el juego procuraba ganar el dinero suficiente para la droga, con la esperanza siempre de engañar a la suerte y, cuando perdía, empeñaba sus bienes o se endeudaba. No podía volver de vacío. En ese grado de dependencia, los hombres se convertían en miserables andrajos que, sin el opio, no eran ni

---

* «¡También tú estás en Shangai!»

siquiera capaces de arrastrarse desde la cama hasta el cuarto de baño.

Abatido, Walter solo pudo balbucear:

—¿Dónde vives?

—En el Hôtel des Colonies, en la rue du Consulat. ¿Y tú?

—Te llamaré.

Walter cogió la mano cadavérica de su amigo y, presa de una pena inmensa, la retuvo apretada entre las suyas. Pero el tiempo pasaba.

—Discúlpame —masculló Walter con un suspiro—. Tengo que irme.

—*Farewell!* —dijo Thomas sonriendo con tristeza.

Walter entró en la camisería sin saber cómo había llegado. De vuelta, cuando pasó por delante de la perfumería de la avenue Joffre, la rabia se apoderó de él ante la visión del escaparate dedicado al perfume y los polvos *Shanghaï* de Lenthéric, cuya decoración (la fotografía de una pareja a punto de ceder a la atracción y la fascinación mutua, con abanico, boquilla para fumar, bolso de lentejuelas, *long drinks* y huellas de carmín) sugería un ambiente de ocio y sensualidad.

Obsesionado por el recuerdo de un Thomas en la ruina, empapado de sudor, se derrumbó conmocionado sobre la cama. La decepción había sustituido a la compasión. La esperanza de encontrar a Thomas, el desenvuelto, y de conseguir gracias a él, como en el jackpot, la posibilidad de llegar a Nueva York, le había permitido superar todos los sinsabores. Se había estado alimentando de ilusiones. ¡Adiós al sueño americano! Estaba acorralado en Shangai, en las miasmas del Whangpoo, como una rata en su ratonera. Habría llorado.

Walter se refrescó la cara, dejó que un poco de agua le resbalara por la nuca, las muñecas y en el reverso de los codos.

Su habitación, que él había comparado con el paraíso mientras la consideró provisional, le pareció estrecha y sórdida. El aire era irrespirable. Unas moscas gordas y azules se cebaban en un melocotón olvidado en un frutero. Los gritos de los niños en la calle, los gritos de las hermanas Birilev en el apartamento contiguo y la voz de una cantante china procedente de una radio, que destrozaba el tímpano, azuzaron su mal humor. Pero no tenía tiempo para abandonarse al resentimiento. Lo aguardaba un piano. Walter tenía que tocar esa noche en la fiesta que el señor Mintz, originario de Odessa e importador de alfombras orientales, daba para celebrar el decimoctavo cumpleaños de su hija Irina.

Rumió su amargura en el rickshaw que había tenido que coger, a pesar de que la distancia hasta la rue Lafayette fuese relativamente corta, para no manchar de sudor la camisa del esmoquin. ¿Qué futuro tenía ante él? ¿Participar en el asentamiento de la desolada provincia de Yunnan, como recomendaba el antiguo industrial del textil y experto financiero alemán Jakob Berglas a los cien mil refugiados de Europa? No, gracias. ¡El pico y la pala no eran su estilo! No le quedaba más que aprovechar con frialdad y cinismo cualquier oportunidad que surgiera en Shangai. Jugar el juego de esa jodida ciudad. Arriesgar el pellejo sin perder las plumas.

Sin embargo, la visión de la mansión blanca en la que se preparaba la fiesta le hizo calibrar la medida de su pobreza. Cien luces brillaban ya, surgidas en el día que todavía pretendía dominar. Un corro de farolillos pendía de los árboles del jardín. *Amahs* y criados vestidos de algodón blanco disponían una cena fría a la sombra de un bosquecillo de magnolios. Corrían contentos cargados con pilas de platos, ramos de flores y bandejas de vasos. Walter subió por la escalera de granito enmarcada por unos rosales trepadores cubiertos de enormes flores que despedían su fragancia.

Los tres músicos rusos de su cuarteto lo aguardaban ya en el salón. Saludaron a Walter sin mayor énfasis, pues, como eran vecinos de piso, los cuatro se habían visto por la mañana en el rellano. Dos de ellos, los gemelos Birilev, se habían casado con dos hermanas gemelas. El tercero, su primo, estaba provisionalmente instalado con ellos en un apartamento algo más grande que el de Walter y durante las peleas de rigor, bien frenaba los golpes, bien los repartía. Los gritos enseguida daban paso al canto y al violín. Las gemelas, hermosas y muy maquilladas, tenían unas voces magníficas. Parecían desconocer el uso de la aguja, pues en la galería extendían su ropa interior de satén toda en jirones.

Los señores de la casa, el señor Mintz, de esmoquin blanco, y la señora Mintz, con un vestido de lamé rosa y escarpines a juego, recibieron de inmediato a sus invitados y los condujeron, a través del salón y la galería, hacia el bufet del jardín donde aguardaban los *long drinks* helados. Algunos criados provistos de grandes pulverizadores mantenían una nube de insecticida. Irina, la heroína de la fiesta, se pavoneaba con su vestido de tul azul turquesa, seguida por su criado habitual.

La orquesta comenzó rechinando. Walter tenía la sensación de haber caído en el fondo de un pozo. El primo descargaba su cólera en la batería, como si la fuera a aporrear hasta destrozarla. Hizo saber al anfitrión, en un momento que este pasó por su lado, que, a pesar de la temperatura, a los músicos les agradaba tocar templados. Un criado llevó coñac. Walter también bebió y se puso a tocar con rabia. Enseguida los cuatro se fundieron en un delirio salvaje. Entonces tuvo la impresión de que escalaba la pared del pozo, como si extrajera su fuerza de los gritos de esperanza de los negros oprimidos. El ardor del alcohol preservaba su combatividad.

Los padres jugaban al póquer en la galería mientras fumaban puros de Manila y bebían vodka. Los jóvenes, pese al calor, bailaban el swing bajo la mirada de las madres. De estas, algunas seguían alegres el ritmo desde las sillas; otras, envidiosas, ocultaban su despecho bajo una mueca de reprobación. Una de ellas, indignada, se marchó de la habitación cuando Irina Mintz, cediendo entre risas a los requerimientos de su pareja, se subió con él a una mesa para bailar un boogie-woogie, que dejó entrever sus muslos blancos.

Walter tenía la edad de esos jóvenes despreocupados que

cantaban, reían, daban palmadas y marcaban el ritmo con los pies. Si la vida hubiera seguido su curso, tal vez él, como ellos, habría podido divertirse esa tarde en una fiesta en una casa de Viena o Budapest. Los ojos de los muchachos brillaban de felicidad y entusiasmo.

Solo una joven, a la que sorprendió bostezando tras su abanico, tenía un aspecto taciturno. Estaba sentada y parecía que le dolía un tobillo. Se lo miraba y masajeaba ante los ojos cansados de su madre, una mujer de unos cuarenta años, que apenas reunía las fuerzas suficientes para abanicarse. Era encantadora, tan morena como rubia era Irina Mintz, que fue a abrazarla para cuchichearle un secreto al oído. Dos hoyuelos iluminaron sus mejillas llenas mientras seguía con la mirada a su amiga, a la que un caballero arrastraba del brazo.

Los ojos de Walter se cruzaron con los de ella, puro terciopelo negro, de donde repentinamente desapareció el aburrimiento. Giró la cabeza, hizo alarde de su cabello, estiró la mano y juzgó el efecto del esmalte rosa en sus uñas, jugó con su pulsera, rectificó la colocación de la falda de muselina de su vestido. El cuerpo, ajustado y asimétrico, dejaba al descubierto un hombro redondeado y aterciopelado. Arqueó la espalda con una mano apoyada en la cadera y sus pechos hicieron que el drapeado se tensara.

Cuando el cuarteto hizo una pausa, Irina puso un disco de Paul Robeson, cantante negro adorado por los rusos. Familias enteras se metían en el cine Lafayette para oírlo cantar gospel en una película basada en una novela de Edgar Wallace.

La voz era cálida, sensual. «*Sometimes I feel like a motherless child…*», cantaba Robeson. La vigilancia de las madres se dejaba sentir sobre las parejas lánguidas que seguían bailando. La hermosa joven morena seguía sentada. Walter hundió sus ojos en los de ella y supo que habría aceptado su invitación si a él le hubiese estado permitido bailar y, cuando un mocoso se la quitó, redescubrió su rabia intacta.

Con aspecto sombrío y los dientes apretados, el padre de la

muchacha apareció a las dos de la mañana en la galería. El pelo a cepillo y la barba corta hacían juego con el gris frío de sus ojos. Con un gesto les indicó que se iban y encendió un puro mientras su esposa y su hija dilataban la despedida. Al pasar junto al piano, la joven giró la cabeza hacia los músicos.

Entre las volutas de humo, Walter recibió y devolvió un mensaje cargado de melancolía. Siguió con los ojos a la joven rusa, que, precedida por sus padres, se alejaba con paso lento sobre la sedosa alfombra del vestíbulo balanceando con gracia las caderas.

Entonces con gran estruendo se desató la tormenta y el diluvio acarreó el desbarajuste y el frescor.

III
Tifones

1

Aquel 14 de julio no se había presentado ninguna esperanza que animase el horizonte. Aun así, Walter seguía mostrando un rostro sonriente, que contrastaba con la cara de perro de los gemelos Birilev o el semblante cariacontecido de su primo. Cuando lo invadía la fatiga nerviosa, Feng-si lo distraía. Siempre lo sorprendía. Con ella Walter obtenía su dosis de risas, de buenas comidas, de canciones y sobre todo de placer. Cada vez que se despedían, Walter se sentía eufórico y soñaba con regalarle una joya de hermoso jade, la piedra sagrada, símbolo de perfección y de eternidad, reputado afrodisíaco y protector contra la enfermedad. Sin someterse a esas creencias, Walter las respetaba por Feng-si.

Pero, para regalarle semejante joya, necesitaba mucho dinero. El eterno problema. ¡Y pensar que en Shangai manaban fuentes, cascadas, torrentes, cataratas de dinero! La cuestión era encontrar el manantial. Walter daba vueltas a este asunto en la avenue Joffre, mientras, con una mirada indolente, veía pasar el desfile que regresaba del parque de Kucaza, donde los franceses, con ocasión de su fiesta nacional, habían organizado un pase de revista y una imposición de condecoraciones. Los bomberos flotaban en sus uniformes, los anamitas pasaban serios como papas y los boy-scouts avanzaban con sus orejas rojas de orgullo. Los músicos de la banda resplandecían, los rusos y los chinos aplaudían. Escuelas, bancos y oficinas de Frenchtown estaban cerrados y engalanados. Unos fuegos artificiales rematarían la jornada. Esos festejos, sin embargo, a Walter lo dejaban indiferente. «La cuestión es encontrar el manantial», se repetía como un loro.

Un recuerdo le vino a la mente. La primera vez que se aventuró en el Park Hotel. Robert Duguay anotaba las informaciones del camarero en su libreta. «La princesa Ivanovna busca a alguien que la presente a las familias Hardoon, Sassoon, Ezra, Kadoorie o Gubay.» «Los nababs judíos», había precisado Duguay con un guiño.

El trayecto de los Sassoon se podía resumir de la siguiente manera: ¡de Babilonia a Shangai! Sir Victor Sassoon descendía de ricos comerciantes de algodón de Bagdad que se habían establecido en Bombay a comienzos del siglo XIX. A su bisabuelo David, apodado el «Rothschild del Extremo Oriente», le gustaba supervisar hasta los menores detalles. Un día de 1843, en que él mismo había ido a recoger el correo a la estafeta en Bombay, se dio cuenta de que uno de sus competidores había recibido varias cartas procedentes de China. Una discreta investigación le permitió asegurarse de la continuidad de esa correspondencia, cada vez más voluminosa, y de la existencia de relaciones comerciales con el Reino del Medio. Envió a Shangai a su hijo Elías, al que pronto se le unieron tres empleados judíos, y así nació la comunidad sefardí de la ciudad.

La lucrativa especulación en la costa china, las grandes inversiones en el valle del Yangtze y los beneficios procurados por el comercio del opio enseguida hicieron prosperar a la familia, que, con sus actividades, participó en gran medida en el desarrollo de Shangai y Hong Kong. Los Sassoon fundaron la Hongkong and Shanghai Banking Corporation, que se convirtió en uno de los principales bancos del Extremo Oriente.

Muy ligados al judaísmo, formaban a sus empleados en una escuela creada en la India por David Sassoon. En ella los profesores enseñaban cuatro idiomas, inglés, árabe, hebreo e hindi, así como geografía, matemáticas y contabilidad. Y, además, las leyes de la alimentación *Rosher*. Los alumnos aprendían a sacrificar un pollo de manera ritual, lo que les permitía comer carne en el transcurso de sus grandes viajes. La familia Sassoon había construido la sinagoga Ohel Leah en Hong Kong y, en honor de la mujer de David, la sinagoga Ohel Rachel en Shangai.

Por curiosidad hacia los Sassoon, Walter había ido a visitar esta última en Seymour Road. El edificio, provisto de unas columnas de mármol que soportaban una elevada bóveda, disponía de espacio para mil quinientas personas, aunque la comunidad judía en aquella época apenas contaba con seiscientas almas. Aquella sinagoga atestiguaba la extravagancia de esa familia.

Sir Victor marcaba la pauta. Estaba soltero, usaba monóculo y, a consecuencia de un accidente de avión, para andar se apoyaba en un bastón. Heredero de los intereses familiares en Asia, había transferido sus capitales de Bombay a Shangai en 1931, con la intención de rehuir los impuestos británicos, y había instalado su cuartel general en Sassoon House, el rascacielos construido dos años antes, que dominaba el Bund y albergaba el Cathay Hotel.

Walter se acordó de una conversación con Emily Stone. Según la periodista estadounidense, el Cathay había eclipsado incluso al Majestic Hotel, que, sin embargo, había sido elegido en diciembre de 1927 por el general Chiang Kai-shek, sucesor de Sun Yat-sen, para celebrar su boda con Soong Mayling. Desde su apertura, diversas celebridades mundiales se habían apresurado a alojarse en el Cathay. Por ejemplo, Noel Coward quien, obligado a guardar cama por una gripe, aprovechó el inevitable reposo para trazar el bosquejo de su novela *Private Lives*.

Siempre con su programa de construcción en mente (Metropole Hotel, Grosvenor House, Embankment Building, Cathay Mansions, Hamilton House...), sir Victor compartía su vida privada entre su suite en Sassoon House y su mansión en Hongqiao Road, que dominaba la bahía. Construida según el modelo de una casa de campo inglesa de Sussex, con entramados y una chimenea tan amplia como para asar en ella una vaca entera, la morada estaba flanqueada por unas enormes caballe-rizas. Los caballos eran la pasión de sir Victor y se sabía que su mayor deseo era ganar el Derby, la famosa carrera de Epsom.

Sir Victor se entregaba con pasión a la caza del pato salvaje y al «Paper Chase». Algunos domingos por la mañana, una ca-dena de papel de color atravesaba el campo al oeste de Shangai. Se trataba de seguirla entonces atravesando campos, bosqueci-llos, ríos y fosos a galope tendido hasta alcanzar la meta. Un premio recompensaba al jinete vencedor.

Las suntuosas recepciones de sir Victor en el Cathay Hotel, cuya decoración era de la casa Lalique, daban lugar a relatos sin fin, que se comentaban en los salones de Shangai, Hong Kong, Singapur o Nueva Delhi. Sus bailes de disfraces eran legenda-rios. En uno de ellos, con el naufragio como tema, sir Victor había solicitado a sus invitados que aparecieran tal como se ha-brían hallado en el momento de ser encontrados por los botes salvavidas. El primer premio se lo había llevado una pareja ata-viada únicamente con toallas, como si se dispusiera a tomar una ducha cuando se dio la voz de alarma.

Walter ya no se acordaba bien de qué modo, con qué ma-trimonio los Sassoon se habían aliado con los Kadoorie, otros cresos sefardíes y filántropos de Shangai, originarios de Bagdad. Su historia parecía un cuento de hadas. En torno a 1880, Elly Kadoorie dejó la casa familiar en Bagdad para irse a trabajar a Hong Kong para la compañía Sassoon. En cierta ocasión fue injustamente recriminado por su patrón, se marchó con un portazo, se estableció como agente comercial e hizo fortuna. Tras casarse con Laura Mocatta, una joven inglesa de excelente familia, se convirtió en padre de dos chicos, Lawrence y Hora-ce. La familia se estableció entonces en Shangai, donde Laura falleció en 1919 durante el incendio de su residencia. Elly se trasladó a Londres con sus hijos y durante varios meses alojó en su propiedad al rey Faysal I de Arabia, así como a Hailé Selas-sié, emperador de Etiopía. Durante ese tiempo se construyó su nueva mansión en Shangai.

A su regreso, los Kadoorie encontraron, en realidad, como morada un palacio flanqueado por una terraza que se extendía a lo largo de setenta metros. Además incluía una sala de baile de diecinueve metros de altura. Semejante monumentalidad los dejó pasmados. En su opinión se debía a la fantasía del arquitecto, que, según sospechaban, habría encontrado inspiración en la ginebra. Una vez repuestos de la sorpresa, los Kadoorie disfrutaron plenamente del Marble Hall, donde recibían a la élite del mundo entero.

Marble Hall debía de estar de fiesta ese día. A los dos hermanos, Lawrence y Horace, el gobierno francés les ofrecía ese día la distinción que los convertía en caballeros de la Legión de Honor. Sir Elly, el padre, había recibido hacía mucho tiempo la banda de comendador por haber fundado en Siria, Irán e Irak escuelas en las que, cada año, entre cinco mil y seis mil jóvenes de todas las confesiones y nacionalidades aprendían obligatoriamente el francés. Una foto de *Le Journal de Shanghaï* mostraba al padre con su barriga y su barba blanca junto a sus dos hijos, que, ya en la cuarentena, hacían todavía gala de su aire de buenos chicos. Sir Elly, filántropo discreto, no deseaba que se hablase de sus establecimientos hospitalarios.

Unos nutridos aplausos despertaron la atención de Walter. El cuerpo de bomberos francés, con sus bigotes engominados, volvía en ese momento al cuartel en su camión de relucientes níqueles. Los chinos eran los más entusiastas. No había día que no llamasen al retén en su auxilio.

Aquel 14 de julio se había colgado de la reja de entrada una falsa puerta de templo chino. El patio del parque de bomberos se había transformado en el patio de un templo, con columnas y paredes pintadas al estilo chino. Varios surtidores de agua coronaban la montaña de flores situada en el centro.

Tan pronto como se despejó la calzada, los conductores de rickshaw recuperaron sus prerrogativas. Cuando Walter mantenía los ojos fijos en el suelo, veía sus flacas piernas, cubiertas de mugre y polvo, bullir como gusanos. Miró la hora y se detuvo indeciso. Un mendigo agazapado en sus andrajos aprovechó justo ese instante para soltar su queja. Llevaba instalado allí una semana. Por detrás de la tibia, a guisa de pantorrilla, le colgaba una fina protuberancia de carne. Lanzando su única moneda de cobre a la caja oxidada, Walter se preguntó cuántos días necesitaría aquel desdichado para morir.

El hombre tenía todavía suficiente ánimo para hacer desaparecer rápidamente entre sus harapos el penique, pues, al igual que las monedas y los billetes de un céntimo, esa moneda era difícil de encontrar. Los comerciantes y compradores estaban molestos por ese asunto, pero los cambistas clandestinos le sacaban provecho. En el mejor de los casos, estos soltaban noventa y tres céntimos o doscientos ochenta peniques por un dólar. Walter se debatía entre la indignación y la admiración cada vez que los veía actuar. ¿Que alguien ofrecía al cambista un billete de un dólar? El hombre respondía: «*My no wantchee single dolla. Single dolla no good. Pay my big piecee*».* Recurso infalible para lograr bajar la tasa de cambio. ¿Que se le mostraba un billete grande? Entonces el roñoso lo examinaba con cara de disgusto, lo juzgaba demasiado sucio, arrugado o emitido por un banco que no contaba con su beneplácito. El cliente perdía siempre.

Walter prosiguió su camino, disgustado por llegar tarde. Había salido de casa con la intención de entrevistar a unos refugiados checos en un *Heim*, pero se había demorado demasiado para que le sobrase tiempo antes de sentarse en su banqueta del Wiener Café.

Sin embargo, merecía la pena escuchar la historia de esa gente. Tras ser liberados de los campos de concentración, recibieron ayuda de compatriotas no judíos, que fletaron para ellos un barco en el Danubio. Mientras permanecieron en ese río internacional fueron intocables. Habían ido de puerto en puerto sin poder desembarcar en ningún lugar. Cuba, adonde habían pensado ir, cambió sus leyes de inmigración mientras estaban

---

* «No acepto billetes de un dólar. Deme billetes grandes.»

en camino. Algunos habían sido acogidos en Holanda o en Santo Domingo. El Comité de Asistencia que se hizo cargo del resto no tuvo más remedio que enviarlos a Shangai.

Walter se había rezagado tanto porque lo reconcomía una mezcla de insatisfacción, cansancio y asco que lo paralizaba. ¿Cómo cambiar de vida? Sumido en este pensamiento, se metió en la route Cardinal-Mercier. «Los Sassoon o los Kadoorie son inaccesibles —concluyó—. Viven en otro planeta. ¿Habrá más posibilidades con los Hardoon?»

Feng-si le había contado varias veces a Walter la historia de Silas Hardoon. De joven había llegado sin blanca a Shangai. Empezó a trabajar como vigilante nocturno en un almacén de los Sassoon. Cuando murió en 1931, dejó a su viuda y a sus doce hijos adoptivos, chinos y euroasiáticos, una propiedad de trece hectáreas en el cruce de Bubbling Well Road con la avenida Foch. A diferencia de los Kadoorie y los Sassoon, Hardoon había echado raíces en el mundo chino. Se había casado por los ritos judío y budista con la hija de un gendarme anamita y una china, Liza Hardoon a partir del día de la boda, de la que se sospechaba que había salido de un burdel. En cualquier caso, ella le había aconsejado economizar cada céntimo e invertir sus ahorros en la compra de terrenos de la periferia, que entonces estaban a precio de ganga. Después la Concesión Internacional se había extendido hasta incluirlos, por lo que se habían revalorizado de un día para otro. «¡Debe toda su fortuna a la tierra!», comentaba Feng-si con un brillo malicioso en la mirada. Una sola palabra, *tu*, designaba en chino el opio y la tierra.

Una noche, uno de los hijos adoptivos de Hardoon había invitado a Feng-si a visitar la propiedad. Ella se acordaba de un jardín al estilo chino, con estanques, puentes, grutas, un templo budista con sus monjes, varias residencias, una escuela, amplias viviendas para los empleados así como la tumba de Silas Hardoon. El monumento funerario tenía inscripciones budistas en chino por un lado y por el otro inscripciones judías en hebreo.

Pero, desgraciadamente, Feng-si había perdido la pista a este amigo pasajero, jugador y fumador de opio.

Odiado por unos y adorado por otros, Silas Hardoon había sido el hombre de las paradojas. Después de haber construido la suntuosa sinagoga Beth Aharon, en la que Walter había tomado su primera comida en Shangai junto a Horst Bergmann, el excéntrico judío se había negado a aportar cantidad alguna para su mantenimiento. A pesar de su inmensa fortuna, seguía haciendo en persona la recaudación entre sus pobres inquilinos, para asegurarse del cobro de los alquileres. Su morada era un palacio principesco, pero su despacho era un cuchitril. Ni había alfombras en el suelo, ni cortinas en las ventanas. Aunque hiciese un frío glacial, prefería arroparse en su abrigo antes que calentar las habitaciones.

Con los setenta y cinco años ya cumplidos, su viuda, ciega y enferma, seguía dando pábulo a los cotilleos. A pesar de ser una mujer poderosa, también ella estaba sometida a influencias. Al parecer, había despedido a su mayordomo y en las chozas de los ricachones eran frecuentes las preguntas sobre sus relaciones con un monje budista que se hacía llamar maestro Chao Kung.

Aquel hombre había nacido judío en una ciudad de Hungría con el nombre de Ignatius Trebitsch-Lincoln, fue bautizado en Hamburgo en un templo luterano, ofició en Canadá como misionero presbiteriano y luego en Gran Bretaña en calidad de vicario anglicano antes de convertirse en cuáquero. Su itinerario político, tan accidentado como el religioso, lo había llevado a refugiarse en China en los años veinte. Los títulos de sus obras, *Autobiography of an Adventurer* y *Revelations of an International Spy*, daban una idea del personaje. Podía vérsele ataviado con un vestido de color azafrán desde que se hizo lama tras convertirse al budismo. Ese era el gurú de la viuda Hardoon. Consideraba que China estaba equivocada en su lucha contra Japón y había emprendido una cruzada pronipona. Además, aprobaba con toda su alma la política de los nazis en Austria, sin caridad de ningún tipo por sus antiguos correligionarios. Walter torció el gesto con una mueca de disgusto.

Dio algunos pasos más y meneó la cabeza: «¡Basta de dar vueltas a quimeras imposibles! ¡Hay que currar, amigo! ¡Currar, eso es todo! ¡Aprovecha bien tu descanso de hoy, porque mañana habrá que volver al tajo!». De pronto, Walter supo con certeza que su instinto lo ayudaría. El primer día, cuando no sabía nada de Shangai, ¿no lo habían conducido sus pasos a uno de los cruces más bulliciosos, el de la avenue Joffre con la route Cardinal-Mercier?

Decidió regalarse un sueño y se apresuró hasta las lujosas tiendas de las Cathay Mansions para admirar las novedades llegadas de Europa. Llenó su armario de trajes de paño, de corbatas y pañuelos de seda, de jerséis de cachemir y zapatos de cuero rojizo. Se perfumó con Blenheim Bouquet, el aroma perfecto para un caballero.

Delante del siguiente comercio, Walter decoró su apartamento. Encima de la chimenea puso un gato de ébano, aclaró la oscura librería con una náyade en pasta de vidrio, alineó las copas de champán en el mueble bar de caoba maciza, se encaprichó de unos sillones de ante morado…

A continuación venían los escaparates de la joyería Sokolov. Walter no sabía nada del tema, pero la belleza de las joyas adornadas con piedras preciosas lo fascinaba. Tras admirar los objetos de cristal y de plata, se dejó seducir por las pitilleras a cuál más elegante. ¿Podría introducir algún día una de ellas en el bolsillo de su chaqueta?

La envidia circulaba como un humor maligno por sus venas. Walter sintió que las mandíbulas se le soldaban, que su respiración se detenía, que los pies se le fijaban al suelo. Se había convertido en una piedra. Entonces, a su derecha, la puerta giró lentamente. Alguien salió de la tienda. Una forma femenina cuyo rostro quedaba oculto por la marquesina.

—¡Hasta esta tarde, papá! —gritó en ruso.

Cuando llegó bajo el sol, Walter reconoció a la amiga de

Irina Mintz y sus miradas se cruzaron. Walter se echó sus rebeldes mechones hacia atrás y la saludó en inglés. Ella le respondió con un marcado acento ruso y enrojeció.

—¿Sigue con molestias en su hermoso pie?

—Ya se me ha curado, gracias.

—¡Qué pena! Me habría gustado ofrecerle mi brazo.

En los rosados labios de la joven destelló la risa.

—Me encantaría, pero en otra ocasión. Tengo que presentarme a una audición en el Lyceum Theatre. Discúlpeme.

¡Así que hacía teatro!

—¿La puedo acompañar?

Le pareció que se ponía nerviosa.

—No. Mi padre nos está observando.

Sus ojos aterciopelados filtraron una expresión cargada de melancolía.

—Entonces, ¡buena suerte! Espero tener un día el placer de verla sobre las tablas.

—¡Será una satisfacción!

Ella le tendió la mano, húmeda por el sudor a causa de la estufa, y se marchó haciendo bailar el volante de su falda. La miró cruzar la calle. Al llegar a la puerta del Lyceum, la señorita Sokolov se volvió, le hizo un gesto amistoso y desapareció.

Walter se consideraba un idiota. No se le había ocurrido preguntarle el nombre.

2

El *China Daily Post* estaba abierto sobre la cama por la página del artículo escrito por Walter. Feng-si, desde la puerta de la vivienda, gritó a Huilan, «Orquídea benévola», que paseara al ruiseñor antes de que hiciera demasiado calor y que le comprara una rama de árbol bien podrida en el mercado de los pájaros.

Al ruiseñor le chiflaban los ocupantes que encontraba en las plantas y entonces manifestaba su satisfacción con trinos y gorgoritos que gozaban de gran aprecio entre las visitas. A Walter le hizo mucha gracia la primera vez que vio que los chinos paseaban sus pájaros o que colgaban la jaula de la rama de un árbol, mientras ellos descansaban recostados en el tronco. Pero ¿por qué iba a ser más ridículo, se preguntó otro día, pasear una oropéndola que uno de esos espantosos perritos de lanas, tan queridos por los europeos? ¿No le gustaba a su propietario tanto el uno como el otro?

Walter se enjugó con la mano el sudor que le corría por las sienes. Después de hacer el amor, Feng-si y él habían dado vueltas y más vueltas sobre el colchón, buscando en vano una esquina fresca, hasta sentir el renacer del deseo.

Esos días el calor era especialmente húmedo. En lo más profundo de la noche, la temperatura bajo el mosquitero no bajaba de los veintisiete grados. Hasta las sábanas sobraban. El suelo de las callejuelas se colmaba de pobres gentes incapaces de conciliar el sueño en la promiscuidad de las habitaciones donde se alojaba toda la familia. Fue así como a un pobre culi que dormía al fresco en su carretilla lo apuñalaron y murió desangrado. Un ajuste de cuentas, fue la conclusión de la policía.

A veces los chinos llevaban a cabo actos sanguinarios inspirados por un deseo de venganza tan violento que no dudaban en arriesgar su propia vida, lo que siempre sorprendía a Walter. La venganza: ese sentimiento era desconocido para él y descubría con estupefacción su vehemencia en Shangai.

Sonrió a Feng-si, siempre tan dulce, que acababa de sentarse en la cama. Con los ojos brillantes de orgullo se inclinó para alisar el periódico y Walter aprovechó para besarla en el nacimiento de la nuca. Su combinación de satén nacarado, delicadamente bordado, la hacía aún más deseable. Arrulló como una paloma y luego dijo con una sonrisa señalando el periódico:

—Tú y yo.

Era ella quien había hecho llegar al jefe de redacción del diario chino-estadounidense el texto escrito por Walter. «¡Mi primer artículo en inglés!», pensó feliz. Era también su primer artículo de fondo en una publicación internacional, motivo por el que estaba tan contento de haber añadido el nombre de su padre al suyo.

Mientras acariciaba el cabello de Feng-si, que estaba apoyada sobre él, Walter empezó a leer de nuevo el artículo con la máxima atención, para extraer una enseñanza de los cambios introducidos por el corrector.

La afluencia de los refugiados judíos
Walter Arthur Neumann

Provocaciones y fricciones alimentan sin fin el nerviosismo que reina en los asilos donde las circunstancias han encerrado a los refugiados judíos. Las peleas comienzan mucho antes de llegar a Shangai. Son numerosos los que jamás habían pasado más que unas horas a bordo de un barco para dirigirse a un modesto lugar de veraneo. Esta vez han tenido que hacer un viaje de dos semanas para llegar a un mundo desconocido. Los oficiales de los vapores italianos, o de otras procedencias, a veces se resisten a intervenir para poner fin a las discusiones y las reyertas.

Ni siquiera en primera clase ha sido fácil el viaje a Shangai para aquellos que no poseían la ropa adecuada o algo de dinero para gastar a bordo. Sufrían el desprecio de los demás pasajeros, que consideraban que todos los refugiados deberían haber viajado en tercera. Esto le ocurrió a Ludwig F., un pequeño zapatero que jamás había visto el mar. A ese joven sus padres, a costa de los ahorros de toda una vida de trabajo, le dieron un pasaje de primera clase en el *Conte Rosso*, pues era el único billete disponible cuando fue obligado a marcharse de Alemania. Cuando salió del campo de concentración, fue directamente conducido a Génova junto con otros presos, escoltados por soldados de las SS.

¿Qué diferencia existe entre Ludwig F., un pobre artesano, y el antiguo juez que compartía su suerte? Hacía meses que sus trajes no veían una plancha; las suelas de sus zapatos estaban desgastadas y sus sombreros sucios. Al llegar al barco, el zapatero se encerró en su camarote, donde se hundió en una depresión, mientras el juez, ofendido por constantes humillaciones, buscaba pendencia.

La mayor parte de los refugiados no ha encontrado trabajo y les resulta imposible crear su propia empresa. En mayo de 1939, el Comité de Asistencia pudo conceder autonomía financiera a trescientas setenta personas por un importe de 170.000 dólares, donación de sir Victor Sassoon.

Esas trescientas setenta personas representaban aproximadamente un cuatro por ciento de las nueve mil que habían encontrado refugio en ese momento en Shangai y se trataba de especialistas: médicos, dentistas, sastres, cocineros, músicos, trabajadores del textil, etc. Los demás son vendedores, contables, empleados.

En junio llegaron otros mil refugiados más y el número de los que consiguieron un trabajo creció hasta seiscientos veinticuatro. A esta cantidad hay que añadir la de quinientas personas que han podido prescindir de la ayuda del comité: algunos periodistas y músicos, profesores que han encontrado alumnos, médicos que han abierto una consulta y algunos afortunados que han podido contar con la ayuda de amigos ya establecidos.

Se debe reconocer que entre estos miles de parados hay individuos que se muestran complacidos con una vida ociosa en la que se les ofrece albergue, comida y algunos dólares para comprar cigarrillos. Algunos han formado bandas dirigidas por aquellos con más aptitudes para ganar dinero mediante embustes.

Por suerte son pocos. A la mayoría le gustaría trabajar, pero muchos de los que proceden de los campos de concentración han perdido la confianza en sí mismos y sufren un complejo de inferioridad. Estos ni siquiera esperan encontrar trabajo. Lo que han visto de Shangai les hace pensar que no han salido del sistema de internamiento. Han visto las ruinas de Hongkew, han visto las fuerzas militares japonesas y están convencidos de que en poco tiempo estarán bajo el control de un gobierno afín al país del que huyeron.

Dos planteamientos diferentes se enfrentan entre quienes intentan resolver el problema de los refugiados. Unos creen que Shangai representa un alto por unos pocos meses o por unos pocos años; otros, que los inmigrantes se establecerán aquí definitivamente, del mismo modo como lo hicieron los rusos hace dos decenios. Por supuesto, habrá que tener en cuenta la evolución política de China y en la ignorancia en que nos encontramos sobre el futuro de este país ninguna teoría puede prevalecer sobre la otra.

La realidad en este mes de agosto de 1939 es preocupante. El destino de los más desdichados podría mejorar si otros no se aprovechasen de las posibilidades que se les ofrecen. Estos últimos duermen en los asilos aunque podrían alquilar habitaciones y permiten que se les alimente, completando su dieta con platos exquisitos, mientras que los auténticos desheredados pasan hambre.

Es difícil de comprender la psicología de quienes se quedan en los *Heime*. Inclinados a compadecerse de su destino, se lamentan de no haber sufrido jamás un nivel de vida tan bajo. De una miserable comida a otra se les ve a la espera, criticando los alimentos, al cocinero, a la administración y calculando el grado de mediocridad del siguiente contenido de sus platos. Treinta, cuarenta o cincuenta personas comparten el mismo dormitorio. Es imposible aislarse para escribir una carta o leer un libro. No hay sitio para colgar la ropa. Baúles y cajas traídas de Europa se han almacenado en un depósito. Muchas parejas han tenido que separarse. Las familias no tienen ninguna posibilidad para tratar juntos sobre su nueva vida o para seguir los progresos de los hijos. Estas condiciones son poco propicias para devolver la confianza a quienes la han perdido y ayudarles a iniciar una vida normal.

Los supervivientes de los campos de concentración están agradecidos al Comité de Asistencia y contentos de realizar cualquier trabajo. Pero para otros la única felicidad reside en quejarse e intercambiar comentarios amargos. Sin pensar, por ejemplo, en el hecho notable de que disfrutan de cuidados médicos y hospitalarios completamente gratuitos.

Muchos aseguran que pertenecen a familias opulentas y que habitaban suntuosas mansiones provistas de un abundante servicio. Cabe la duda. Son conocidos en Shangai numerosos refugiados rusos, camareras o guardaespaldas, que despliegan una energía obstinada a la hora de describir sus nobles orígenes, pura invención. Oficiales de la Guardia Imperial del zar, antiguos gentileshombres de cámara, hijos e hijas de gobernadores, generales o chambelanes, descendientes de ricos terratenientes, grandes industriales o banqueros, nada es demasiado bueno para su memoria. Así les sucede a nuestros refugiados, que, mediante invenciones absurdas, piensan vengarse de un destino considerado injusto.

Hay que admitir que las comidas se han vuelto insuficientes, pero no es de extrañar que las cantidades hayan disminuido. El Comité de Asistencia no ha encontrado nuevas fuentes de ingresos mientras que los refugiados siguen llegando y nacen bebés. Los niños de los asilos están desnutridos, lo que no les impide retozar alegremente en los patios donde juegan, rodeados de jóvenes jefes adolescentes. Acuden a los pequeños colegios para refugiados, mientras que los padres acaudalados prefieren enviar a sus vástagos a las instituciones inglesas o norteamericanas.

En las altas esferas hay quien duda de que aquellos a quienes unos llaman «la invasión germánica» y otros «un ejército de mendigos» hayan aportado beneficio alguno a la ciudad de Shangai. No es aventurado afirmar lo contrario. Muchos han logrado traer una parte de su fortuna, otros han recibido fondos de su familia establecida en Estados Unidos o Europa. Los comerciantes compran aquí al menos un sesenta por ciento de sus mercancías y, además, los sastres, los zapateros y los vendedores indígenas han visto aumentar su clientela. Los propietarios de restaurantes y cafés han contratado a camareros chinos. Y en lo que se refiere a la comida servida en los asilos, se adquiere toda ella en el mercado de Shangai.

—¿Estás contento? —le preguntó Feng-si.

Se echó hacia atrás los mechones y dibujó una sonrisa en su rostro.

—Mucho. Gracias, amor mío. ¿Qué habría sido de mí sin ti? —añadió con una caricia.

Feng-si puso su pequeña mano sobre los labios de Walter.

—No digas bobadas.

Él, sin embargo, estaba escuchando la voz de Arthur Neumann: «Hijo, demasiado deshilvanado, está mal estructurado. No hay conclusión. Tienes que aprender a apresar tu pensamiento». El texto no revela sus debilidades más que una vez impreso. Walter se daba cuenta de que, en lugar de progresar, había perdido facultades.

Decepcionado consigo mismo, apartó el periódico con violencia y, deseoso de escribir un nuevo artículo, de mejorar a fuerza de exigencia, dejó con pena los brazos de Feng-si para ir a Hongkew. En Chaofoong Road habían abierto otro *Heim*, que todavía no había visitado.

De acuerdo con su costumbre, Walter no compró ningún

periódico. Hacía su revista de prensa por las tardes en el Wiener Café durante los descansos. Sin conocer, pues, la causa por la que todo Hongkew se hallaba sumido en la desolación, Walter pensó en primer lugar en un nuevo tifón.

A finales de julio, un tifón había destruido un gran número de chozas de paja, refugios construidos por los culis en las proximidades de sus lugares de trabajo, a veces muy cerca de los barrios residenciales, con el techo de rastrojos de arroz y cañas, las paredes de adobe y el suelo de tierra apisonada. Miles de chinos habían perdido sus viviendas y estaban desprovistos de todo. Las calles quedaron alfombradas de telas y carteles, de rickshaws volcados, de muros hundidos, de árboles caídos. Las hojas revoloteaban como grandes mariposas enloquecidas. Las inundaciones habían alcanzado máximos. Hartos de chapotear en sus zapatos mojados, los agentes que regulaban el tráfico se los habían colgado del cuello por los cordones. Surtidores de agua manaban al paso de los coches, salpicando a los niños chinos, que gritaban de gozo. Una bicoca para los conductores de rickshaw: exigían diez céntimos a los peatones apurados por llevarlos de un lado a otro de la calzada.

Sin embargo, ese día las calles estaban secas y ocupadas por grupos de gente alterada. Muchos lloraban y se lamentaban. Los chinos mezclados con los europeos permanecían expectantes. Solo los refugiados parecían perturbados.

—¿Qué ocurre? —preguntó Walter en alemán a un hombrecillo de párpados caídos, que daba unas caladas nerviosas a su cigarrillo.

Por toda respuesta le tendió el *Shanghai Jewish Chronicle* con el siguiente titular en alemán e inglés: «El puerto de Shangai está a partir de ahora cerrado a los refugiados. Prohibido desembarcar».

—Y mi hermana y su marido que están en el *Biancamano* con los tres pequeños, ¿no van a poder desembarcar? —exclamó una mujer que tenía un bebé en brazos—. ¿Van a tener que regresar? ¿Dónde van a ir? ¿Dónde van a ir?

Otra mujer la abrazó llorando. El bebé se puso a gimotear.

De pronto, los gritos de los conductores de rickshaw dominaron sobre los lamentos. Transportaban a oficiales japoneses, rosados y frescos con sus uniformes bien planchados, a los que irritaba que la muchedumbre los retrasara. Uno de ellos golpeó con su vara a la gente aterrada, embotada, que no se apartaba lo suficientemente rápido.

—¡Que revienten! —soltó en yídish un hombre al que la cara se le había puesto tan roja como la marca reciente del brazo.

Walter se apartó del grupo. ¿Había entendido bien? ¿La prohibición significaba que Lisa ya no podría reunirse con él en Shangai?

Unos diez días antes, había oído rumores sobre la limitación de inmigrantes. Volvió a casa con la intención de escribir a su madre para que se apresurara a hacer las maletas, cuando encontró, aguardándolo, una misiva que no olvidaría jamás. Le anunciaba el suicidio de sus abuelos: «Eran incapaces de decidirse a partir para Shangai —había escrito Lisa— y se daban cuenta de que me estaban impidiendo a mí el reunirme contigo, mi querido niño. Ahora eres lo único que me queda en el mundo. El cielo quiera que pronto estemos juntos».

Los abuelos habían cerrado las ventanas, taponado los conductos de aireación y alimentado la estufa.

De inmediato Walter había remitido una carta a su madre en la que manifestaba su tristeza y la conminaba a abandonar Viena sin demora. En letras mayúsculas había escrito: «TIENES QUE SACAR UN BILLETE PARA DAR LA VUELTA AL MUNDO». Si los rumores tenían fundamento, si no permitían a Lisa desembarcar en Shangai, ella podría continuar entonces su viaje y Walter removería cielo y tierra para que el Comité de Asistencia Internacional se ocupara de ella.

Tal vez ella lograse domeñar el destino.

Dos días más tarde se supo que las autoridades solo permitirían acceder a la ciudad a las personas que dispusieran de un empleo con un sueldo de doscientos cincuenta dólares chinos al mes como mínimo. Cifra que ni siquiera el propio Walter ganaba. Una vez más, Klara Bauer, cuando Walter se lo pidió, le salvó la vida al conseguir del gruñón de su marido, que se estuvo haciendo de rogar, un papel que atestiguara que esperaban con impaciencia a la señora Lisa Neumann, futura cogerente del Wiener Café.

En el cielo se acumulaban nubes negras, se temía un nuevo tifón. Cada día aportaba su contingente de noticias alarmantes. Parecía que una oscura maquinaria, una alianza de los elementos y de los malos propósitos, se estaba poniendo en funcionamiento. El portavoz japonés anunció que a partir del 22 de agosto estaría prohibido para los inmigrantes judíos instalarse en los distritos de Hongkew y Yangtzepoo. Quienes ya estuvieran allí establecidos deberían pedir un permiso de residencia al comandante de las fuerzas navales niponas a través del Comité de Asistencia. Los que se negaran a someterse a ese procedimiento serían expulsados.

Walter retomó la lectura del periódico que le había prestado el hombrecillo del cigarro. Los japoneses justificaban la prohibición de desembarcar con el argumento de que la afluencia constante de nuevos refugiados amenazaba los medios de vida de los que ya habitaban la ciudad. Precisaron que se haría una excepción con los pasajeros embarcados antes del 14 de agosto, pero que las compañías de navegación no emitirían ningún billete a partir de esa fecha.

Lisa Neumann no podía haber embarcado ya. A no ser que..., a no ser que hubiese sacado el billete antes de recibir la carta de Walter.

Buscó al hombre que le había prestado el periódico y que, sentado en los escombros de un muro, lloraba en silencio, encorvado. Procurando contener la oleada de pena que le inundaba el pecho, Walter le preguntó con dulzura:

—¿Esperaba a alguien?

Con su larga y blanda nariz, sus grandes orejas y sus ojos

vueltos hacia el suelo, parecía tener una cara creada para la desdicha. Su hermano, que había obtenido un visado para Estados Unidos, se embarcó en el mes de mayo a bordo del *Saint-Louis*, que zarpó de Hamburgo. La mayoría de los novecientos cuarenta y cuatro pasajeros tenían la intención de esperar en La Habana; enseguida serían incluidos en las cuotas de inmigración aceptadas por Estados Unidos. Ahora bien, entre tanto Cuba había modificado sus leyes. La policía prohibió el desembarco, lo que significaba enviar de vuelta a todos los pasajeros hacia Hamburgo y a la mayor parte de ellos hacia la muerte. Uno se cortó las venas. Forzado a hacerse al mar, el vapor había navegado a lo largo de la costa norteamericana, pero el presidente Roosevelt permaneció sordo a los telegramas desesperados. El *Saint-Louis* recorrió de vuelta el océano Atlántico, pero ni Inglaterra ni Francia contestaron a los mensajes. Finalmente, poco antes de arribar a Europa, Bélgica ofreció asilo a doscientos pasajeros. Entonces, Holanda, Francia e Inglaterra la siguieron.

—El «viaje de los condenados» —murmuró Walter con un pliegue amargo en la comisura de los labios—. ¿Dónde está ahora su hermano?

—En Holanda. Teníamos que reunirnos aquí.

Los sollozos lo dominaron de nuevo y Walter, torpe porque se sabía inútil, lo abrazó.

—Ánimo —dijo—. Yo estoy esperando a mi madre. No puedo creer que todo se haya ido al garete. Tiene que haber algún medio.

Estaba pensando también en Hilda, la prometida aria de Werner, obligada de continuo a aplazar el viaje para el que ahorraba cada céntimo, engañada por pérfidas agencias de turismo. Los especuladores se hacían con todos los billetes disponibles y no los soltaban más que por el doble o el triple de su valor.

¿Cómo podía lograr Walter que viniera Lisa, la pequeña Lisa, desde el otro lado del mundo? Recompuso mentalmente, como si pasara las páginas de un atlas, la distancia que los separaba. La masa de Asia se interponía entre ella y él. Los Urales, Siberia. Repitió: «Siberia». Tenía la confusa sensación de que una posibilidad de auxilio se ligaba a ese nombre. Era como si percibiera el pálido resplandor de una linterna en la noche. No cejó y surgió la luz: «El transiberiano». ¡Lisa podía coger el transiberiano!

Por casualidad, Walter llevaba consigo una suma de dinero destinada a Markus Silberstein, el violinista que lo había sustituido varias veces en el Wiener Café. Se apresuró a ir a Correos, que estaba atestado. La espera fue larga, angustiosa. Por fin consiguió un formulario para cablegrama que rellenó de un tirón.

PUERTO SHANGAI CERRADO. STOP. ÁNIMO MAMÁ. STOP. ENCUENTRA COMPAÑEROS VIAJE Y COGE TRANSIBERIANO. STOP. ENSEGUIDA. STOP. URGENTE. STOP. TE ESPERO.

¿Era posible coger el transiberiano? Walter no estaba seguro, pero quería creerlo con todas sus fuerzas. Estaba deshecho cuando dejó la ventanilla desde la que finalmente logró enviar el telegrama. El coste del envío le obligaría a sacar dinero de la caja «Billete a Nueva York», pero estaba feliz.

A la salida de la oficina de Correos, se topó con un asiduo del Wiener Café, que hacía gala de una amplia sonrisa.

—¡Parece de buen humor, señor Scharnitzki!

—¡Tengo una gran noticia, amigo Walter! Voy a abrir la primera tienda de filatelia de Shangai. ¡Y no en cualquier sitio! ¡Bubbling Road! Mira, he puesto anuncios en la prensa inglesa y francesa. Pero esos cretinos de *Le Journal de Shanghaï* me han fastidiado el nombre. ¡Schrnitzki! ¡Cómo vas a pronunciar semejante nombre! De todos modos, grábate bien la fecha de inauguración de la International Stamp Company: el 1 de septiembre de 1939. ¡Será un gran día!

La alegría que había impulsado a Walter a bailar como los sioux cuando se enteró de la firma, a finales de agosto, del pacto germanosoviético (¡sin duda, Lisa podía subirse en el transiberiano!) tuvo una breve duración. En la noche del 2 de septiembre se supo que Alemania había invadido Polonia y al día siguiente que Francia y Gran Bretaña habían declarado la guerra al Reich. Europa iba a quedar sumida en el caos. ¿Quién sabía lo que podría pasar con las comunicaciones postales y las posibilidades de viajar? Cuando el 4 de septiembre por la tarde, Walter regresó a casa dominado por la angustia, unas lágrimas ardientes le arrasaron los ojos al ver el álbum con las fotografías alegres y entrañables que había reunido para su madre.

3

«¿A quién se parece Masha? —se preguntaba Walter—. ¿A su padre o a su madre?»

Era la segunda vez que lo invitaban al señorial piso de los Sokolov, decorado con un estilo moderno y refinado. Vitrinas llenas de colecciones de objetos preciosos de jade, marfil o plata tapizaban toda una pared; un piano de cola señoreaba en el salón. De pie, tras la silla que se le había indicado, a la derecha de la señora de la casa, Walter vestido con un traje de algodón blanco, sentía que Masha lo devoraba con la mirada. Su historia se había jugado en tres tiradas de dados. En julio se habían conocido. En agosto, se besaron. En septiembre decidieron prometerse. Después de haber presentado a Walter a sus padres, al principio muy reticentes, Masha había conseguido finalmente que lo invitaran el 13 de septiembre para la cena de la víspera de *Rosh Hashanah*, el Año Nuevo judío.

Alexander Sokolov, el padre de Masha, recitaba el *Kiddush*, con una copa de vino en la mano y los ojos inclinados hacia su libro de oraciones. Se mantenía exageradamente recto, para no perder ni un centímetro de su mediana estatura.

Durante la primera visita de Walter, el orfebre-joyero le contó con un pormenorizado relato cómo en 1935 se había marchado de Harbin, ciudad de Manchuria donde habían nacido sus hijos Masha e Ivan, para establecerse en Shangai. El motivo habían sido unos sucesos antisemitas.

Su padre, un soldado judío ruso, había aprovechado la guerra ruso-japonesa para largarse del ejército imperial en 1905. No fue el único. Cientos de ellos habían ido a reunirse con un grupo de judíos rusos establecidos en Harbin. Estos últimos habían llegado con anterioridad procedentes de Siberia, al igual que otros no judíos, favorecidos por las concesiones obtenidas por el gobierno ruso para construir la red ferroviaria del tren que atravesaría Manchuria con el que se iba a completar la línea del transiberiano. Allí los aguardaban cinco meses de invierno con temperaturas inferiores a los cuarenta grados bajo cero en las noches de enero y veranos secos y cálidos, donde torbellinos de moscas hacían el aire irrespirable. Era el precio de la libertad, incluso de la vida.

Los desertores habían contribuido a la prosperidad de la pequeña ciudad comercial al mismo tiempo que ponían las bases para su fortuna. Enseguida la comunidad judía contó con trece mil personas. Con un colegio, un banco, un hospital, un asilo de ancianos, un cementerio y una espléndida sinagoga, vivía casi en la autarquía, con el beneplácito indiferente del gobierno chino.

El dominio de Japón sobre Manchuria había desbaratado esa confortable situación. Miembros de la *Kempeitai*, la temible policía secreta nipona, se habían aliado con militares codiciosos y civiles sin escrúpulos, todos japoneses, para enriquecerse mediante el terror. El «partido fascista ruso» había aclamado sus injustos cobros a los reacios. Su jefe, conocido por su antisemitismo exacerbado, había ofrecido sus servicios a la *Kempeitai* en materia de delaciones, robos, saqueos, raptos y asesinatos.

Uno de los judíos más pudientes de la ciudad, Joseph Kaspé, que, al igual que su familia, disponía de pasaporte francés, se consideraba protegido por ese hecho y resistía a todos los intentos de extorsión, que eran constantes, pues en Harbin poseía el famoso Hôtel Moderne, una joyería magnífica y la mayor parte de las salas de cine y de teatro en Manchuria. Pero una noche, una banda secuestró a su hijo Simon, brillante pianista diplomado en el Conservatorio de París. Al día siguiente el padre recibió una petición de rescate descomunal. Por consejo de un vicecónsul francés, que conocía los métodos de la banda,* Joseph Kaspé rehusó someterse. Entonces recibió por correo la oreja sanguinolenta de su hijo. Tres meses más tarde, el cuerpo horriblemente mutilado de Simon fue descubierto en una cuneta. La ciudad entera, chinos y europeos, asistió a las exequias a pesar de los riesgos de represalias. A continuación, Alexander Sokolov y otros liquidaron sus negocios en Harbin y huyeron a Shangai.

«Pero el calor aquí demasiado malo», se quejó en un trabajoso inglés su esposa que, recostada en el sofá cubierto de lamé desde el cual gobernaba la casa, se abanicaba bamboleando las carnes de su brazo. «Genia no soporta el calor», confirmó el señor Sokolov con un aspecto extremadamente preocupado. Sin renunciar a su espíritu altanero, se dirigió entonces a Walter: «¡Háblenos de usted, joven! ¿De dónde procede su familia? ¿A qué se dedicaba su padre?».

El comienzo de la historia de Walter no pareció seducir demasiado al señor Sokolov. Sus abuelos, ambos primos, procedían de un barrio de Budapest. Tan pronto como se casaron, liaron el petate con sus cosas, se subieron a la tartana hasta la estación y luego cogieron el tren para Viena. A la vista del mohín en la boca del joyero, eso no tenía nada de prestigioso. Con una media sonrisa se había dignado escuchar la hazaña de los dos campesinos, que diez años después de su llegada, crearon una pequeña fábrica de sombreros, pero solo la evocación de la ascensión del periodista Arthur Neumann a las altas esferas intelectuales y políticas tiñó su mirada con una pizca de interés.

«Y, a usted, joven, ¿qué tal le va en Shangai? ¿Dónde vive?», quiso saber entonces con un rostro algo más agradable. Walter se había abstenido de mencionar que se ganaba la vida en el Wiener Café. Sokolov, por suerte, no se había fijado en él en la

* El pago del rescate, lejos de conducir a la liberación de la víctima, provocaba otras demandas y chantajes.

casa de los Mintz. A su juicio, un pianista digno de ese nombre tenía, por lo menos, que figurar en los carteles que anunciaban los conciertos de la Shanghai Municipal Orchestra. «Vivo en la Concesión Francesa —le respondió simplemente Walter, tirando de la raya de su pantalón—, y soy periodista.» Masha estaba esperando esta precisión con impaciencia. Se precipitó hacia su padre, sujetando abierto el ejemplar del *China Daily Post* que había publicado el artículo de Walter. «Muy interesante —tuvo a bien manifestar el señor Sokolov tras su lectura—. Me agrada en particular su análisis sobre la falta de dignidad de algunos refugiados.» Presidía una organización de asistencia a los refugiados rusos, de modo que estaba en disposición de saber bien de qué hablaba.

Desde aquellas presentaciones habían transcurrido dos semanas.

Tras haber examinado con detalle el rostro severo de Alexander Sokolov, ocupado en cantar el *Kiddush* con una voz gangosa, Walter llegó a la conclusión de que apenas se parecía a su padre, al contrario que el joven Ivan, de doce años, que a duras penas había consentido en dejar de remedar una pelea de boxeo. En ese momento se entretenía en derramar miradas impávidas sobre Walter y parecía decidido a odiarlo.

¿Se parecía Masha a su madre? Tal vez en el color de los ojos y del cabello. Por lo demás, Walter prefería no reconocer ningún rasgo de la joven en la persona ruda y hosca cuyos caprichos regentaban la casa. Masha estaba más adorable que nunca. Con su vestido de cuello marinero y sus cabellos divididos en dos gruesas trenzas, recordaba a las escolares aplicadas que ordenan su cartera con esmero y se saben la lección de carrerilla.

Después de la bendición de los dos panes trenzados, se sentaron alrededor de una amplia mesa ovalada, iluminada por las llamas de los candelabros. ¿Cuánto tiempo llevaba Walter sin sentarse a una mesa de fiesta? El mantel blanco, la cubertería de plata y la vajilla de porcelana fina le recordaban con tanta felicidad como dolor el ambiente de su casa vienesa.

Un criado chino y una *amah*, que cotorreaban en ruso, constituían el servicio. Walter no se podría acordar luego del orden de los platos, tan preocupado como estaba por mostrarse con su mejor aspecto: inteligente con el señor Sokolov, seductor con su esposa, tierno con Masha y alegre con el antipático Ivan, pero degustó áspic de pescado, pepinillos agridulces, filetes de esturión, caviar y huevas de salmón, panecillos espolvoreados con sésamo y adormidera.

Con todo, caminaba por el filo de la navaja y procuraba evitar cualquier conversación que lo obligara a dar explicaciones sobre temas personales.

—Si he entendido bien —dijo Alexander Sokolov mientras pelaba un gran melocotón amarillo con cuchillo y tenedor—, su madre sigue viviendo en Viena. ¿Cómo soporta ella la soledad?

Walter se secó los labios. No convenía mostrar cuánto le atormentaba la situación de Lisa. No todavía. A saber qué ayudas y favores podrían necesitarse para facilitar su llegada a Shangai. Sokolov no debía desconfiar. Los rusos, que se habían visto obligados a afrontar numerosos problemas económicos desde la invasión japonesa, se consagraban a sus propios refugiados. «Nosotros no os hemos llamado —habían respondido algunos a la solicitud de alemanes y austríacos desamparados—. No somos responsables de vuestra situación. ¡Espabilaos! ¡Probad con los ricos sefardíes!» Por eso Walter compuso unas facciones relajadas.

—Mi madre ha vivido siempre en un círculo de amigos muy afectuoso. Supongo que la apoyan lo mejor que pueden, pero no tengo noticias recientes. Como bien sabe, desde que Hitler invadió Polonia, se han cortado las comunicaciones por correo. ¡Desdichada Polonia! ¡Pobre Varsovia! Qué tristeza… ¡Jamás podría imaginar lo que he oído! He oído a dos alemanes, judíos, que se alegraban de ver que el ejército alemán avanzaba con tanta rapidez. «*Unser Armee!*», se relamían. «¡Nuestro ejército!». ¿Se da usted cuenta? ¡Se consideran ante todo alemanes, a pesar de lo que los nazis hacen sufrir al pueblo judío!

¡Pero si hasta Marlene Dietrich ha renunciado a la nacionalidad alemana!

El momento de solicitar una conversación privada a Sokolov se aproximaba y, solo con pensarlo, los latidos del corazón de Walter se aceleraron. Se pasó el pañuelo entre las palmas húmedas a la vez que buscaba ánimo en los ojos de Masha. «¿De verdad quieres?», le preguntaba él en silencio. Ella le dirigió una sonrisa que gritaba un sí. La volvió a ver con el pensamiento, en el banco octogonal que rodeaba al centenario ginkgo del parque Kucaza, con los ojos y las mejillas ardientes bajo el reborde de la capelina. Ella había comentado los recientes cumplidos que le había dirigido la señorita Pribitkowa durante una audición. Masha hablaba de la señorita Pribitkowa, fundadora y directora del Teatro Ruso de Shangai, como de una diosa. La señorita Pribitkowa no la había contratado todavía en su compañía pero la había felicitado por sus progresos. «¿Vendrá a verme a mi camerino?», le había suplicado Masha, coqueta. «Sin duda —respondió Walter—, pero…» Él estiró el brazo y cogió una magnolia para regalársela. «Pero ¿qué?» Se percibía inquietud en el tono de Masha. «Sería mejor que dejáramos de vernos.» Masha palideció bajo su capelina. «¿Por qué, Walter? ¿Por qué? ¿Qué le he hecho?» La cogió de las manos y hundió sus ojos en los de ella. «No me ha hecho nada. O más bien sí. Me ha hecho demasiado… No me quiero ligar a usted porque he decidido marcharme a Estados Unidos.» Ella abrió unos ojos grandes, desesperados. «¿Tiene una novia allí?» Él se rió, le besó la mano. Le habló de un estilo de vida, del cine, del jazz, del gran periodista en que esperaba convertirse en Nueva York. «¡Yo quiero ir con usted!», exclamó entonces ella. Y él: «¿Eso significa que quiere casarse conmigo?». Walter seguía oyendo la respuesta: «Sí, Walter, quiero casarme con usted».

Los comensales se habían trasladado alrededor del velador en que se encontraba el samovar. El señor Sokolov sorbía el brebaje oscuro y abrasador a través de un terrón de azúcar que tenía en la lengua.

Walter meditó unos instantes, enderezó la cabeza, se pasó la mano por los cabellos para echárselos hacia atrás y se lanzó como si saltase al vacío.

—¿Podríamos hablar a solas?

Alexander Sokolov buscó rápidamente la mirada suplicante de su hija, luego la de su mujer y, finalmente, el rostro de repente envejecido se alzó con un gesto que invitaba a Walter a seguirlo hasta su despacho.

La cálida caoba de los muebles compensaba la austeridad de la habitación, en la que toda una pared estaba ocupada por una biblioteca. Alexander Sokolov invitó a Walter a sentarse en uno de los sillones de cuero verde y él se quedó de pie.

—¿En qué puedo ayudarle, joven? —preguntó con tono arrogante a la vez que empezaba a recorrer a grandes zancadas la habitación.

—A mí, en nada. No necesito nada. Se trata de Masha.

Walter se levantó para poder mirar al ruso a los ojos, igual que un boxeador cuando examina a su adversario con los músculos en tensión para entrar en combate. Como el joyero seguía silencioso, prosiguió:

—Ya le he dicho qué clase de hombre era mi padre. Hoy su ausencia me duele más que nunca.

Se le encogió el corazón. Justo un año antes, era exactamente el 15 de septiembre, se había enterado de la muerte de Arthur Neumann en Dachau y había escrito el artículo lleno de rabia y dolor que, de eso estaba ya seguro, le había valido la detención cuatro días más tarde.

Al fruncir las cejas, se acercaron los ojos oblicuos del señor Sokolov, a quien el mutismo de Walter obligó esa vez a hablar.

—Habría sido para mí un placer conocer a su padre.

—Él habría venido a pedirle, en mi nombre, la mano de Masha.

—Es lo que me temía —respondió Sokolov sin intentar ocultar su contrariedad.

Walter encajó el golpe, pero no se dio por vencido.

—Siento haberlo disgustado. Déjeme…

—Sentémonos —lo interrumpió Sokolov ocupando muy rígido el sillón gemelo, antes de continuar—: Mi joven amigo, usted es inteligente y, sin duda, lo bastante perspicaz para adivinar que yo tenía en mente un mejor partido para mi hija. Es guapa y su dote será considerable. Su precaria situación responde mal a las esperanzas que yo había abrigado para el futuro hogar de Masha. Por otra parte, estoy sorprendido, sí, sorprendido, por su falta de apego a nuestra religión. Si le he entendido bien, usted no acude jamás a ninguna sinagoga, ni siquiera en un día tan sagrado como el de hoy. ¿Qué es lo que ha heredado de sus antepasados? Sé que muchas familias judías austríacas han vivido en una asimilación completa. Pero los miembros más eminentes se han redimido por su lucha a favor de la causa judía. ¡Fíjese en su colega y compatriota, Theodor Herzl, fundador del sionismo! Por citarlo solo a él. Ahora mismo, cuando en la mesa hemos comentado la promulgación del libro blanco británico sobre Palestina y los dramáticos acontecimientos que se han sucedido, ¡usted parecía igual de conmovido que por cualquier otro conflicto en el mundo!

Dos proverbios chinos, que Walter había aprendido de Feng-si, atravesaron su mente. El primero era: «Hay que observar de dónde viene el viento para dirigir la barca». El segundo hizo brotar una sonrisa en sus labios.

—Una máxima china afirma —dijo con confianza— que la «amistad proporciona sabor incluso al agua». Y con más razón, el amor. Si la felicidad de Masha tiene ese precio, estoy dispuesto a abrazar la causa judía.

4

—Papá estaba estupefacto —le contó Masha al día siguiente—. Nos ha dicho: «¡Le hablo en hebreo y me contesta en chino! Reconozco que ese joven, por otra parte demasiado joven para mi gusto, no está falto de recursos. Cualquier cosa que haga lo llevará lejos».

Masha envolvió a Walter con una mirada llena de orgullo. Él se rió de felicidad, le cogió la mano y, discretamente, se la besó. Más valía por el momento evitar las efusiones demasiado visibles en ese lugar. Toda la Europa femenina de buen tono desfilaba por el salón de té del Astor House, un hotel situado en la zona elegante de Hongkew, donde se encontraban uno junto a otro el consulado de Rusia, el consulado de Alemania con la esvástica nazi en la bandera y el consulado de Japón. El sitio lo había elegido Masha. Alexander Sokolov había prometido una respuesta a Walter para comienzos del mes de octubre. Mientras tanto, no perdía ocasión para describir a su hija todos los posibles futuros con los hijos de buena familia a su alcance. Pero ella no quería oír nada sobre eso.

—¿Y tu madre?

Masha sonrió.

—Le he contado, y me ha prometido guardar el secreto, nuestro deseo de emigrar a Nueva York. Ella aborrece Shangai y le gustaría reunirse con la parte de su familia que vive allí. Eso hace que le disgustes menos que a mi padre.

Sus ojos de terciopelo negro brillaron con un fulgor malicioso. La formal estudiante de la cena se había metamorfoseado en una joven muchacha ávida de vivir. Llevaba el pelo recogido mediante unas peinetas y le caían unos bucles por la espalda. El cuello en pico de su vestido de seda le resaltaba el talle y el pecho. Se desenvolvía perfectamente en el ambiente mundano y discreto del salón de té, tan a gusto como si se pasase todas sus tardes con esas mujeres jóvenes que, algunas mesas más allá, jugaban al bridge o al *mah jong*. Manifestó el deseo de fumar un cigarrillo y Walter, que había dejado de comprar tabaco para ahorrar, llamó al cigarrero chino con su canastillo. Masha eligió Zéphyr mentolados.

Atenta a su imagen reflejada en un espejo, abrió el paquete y cuando Walter le ofreció fuego, aspiró la primera bocanada. La escena se le quedó grabada pero él no vio en ella nada más que un juego inocente y sonrió a Masha con ternura. Una sirena de navío dio por tres veces un mugido, como para mantener alerta al somnoliento puerto. Walter giró la cabeza hacia la ventana.

—Tienes ante ti la mejor vista de Shangai.

Un bosque de barcos estaba amarrado en el Whangpoo, que bordeaba el suntuoso tráfico del Bund. El Garden Bridge pasaba por encima del Soochow Creek, un afluente del río, en la unión de los dos cursos de agua. Era allí, justo allí, donde había ido a parar Walter, jadeante, tras la carrera por el Bund, su primer día en la ciudad; era allí donde había descubierto la colonia de sampanes en la que, en medio de unos tufos nauseabundos, se encenagaba un pueblo miserable; era allí donde, humillado, se había jurado convertirse en alguien. «Un diamante salido del fango», recordó. En parte ya había adquirido la dureza de la gema. «Solo en parte», juzgó. Las mandíbulas se le crisparon.

—¿En qué estás pensando? —preguntó Masha, mirándolo con insistencia.

Walter se oyó responder con una gran carcajada:

—¡En el hedor sofocante del Whangpoo! ¡Ojalá que llegue pronto el final de esta canícula! Tan pronto como me halle en una buena situación en Nueva York, iremos de vacaciones al Tirol. Ya verás lo que es un verano maravilloso. ¿Te das cuenta? Austria nunca volverá a ser mi patria, pero me gustaría volver a ver los abetos, los chalets cubiertos de flores, las vacas, los trenecitos a lo largo de los lagos o al pie de las montañas. Cuando el calor agobia, la gente se tumba en los prados, respira el olor de la hierba aplastada, ve volar los molinillos...

—¿Son mariposas?

No consiguió explicarle lo que eran las flores del diente de león. Tal vez nunca las hubiese visto.

—Las buscaremos en los jardines de Nueva York —le prometió Walter con una mirada cariñosa.

—Me gustaría estar ya allí —murmuró ella.

Walter bebió un trago de su Coca-Cola.

—¿Estás segura de que tu tío nos enviará un afidávit?

—Convencida. Es mi padrino. Me adora y tiene mucho dinero. Es el propietario de un gran comercio de peletería muy elegante cerca del hotel Waldorf Astoria.

En efecto, un sujeto de esa índole no podía negar a su sobrina y ahijada el documento requerido por las autoridades estadounidense, en el que se declararía dispuesto a sufragar las necesidades de la joven pareja. En Shangai, varios refugiados habían buscado en la guía de teléfonos de Nueva York la dirección de personas que tuvieran el mismo apellido que ellos y les habían enviado una solicitud. Algunos habían conseguido ya partir de ese modo. Sin ningún vínculo de parentesco.

Era demasiado pronto para hablar también del afidávit de Lisa Neumann. Walter se preguntó si, como él esperaba, su madre y Masha se llevarían bien. ¡Había oído tantas historias delirantes sobre suegras y nueras!

El pianista empezó a tocar *Sophisticated Lady*.

—Me encanta —dijo Masha arrugando la nariz—. ¿Y a ti?

—A mí también. La toco a menudo.

—¿Por qué no quieres que vaya a oírte al Wiener Café? —le reprochó enfurruñada.

Walter se echó a reír.

—Porque tu presencia me pondría tan nervioso que tocaría muy mal y el dueño, que no permite ningún desliz, ¡terminaría por echarme! Y, además, tú no te puedes sentar sola a la mesa de un café. ¿Te das cuenta del escándalo que se armaría si te viera algún amigo de tus padres?

—¿Y si fuera con una amiga?

—Piensa en tu reputación, Masha querida. ¡Sabes bien que eso no lo tienes que hacer y que la gente iría contando cualquier cosa!

Masha agachó la cabeza. Estaba diciendo la verdad.

Por su parte, Walter tenía que evitar a cualquier precio que Feng-si y Masha se encontraran en el café. Sin sospechar las auténticas razones, sabía que tenía dos enemigos jurados en el local. A Fengyong, el «Servidor del Fénix», y Serguei les faltaría tiempo para explotar la situación.

El más peligroso parecía ser el ruso, un tipo violento; se trataba de un defecto de familia: uno de sus seis hermanos, Igor, conductor, vivía con Olga, una joven y estupenda especialista en belleza, que, hacía dos meses, había perdido su empleo. Un día, al atravesar la avenue Joffre, Fengyong había divisado a Olga aullando desfigurada. Unos transeúntes la llevaban a la farmacia. La siguió hasta la oficina, donde sus acompañantes, compatriotas con toda probabilidad, consideraban y comentaban el espectáculo. El chino, que había realizado enormes progresos en la comprensión del ruso, enseguida se enteró de qué se trataba: Igor había arrojado ácido a Olga en la cara. Serguei escuchó el relato de Fengyong sin manifestar la menor emoción. Incluso parecía aprobarlo. La pareja, había indicado, andaba escasa de dinero y resultó que Olga se había comprado un vestido con un dinero ¡cuya procedencia se negaba obstinadamente a desvelar!

Fengyong divulgaba la historia representando la escena a espaldas de Serguei. Era su manera de vengarse de una buena cantidad de puntapiés.

5

Walter se consumía de inquietud a la espera de la respuesta de Alexander Sokolov. Habían transcurrido dos semanas. Ese día Masha y él habían quedado en un banco de los Public Gardens que, al pie del Garden Bridge, se alzaban sobre el Whangpoo. En efecto, los Sokolov habían conminado a Masha a que no se comprometiera en compañía de Walter. Por eso se citaban en los jardines. A esa hora los padres de Masha dormían la siesta y el padre, tan pronto como se despertase, acudiría a la tienda. En cuanto a la madre, eran pocas las veces en que se aventuraba fuera de la Concesión Francesa y nunca se alejaba más de dos metros de un rickshaw.

Tampoco había ningún riesgo de encontrarse con Feng-si, pues ese jardín a la inglesa les estaba prohibido a los chinos. Solo las *amahs*, los guardas y el personal de limpieza tenían la piel oscura. En la Shanghai Municipal Orchestra, que actuaba a las cinco en un quiosco bajo la dirección del maestro Mario Paci, solo podían tocar músicos blancos.

Durante esos quince días, los padres de Masha se las habían ingeniado para hacer ver a su hija la felicidad de una vida despreocupada de cualquier problema financiero y habían exhibido a la jovencita en los lugares de más alto copete, con la esperanza de que le saliera un pretendiente con más medios que Walter. Conciertos de la Shanghai Municipal Orchestra, representaciones de los Ballets Rusos, bailes en el

Cercle Sportif Français, conferencias en el Jewish Club, cine...

—¿Y al teatro? —preguntó Walter.

—No, me niego. Me encanta actuar, pero ver los espectáculos me aburre o me pone nerviosa.

—¡Porque te gustaría estar en el escenario!

—¿Cómo lo has adivinado?

—Porque te quiero y te comprendo como si yo fuera tú y porque eres encantadora.

El embeleso tiñó las mejillas de Masha, que, con los labios entreabiertos, miró fijamente a Walter con admiración y dijo:

—Me encanta el hoyuelo de tu mejilla cuando sonríes.

El banco vaciló. Una pareja portuguesa. No había peligro.

A sus espaldas se alzaban arrogantes edificios: Sassoon House, Banque de Chine, Yokohama Specie Bank, Jardine Matheson & Co Building, el palacio con cúpula de la Hongkong and Shanghai Banking Corporation, el inmueble de las Aduanas con el reloj en su torre londinense... Tal vez los oficinistas escuchasen desde sus despachos el rumor de la multitud de culis, pero ¿tendrían alguna ocasión de dedicar una mirada a la masa gris y azul que bullía a sus pies?

A Walter le gustaban esos jardines en particular por el espectáculo del río, que no dejaba de contemplar. En aquella ocasión un bosquecillo de árboles le hurtaba una parte del monumental paisaje.

Por las estrechas tablas que unían los barcos en el muelle, los culis iban y venían sin parar con una agilidad de funambulistas, a pesar de que la pértiga, lastrada en un extremo y otro con una bala de algodón o una tinaja llena, les cercenaba el hombro. O bien cargaban en la nuca un fardo que los doblaba en dos y, entonces, avanzaban ciegos, salmodiando un extraño canturreo para darse ánimos.

Mientras Walter contemplaba esa escena en movimiento, Masha hablaba, hablaba, hablaba. Su madre la había llevado donde unos chamarileros que, desde hacía un tiempo, tenían unas ofertas impresionantes. Esos almacenes se podían visitar como si fueran museos. Los europeos acomodados acudían allí para adquirir bronces, objetos de cobre, jarrones inmensos para gladiolos, fuentes gigantescas, cuadros, candelabros y cubiertos de plata maciza, mantos y estolas de piel, manteles para treinta comensales y sábanas bordadas, todo a precios irrisorios. Por no mencionar las joyas, que, por supuesto, no podían interesar a la señora Sokolov. Todo el mundo hacía unas adquisiciones de fábula.

—Son bienes de los refugiados —dijo Walter escudriñando a Masha—. Se deshacen de ellos para poder comer y procurarse alojamiento.

—No me mires con esos ojos —protestó ella—. No soporto que me mires así.

—Mis ojos son como las aguas del Whangpoo —respondió Walter con prudencia—, con frecuencia arrastran lodo.

Había aprendido a leer en Masha y la vio enfurruñada. Con la cabeza gacha, jugaba con los dijes de su pulsera. Walter se aseguró de la identidad de los paseantes y, atrayendo a la joven hacia sí, la besó intensamente bajo la oreja. Exhalaba un agradable perfume. Una vez sosegada, se puso de nuevo a parlotear. Su madre la había llevado a un té ofrecido por una amiga para reunir fondos para obras de beneficencia. Esta, la señora Bronstein, habitaba un pequeño inmueble ultramoderno con aire acondicionado y piscina privada. Las invitadas habían jugado unas al *mah jong* y otras al bridge y luego habían entregado sus donaciones. Habían hablado mucho mientras tomaban el té. Peluqueros y permanentes. Delicadas blusas de seda en un pequeño establecimiento de Yates Road. Sastres chinos tan hábiles que imitaban la alta costura francesa con una destreza tan increíble como su rapidez. ¡Pero qué tontos eran! Uno había bordado con hilo de seda en un traje de noche el número del patrón que le habían dado y otro, al copiar un traje de hombre, había reproducido una quemadura de cigarrillo. No obstante, se había divulgado el rumor de que los austríacos de Hongkew los estaban superando. Ya era posible hacerse un sostén a medida en lugar de hacerlos traer de Francia por barco. También los sombrereros eran extraordinarios. A propósito de sombreros, esas damas habían evocado la elegancia con que Marlene Dietrich llevaba los suyos.

Walter movió la cabeza divertido.

—Todo lo que hace es copiado de inmediato. En el momento en que se la ve en un restaurante con sombrero, todas las mujeres la imitan. Al parecer, el propietario de un restaurante londinense le suplicó que dejara su perro en el coche, ¡tal era su temor de que fuera a impulsar una moda que transformase su establecimiento en una perrera!

Los dos estallaron en carcajadas a la vez. Era agradable reírse juntos.

—En casa nunca se ríe nadie —se lamentó Masha.

Walter le dirigió una profunda mirada.

—Te prometo que en la nuestra nos reiremos mucho.

Ella sonrió, pero Walter sintió que estaba crispada.

—¿Quieres que andemos un poco? —le propuso.

—No, ¡hace demasiado calor! —repuso ella.

Walter, extrañado de que Masha no hubiese hablado sobre la decisión de sus padres acerca de su petición de mano, se preguntaba cómo abordar el tema, pero Masha, al ver pasar a una *amah* que empujaba un carrito con un bebé europeo, se le adelantó y prosiguió su relato. Esas señoras habían hablado mucho sobre el servicio chino, que echaba a perder cualidades admirables con defectos insoportables. El *squeeze** complicaba terriblemente las relaciones. Por ejemplo, el criado de la señora Mintz había conseguido del tendero un porcentaje del cinco por ciento en todas las compras que realizaba en la tienda. Él se quedaba con la comisión que obtenía con lo que le tocaba servir: vinos, cigarrillos, cerillas, jabón de afeitar, y cedía al culi la parte relativa a los productos de limpieza. El conductor del se-

---

* En pidgin, «sisa», «fullería».

ñor Bronstein se llevaba una comisión del mecánico por las reparaciones y recibía un buen regalo en especie por cada compra de un nuevo automóvil. Lo más extraño era que todos los artículos que necesitaba para la limpieza del coche, plumero, gamuzas, crema abrillantadora, duraban treinta días. Excepto en febrero, que necesitaban ser renovados al cabo de veintiocho días. Por su parte, el cocinero de la señora Leibovitch llevaba siempre al mercado su propia báscula, que no utilizaba, sin embargo, en su cocina, donde gastaba siempre muchos más ingredientes de los que requería la receta.

Walter nunca había visto a Masha tan parlanchina, ni tan agitada. Como si estuviera intentando distraerlo… Fue directamente al grano:

—¿Cuándo va a darme tu padre una respuesta? Te quiero más que a nada, Masha, ya lo sabes, pero no voy a tolerar que me trate con desprecio.

—¡No te enfades, te lo suplico!

Unas lágrimas humedecían ya sus ojos. Cogió un pequeño pañuelo de muselina de su bolso y se enjugó las comisuras.

—Perdóname, mi amor, no quería entristecerte… Tengo la impresión de que me ocultas algo.

Ella guardó silencio, con los ojos bajos, fijos en sus manos que hacían una bola con el pequeño cuadrado de tela.

—¿No confías en mí?

—Sí —dijo ella resoplando.

—¿Entonces?

Walter se impacientaba cada vez más, pues se acercaba la hora de ir al Wiener Café.

—No puedo soportarlo más —prosiguió él—. Además, tengo que irme… Mira, Masha, esto es lo que he pensado: no intentaré verte hasta que hayas obtenido una respuesta de tu padre. Más vale, si tiene que ser negativa, que dejemos de mostrarnos juntos. Y, si es positiva, lo cual sigo deseando con todo mi corazón, ya sabes dónde encontrarme.

Se levantó.

—¡Espera, Walter, espera!

Lo retenía del brazo al tiempo que alzaba hacia él un rostro implorante. ¡Qué hermosa estaba, pálida bajo el rosa de sus mejillas! Walter miró el reloj y volvió a sentarse.

Con una voz vacilante y los ojos bajos, Masha empezó a contar lo que había sucedido. Un refugiado alemán, Richard Sonntag, se había suicidado. Había alquilado una chalupa, le había pedido al *laodah* que se dirigiera por el Whangpoo río abajo y, en Point Island, el grumete había visto al pasajero saltar al agua. Su cuerpo no había sido encontrado.

—La lista de suicidios de los refugiados es ya larga —comentó Walter mientras se preguntaba en qué le concernía a él esa historia.

Masha se mordió los labios.

—Sí, pero este es especial. Negociaba con diamantes, joyas, piedras preciosas y había tomado prestados mercancías y dinero a varios joyeros alemanes y rusos entre los que se encuentra mi padre.

—Pero ¿por qué confió tu padre en él?

—Es un oficio en el que la palabra dada es… es…

No encontraba la palabra en inglés.

—… sagrada —la ayudó Walter.

—Sí, sagrada. Y además, papá había estado en su casa, en un apartamento lujoso de la avenue Joffre. Le pareció tranquilizador. Ese hombre parecía afortunado.

—Pero ¿qué relación tiene con nosotros? Era un refugiado, yo también lo soy y ¿qué?

Masha suspiró agitadamente.

—Tenía una esposa joven. Se habían conocido a bordo del barco que los trajo en marzo a Shangai y se casaron en cuanto llegaron. Él le había contado no sé cuántos cuentos. Ella creyó que era rico y le prestó su dinero. No se privaba de nada, acababa incluso de comprarse el último Ford.

—La historia de esa joven es penosa, pero, una vez más, no veo en qué me afecta. No he tomado dinero prestado de nadie, no vivo por encima de mis posibilidades, me gano con modestia y honradez mi vida.

Masha se secó la mejilla.

—Papá dice que cuando no se conocen testimonios del pasado de la gente y no se tienen referencias de los desconocidos, pueden hacerte tragar cualquier cosa... —Volvió hacia él el rostro bañado en lágrimas—. Y que tú bien has podido inventar todo lo que cuentas sobre tu familia y tu padre.

Extrañamente, esas palabras dejaron frío a Walter. Ni siquiera experimentó la necesidad de protestar. En cierto modo, la opinión de Alexander Sokolov le vivificaba el espíritu, lo ponía frente a sí mismo. Le apretó la mano a Masha con la intención de hacerle comprender por el fuego de sus ojos cuánto habría podido amarla, luego la dejó.

Mientras se alejaba a grandes zancadas, con el corazón encogido, deseó que Feng-si pudiera recibirlo esa noche. Tenía la certidumbre de que la joven china sabría, sin plantear preguntas, curarlo de esa pena que ella ignoraba.

6

El conductor se detuvo delante de Grosvenor House. Ese hombre, un auténtico profesional, poseía un bonito rickshaw de cobre con capota impermeable y dos faroles en el que aceptaba llevar a dos pasajeros. Walter se bajó del rickshaw y, acercando su muñeca a la luz, descubrió su reloj entre el guante y la manga del abrigo. Era todavía demasiado pronto para llamar al timbre de los Sokolov. Masha debía de estar terminando de arreglarse.

Mientras el conductor se ponía su tercera o cuarta chaqueta de guata (la temperatura de las noches de enero rozaba los dos grados), Walter se refugió en la entrada del edificio. Volvió a mirar el reloj. ¡Era magnífico! Recordaba haber admirado durante un buen rato ese modelo en un escaparate del Sacherhof en Viena, después de haber asistido a una representación de *La Bohème* en la Ópera. El Reverso de Jaeger-LeCoultre era el primer reloj de pulsera capaz, gracias a su pantalla protectora, de sobrevivir a un partido de polo o a una caminata por la montaña.

Mientras daba vueltas primorosamente a la caja rectangular del reloj, dejando a la vista ya la esfera, ya la tapa con sus iniciales grabadas, Walter pensó que su trayectoria en Shangai se había ido inscribiendo poco a poco en su muñeca. Había llegado a China con el Tissot de su padre, que le fue robado. Luego, el reloj japonés con la pulsera flexible que le había regalado Feng-si proporcionó un bálsamo a la herida. Y en ese momento, el lujoso Jaeger-LeCoultre con correa de cuero de avestruz, que Alexander Sokolov le había regalado la víspera, el día de la pedida de Masha, parecía asegurarle un futuro semejante a la caja de oro y acero.

Todavía tenía tiempo de fumar un cigarrillo. Walter cogió dentro del bolsillo de su americana la pitillera de plata, regalo de Masha, al tiempo que se preguntaba cómo se las habría arreglado sin Max Herzberg para encontrar su propio presente para su prometida. El valioso vienés italo-turco había dado con un espléndido collar antiguo con un colgante con brillantes engastados, a un precio muy asequible, y no le había cobrado ninguna comisión. El propio Sokolov, que solo vendía joyas modernas, le había regalado a su hija la sortija de compromiso guarnecida con el diamante que, a su juicio, ella se merecía. Un magnífico rombo de reflejos azulados. «¿Qué le parece, mi estimado Walter?», le soltó un día Sokolov desenvolviendo la piedra del papel de seda, mientras fumaban unos puros en el despacho del joyero. No hacía falta tener un ojo muy experto para apreciar que era extraordinario. «Dudo de que su fortuna actual le permita regalar una joya semejante a mi hija —prosiguió sin la menor consideración el futuro suegro—. De modo que me hará el favor de aceptarlo». Walter se reprimió, conteniéndose para no dar las gracias a Sokolov con un gancho muy sentido. «No, no, por supuesto», gorgoteó él. De momento no estaba en condiciones, pero, mientras tanto, una pequeña alhaja era suficiente, era la prueba de amor lo que contaba y él no dudaba de que un día podría cubrir a su mujer con suntuosos aderezos. «No se trata de eso, querido. No dudo de sus buenas intenciones. Pero, entre tanto, me preocupa que Masha lleve una sortija de la que yo no tenga que avergonzarme ante mis colegas. Hágame este favor.» Walter accedió. Al final, resultó menos humillante de lo que había imaginado.

En cuanto al collar que había regalado a Masha, Walter jamás podría apartarlo en su recuerdo de los pendientes de jade, finos y brillantes, que Max guardaba en la misma caja. En cuanto los vio, los consideró hechos para el rostro marfileño y puro de Feng-si. No se había equivocado. Los pendientes de jade le quedaban de maravilla a la hermosa china, que nunca se los quitaba. ¡Daba igual que el dinero reunido para sacar el billete a Nueva York sufriese tan grave merma! Walter estaba satisfecho por la felicidad que le había proporcionado.

La manecilla de las horas llegó al siete. Era el momento de llamar al timbre de los Sokolov. Walter entregó su abrigo y su sombrero al criado y luego se dirigió hacia el sofá donde sabía que encontraría a su futura suegra. Le besó la blanda mano. El anfitrión, que apareció con unos periódicos, le saludó con una palmada amistosa en el hombro, le invitó a que se sentara y le ofreció un vaso de vodka.

—¿Dónde está Masha? —se preocupó de pronto el padre con una voz cortante—. ¿No está todavía lista?

—¡Sí, Masha lista! —aseguró Genia, impermeable a la mirada glacial de su esposo—. ¿Tú qué estar diciendo? ¡No empieces, Alex! Ella cambiarse de vestido, es todo, y ¡tú otra vez venir con historias!

Con una señal furiosa, conminó al criado a que le colocase la manta que le cubría las piernas. Al ver a Alexander Sokolov desplegando el *Shanghai Jewish Chronicle*, Walter comprendió que a partir de entonces pertenecía a la familia. Aquella publicación, nacida como semanal en marzo y convertida en diario tres meses más tarde, le había dado suerte. Walter había publicado en ella un artículo importante sobre la vida musical en Shangai y fue después de haberlo leído con interés y haber reconocido la firma del periodista, cuando Alexander Sokolov tomó por fin en consideración aceptar a Walter como yerno… Eso había sucedido a finales de octubre. Aquel día, Masha apareció en el Wiener Café roja de emoción y se sentó en el velador más cercano al piano, donde tan inquieta como un rabo de lagartija, no dejó de hacerle señales. ¡Un auténtico semáforo! Su comportamiento no se les había escapado ni a Fengyong ni a Serguei, que tuvo el aplomo de interrogar a Masha en ruso. ¿Qué le había preguntado? ¿Qué había contestado ella? Walter, tal vez, no lo sabría nunca, pero el conciliábulo que excepcionalmente había reunido a sus dos enemigos, el ruso y el chino, no le pasó inadvertido. A continuación, los dos habían escuchado con los ojos entrecerrados cómo Masha, sobreexcitada, enamorada, informaba a Walter de que él era el elegido. De entre los párpados de uno se filtraba la maldad, el odio de entre los del otro.

«Han dicho que sí, Walter, han dicho que sí. ¡Estoy loca de contento! ¿Y tú? ¿Tú también? ¿Me quieres…? ¡Dímelo…! ¡Dímelo otra vez…! ¡Otra vez y otra más…! ¿Seguirás diciéndomelo?» Él se lo repetía, afirmaba, sonreía, sobreponiéndose al malestar provocado por la mirada insistente de los dos compinches y al terror de ver aparecer a Feng-si. Un sudor frío le empapaba la nuca. Por suerte, Klara Bauer se había ido a la peluquería. Masha le contó de corrido cómo los Sokolov habían evolucionado a favor de Walter. El padre había conocido por motivos profesionales a Max Herzberg, quien alabó las cualidades de Arthur Neumann y confirmó la alta posición de la familia vienesa. Además, Sokolov había escuchado varias veces con gran interés la emisión del programa cultural de Walter. Luego había leído el artículo del *Shanghai Jewish Chronicle*…

El clima insalubre de Shangai, al que se añadía el sentimiento de inseguridad debido tanto a la inflación como a la incertidumbre en torno a la política china y europea, había conducido finalmente a Alexander Sokolov a acceder al deseo de su esposa de emigrar en dos o tres años a Estados Unidos. Ya no tenía pues ningún motivo para preferir un yerno bien establecido en Shangai.

Sokolov dio entonces su consentimiento y aseguró que solicitaría a su cuñado de Nueva York un afidávit para Walter. La fecha de la pedida se había fijado enseguida, la de la boda se fijaría en cuanto se recibiesen los papeles.

Walter probó el vodka y examinó con asombro el piso, que

los criados y las *amahs* habían dejado en orden tras la petición de mano, la víspera. Habría sido imposible sospechar que el día antes decenas de personas habían pasado por allí con los vasos bien llenos y platos desbordantes de *blinis* y empanadillas rusas o de pasteles relucientes de nata y sirope.

Los Sokolov rogaron a Walter que invitara a sus amigos. Klara Bauer se había disculpado por Franz, al que retenía el café, y dio su enhorabuena. La familia Fischer, vestida de manera sobria pero adecuada, había acudido al completo. Greta, tan resplandeciente de alegría como si Walter hubiese sido su propio hijo, había aleccionado a Hans de tal modo que el muchacho se creía obligado a rechazar todas las exquisiteces que se le ofrecían. «Come, Hans —le insistía Walter—. ¡Come! ¡Mira, que no me voy a casar dos veces!» Hans tenía la misma edad que Ivan, el futuro cuñado. Este lo había llevado a su habitación para enseñarle su tren eléctrico Märklin, sus guantes de boxeo, su balón de fútbol y su velero. Cuando volvieron a aparecer, Hans, con las orejas enrojecidas de felicidad, se remetía las ropas, mientras que Ivan, con cara de fastidio, se frotaba los brazos. Hans había hecho besar la lona al amo del lugar.

Horst Bergmann, un poco envarado, se había puesto de punta en blanco. El locuaz Max Herzberg había llevado aparte a Sokolov para proponerle un negocio. Robert Duguay había entusiasmado a la concurrencia con sus recuerdos de 1937, cuando los japoneses invadieron Shangai y la guerra causaba estragos a las puertas de la Concesión Francesa; los chinos, colgados en ristras humanas de las verjas, suplicaban que se les dejase pasar. Erik Oldenburg había declinado la invitación, pues, como se había convertido en una estrella de los escenarios alemanes, prefería evitar mostrarse en un entorno judío. También estaban presentes los dos «hermanitos», Richard Silberstein, el sastre, y Markus, el violinista. Todos los invitados se las habían arreglado para llevar un regalo, incluso Werner Eisenberg, que no siempre tenía lo suficiente para comer. Werner estaba recobrando la confianza, pues acababa de ser contratado por Engel y Weiss, unos perfumistas vieneses, que habían abierto una empresa en Hongkew donde iban a fabricar las gruesas velas para el *Jahrzeit*. Habían contratado a Werner para distribuir muestras en las tiendas chinas. «¡Los chinorris se quedan alucinados cuando ven que las velas arden durante veinticuatro horas! —había explicado entusiasmado—. Las compran por docenas. ¡Todos las quieren ahora en sus casas!»

Walter se había guardado de invitar a sus conocidos de profesión, tanto de la prensa como de la radio. Más valía que esas gentes no lo viesen desenvolverse en un ambiente tan afortunado. Habían desfilado decenas de desconocidos con los que Walter había tenido que hablar y a los que tuvo que estrechar la mano, que lo habían examinado de arriba abajo antes de dar la enhorabuena a Masha y a sus padres. Por la noche, los cuatro se habían dejado caer en los sillones, agotados pero felices. Había sido una bonita fiesta, de la que solo Genia parecía no haberse repuesto todavía, mientras que Walter y Masha se disponían a celebrar su compromiso en la intimidad.

Walter disfrutaba introduciendo a Masha en el mundo chino, sobre el cual ella no tenía ninguna idea. Todo lo más, sus padres la habían llevado un par de veces a comer a un restaurante cantonés. Esa tarde, irían los dos al Great World, el mayor sitio de recreo de Shangai, un amplio edificio de seis plantas con una torre puntiaguda y la fachada cubierta de enormes letreros luminosos. Allí había restaurantes, salas de baile, salas de juego con máquinas tragaperras, ruletas y bingos, un bar, billares, un espectáculo de ilusionistas y contorsionistas de suave sonrisa, una ópera y un teatro chino, pájaros y saltamontes enjaulados, herboristas y barberos, salones de masaje y acupuntura, hasta una ballena disecada. Transportados a mundos mágicos, los clientes se pasaban allí la noche entera. Sí, Walter disfrutaba llevando allí a Masha, sorprendiéndola, viéndola reír y divertirse entre los chinos contentos y trepidantes. Allí los occidentales nunca ponían los pies.

—Amigo mío, tendrá que acostumbrarse —dijo Alexander

Sokolov desplegando su periódico—. Ni Genia ni Masha están nunca listas a tiempo. Me he pasado la vida esperándolas.

—¡Acerca mi vaso en lugar de quejarte! —siseó la señora Sokolov con acritud.

—No me quejo, querida. Las dos tenéis otras muchas cualidades encantadoras.

—Eso es lo que yo iba a decir —intervino Walter, por momentos más incómodo.

Se retiró el cabello hacia atrás mientras buscaba algún tema para hablar con su futuro suegro. ¿Política? Ya habían examinado y analizado juntos las consecuencias de la capitulación de Varsovia, el reparto de Polonia entre Iósif Stalin y Adolf Hitler después de que las tropas soviéticas y la Wehrmacht se unieran en Brest-Litovsk, la ocupación de las principales bases militares bálticas y luego la burda invasión de Finlandia por la URSS.

—¿Cuál fue el resultado del combate de boxeo de ayer por la tarde? —preguntó finalmente—. ¿Es cierto que los refugiados volvieron a asombrar a los espectadores del Auditorium?

—En efecto —confirmó Sokolov con entusiasmo.

Le leyó el elogioso relato. El periodista enumeraba con entusiasmo las victorias logradas por los refugiados sobre los estadounidenses e incluso sobre los japoneses los meses anteriores. La evocación del combate de boxeo, ya legendario, que había tenido lugar en julio, introdujo en la memoria de Walter el desagradable recuerdo de Fengyong. Al igual que otros miles de chinos y occidentales, el muchacho se había entregado con fanatismo a las apuestas. Aquel día había ganado una importante cantidad apostando por los refugiados.

Desde el pasillo llegó el ruido de un vestido de faya.

—No me importa haber esperado —dijo Walter con admiración al ver aparecer a Masha.

Fue a su encuentro y la besó en la sien. Olía bien. El colgante centelleaba sobre la piel mate de su escote.

Cuando estaban a punto de irse, Alexander Sokolov anunció que esa misma mañana había escrito a su cuñado para pedirle el afidávit. Walter mostró su extrañeza. ¿No tenía que estar ya hecho desde hacía al menos dos meses?

—Una superstición —confesó el joyero encogiéndose de hombros—. Genia no quería que escribiera antes de la pedida… Dígame, ¿querrá acompañarme al partido de fútbol el domingo?

A Walter se le crisparon las mandíbulas. Se imaginaba el motivo de esa invitación: hablar de hombre a hombre. Sokolov intentaría convencerlo una vez más de que «dejara sus cabriolas de saltimbanqui» y lo ayudara en su comercio.

Walter estaba fascinado por las gemas. Había permanecido varias horas observando cómo, entre los dedos del tallista de diamantes, la piedra emitía sus destellos igual que una mariposa al librarse de su crisálida. Con todo, apreciaba su libertad. No se planteaba renunciar al periodismo y sospechaba que Sokolov lo tendría todo el día encerrado en la tienda. Tenía que conservar a cualquier precio su empleo de músico.

—Se lo agradezco mucho, pero es imposible —respondió con firmeza—. Justo le iba a anunciar que he firmado un contrato con la Giulio Veneto's Band. Empiezo mañana y el domingo tocaré en el Wing On. ¡Vengan los cuatro! Será divertido.

—¡Sí, papá! —exclamó una Masha radiante—. ¡Vamos!

Había llevado muy mal que Walter, de forma tajante, le hubiese prohibido que volviera a aparecer por el Wiener Café y por fin podría desquitarse.

Se abría una nueva era.

7

En el Wing On, uno de los grandes almacenes de Bubbling Well Road, se podían encontrar mercancías europeas y asiáticas: conservas, fruslerías, vestidos de novia, teteras, chucherías verdes, amarillas y rosas, telas de seda, aletas de tiburón, nidos de golondrina, huevos de mil años, pato salado, tan comprimido que los europeos lo confundían con fletán, baratijas parisinas, polvo de cuerno afrodisíaco y curativo procedente de una variedad rarísima de antílope, joyas, licores, pescados secos y atados en manojos como una escoba, vasos y cristalerías de Bohemia, cámaras fotográficas, plumas estilográficas, peligrosas raíces de mandrágora. Todo con el ruido ensordecedor, amplificado por los altavoces en las esquinas más disimuladas, de discos cuya música se difundía desde por la mañana hasta la noche... Pasando del edificio principal a uno aledaño, gestionado por la misma dirección, se podía cenar en uno de los numerosos restaurantes, alquilar una habitación de hotel, divertirse en un burdel, visitar una exposición de pintura o de caligrafía, practicar patinaje sobre ruedas, jugar al billar o al pimpón, sentarse en un cabaret o en una sala de fiestas china o incluso subir a la sala de baile de la séptima planta, especialmente apreciada durante el buen tiempo debido a su gran terraza.

Era allí donde la Giulio Veneto's Band, orquesta de diez músicos, hacía bailar a las parejas chinas y occidentales. Aquel domingo por la tarde, el pianista sonreía a una hermosa joven acompañada de su hermano pequeño y sus padres. Walter estaba sonriendo a Masha, cuando comenzaron sus melodías preferidas. Ella se las arreglaba para rozarlo con su vestido, cada vez que su padre, entre cigarrillo y cigarrillo, la sacaba a bailar. Sentada a la mesa, no apartaba los ojos de Walter, sin prestar atención a Ivan, que se ganaba una reprimenda tras otra, ni a Genia, que ponía al cielo por testigo de su constante desdicha, ni a Alexander, que, con gesto aburrido, expulsaba el humo, se estiraba las puntas del chaleco y tamborileaba sin fin sobre el velador.

Como se sabía observado por Masha, Walter se esforzaba por no mirar más que hacia ella o al piano. ¡Era tremendamente celosa! Lo había descubierto el día que celebraron su compromiso en privado. Conservaba un recuerdo triste de aquella ocasión.

No obstante, la noche había empezado bien. En la avenue du Roi Albert, dentro del rickshaw en el que Masha se apretujaba contra Walter, había suscitado su admiración al indicarle locales desconocidos para ella. Aquí, el Barcelona, cuartel general de los jugadores y los aficionados a la pelota vasca. Los siete días de la semana, miles de espectadores, que a veces se jugaban fortunas, se metían en frente en el Jai-alai, donde en medio de una gran excitación el golpe de las pelotas era acompañado por los gritos de victoria o decepción. El director del estadio y los pelotaris, llegados a Shangai uno con un pequeño petate, otro con un único par de zapatos agujereados, se desplazaban ahora en limusina, dormían en sábanas de seda y ganaban el equivalente a cuatro o cinco toneladas de arroz al mes. Durante ese tiempo, los apostantes chinos se habían dejado traje, camisa o sombrero en las casas de empeño que pululaban alrededor del Jai-alai. Los vascos de ojos como brasas y cabellos de azabache suscitaban pasiones devastadoras. En plena avenue Joffre, dos europeas casadas se habían abofeteado y arañado hasta hacerse sangre por el amor del apuesto capitán del equipo. Todos los días, una china de diecisiete años, hija de un ministro, sacaba fajos de billetes de su bolso de cocodrilo para apostar por su favorito, al que luego invitaba a cenar a solas. «¡Una chica de diecisiete años! —había exclamado Masha sin dar crédito a sus oídos—. ¡Una chica de diecisiete años! ¡Sola! Eso no es muy decente…» Echó a Walter una mirada severa, casi recelosa. Cuando le oyó hablar al culi, gritó: «¿Dónde has aprendido el chino?». Él había preparado una respuesta precisa y límpida. «Con Fengyong, el lavaplatos del Wiener Café.»

Entonces el conductor los dejó delante del Great World. Walter había pensado que divertiría a Masha introduciéndola en un mundo exótico y excitante, pero se desengañó desde los primeros minutos. Su error fue haberse vuelto al paso de una china imponente, cuyo vestido de tubo en lamé rojo tenía una raja hasta la axila. «No sé por qué no te doy una bofetada», gritó Masha al tiempo que le arrojaba con violencia el bolso. Walter se disculpó, intentó divertir a su prometida, pero el encanto se había roto. Ella había considerado humillante haber sido arrastrada a ese local, célebre entre otras cosas por su burdel gigante. En las salas de baile, se había sentido ofendida con la visión de las *singsong girls* y en el teatro chino, los gemidos y los maullidos de los violines y la furia de los gongs y los címbalos habían lastimado sus tímpanos. Gracias al cielo, su ingenuidad así como su desconocimiento del chino le habían impedido comprender lo que iba a ver la gente en los *peep-shows*.

«Ella es como es —pensó Walter—. Y es mi tarea estar atento para no herirla.» Le volvió a sonreír al tiempo que tocaba el último acorde, una sonrisa para decirle que la encontraba hermosa. Llevaba un vestido blanco con el cuerpo ajustado y la falda vaporosa, y el pelo recogido en una doble corona de trenzas alrededor de la cabeza. Parecía una reina de belleza. Genia también habría estado guapa con su traje de chaqueta de fino tejido de lana bordado y el sombrerito a juego si su papada no se hubiese mezclado con las cinco vueltas del collar de perlas.

«¡Qué suerte he tenido de conocer a Giulio Veneto!», se congratuló Walter.

Giulio Veneto era el pseudónimo elegido por el berlinés Arthur Blumenfeld, porque sonaba a italiano y hacía pensar en Venecia. Tenía unos treinta y cinco años, era alto, fuerte y alegre, un oso bonachón que intentaba disimular su incipiente calvicie cubriendo la parte alta de su rosado cráneo con un mechón ensortijado, y se agitaba con gracia dentro de un esmoquin que le había quedado demasiado grande. Además de dirigir la orquesta, tocaba el saxo y el acordeón.

En noviembre Walter lo había invitado a su programa. Veneto había llegado muy nervioso, pues se había enterado de que su pianista guardaba cama y el médico no podía emitir ningún diagnóstico. «Empezamos en un minuto —le interrumpió Walter—. ¿Está listo?» Entonces Veneto había relatado su historia vívidamente.

Ya en 1933, las autoridades berlinesas le habían prohibido tocar en público por ser judío. Se fue a Estonia. Pero en Estonia le prohibieron tocar porque era alemán. Entonces regresó a Berlín, donde vivió gracias a la ayuda de un Comité de Asistencia, así como al salario de su mujer, que era secretaria. A finales del mes de julio anterior, estaba intentando en vano conseguir visados para un país cualquiera, cuando una amiga alemana, no judía, que trabajaba en Correos, interceptó un mensaje en el que se indicaba que la Gestapo lo buscaba. Entonces se decidió a huir a Shangai. El Comité de Solidaridad le proporcionó la suma necesaria para comprar seis billetes. Los billetes los obtuvo a través de un amigo del batería que trabajaba en una agencia de viajes de Hamburgo. Entonces, él y su esposa, Fanny, fueron convocados por la Gestapo para entregarles sus papeles. «Estos son sus pasaportes —había dicho el funcionario—. Cójanlos y lárguense.» Mientras su mujer se dirigía con paso decidido hacia la salida, él se detuvo a mirar los documentos. «¡Para, Fanny! —gritó—. Hay algo raro. No han puesto la J y no han añadido los nombres obligatorios, Israel y Sarah…» Después de dos o tres segundos de duda, regresó sobre sus pasos. «Si se hubiesen marchado —les dijo el tipo de la Gestapo con una cínica sonrisa—, yo habría alertado a todos los puertos por los que pudieran salir de Alemania y habrían acabado en un campo de concentración.» Las omisiones habían sido a propósito…

El batería y su esposa, el violinista y el pianista así como Fanny y Giulio cogieron el tren para Suiza. Una vez que hubieron atravesado la frontera alemana, locos de alegría, cogieron sus instrumentos y se pusieron a tocar en el compartimiento. Luego Nápoles y el embarco en el *Yasukuni Maru*, un barco japonés que había atracado el 1 de septiembre de 1939 en Shangai…

El día siguiente a su llegada, Veneto se había encontrado en la calle con un amigo que le informó de que el director de la sala de baile del Wing On buscaba una orquesta. Tras haber escuchado a Giulio y a sus amigos, el señor Rubinstein le propuso la fabulosa suma de diez dólares por día y persona, ¡más la cena! El propio Giulio había reclutado a seis filipinos para los instrumentos de viento. Así era como se había fundado la Giulio Veneto's Band, una orquesta de diez músicos. ¿No era eso suerte?

Walter se preguntó cuánto estaría cobrando en ese momento el pianista del bar del Park Hotel. Mucho más de diez dólares chinos, sin duda, desde la devaluación de la moneda. La pasada primavera se cambiaba un dólar americano por seis yuanes y medio, en aquel momento hacían falta diecisiete y al día siguiente, tal vez, más. Los helados Hazelwood rogaban en unos cartelitos a los amables clientes que les disculparan por haber tenido que subir a ochenta y cinco céntimos el corte de nata helada, antes a setenta y cinco céntimos, «debido a la tasa desfavorable del cambio y el elevado coste de las materias primas».

La inflación aumentaba, los especuladores se movían, la carestía de arroz se hacía sentir entre la población china. En la ciudad no entraban más que dos mil sacos al día, para un consumo habitual de diez mil sacos, y el alza de los precios debido a la depreciación del dólar de Shangai impedía la importación de arroz extranjero. La víspera, unas veinte personas habían asaltado un almacén de arroz situado en la planta baja del edificio donde vivía Walter. Habían robado sesenta kilos antes de la intervención de la policía. En Hongkew, doscientos individuos aproximadamente habían destrozado la luna de un comercio de hierbas medicinales chinas por haber oído decir que el propietario ocultaba sacos de arroz en su tienda.

—¡*Carmen!* —indicó Veneto que, tras haber captado la mirada de sus músicos, dio la señal de inicio.

Su relato radiofónico había tenido mucho éxito, porque había sabido salpicarlo de anécdotas. Entre otros episodios, había evocado una tarde de monzón, el mes de octubre anterior, cuando todavía hacía el suficiente calor como para tocar en el *roof garden*. Una lluvia furiosa azotó de pronto la ciudad y transformó de inmediato Nanking Road en un canal veneciano. A esto se le añadió un viento de mil demonios, de modo que la sala de baile tuvo que cerrar. Como el salario incluía la cena, el señor Rubinstein, el director, indicó a los músicos que fueran a un restaurante cercano, donde había reservado una mesa para ellos. Apenas se habían sentado cuando el camarero chino acudió solícito. «*A gutn abend! A voos beliben sie zu achten?*»* El propietario era un judío ruso. «Nos moríamos de risa», recordó Veneto.

El programa había tenido un bonito colofón con su estallido de risa. Luego el director de orquesta se había acordado de la enfermedad del pianista, al que tenía que encontrar sustituto en una hora… Walter le propuso sus servicios, que fueron recibidos con alegría, y pudo localizar al pequeño Markus a tiempo para pedirle que tocase en el Wiener Café. Al día siguiente, el pianista berlinés se había restablecido, pero luego sufrió varias recaídas. Finalmente, se había despertado con medio cuerpo paralizado la víspera de la petición de mano de Walter.

Solo pensar en el drama que estuvo a punto de ocurrir aquel día en el Wiener Café le producía sudores retrospectivos.

* Del yídish: «¡Buenas tardes! ¿Qué desean jamar?».

Masha había aparecido de repente, ligera y alegre: «Amor, tenía tantas ganas de verte que no aguantaba más en casa. Y ahora, puesto que mañana estaremos prometidos y todo el mundo puede saber que vengo por ti, me dejarás venir, ¿no? ¡Ahora vendré todos los días!». No había tenido fuerzas para reprenderla. Se mostraba tan confiada, estaba tan enamorada y era tan encantadora, que había pospuesto para más tarde explicarle que a él no le gustaba vivir bajo control, que tenía necesidad de libertad. Apenas se había marchado Masha de mala gana, cuando llegó Feng-si y Fengyong (el muchacho era entonces camarero a tiempo completo) se apresuró a cotorrear maliciosas palabras al oído de su hermana.

«Por fin he comprado la cama con baldaquín, que tanto me apetecía —le había informado a continuación a Walter—. ¿Vienes mañana a probarla?». Con sus pendientes de jade, su vestido de seda verde agua y su perfume de jazmín, Feng-si era una sirena temible. Era posible que Walter se hubiera puesto rojo al recordarle, ya se lo había anunciado, que lo iban a tener ocupado dos fiestas seguidas, que probablemente acabarían de madrugada. «¿Fiestas en casa de la joven y hermosa rusa?» Feng-si lo miraba por el rabillo del ojo con gesto pillo. Walter estalló en una gran carcajada que logró que sonara sincera, y después de besarle la mano, volvió a su piano. Estaba tocando, perplejo e inquieto, cuando Klara Bauer se acercó a decirle que un tal Veneto, por teléfono, había pedido que se pusiera rápidamente en contacto con él.

El director de orquesta estaba hecho polvo, acababa de enterarse de la parálisis de su pianista. Cabía la posibilidad de que algún día recuperase el uso de las manos, pero los médicos no se atrevían a hacer ningún pronóstico. Con su beneplácito, Veneto deseaba entonces contratar un nuevo músico. De pronto, a Walter le zumbaron los oídos, una sensación experimentada numerosas veces en Dachau, cuando se le presentaba una elección que podía tener consecuencias vitales… «Yo», profirió casi con un rugido.

Tal vez Veneto hubiese esperado encontrar un pianista más profesional que Walter, pero no pudo rechazar su candidatura y, una vez contratado, debía admitir que Walter no escatimaba esfuerzos y aprovechaba cualquier respiro para estudiar las partituras que no conocía. Walter le explicó a Franz Bauer que le ofrecían una retribución mayor, argumento ante el cual el patrón de ojos de langosta no podía ser insensible. «Me alegro por ti, Walter», le respondió con calma, sabedor de que decenas de músicos refugiados vagaban por la ciudad en busca de un trabajo, dispuestos a tocar por un dólar al día, un poco de calor y comida. Por su parte, Klara, que lo había entendido todo, se le adelantó: «Es mejor así, Waldi. ¡Esto empezaba a oler a chamusquina!».

En efecto, el Wiener Café se había convertido en un polvorín. Serguei no perdía ocasión para hacer a Walter alguna faena y Fengyong se dedicaba a espiarlo todo el tiempo. Corría el riesgo, probable, de verse envuelto en una escena ya fuera con Masha ya con Feng-si o incluso con las dos, ambas, mujeres de carácter.

En ese momento, disfrutaba de paz. La china, estaba seguro, no acudiría jamás al *roof garden* del Wing On, situado en la Concesión Internacional y frecuentado solo por parejas. Las esposas de los músicos, Fanny y Lola, se encontraban en una mesa próxima al escenario y, cuando Alexander Sokolov, harto, arrastró a su familia, Walter vio cómo Masha les lanzaba una mirada envidiosa.

Entonces comprendió que también a ella le gustaría sentarse cada día en esa mesa y esperarlo hasta el cierre. Entonces tendría que acompañarla a su casa. Pero no podría soportar esa obligación si el noviazgo se prolongaba. Reconocía con sinceridad que una ruptura con Feng-si le resultaba intolerable. A la espera de la boda y el viaje a América, deseaba vivir su vida sin rendir cuentas a Masha y visitar a su amiga cuando le pareciera bien. Esa noche iba por fin a descubrir la cama con baldaquín. Un estremecimiento de placer le recorrió la columna.

Por supuesto que le gustaba estrechar a Masha entre sus brazos, acariciarle la nuca, cogerla de la cintura, tomar su boca que él hacía cada vez un poco más suya, pasar los dedos por su cabello, sentir palpitar su cuerpo ardiente. Todo eso era muy excitante. Una corriente de electricidad pasaba entre ellos. Pero ella sacaba enseguida sus defensas y Walter sabía que, llegado el momento, necesitaría tacto y paciencia para arrastrarla más allá. Por el momento, ella intentaba tejer un vínculo entre diversas informaciones. Por una parte, le parecía que su cuerpo estaba llamado a vivir un hechizo divino pero, por otra parte, se acordaba de las confidencias de su amiga Rena. La abuela de esta le había revelado que hacer el amor por primera vez era más doloroso que parir; y encima, una prima de Rena la había advertido de que parir era peor que ser arrojada a un caldero de agua hirviendo. Nada muy alentador. La yuxtaposición de estas informaciones dejaba perplejas a aquellas jovencitas.

Cuando la música cesó y la sala cerró sus puertas, Walter llamó a un culi. Como el chino lo vio desenredarse el pelo con los dedos antes de ponerse el sombrero, soltó:

—*Master goodie grass! My belong no grass! Where master go?**

A Walter el jugoso pidgin le encantaba tanto como las torpezas lingüísticas de los chinos. Una historia, acompañada de prolongadas risas, había circulado ese día entre los músicos. Uno de ellos conocía a una inglesa, una joven esposa recién desembarcada en Shangai, que buscaba un criado. Un tal Wong se había presentado. Al ser preguntado por sus condiciones, había respondido: «*Ten dollars and I eat you and I sleep with you*».**

Walter indicó el destino de la carrera y, al oírlo hablar en shangainés, el conductor lanzó hacia el diablo extranjero una mirada cargada de espanto. Cuando pasó por delante del Lyceum, Walter se acordó de su primer encuentro con Masha.

---

* «¡El caballero tiene buen pelo! ¡Yo soy calvo! ¿Dónde va el caballero?» (*Grass*, en inglés, significa «césped»).
** Literalmente: «Diez dólares y la como y duermo con usted», por: «Diez dólares con comida y alojamiento».

«Tengo que presentarme a una audición en el Lyceum Theatre», había afirmado ella antes de marcharse. En diciembre, Walter se había dado cuenta de que ya no conversaba con él sobre sus progresos. Al mostrarle su sorpresa, ella le había contestado que la petición de mano la tenía demasiado ocupada para pensar en los escenarios. Ella y Genia debían encargar los vestidos, preparar los accesorios, cuidar su piel en el instituto de belleza, probar nuevos maquillajes y todo eso llevaba mucho tiempo… ¡Pero, entonces! ¿Qué hacía ella durante todo el día? ¿Habría renunciado al teatro? Walter se prometió hablarle del asunto.

Alexander Sokolov no había visto con buenos ojos que su futuro yerno entrase en la orquesta. Walter tenía que escribir pronto un buen artículo en un periódico para calmarlo. Si no, el joyero volvería a la carga, procurando una vez más convencerlo para que le ayudara.

Con el objetivo de darle gusto, Walter había aceptado en varias ocasiones pasar algunas horas en la tienda. Le gustaba estudiar, con la lupa ajustada en el ojo, los diamantes, las esmeraldas, los zafiros y los rubíes que Sokolov exponía para él en una bandeja tapizada de terciopelo, mientras comentaba el grosor, la talla y el color de las gemas más hermosas. Pero ahí quedaba todo su entendimiento. Con cualquier otro tema se enfrentaban. En particular, cuando Sokolov reprochaba a Walter que se interesase tan poco por el judaísmo.

Alguna vez, al acordarse de que había prometido «abrazar la causa judía», Walter había asistido el sábado por la mañana a los oficios de la sinagoga askenazi, Ohel Moshe, en Ward Road. En todas las ocasiones, Sokolov había mascullado que era mucho más importante acudir el viernes por la tarde. Ahora bien, las oraciones vespertinas coincidían con las horas de apertura de la sala de baile. «Si me vuelve a dar la lata —refunfuñó Walter para sus adentros al tiempo que saltaba del rickshaw delante de la puerta de Feng-si—, me convierto al budismo.»

8

Era una noche de febrero. Feng-si, sentada en la cama, roía pepitas de loto azucaradas. Tumbado entre sus muslos, Walter apoyaba la cabeza sobre el suave cojín de su pubis. La tibieza de su piel y su perfume en el que se adivinaba el ylang-ylang traspasaban la seda en una mezcla cautivadora.

Y sin embargo, la tristeza asediaba a Walter. Una tristeza que él no había imaginado que pudiera ser tan densa. El ansiado afidávit había llegado por fin al domicilio de los Sokolov. Faltaban todavía un certificado de impuestos y una declaración sobre su fortuna, documentos solicitados a las autoridades vienesas. ¿Los conseguiría? Podía darlo por hecho. A continuación, no tendría más que presentarse en el consulado general de Estados Unidos. Era cuestión de ocho o diez semanas como mucho. Hizo el cálculo. Todo podía estar arreglado para mayo. Un mes más tarde se casaría con Masha y navegarían los dos hacia Nueva York, olvidándose de Shangai, sus miasmas y sus refugiados.

Pero ¿y Feng-si? Walter sentía cómo palpitaba su corazón, respiraba su aroma y ¡ya la echaba de menos! Entonces ella se inclinó hacia él y con sus tiernos dedos le alisó la frente.

—¿Qué ocultas a tu ave del paraíso? —se preocupó ella.

Le respondió que no ocultaba nada. Ella insistió. Para zanjar rápidamente el interrogatorio, mencionó las convulsiones que agitaban la prensa judía. El *Shanghai Nachrichten* se había ido a pique. Del mismo modo *Der Querschnitt*, un periodicucho semanal, donde se publicaban rencillas y rabietas, *Ward Road News* poco después transformado en *Shanghai Post*, también *Das Gemeindeblatt der Jüdischen Kultusgemeinde*, boletín de la comunidad judía centrado en las actividades religiosas y la familia, y por último *Am Mittag*, diario que salía al mediodía, no habían aguantado más que una o dos temporadas. ¿Cuánto tiempo durarían dos recién nacidos, *8-Uhr Abendblatt*, un diario vespertino, y *Die Tribüne*, un pequeño semanal sobre literatura muy bien redactado? Aun así, el ardor de los refugiados permanecía intacto y se anunciaban otros proyectos. Como periodista que era, Walter debía permanecer al acecho y mantener buenas relaciones con todos, lo que no era demasiado fácil.

—Tu ave del paraíso quiere saber por qué tus ojos están grises —insistió Feng-si, introduciéndole en la boca un *kumquat*, una pequeña naranja amarga confitada.

Él la besó en el hueco de la palma y se abstuvo de responder.

—¿Qué es de tu madre? —preguntó Feng-si tras un momento de reflexión.

Walter se había presentado en el consulado de Alemania donde, mostrando el certificado firmado por Franz Bauer, pudo rellenar una solicitud para Lisa. Él le contó con un tono jovial que había recibido una carta en la que ella le comunicaba sus preparativos para marcharse de Viena. Tenía planeado coger el tren con su amiga Frieda Epstein. A esta la acompañaban su hijo Franz, su nuera Leopoldina y el bebé de la pareja, la pequeña Elisabeth. Franz era médico, lo que resultaba tranquilizador. Pero ¿cuándo llegarían? Era imposible decirlo.

Lisa tenía que solicitar un pasaporte, realizar el inventario de sus bienes y que unos funcionarios lo inscribieran en un registro, vender lo que no se le permitía llevar consigo y depositar la cantidad en una cuenta bloqueada, obtener visados de tránsito para Rusia y Manchuria, comprar los billetes, pagar la tasa de emigración, etcétera. Una lista que mareaba. ¿Cómo se las arreglaba la pobre Lisa con todo eso?

—Voy a buscar otro pisito en tu edificio —prometió Feng-si alisando la frente de Walter.

Ella lo colmaba de atenciones. En noviembre había hecho que le instalaran el teléfono, lo que le había permitido comunicar un número personal a Lisa.

—Sí —dijo él débilmente—. Te lo agradezco de corazón, Feng-si.

Un nudo le apretaba la garganta.

Estaba esperando saber con seguridad la fecha de llegada de Lisa para tratar con Alexander Sokolov en qué condiciones viviría ella en Shangai hasta que consiguiera su propio visado para Estados Unidos. Si surgía la simpatía, o incluso la amistad, entre ella y Genia tal vez podría emigrar allí en su compañía.

Lisa había respondido al anuncio del compromiso de Walter con un entusiasmo afectuoso que hacía que las lágrimas le humedeciesen los ojos. «Querido Walter, tengo la certeza de que has elegido bien a tu prometida y os envío mi deseo para los dos de que os aguarde una vida feliz en un mundo en paz.» Su carta contenía una moneda para que a la pareja no le faltase jamás el dinero, y una pizca de sal para que pudieran comer siempre a gusto.

¿Qué le pasaba a Walter entonces esa noche? ¿Dónde había quedado su ardor? Feng-si, como china que era, nunca se lo habría confesado a su amante por nada del mundo, pero lo amaba apasionadamente. Aguardaba a poner a su familia al abrigo de la necesidad para consagrarse por entero a él. Cuando confió este propósito a su amiga Manli, esta lanzó unos gritos estridentes. ¿Qué confianza se podía depositar en los diablos extranjeros? ¡Feng-si debía acordarse de la institutriz, la que se había arrojado al Whangpoo tras ser abandonada por el oficial francés que le había hecho juramentos en el Pabellón de la Ternura! Tenía que oír la historia de la joven Siaosiu, que se había casado con un refugiado al que había entregado todo, cuando, del *Conte Verde*, desembarcó una esposa de la que él jamás había hablado, creyendo que había desaparecido para siempre. Como él seguía amándola, había decidido vivir con las dos, pero el infierno reinaba en la casa y cada una consideraba que ella era la verdadera esposa. ¿La estaba escuchando Feng-si? No, Feng-si no escuchaba. Walter era el más maravilloso de los hombres que había conocido. Generoso, sincero, atento. Siempre de buen humor. Era cierto que le había hablado de una joven. Anna. Pero nunca habían estado casados, ni siquiera prometidos. Walter se preguntaba solo si Anna, hija de una familia que, en Viena, se había opuesto abiertamente al ascenso de los nazis, seguía todavía con vida.

Entonces Feng-si retomaba su sueño. Los dos se marcharían juntos muy lejos, a otra ciudad de China, para iniciar una nueva vida. China era tan grande, todo era posible en ella... ¿Qué le pasaba a Walter entonces esa noche? En ese momento estaban sentados hombro junto a hombro, muslo junto a muslo, pero él se miraba fijamente los pies. Su cuerpo no respondía. Parecía insensible.

Con gran suavidad, Feng-si se separó de él y se levantó para encender una varilla de incienso. La noche se llenó de fragancia. Golosa, al regresar hacia Walter, cogió de una copa una pastilla de té perfumado y se la ofreció a su amante con la punta de la lengua. Entre los dos la saborearon.

—¿No quieres jugar al juego de las nubes y la lluvia? —le preguntó ella acariciándole el pelo.

Feng-si cogió el *Jin Ping Mei*,* novela que los sumergía en la conquista y el conocimiento cada vez más profundo del cuerpo y de los sentidos del otro, y eligió un pasaje picante.

Mientras leía en voz alta, Walter contemplaba a Feng-si, su moño de rizos medio deshecho, el mechón que le caía sobre su fina garganta. Una sonrisa zalamera iluminaba sus pómulos cuando cerró el libro. Walter descolgó la mandolina que pendía de la pared, se la pasó, cogió a Feng-si entre sus brazos y la sentó sobre sus rodillas. Ella tomó de la mesa una copa de vino de

---

* Popular novela del siglo XVI. En castellano se la conoce como *Flor de ciruelo en jarrón de oro.*

arroz que vaciaron con avidez, bebiendo cada uno por turno unos largos tragos. Entonces, ella empezó a puntear las cuerdas y cantaron juntos.

Estuvieron cantando durante mucho tiempo, riéndose y conteniendo el deseo que les arrebolaba las mejillas.

9

Hsiao-hsueh, «Nieve ligera», así era como los chinos, con su acostumbrada poesía, llamaban a la luna de finales de noviembre. Sin embargo, aquel lluvioso otoño, el cielo de Shangai permanecía desesperadamente sombrío y gris. En Bubbling Well Road, Walter reconoció el grito del pequeño vendedor de castañas y de patatas dulces a la brasa que había oído el año anterior. Un viento áspero le cercenaba la garganta. Se la envolvió con la bufanda. En un mes se habrían cumplido los dos años de su desembarco en Shangai. En aquel momento estaba convencido de que le bastarían unas semanas para marcharse. Pero todo se demoraba. Todo era doloroso. Los contratiempos se sucedían. Walter rumiaba la noticia que acababa de recibir, sin terminar de creérsela. Un martillazo en la cabeza no habría tenido mayor efecto.

Decididamente, ese año de 1940, año del dragón en el calendario chino, no le estaba trayendo ninguna suerte.

En primer lugar se había producido un problema con Alexander Sokolov, jamás aclarado. En julio llegaron por fin de Viena los ansiados documentos. No quedaba más que acudir al consulado de Estados Unidos. Había fijado una cita con Masha para el día siguiente por la mañana. Contrariamente a su costumbre, estaba ya lista y esperando cuando Walter fue a buscarla. Masha guardó el afidávit en su nuevo bolsito de paja barnizada con forma de bombonera. Resplandeciente de felicidad, se acurrucó en el rickshaw junto a su prometido. En el consulado, entregó al empleado el preciado documento con un gesto teatral. Walter todavía la veía tender su mano enguantada y decir con una amplia sonrisa: «Venimos por nuestros visados para Estados Unidos», mientras él desplegaba bajo la nariz del empleado los certificados que se le habían requerido. Tras examinar los papeles, aquel hombre, a quien cada vez que fruncía la nariz se le encogía un labio dejando visibles unos dientes de caballo bajo unas encías casi grises, relinchó: «¿Nuestros visados? Pero en este afidávit solo figura un nombre, señorita. Solo puedo conceder un visado. A… a Walter Neunmann». Atónito, Walter le corrigió: «Neumann». Era consciente de que se había quedado pálido. Masha, presa de temblores, se desplomó sobre una silla. Tuvo que llevarla a casa, tranquilizarla, hacerle mimos. Sokolov bramó que no entendía nada y que el hermano de su mujer siempre había sido un idiota de remate. «¡Le he pedido el afidávit para los dos! ¡No lo entiendo! ¡No lo entiendo!»

¿Era sincero Sokolov? Walter seguía sin estar seguro. ¿Era posible que el joyero hubiese imaginado ese recurso para desembarazarse de él, para estudiar su interés o quizá para retrasar el matrimonio? «Joven, usted no tiene los pies en el suelo», le repetía de continuo con creciente consternación cada vez que Walter rechazaba «entrar en el negocio».

Como luego habían enviado la solicitud para Masha, tenían que esperar de nuevo. Con todo, eso no era lo peor…

Walter empujó la puerta del Café Louis, poco frecuentado aún a esas horas de la mañana. El sonriente Ferdi fue a su encuentro.

—¡Me alegro de verte! ¡Ven, siéntate aquí!

Los Eisfelder de Berlín, de los que Ferdi era sobrino, habían abierto el Café Louis en febrero de 1939. Gracias a sus dulces europeos, sus chocolates caseros, su cerveza berlinesa y su comida tradicional, este establecimiento se había labrado una reputación. Todo el mundo tenía encomendada una tarea. Horst, hijo del matrimonio Eisfelder, se encargaba de traducir cada día al inglés las cartas que disponía su padre en alemán. No le resultaba nada fácil, pues su profesor de inglés no consideraba útil que sus alumnos emplearan tiempo en conocimientos culinarios.

Bajo el nombre de Fred Fields, Ferdi también era periodista. Con algún mes de diferencia, Walter y él tenían la misma edad: veintiún años. Además de ser un apasionado del deporte, le interesaban la política y el arte. ¿Se había dado cuenta de la cara desencajada de Walter? Lo cierto es que con intención de consolarlo le dijo:

—Mira, tal vez aquí la vida no sea fácil, pero, al menos, cuando uno ve lo que ocurre en Europa, se puede alegrar de haber salido. ¿Te has enterado de lo que está pasando en Francia? ¡Esas leyes infames sobre el estatuto de los judíos!

—Estoy al corriente —dijo Walter frotándose los ojos con la mano.

La víspera había sido invitado junto con Masha a la casa de los padres de su amiga Rena Rabinovich. Allí habían tratado ampliamente el tema. En casa, la familia hablaba ruso, pero Rena había recibido una educación francesa. Tras haber asistido al colegio municipal francés y haber pasado el bachillerato, en la especialidad de filosofía, estaba estudiando medicina en la universidad L'Aurore, dirigida por los jesuitas. Como se consideraba una «patriota», había acogido con entusiasmo los valores simbolizados por el gallo galo. Los ojos se le humedecían de lágrimas con el desfile del 14 de julio. Hasta el día en que, tras la ocupación alemana de París, el mariscal Pétain firmó el armisticio, fundó el Estado francés de Vichy y privó de la nacionalidad francesa a los judíos naturalizados y a los argelinos. «¡Aquí todos son partidarios de Pétain!», decía Rena con repugnancia. «¡Francia, tierra de libertad!», se burlaba desengañada. En Shangai, los seguidores de De Gaulle se contaban con los dedos de la mano.

En cualquier otro momento, Walter habría relatado a Ferdi todos los detalles de la tarde en casa de David Rabinovich, que planeaba editar una revista cultural rusa, *Nasha Jizn-Our Life*, con artículos en diferentes lenguas. Pero se encontraba demasiado abatido y no tuvo ánimo.

—¿Oyes a esos dos? —soltó Ferdi señalando con los ojos al italiano y al japonés que se revolvían en torno al velador contiguo—. ¡El mundo es suyo desde que han firmado el pacto tripartito con Alemania!

Con un silbido, emitió una especie de suspiro que expresaba su amargura y prosiguió:

—Me pregunto dónde se van a detener los alemanes. Por suerte los ingleses han hundido la flota francesa en Mers el-Kebir. Si no, los alemanes se habrían apoderado de ella.

La Wehrmacht controlaba la costa que se extendía desde Prusia oriental hasta el País Vasco. Había invadido Dinamarca y Noruega y había logrado la capitulación de Holanda, Bélgica y Francia, cuyo territorio ocupaba en tres quintas partes. París era alemán. ¡Increíble! Y desde que Mussolini había entrado en la guerra al lado de Hitler, los refugiados, a pesar de los certificados y las garantías, ya no tenían ningún modo de atravesar el Mediterráneo.

—Por suerte, los ingleses resisten —retomó Ferdi—, pero ¿qué va a ser de los judíos? Aquí, en el café, la gente habla todos los días de las llamadas desesperadas que reciben de sus familias y no se puede hacer nada para ayudarlos a salir de Europa. Parece que algunos llegan ahora por Siberia. ¿Has oído hablar de eso?

El pecho de Walter se hinchó con un enorme suspiro. Su estómago estaba duro como el sílex. Le habría gustado que ninguna palabra inteligible pudiera filtrarse entre sus mandíbulas apretadas.

—¿Qué te pasa, Walter? ¿Te encuentras mal?

En ese momento entraron Franz y Leopoldina Epstein. Walter se levantó con tanta brusquedad que tiró la silla. Leopoldina lo besó, lo apretó contra sí y lo cogió de las manos. Franz lo abrazó.

—Venid —dijo Walter, empujándolos hacia el velador—. Vamos a sentarnos.

Entonces le pidió a Franz que le repitiese lo que ya le había dicho por teléfono: Lisa había perdido el tren. Les había asegurado a sus amigos que era perfectamente capaz de llegar a la estación por sus propios medios. La víspera por la tarde, Franz había pasado una vez más a verla. Todo iba bien, decía ella con valor. Una maleta estaba ya cerrada y estaba terminando con la segunda.

—Teníamos que haber ido a recogerla a casa —se lamentaba Leopoldina—. Era muy complicado porque la pequeña tenía fiebre y también había que ir a buscar a la madre de Franz, pero, con todo, teníamos que haber ido... Además es a ti a quien debemos estar aquí, Walter. Si tú no hubieses enviado el cable a tu madre, nosotros nunca habríamos pensado en el transiberiano.

Franz dijo y repitió que había propuesto en varias ocasiones pasar a recoger a la señora Neumann, pero que todas las veces ella había rehusado con energía. Walter la reconocía bien en ese gesto, en el temor de molestar a los demás. Se imaginaba la desesperanza de su madre cuando, al llegar al andén, hubiese visto cómo desaparecía el tren en medio del humo. Sola en Viena. Sin alojamiento. Tenía ganas de aullar. Unos prolongados aullidos de animal herido le desgarraban el corazón. ¡Lisa! ¿Dónde estaba Lisa? ¿Qué sería de ella? ¿Cómo se las arreglaría? ¿Dónde esperarla ahora?

De pronto no pudo soportar más estar allí sentado, inactivo. Tenía que actuar, advertir a todos los comités posibles, hacer que la buscasen, incluso si la empresa parecía desesperada. De un salto se puso en pie.

—¿Dónde vas? —le preguntó Leopoldina.

Una expresión de ansiedad contraía el rostro de la mujer, que se había vuelto pálido y huesudo, desde su último encuentro. Había sido una hermosa joven de mejillas llenas y cabellos brillantes. Así era como figuraba en las fotografías que Walter había tomado en sus dos bodas con Franz. Leopoldina era cristiana, Franz de origen judío. Primero se habían casado por lo civil, pero luego la pareja había pasado por la iglesia, una vez que Franz se hubo convertido, cuando se anunció el nacimiento de Elisabeth, que ya tenía cuatro años. Cada una de las bodas había sido la ocasión para una alegre fiesta.

Al ver la desesperanza que teñía el rostro de Leopoldina, Walter comprendió que ella estaba esperando su ayuda. La cólera lo asfixiaba. ¿Qué podía hacer por los demás cuando él mismo se debatía como una mosca atrapada en la liga? Iba a marcharse sin más cuando vio a Ferdinand que atravesaba a grandes pasos el comedor con las manos cruzadas a la espalda.

—¡Ferdi! ¡Ven!… Te presento a unos muy buenos amigos y muy queridos de Viena. —Percibió la mirada de agradecimiento de la joven por esa afectuosa presentación—. Franz es médico. Leopoldina, enfermera. Acaban de llegar. Han atravesado Siberia. Fíjate, un tema que te interesa. ¡Venga, os dejo!

Tras lanzar un beso con las puntas de los dedos a Leopoldina y dirigir un saludo a Franz, Walter desapareció.

Ferdinand se sentó. Todo oídos, escuchó cómo los viajeros habían llegado a Berlín y luego a la frontera rusa. En medio de la noche se habían detenido. Unos soldados con la estrella roja habían registrado los vagones de arriba abajo, barriendo hasta los más pequeños rincones con su linterna, en busca de pasajeros clandestinos. Aduaneros con cara de malhechores habían hundido sus sucias manazas en las bolsas y las maletas, habían vaciado las bolsas de aseo y las cajas de medicamentos, cuyos prospectos habían confiscado, por el temor, sin duda, de que fueran ¡mensajes secretos! Del mismo modo se habían apoderado de cualquier otro impreso, incluidos los libros que los Epstein habían cogido para el viaje y los cuentos de la pequeña Elisabeth.

Después de varios transbordos, llegaron dos días de descanso forzoso en Moscú a la espera de coger el transiberiano. Pasaron la noche en un hotel y aprovecharon para visitar la plaza

Roja y el metro con sus profundos subterráneos y sus muros de mármol. A lo largo de las calles, a menudo sin acera, en medio de avenidas vacías de automóviles pasaba una miserable multitud de hombres y mujeres ataviados con ropas remendadas. Era imposible cruzarse con su mirada, como si uno fuese invisible o transparente.

El encargado del Intourist les había recibido en el Transiberiano Express, que debía ser su alojamiento durante casi dos semanas. Días y días en la estepa amarilla y llana o en el corazón oscuro de elevados bosques, horas y horas a lo largo del lago Baikal, grande como el mar. El tren se detenía a menudo delante de pequeñas estaciones de madera. No convenía alejarse, pues nunca se sabía cuándo partiría de nuevo. La parada duraba cinco, quince o cincuenta minutos, no se proporcionaba ninguna información. Campesinos y militares subían o bajaban. Frieda, la madre de Franz, había contraído una disentería, que un soldado había aconsejado curar con vodka. Como carecían de otros remedios apropiados, el médico había obedecido y ¡su madre se había curado! En Novosibirsk se habían encontrado con la auténtica Asia, con su población amarilla, de fuertes pómulos y ojos rasgados y en Krasnoiarsk, el auténtico invierno. El río Yenisei era una ancha cinta de hielo.

Una mañana habían desenganchado su vagón del transiberiano, que continuaba hacia Vladivostok, para soltarlos hacia Mandchuli. Esa pequeña ciudad fronteriza recordaba las factorías descritas en las novelas de Karl May o Jack London. Un campamento de barracas hacía la función de casas, unos pobres jamelgos tiraban de unas carretas bamboleantes. Era allí donde se pasaba a Manchuria, bajo el control de los policías nipones, calzados con botas, fríos y cortantes como sables.

En aquel lugar tuvieron que subirse a un tren de los Ferrocarriles del Este chino. Se les dio la orden, bajo pena de graves represalias, de mantener las cortinas echadas hasta llegar al destino. Unos aterradores soldados japoneses armados recorrían los vagones. Así hasta Harbin, donde los Epstein habían dormido, y luego hasta el puerto de Dairen, donde, tras pasar otra noche en un hotel, cogieron un barco japonés. Dos días más tarde, por fin desembarcaron en Shangai.

Cuando, después de haber dado las gracias a Ferdinand por el café que les había ofrecido, Franz y Leopoldina se encontraron de nuevo en Bubbling Well Road, les pareció que la acera se tambaleaba bajo sus pies. La calle bullía como un mar furioso con sus coches, sus rickshaws y sus bicicletas. No sabían cómo defenderse del acoso de los mendigos y de los niños descarnados y llenos de pústulas que se peleaban, delante de ellos, por venderles uno o dos cigarrillos. No pudieron sino dejarse llevar a merced de la chiquillería. Se habían quedado desmadejados por el sentimiento de culpabilidad ante Walter. Un sentimiento mezclado con una total incertidumbre.

¿Cuál era su sitio en esa ciudad? ¿Qué iban a hacer con su vida? ¿Cómo costearían las necesidades de su familia? Habían tenido que huir del Reich a causa de los orígenes judíos de Franz. Pero allí, como eran cristianos, no habían recibido alojamiento más que por unas noches y el Comité de Asistencia a los refugiados judíos les había advertido de que no podrían beneficiarse de ninguna otra ayuda. Frieda y la pequeña Elisabeth esperaban que ellos regresasen con algún cobijo. A eso se le añadía que las cajas embaladas en Viena no habían llegado con ellos. ¿Verían de nuevo alguna vez sus bienes? ¿Cuándo? Sus posesiones se reducían al contenido de cuatro pequeñas maletas, una por persona.

10

Con los ojos cerrados, Feng-si abandonaba su rostro a las manos expertas de Anastasia. Esta rusa blanca, eternamente tocada con un turbante, trabajaba en el salón de cosmética, en el que se dispensaban masajes faciales y servicios de pedicura, peluquería y manicura. Asimismo, allí se difundían también jugosos cotilleos. De mediana estatura y siempre encaramada a unos tacones altísimos, Anastasia tenía una apariencia impresionante cuando estaba ataviada tan solo con una bata blanca que se abría por las piernas y la cintura sin ceñir, que resaltaba un pecho todavía hermoso. Sin embargo, vestida perdía su encanto: sus ropas, vestigios de tres meses de abundancia durante los cuales había sido la novia de un estadounidense, habían ya cumplido su servicio. El jefe de su amigo, al enterarse de esta relación, lo había hecho volver a Estados Unidos.

Como el distinguido salón en el que trabajaba Anastasia no admitía a chinos, Laoma, no sin malicia, le había ofrecido el alquiler de una habitación en su casa de la rue Gaston-Kahn, el mismo donde Feng-si alojaba a Walter, a cambio de su servicio a domicilio. Anastasia y Feng-si se entendían por gestos, risas o palabras extraídas de una u otra lengua, que se enseñaban entre sí.

Anastasia, extenuada esa tarde por una jornada agotadora (todas querían que se las peinase y se les hiciese la manicura para celebrar la Navidad al día siguiente), acogía con alivio el silencio de Feng-si, que estaba pensativa. La china meditaba sobre la reciente visita de Wu Yutsing, su protector, jefe de la Banda Verde. A pesar de la repugnancia que le causaba, no había podido negarse a acceder a su petición: amenizar con su presencia el banquete que iba a ofrecer en honor del jefe de las fuerzas navales japonesas, las cuales administraban el sector de Shangai. En otras palabras, seducir a su ilustre y todopoderoso invitado.

Los chinos vilipendiaban y se burlaban de los japoneses. «Un enano de las islas», pensaba Feng-si con desprecio. ¿Cómo olvidar los actos de crueldad perpetrados a su llegada por los soldados del Sol Naciente? Deliberadamente, habían incendiado barrios enteros de Nantao, la superpoblada antigua ciudad china, donde todavía vivía, en una calle preservada de milagro, la familia de Feng-si. Un jesuita francés, el padre Jacquinot, había creado una zona de refugio en la que albergaba a los desdichados que habían perdido todo entre las llamas. Llamaba a las puertas para conseguir donaciones arrostrando los desaires y, con su cara obstinada y descarnada, sus gruesas gafas de miope, su vieja hopalanda de lana y sus zapatones enlodados, lograba llegar a los salones de mayor postín. Miles de desheredados chinos sobrevivían gracias a la actividad y la infatigable tenacidad del sacerdote.

El padre Jacquinot había prohibido el acceso a la zona de refugio a los militares japoneses. No obstante, los soldados nipones hacían incursiones, saqueaban y violaban. Se llevaban a niñas y mujeres jóvenes a las que nunca se volvía a ver.

Después de la ocupación de Shangai, los vencedores se habían internado en el país en dirección a Nankín donde, en nombre del emperador, habían entrado a saco, ametrallando a los civiles y ensartando a los niños en sus sables. Se decía que en Nankín ya casi no quedaban niñas vírgenes. En el otoño de 1939 nacieron miles de bastardos. Y Japón proseguía su conquista del territorio chino.

Una vez que Anastasia se hubo marchado, Feng-si encendió

un cigarrillo entre los dedos con las uñas recién pintadas y retomó el curso de sus pensamientos. Después del saqueo de Nankín, el ejército japonés había hecho nombrar un gobierno títere. En ese momento cohabitaban dos repúblicas chinas: una projaponesa comandada por Wang Chingwei y otra, la verdadera República china, dirigida por el nacionalista Chiang Kaishek, que se había establecido en Chungking, en la región de Sichuan. Un recuerdo de cuando era pequeña se mantenía vívido en la memoria de Feng-si. Cierto día había visto pasar al Generalísimo en su soberbia limusina enarbolando la bandera del Guomindang, azul y roja con el esbozo de un sol blanco. La visión del estandarte que representaba tantas esperanzas para su país, desgarrado y humillado, la conmovía hasta hacerla llorar.

¡Ahora resultaba que Wu Yutsing le ordenaba que se pusiera al servicio del Guomindang! Y que para servir a la causa, le ordenaba precisamente ¡que atrapara en sus redes a uno de esos vilipendiados japoneses! ¿Cómo sería ese hombre? Sabía que había dejado en Tokio a una esposa enferma de tuberculosis y también que coleccionaba antigüedades. Wu Yutsing, que poseía un almacén de curiosidades en el corazón de la ciudad china, lo había conocido por eso y mantenía con él unas relaciones privilegiadas. Un par de arbolitos de jade y cristal habían sido el objeto de su última transacción. Las aletas de la nariz del nipón traicionaban su gran deseo, por lo que Wu Yutsing había defendido su precio con una rara obstinación. Al cabo de una discusión muy áspera, habían llegado por fin a un acuerdo. El jefe de las fuerzas navales japonesas había firmado un abultado cheque y, entonces, Wu Yutsing, remedando el comportamiento de un *gentleman* chino, le había invitado a un pequeño banquete.

Feng-si llamó a Huilan para que la ayudara a vestirse. Había preparado mentalmente los cebos con los que podría incitar al «viejo cerdo». Un efluvio de almizcle mezclado con orquídea para provocar su nariz. Un vestido de seda gris claro bordado, ceñido, que resaltaba su delicado tono de piel. A los japoneses, según le había informado Wu Yutsing, les gustaban las mujeres de tez clara, sin ningún lunar en el cuerpo. Zapatos de tacón muy alto, que le hacían los pies minúsculos, y un bolso de perlas grises y blancas.

Wu Yutsing había reservado un comedor privado en un restaurante de Wuching Road. Una acertada elección. Era en ese establecimiento donde los representantes del gobierno projaponés trataban a los huéspedes que querían honrar. Por ejemplo, su propagandista Trebitsch-Lincoln o incluso a Huang Pamei, la «Reina de los Piratas», cuando se sometió al ejército del Sol Naciente.

Wu Yutsing había convidado también al banquete a su asociado, el gordo Chang, además de a un europeo, el doctor Abraham Cohn, y todos se sentaron alrededor de una mesa redonda. Feng-si ocupó un sitio entre el militar japonés vestido de uniforme y el europeo con traje de alpaca azul marino. Los dos chinos estaban ataviados con largos vestidos de color antracita.

La cena comenzó con un té de Hang-cheu y el camarero acudió a repartirles con unas pinzas servilletas calientes, húmedas y perfumadas.

—Nosotros somos tres chinos ignorantes —declaró Wu Yutsing con aire contrito al japonés, mientras se frotaba las manos con la servilleta—, pero el doctor Abraham Cohn habla muy bien su idioma.

Había insistido en el nombre de Abraham.

Una de las cejas del japonés y el fino bigote que le ribeteaba el labio tomaron la forma de un ángulo. Sin embargo, no dijo una palabra, limitándose a esbozar una reverencia en dirección al amigo de los japoneses.

—*Tchin!** —lanzó Wu Yutsing levantando su pequeña taza de vino amarillo de Shaoshing.

—*Kampei!* —añadió el gordo Chang y todos apuraron su vaso.

* «¡Por favor!»

Luego los palillos empezaron a revolotear. Los camareros habían dispuesto platos fríos en la mesa: tiras de pollo al perfume de flores, jamón a las semillas de flores, lonchas de pato asado, medusas y mariscos. Wu pescaba los mejores trozos para depositarlos en el plato del japonés. Las exclamaciones y el entrechocar de las mandíbulas atestiguaban la excelencia de la comida. Pequeños trozos de huesos, de grasa, espinas y conchas alfombraron enseguida el mantel delante del plato de los comensales. Una vez saciado, el japonés se limpió los labios y, volviéndose hacia el europeo, deseó saber las circunstancias que habían conducido al honorable extranjero al aprendizaje de una lengua tan poco útil para el comercio mundial como el japonés. Feng-si se preguntó por qué motivo también él había insistido en el nombre, Abraham, del doctor Cohn.

Este último relató que había nacido en Rumanía, pero sus padres lo habían llevado a la edad de seis años a Nagasaki. «¿Serán todos los rumanos así de guapos?», se preguntó Feng-si. Rondaba los cuarenta años. Alto y de espaldas anchas, se distinguía por unos espesos cabellos negros ligeramente ondulados. Describió su recorrido escolar y universitario en Japón, coronado por un diploma de medicina. El militar mostró su gran satisfacción inclinando varias veces su rostro sonriente.

—*Kampei!* —profirió Wu—. ¡Por la amistad entre los pueblos!

Una vez vacía su taza, hizo una señal al camarero para que les llevara otra botella.

—¡Un vino delicioso! —observó el nipón inclinando la cabeza para elogiar la elección de su anfitrión.

Chasqueó la lengua, se alisó el bigote y miró a Feng-si como si acabara de darse cuenta de su presencia. Ella le sonrió con timidez. Los ojos del japonés permanecieron fríos. Un olor a comida caliente distrajo su atención y observó, contento, el cochinillo laqueado que el camarero depositaba en el centro de la mesa.

—¡Magnífico! —exclamó—. Me está malacostumbrando, querido señor Wu. No me merezco tanto.

El gordo Chang miró al militar con una expresión indefinible. Su labio inferior, siempre adelantado, se doblaba en un revoltillo semejante al de las tajadas de mariscos que acababa de devorar con tanto apetito.

—Nuestros cocineros chinos preparan platos diferentes para los jóvenes y para los viejos, para los que quieren dormir y para los que se preparan para el placer. Los platos grasos, como este, anticipan acontecimientos venturosos. *Kampei!*

Se bebieron el vino y atacaron el lechón. Wu balanceaba su cara ancha y roja mientras miraba de reojo a su invitado de honor bajo sus espesas cejas.

—El doctor Cohn —retomó, cuando aflojó el juego de los palillos— es cinturón negro de kárate y un maestro consumado del haiku… Un breve poema clásico de tres versos, creo. A no ser que esté equivocado.

—Exactamente —aseguró el jefe de las fuerzas navales japonesas examinando el rostro del europeo.

Feng-si sabía que la educación la obligaba a ocultar su asombro. El japonés recitó un haiku, Cohn le respondió con otro y los chinos aplaudieron tan gran virtuosismo. Wu hizo un brindis por el espíritu poético. El vino empezó a colorear los pómulos de los comensales.

Ventresca de pescado con salsa blanca y orejas marinas con salsa de ostras enmarcaron a continuación los restos del lechón. El japonés protestó. Era demasiado, demasiado honor. Wu lo refutó y ordenó que se sirviera el pichón relleno de nidos de golondrina. Una vez más, el nipón se maravilló y pretendió que no merecía tanto fasto.

—Lo hemos hecho lo mejor que hemos podido y, aun así, nuestra modesta comida —le replicó Wu, como era obligado— no está a la altura de nuestro ilustre invitado.

El jefe de las fuerzas navales soltó un eructo y replicó:

—Su invitado sí que es totalmente indigno de esta soberbia comida celebrada en tan hermosa compañía.

Dirigió educadamente una mirada inexpresiva en dirección

a Feng-si. El sudor le perlaba las sienes. A continuación retomó una animada conversación con el doctor Cohn.

—Si no me equivoco, tiene usted un nombre judío —quiso de pronto confirmar el japonés.

—En efecto. Busqué refugio en Shangai, hará aproximadamente un año.

Hablaron sobre la Biblia, que parecía ser el libro sagrado de los judíos (aunque Walter nunca había hecho ninguna alusión a él) y de una oscura historia sobre una decimotercera tribu perdida.

Poco a poco la mesa se había cubierto con nuevos platos, cada uno de los cuales preparaba el paladar para el siguiente. Enseguida engulleron unos brotes de bambú rellenos, seguidos de cohombros de mar a la costra de arroz.

—Siento una gran admiración por el pueblo judío —declaró el japonés fijando sus ojos en los de Cohn.

Feng-si empezaba a dudar de la utilidad de su presencia. ¿Le perdonaría el influyente Wu Yutsing haber fallado en la seducción?

—He estudiado con detenimiento su historia —prosiguió el japonés—, la conozco bien. Los judíos sobresalen por su inteligencia, sus aptitudes y su sentido de la solidaridad.

—¡No generalicemos, señor! Cada pueblo...

El jefe de las fuerzas navales lo hizo callar con un gesto.

—Personalmente, estoy muy contento de que se hayan podido establecer en Shangai y me esfuerzo en facilitarles su integración en China. El año pasado participé en la redacción de un informe, aprobado por el gobierno japonés, en el que preconizábamos la refundación de Israel en Asia. Por desgracia, lejos de ayudarnos como convenía, los judíos británicos, los señores Sassoon, Kadoorie, Hayim y compañía, así como el señor Boris Topas, jefe de la comunidad judía rusa, nos han requerido que cerrásemos el puerto de Shangai a los refugiados. Estoy muy decepcionado, señor Cohn —añadió con una mirada de ratificación—. Nuestra única esperanza reside ahora en los judíos estadounidenses. Han demostrado en el pasado que saben ser solidarios con sus hermanos de raza, pero hasta ahora han dejado nuestros telegramas sin respuesta.

Su rostro se había entristecido.

Wu citó un poema en que se celebraba la paciencia y levantó su taza de vino.

—¡Por el pueblo judío, señor!

Bebieron a la salud del pueblo judío del mundo entero, los judíos estadounidenses y los judíos europeos, mientras los camareros servían la delicada aleta de tiburón entera a los caldos diversos. Celebraron su aparición con varias aclamaciones y Wu mandó llamar al cocinero, que, en respuesta a las felicitaciones de costumbre, sacudió con humildad su cara de blandos carrillos.

Tras hacer los honores al exquisito manjar a la vez que aseguraba que estaba totalmente satisfecho, el japonés preguntó de pronto a Feng-si si sabía tocar algún instrumento. Era la primera vez que le dirigía la palabra.

—Puedo extraer algunas notas de la mandolina.

—¡Eres demasiado modesta, Feng-si! —replicó el gordo Chang—. La señorita Feng-si toca de maravilla y además canta con una voz de ruiseñor. Es un deleite escucharla.

Feng-si correspondió con una mirada de agradecimiento a quien con unas pocas palabras había sabido devolverle su prestigio. Bajo su caparazón de Buda, el gordo Chang era un hombre sensible.

No obstante, el pato a los cinco perfumes desvió la conversación. A continuación desfilaron una carpa roja frita, cuya cabeza fue por derecho y a pesar de sus protestas al insigne invitado, y un rabo de buey al vapor… El militar japonés brindó por su anfitrión y la botella vacía siguió el camino de las anteriores.

En el postre, todos los comensales reían y hablaban al mismo tiempo. Feng-si sorprendió sobre ella los ojos indiscretos del nipón. El vino amarillo había teñido su piel con un tinte violáceo. Feng-si eligió la más hermosa oreja de plata a la piña y la depositó con el extremo de los palillos en el plato del japonés.

—Quiere saber cuándo podrá escucharte tocar la mandolina y cantar —dijo Wu sobriamente mientras acompañaba a Feng-si en su Ford conducido por un chófer.

Una sonrisa flotó en los labios de la china. Como la conversación había girado mucho tiempo en torno a los judíos y Walter pertenecía a ese pueblo, a pesar de que no entendía en qué medida esa particularidad lo distinguía de los demás extranjeros, la misión le interesaba extremadamente.

Pensó que tendría que interrogar también a su joven primo Kiakiu, el criado de Walter. ¿Quién podía ser esa muchacha o mujer joven, rusa al parecer, que según las afirmaciones de Kiakiu y Fengyong, telefoneaba con tanta frecuencia?

11

Casi un año más tarde, el 6 de diciembre de 1941, Walter se encontraba al final de la mañana en un tranvía que lo dejaría cerca de Hongkew. Era sábado. Finalmente había aceptado comer en casa de los Fischer. Greta, para dar gusto a Hans, se lo llevaba pidiendo desde hacía mucho tiempo. «Siento no poder invitar también a Masha —se había lamentado Greta—, pero nuestra casa es tan pequeña... Y, además, sentiría vergüenza de recibirla en este cuchitril.» Así estaba muy bien. Masha habría considerado esa visita una lata, pues detestaba Hongkew, sucio y maloliente. Además no tenía ninguna simpatía por los Fischer y, de manera confusa, Walter sentía que la presencia de su prometida lo habría molestado.

Hans tenía ya catorce años. La edad de la pubertad. Su comportamiento inquietaba a sus padres. De carácter taciturno, no había hecho ningún amigo de su edad, ni en el colegio ni en el gimnasio. Más que la compañía de sus compañeros, prefería la de los adultos, a quienes obstinadamente quería ayudar, o la soledad. Walter había estado buscando durante mucho tiempo un presente para llevar a los Fischer. Se había dado una vuelta por el Wing On. Sin embargo, todas sus mercancías irresistibles pero fútiles no habían hecho más que aumentar su incertidumbre. Entró por casualidad en un almacén de saldos y fue a parar delante de una pequeña flauta de madera casi nueva, con un método. Walter recordó el consuelo que le había ofrecido a él la música en sus momentos de angustia y la compró de inmediato para Hans, aunque no había contado con una compra tan gravosa. La deslizó a resguardo de los ladrones en el bolsillo interior, de modo que deformaba su chaqueta cruzada. Una temperatura muy suave para el mes de diciembre condenaba a los abrigos a permanecer en los roperos, mientras que, el invierno anterior, los refugiados tuvieron que lamentar amargamente el haber vendido en verano sus abrigos de piel y su ropa de invierno, algunos para pagar el alquiler, otros para comer y otros para arreglar su pequeño dormitorio.

Estos recuerdos del año anterior llamaron a Walter al orden. El *Shanghai Herald*, un nuevo diario vespertino, le había encargado un artículo titulado «El año 1941» y ¡tenía que ponerse de inmediato a trabajar! A pesar del traqueteo, decidió apuntar en su libreta las primeras ideas, según le venían a la cabeza. Enfrente de él, una madre y sus dos críos se reían con disimulo cada vez que el lápiz se le iba.

El problema de un refugio judío permanecía intacto. Walter se preguntó de pronto si el antiguo ofrecimiento de los japoneses seguía todavía en pie. ¿Fue en 1933 o 1934? Tras el ascenso de Hitler, el ministro de Asuntos Exteriores japonés había presentado el proyecto de acoger a cincuenta mil judíos alemanes en el Manchukuo. No había tenido ninguna consecuencia. Se había retomado la idea en 1938, en Évian, durante la conferencia intergubernamental (¡un fracaso!) en la que se había discutido sobre el destino de los refugiados judíos. Se habían expuesto varias soluciones irreales. En primer lugar, la Guayana Británica. ¿De verdad imaginaban los ingleses que un Moshe o una Rachel se iban a convertir de la noche a la mañana en recolectores de copra? Francia propuso entonces Madagascar, ¡con la misma objeción!; luego, un ministro estadounidense había elogiado las virtudes de Alaska, ¡el lugar de los sueños de los judíos del Mediterráneo!, al mismo tiempo que uno de sus compatriotas, senador, imaginaba la creación de un Estado judío en África Central. La última propuesta, Filipinas, que se decía dispuesta a recibir a diez mil inmigrantes. Ahora bien, solo la comunidad judía de Shangai había incorporado a ¡veintiún mil refugiados!

Cerca de tres mil personas habían desembarcado en Shangai incluso después de la decisión de cerrar el puerto. Tres mil era también el número de austríacos que vivían en ese momento en China. Consigo habían llevado una manera de ser, unas costumbres y una conciencia austríacas, justo cuando su estado había desaparecido del mapa del mundo. Inconformistas, alegres y descuidados, conseguían hacer sin aparente dificultad los mejores productos, los de mayor calidad y los más refinados. Ese logro los indisponía hasta grados extremos con los alemanes, serios, gruñones y quisquillosos. «¿No es cierto, querido Horst?», pensó Walter con un guiño mental a su amigo. El único punto en común para los originarios de las dos regiones era la animosidad que unos inspiraban a los otros. Durante la boda (¡qué extravagancia!) de un joven austríaco y una señorita alemana, las dos partes se habían abstenido de confraternizar. Además (¡estaba claro que los espíritus no se iban a calmar!), ese verano acababan de afluir unos mil polacos, tras un éxodo atormentado vía Japón. ¡Un grupo increíblemente dispar! Sionistas y bundistas,* periodistas y artistas, escritores, abogados, médicos, profesores, campesinos, artesanos… Pero quienes causaban estupefacción, tanto entre los chinos como entre los europeos, eran los religiosos. Sus *pailless*, dos bucles de pelo que jamás habían conocido la tijera, brincaban delante de cada una de sus orejas bajo el sombrero de ala ancha y su espesa barba jugueteaba sobre un largo abrigo de satén negro. Los doscientos estudiantes polacos de la *yeshiva*** de Mir, a los que se unieron ciento cincuenta estudiantes de otras *yeshivoth*,*** escuchaban en ese momento la voz de la Torah detrás de los pupitres de la

---

* El Bund era un movimiento obrero creado a finales del siglo xix, activo en Polonia, que intentaba unir a los trabajadores judíos, preconizaba el yídish como lengua nacional y rechazaba el hebreo y la cultura hebraica.
** En hebreo, escuela talmúdica donde se forma a los maestros y los rabinos.
*** Plural de *yeshiva*.

suntuosa sinagoga blanca, construida por Silas Hardoon en la época en que todavía era judío. Un golpe para el roñoso millonario convertido al budismo, que se estaría revolviendo en su tumba. No había considerado apropiado legar ni un solo céntimo a la comunidad judía, como tampoco ¡a su pobre sobrino judío! Su viuda china había muerto justo antes de la irrupción de los jóvenes con sombrero negro. En signo de luto, el ayuntamiento había erigido en Nanking Road tres grandes arcos de bambú lo bastante altos para dejar pasar a los autobuses de dos pisos e iluminados por miles de bombillas rojas, verdes y amarillas, mágicas en la noche. La noche de los funerales se habían agolpado miles de personas en las aceras y en las ventanas de las casas para ver desfilar el suntuoso catafalco.

Era junio, en la época de la Operación Barbarroja, cuando el Reich lanzó sus tropas contra Rusia, con la invasión de Lituania en primer lugar. Desde ese día cualquier ruta hacia el Extremo Oriente había quedado definitivamente cerrada a los refugiados. ¿Hasta cuándo? ¿Podía Stalin infligir una rápida derrota a Hitler?

Los comités de acogida habían demostrado a la vez su incompetencia para organizar el auxilio y su incapacidad para la cohesión. ¡Tanto dinero y tantas buenas voluntades estropeadas! Bastaba un orgullo herido para que un proyecto se malograse. La disputa final de sir Victor Sassoon y el señor Speelman, presidente del Comité de Asistencia, había roto para siempre la esperanza de una unidad caritativa. Alarmado, el organismo estadounidense Joint Distribution Committee tomó entonces la feliz iniciativa de enviar en mayo a una profesional del auxilio, Laura Margolis.

La severa miss Margolis, con su nariz aguileña y sus zapatos planos, no tenía por costumbre andarse con rodeos. Nacida en Constantinopla, la estadounidense políglota acababa de pasar dos años en Cuba, prestando asistencia a los refugiados que deseaban emigrar a Estados Unidos. En Shangai, tenía que ayudar al consulado de su país a seleccionar a potenciales emigrantes y a procurar ordenar la distribución de las ayudas. En la suite del Cathay Hotel con bañera de mármol y grifos dorados, donde la habían alojado, se dio cuenta de inmediato de que las faldas y blusas que había traído de Cuba no resultarían adecuadas en los obligados fastos. ¿Quería conocer a los ricos sefardíes que gobernaban los comités? Entonces tendría que frecuentar cada día cócteles, fiestas y cenas. ¿Cómo habría podido rehusar la invitación de los Kadoorie a su sala de baile de Marble Hall? La visita al día siguiente por la mañana de uno de los numerosos dormitorios colectivos donde cuatrocientos refugiados se contentaban con dos letrinas no debía parecerle sino más penosa.

Las raciones de alimento habían disminuido. La carne se limitaba a unas hebras de carne de buey que de vez en cuando flotaban en la sopa aguada. Walter suspiró. Pensar que esos hombres habían sido abogados fogosos, compositores llamados al éxito, artistas ovacionados y que entonces padecían desnutrición y depresión le producía una gran tristeza.

Levantó la nariz, mientras mordisqueaba el extremo de su lapicero, en busca de otras ideas para desarrollar en su artículo. Desplegada por el viento, la bandera nazi restallaba por encima de la Kaiser Wilhelm Schule, recordando que los alemanes, aliados de los japoneses, se habían convertido en la nación elegida. Una oleada de odio arrastró a Walter.

A pesar de todas sus investigaciones, no tenía noticias sobre su madre y se temía lo peor. Ella no habría dejado de escribirle si hubiese estado en condiciones de hacerlo. La impotencia atormentaba a Walter. Cuando pensaba en ello, se sentía empujado hacia el abismo. Una espiral sin fin. Si quería mantener la cabeza fuera del agua, tenía que evitar pensar en Lisa.

Con los nervios tensos por un esfuerzo de concentración, Walter volvió a sus notas. Los japoneses… Había perdido el hilo de sus pensamientos. ¿Qué importante anotación quería entonces apuntar acerca de los japoneses? Ah, sí: en alguna parte había leído que, durante un programa radiofónico, el jefe de las fuerzas navales japonesas se había comprometido en nombre de su país a tratar lo mejor posible a los judíos. Y, en efecto, según se decía, los polacos que habían llegado por el puerto japonés de Kobe no podían sino celebrar la acogida recibida en el país del Sol Naciente.

A finales de septiembre, ese mismo personaje había puesto a Walter en un grave dilema. Walter estaba encargado de comunicar, durante su programa de radio semanal, en el que acogía a artistas que habían sufrido el régimen nazi, las felicitaciones expresadas por los consulados extranjeros con ocasión del Año Nuevo judío. Los japoneses no se habían manifestado los años anteriores. Y resultaba que el jefe de las fuerzas navales japonesas le había pedido que transmitiera las felicitaciones de su majestad imperial… ¿Qué hacer? Japón había firmado un pacto con Alemania. Por otra parte, Estados Unidos había estimado oportuno tomar algunas disposiciones en relación con Japón en el caso de un ataque contra ellos y la radio que acogía a Walter era ¡estadounidense! «¿Qué hacer?», se repetía Walter. En primer lugar pensó en preguntar su opinión a Feng-si, cuya sabiduría apreciaba. Pero renunció porque sabía que era vehementemente antijaponesa. Luego había preguntado a los Sokolov que, al recordar el antisemitismo de los japoneses en Harbin, se habían quedado sin respuesta. El propio Walter conservaba en su recuerdo la crueldad de los centinelas nipones en el Garden Bridge. El día de la emisión se acercaba y él se torturaba sin encontrar una respuesta. Pero, de repente, caminando por la noche, se había dado cuenta de que debía la libertad ¡a los japoneses! ¿Qué habría sido de él y de los otros veinte mil perseguidos, si al igual que todos los demás puertos del mundo, el de Shangai hubiese rehusado acogerlos?

Walter había difundido el mensaje del Mikado.

Un concierto de gritos atrajo su atención. La policía estaba reuniendo mendigos. Apenas se distinguían sus rasgos, tan espeso era su caparazón de polvo y mugre, solo perforado por dos puntos blancos, los ojos. Uno, semidesnudo, tumbado sobre el suelo y agitado por convulsiones, profería gritos mientras se le escapaba una baba negruzca. Otro, saliendo de un montón de trapos, exhibía dos muñones por piernas, sangrantes y gangrenosos. Nada con lo que conmoverse. ¡Los muñones debían de ser de cera! La mendicidad, profesión elegida y ejercida mediante la simulación, era el único recurso para miles de desdichados.

Walter bajó del tranvía después de hacer un gesto amistoso a los críos que había tenido tan entretenidos. Luego, tras atravesar el Garden Bridge a pie, esperó el pequeño Ford. Sus propietarios, dos refugiados, habían ideado ofrecer un servicio de transporte regular hasta Wayside Road. Delante del café Colibri, un nuevo restaurante de dos plantas, tres hombres de negocios japoneses esperaban a un compañero que salía de la tienda de tabaco Weinberg.

—*No papa! No mama! No chow chow! Please pay cumsha!*[*]

Una minúscula niña con flequillo y unas lustrosas trenzas tendía la mano. Cuando Walter hurgó en sus bolsillos, una bandada de chiquillos acudió a colgarse de sus faldones. Le costó un tremendo trabajo desembarazarse de ellos para entrar en el coche. De camino, Walter advirtió la apertura de un nuevo comercio de pequeños artículos de escritorio: Silberman's Stationery. Y luego una nueva tienda de ultramarinos acá, una panadería allá, una farmacia más allá, e incluso ¡un establecimiento de baños a la europea! Dos nuevos cines, ¡el Wayside Theatre en Broadway Road y el Broadway Theatre en Wayside Road!, proyectaban las últimas películas de la Metro Goldwyn Mayer. Restaurantes, pastelerías vienesas, tiendas de saldos…

—Cada día se abre un nuevo comercio —confirmó Greta cuando Walter se reunió con sus amigos en la habitación de tres metros cuadrados, algo más grande que la anterior, que ocupaban por aquel entonces no lejos de aquella.

Walter se quitó la chaqueta y, tras una breve lucha con Hans (el chico se había puesto realmente fuerte), le dio su regalo. Hans lanzó un grito de alegría que habría despertado a un dor-

***

[*] «¡No tengo papá! ¡No tengo mamá! ¡Nada para comer! ¡Deme una limosna, por favor!»

mitorio colectivo entero. Enseguida se aplicó a realizar los ejercicios descritos en el método, lo que debido a la estrechez de la vivienda resultaba insoportable. Walter hizo una mueca.

—¡Yo que creía que había tenido una buena idea!

—Es una idea estupenda —replicó Otto—. Irá a practicar a la calle después de comer. ¡Venga, Hans, deja la flauta y siéntate!

No había más que dos sillas. Hans se deslizó por la cama, junto a su padre, y Walter empujó la mesa hacia ellos. Era la única manera de que cuatro personas estuvieran sentadas en la habitación.

Walter no estaba seguro de imaginar bien qué milagros culinarios y financieros había realizado Greta para conseguir aquel delicioso gulasch. Los Fischer vivían al día, justo con el dinero necesario para cubrir sus necesidades vitales, pero no se quejaban, felices por estar vivos. Sencillamente, esperaban que aquel infierno no durase demasiado. Otto, al límite de sus fuerzas, había renunciado a gastar su sudor en beneficio de un fabricante chino de briquetas.

—En verano, se hizo insoportable —le contó Otto—. Las briquetas, sabes, son residuos de alquitrán de hulla mezclados con polvo de carbón. Había una prensa y éramos cuatro hombres para correr alrededor de ella como si fuéramos caballos. A los diez minutos estábamos completamente negros y muertos de sed. Para beber no había más que té. Cuanto más bebíamos, más calor teníamos, más transpirábamos y más carbón se nos pegaba a la piel.

Entonces, Otto, hablando con unos y con otros, se dio cuenta de que podía convertirse en «decorador de interiores». Localizaba a alguien que estuviese buscando una cortina o una colcha y le proponía los servicios de Greta. Entre encargo y encargo, ella cosía cubreteteras y fundas para mantener el agua caliente, objetos que Otto vendía por la calle y en los cafés. Otto sonrió con tristeza.

—No es Jauja pero nos las apañamos sin tener que pedir nada a nadie. ¡Si me hubiesen dicho que iba a ser «decorador»!

—¡Y criador de conejos! —recordó Greta señalando con la barbilla el pequeño balcón.

Otto estalló entonces en una sonora carcajada. Era un hombre simpático, con su rostro despejado, sus grandes orejas, los ojos vivos y el pelo cortado a cepillo.

—¡No soy ni el más quejica ni el más inventivo! ¿Sabes? Se dice que aquí…

Una dama que había sido propietaria de un gran hotel en Berlín lavaba platos en la cocina del Shanghai General Hospital y el cocinero del arroz del mismo establecimiento era el fundador de una famosa fábrica de zapatos en Mannheim. Otros que habían disfrutado de posiciones brillantes se ganaban la vida trabajando para peleteros rusos, fabricantes de papel japoneses, en lavanderías chinas o, más exótico aún, en una fábrica de molienda de cacahuetes. Una señora de Hamburgo confeccionaba muñecos con trapos. Una gente procedente de Chemnitz, que exportaba artículos chinos a Nueva York, al ir a enviar sus paquetes, se había encontrado en la oficina de correos con gente de Dresde que realizaba el mismo comercio con una empresa de Filadelfia. Una mujer de Innsbruck había adquirido unos cestos y, con la pértiga al hombro, vendía por la calle los bollos que compraba a un panadero vienés. La palma de la astucia iba a parar a un polaco poseedor de dos objetos extremadamente caros y raros: un despertador y un afilador de cuchillas de afeitar. Al amanecer, aguardaba la apertura de un café cercano, se precipitaba hacia el teléfono y llamaba al Observatorio Meteorológico de Zikawei para enterarse del pronóstico del tiempo. Luego se apresuraba a llamar a la puerta de sus clientes para despertarlos, les anunciaba el buen tiempo o la lluvia para que supieran cómo vestirse y de vez en cuando volvía a pasar un poco más tarde para recoger una maquinilla de afeitar que llevaría de vuelta a la mañana siguiente. Todo el mundo trabajaba pero eran pocos los que ganaban lo suficiente para comer hasta hartarse.

—¡Yo lo haré! —pregonó Hans.

Cogió la flauta, que había estado contemplando con miradas entusiastas mientras comía, y salió de la habitación de dos brincos. A Walter los ojos se le enmarcaron con pliegues de alegría. Pensó que, en efecto, Hans no era muy hablador. El tiempo había transcurrido. Deseaba marcharse, pero primero se ofreció para fregar los platos.

—De eso ni hablar —dijo Greta—. Eres mi invitado y además aquí es demasiado complicado. Hay que estar acostumbrado.

Le revolvió el pelo como a un niño. Un gesto cariñoso que hizo a Walter tanto bien como mal, pues le recordaba a Lisa. Se sobrepuso y dijo riéndose que no era manco y que en el Wiener Café había adquirido una sólida experiencia en materia de fregado.

Greta se puso seria.

—¡No me hagas enfadar! Mejor háblanos de ti mientras yo despacho esto.

Entonces Walter mencionó el artículo que estaba escribiendo sobre el año que se acababa y preguntó a sus amigos si conocían a algún polaco. Otto y Greta no los trataban, pero le contaron lo que habían oído. ¡A esa gente no le faltaba carácter! Todavía no habían dejado Kobe, la ciudad de tránsito en Japón, y ya estaban presionando al jefe espiritual de la comunidad rusa de Shangai para que se les organizase un comité de auxilio extraordinario e independiente! ¡Y lo habían conseguido! Eastjewcom había sido creado en el mes de marzo. A pesar de su desastrosa situación económica, habían rechazado el cobijo en los *Heime*, cuyas condiciones consideraban denigrantes, y habían conseguido que se les concediese alojamientos individuales.

—Hay que decir —mencionó Otto con desprecio e ira— que los judíos rusos a ellos los han ayudado. De nosotros, pasaron.

—¡Chis, chis! —susurró Greta para aplacarlo.

Walter se dio cuenta de que estaba pensando en Sokolov.

—No te preocupes, Greta. He hablado mucho del tema

con Alexander. Él tiene sus ideas y yo las mías. En efecto, se ha movido mucho por Eastjewcom. Al igual que por la fundación de la New Synagogue. Se entrega con pasión a las causas que le afectan, pero el resto ni le roza. No hay que reprochárselo. No debe ser el único de ese tipo.

Otto encendió un cigarrillo y aspiró con rabia la primera calada.

—Además —continuó—, los polacos han recibido subsidios diarios del Joint Distribution Committee… ¡Con el pretexto de que la comida *kosher* es más cara que la nuestra! —gruñó Otto—. De haberlo sabido, me habría dejado crecer las *pailless*… Pero eso no es todo. Han conseguido que se abra un restaurante *kosher*, especialmente para ellos, ¡donde pueden comer a mitad de precio! Es el colmo, ¿o no?

—¡Cálmate, Otto! —dijo Greta secándose las manos agrietadas—. No te sirve de nada.

Pero estaba colérico.

—Y el rey del robo con tirón y el dueño del burdel, ¡esos no han probado el cerdo en su vida! ¿Verdad? ¡No me vas a decir que esos dos no comen como todo el mundo!

—De sobra sabes que siempre hay quien se aprovecha… —observó Greta con un tono cansado colocando su silla delante de la máquina de coser—. Dime, Walter, ¿qué tal le va a Masha? ¿Está preparando una nueva obra?

Masha había actuado hacía poco en un espectáculo ofrecido en beneficio de la New Synagogue. Su aparición en escena había sido encantadora y aplaudida, pero Walter debía reconocer que su actuación resultaba falsa. Un día que se encontraba enfadado, se sorprendió con el pensamiento de que estaba más dotada para hacer comedia en la vida real que sobre el escenario.

—Lo que más le gusta —respondió Walter— son los trajes. ¡Masha adora disfrazarse! El sábado pasado dejé en la estacada a Veneto a causa del Bal des Nations en el Cercle Sportif Français. Masha quería ir a toda costa y no habría entendido que le privase de ese capricho.

Él se consideraba recompensado, pues Masha había obtenido el primer premio. La curva de sus caderas se amoldaba de maravilla a su vestido de princesa árabe y el velo que ocultaba la parte inferior de su rostro realzaba su mirada con un brillo misterioso. Otros premios y menciones habían sido concedidos a un jeque beduino, a un granuja parisino, a una tahitiana, a un tirolés, a un maharajá, a un pelotari vasco y a una japonesa.

—Y ¿tú? —le preguntó Greta—. ¿De qué te disfrazaste?

Walter se echó a reír.

—¿Yo? De chino. Era el único…

Los Fischer prorrumpieron en carcajadas. Walter se levantó para irse y abrazó a Greta.

—¿Y Feng-si? —soltó ella en el umbral—. ¿La sigues viendo?

Walter hizo una señal afirmativa con la cabeza y un destello unió sus miradas. Greta lo quería tanto que le perdonaba todo. La volvió a abrazar y se marchó.

El afidávit de Masha no tardaría en llegar y Walter veía a Feng-si lo más a menudo posible. Antes que dejarse dominar por la tristeza con la idea de la separación, había decidido disfrutar de los momentos felices y bromeaba de continuo. Le encantaba ver entonces cómo ella ahogaba sus risas y las brasas de sus ojos bajo sus finas manos.

Mientras bajaba la escalera, Walter se preguntó cómo iba a solucionar el nuevo problema planteado por Masha, que se obstinaba en visitar su apartamento. Él le había contestado que no era conveniente. Cualquiera podría verla entrar y, tal y como se propagaban los cotilleos, su reputación podría arruinarse. Lo pensaba de verdad, pero, además, desconfiaba de las conversaciones intempestivas de Kiakiu, el joven criado, con su primo Fengyong, que Feng-si le había «regalado» con el alojamiento. Llegada la hora, Walter tenía que dejar a Feng-si sin una sombra. Sería un corte limpio y radical, que preservaría todos sus colores para el recuerdo.

Todavía en la escalera, oyó los intentos entusiastas de Hans con la flauta y un suspiro de felicidad le hinchó el pecho.

Cuando llegó a la calle, vio junto a Hans a una mujer con una larga cabellera rubia. Se acercó. Estaba enseñando al aprendiz de músico cómo tapar los orificios de la flauta con sus dedos. Walter se detuvo. Ella giró su rostro hacia él.

—¡Anna!

La estrechó con entusiasmo. Ella prorrumpió en unas lágrimas bruscas que mojaron sus mejillas como el chaparrón de una tormenta.

—¿Cómo has llegado aquí, Anna? ¡Dios mío, qué contento estoy de verte! ¡Ven, vamos a aquel café! ¡Si supieras cuánto he pensado en ti! Vamos al café, allí me contarás todo. —Al ver que ella no encontraba su pañuelo, le tendió el suyo—. ¿Vienes tú también, Hans?

Los ojos del muchacho brillaron. Deslizó la flauta en su camisa y siguió a sus amigos al café de las banquetas recubiertas de felpa verde, como en Viena. Chusan Road, en otro tiempo china, era ya totalmente vienesa. Allí, en el centro de Little Tokyo, palpitaba el corazón de Little Vienna.

Conteniendo con dificultad su emoción, Anna empezó a contarle su periplo. Las lágrimas habían dejado una estela brillante en sus pómulos eslavos. ¿Era una impresión o los ojos verdes de aquella a la que Walter llamaba «mi rubia bohemia» eran de verdad más claros que antes?

Ella contó primero cuánto la había desconcertado la detención de Walter. Algunos meses más tarde, Gustav, su amigo común, le había informado de que estaba a salvo en China, noticia que ella recibió con lágrimas de pena y lágrimas de gozo.

Los padres de Anna, junto con su hermana Magdalena, habían sido detenidos mientras ella pasaba la noche en casa de una amiga. Nadie pudo decirle qué había sido de ellos y todos le aconsejaban que huyera sin demora, sin correr siquiera el riesgo de regresar a su piso. La única familia que le quedaba eran los padres, el hermano y la cuñada de su madre, propietarios de una importante fábrica de papel en Varsovia. El *Hilfsbü-*

*ro** había ayudado a Anna a encontrarlos y allí la había sorprendido la guerra.

Tres días antes de la ocupación de la capital polaca, los cinco se habían apretado en el coche del tío y se habían dirigido hacia Lituania, abriéndose paso entre las masas de desdichados judíos que huían a pie del peligro alemán. Tras abandonar el coche por falta de gasolina, alquilaron la carreta de un campesino a precio de oro y llegaron a Vilna en octubre. La URSS acababa de ceder la «Jerusalén del Norte», la capital del judaísmo europeo, al Estado lituano a cambio de la ocupación de bases militares.

—Tuvimos suerte en nuestra desgracia —recordó Anna.

La familia se había instalado en un apartamento mediante un alquiler exorbitante y la vida se había organizado. No todos los refugiados disponían de semejantes recursos financieros. El Joint Distribution Committee tuvo que instalar dos oficinas de ayuda para auxiliar a las aproximadamente diez mil personas que habían llegado a las ciudades de la zona.

Así hasta el mes de junio de 1940, cuando las tropas soviéticas invadieron Lituania. Los rusos expulsaron de inmediato a Anna y los suyos del apartamento para realojarlos en un cuchitril. El tío se afanaba para obtener visados. En vano. A finales del mes de agosto, había oído decir que un cónsul de Japón en Kaunas, la capital lituana, emitía visados de tránsito para Japón cuando se manifestaba el deseo de dirigirse a Curaçao, posesión neerlandesa que no exigía visado. Japón era la única vía posible para llegar a esa isla situada en el mar Caribe, a la altura de Venezuela.

Walter había estado escuchando a Anna con su corazón de amigo, pero en ese punto del relato, lo arrastró el periodista:

—¿Cómo es posible que el cónsul del país aliado de Alemania concediera visados a familias judías?

—Un día alguien, no sé quién, descubrió la posibilidad de

---

* Oficina de solidaridad judía.

Curaçao. La información se divulgó con la rapidez de un reguero de pólvora y cientos de personas implorantes se concentraron delante de la residencia del cónsul Sugihara. Se quedaron allí, noche y día, sin moverse. El cónsul envió tres telegramas a Tokio. La respuesta fue cada una de las veces negativa. Entonces decidió desobedecer a su gobierno. Sabía que los nazis reunían a los judíos en los guetos para conducirlos a los campos de concentración.

Sugihara había comprendido que si no permitía a los judíos entrar en Japón, estos, no deseados en Rusia, estarían condenados a permanecer en Lituania, donde los alemanes, que avanzaban a marchas forzadas, no tendrían más que recogerlos. Por su parte, los refugiados esperaban, una vez en Japón, poder emigrar al país de su elección.

El 31 de agosto Anna había acompañado a su tío a Kaunas. En primer lugar acudieron a la residencia del cónsul de Holanda, el señor Zwarendijk, que, con su fina escritura, rellenaba sin respiro las páginas de los pasaportes y las sellaba. Había una multitud.

—Mira —dijo Anna a Walter—. Nunca me separaré de él.

El texto estaba redactado en francés, lengua de la diplomacia:

> El consulado de los Países Bajos en Kaunas declara que no se requiere visado de entrada para la admisión de extranjeros en Surinam, Curaçao y otras posesiones neerlandesas en América.

> *Kaunas, a 31 de agosto de 1940*
> J. ZWARENDIJK
> Cónsul de los Países Bajos

Provisto de ese preciado viático se podía intentar obtener el visado de tránsito para Japón. Se había hecho tarde, de modo que tuvieron que posponer esa solicitud para el día siguiente.

Lo que Anna y su tío, así como otros muchos refugiados, desconocían era que el cónsul Sugihara se marchaba definitivamente de Kaunas el 1 de septiembre. Como llegaron pronto por la mañana, vieron que se ponía en camino con su familia hacia la estación.

«¡Espere! ¡Espere! —gritaba afligida la gente—. ¡Espere, tenemos el sello de los Países Bajos!» El cónsul, muy pálido, seguía su camino. Pero de pronto, (¿quién había desencadenado qué?) vimos cómo Sugihara cogía un pasaporte y, mientras andaba, lo sellaba y lo firmaba. Así a lo largo de todo el camino, en medio del bullicio. En el andén de la estación, Anna había llegado a tiempo para tenderle el suyo y el de su tío por la ventanilla del tren…

—El visado de la última oportunidad —murmuró Walter mientras contemplaba la página mágica.

Cuando el tren se puso en movimiento, los judíos concentrados en el andén gritaron: «¡Sugihara, jamás te olvidaremos!».*

Anna bebió un sorbo de té. Hans, con las manos extendidas sobre la mesa, mantenía los ojos fijos en sus labios, como petrificado.

A continuación había que pedir una autorización de salida de la URSS y para ello coger sitio en la fila de la oficina de las solicitudes, donde Anna y su tío se relevaron durante veintisiete horas sin parar. Una espera que proporcionaba el tiempo para reflexionar sobre la justificación de su deseo de partir, pues conducía a un interrogatorio del NKVD, que examinaba el pasado… Se corría entonces el riesgo de ser designado un enemigo del régimen y enviado a Siberia. Nadie podía decir qué ocurría exactamente en Siberia.

Después de una angustiosa espera, el Intourist anunció fi-

---

* Se estima que Sugihara y Zwarendijk salvaron entre seis mil y diez mil vidas. Un visado valía para una familia. Sugihara Chiune recibió la «Medalla de los Justos entre las Naciones» concedida por el Yad Vachem, en Israel, a quienes pusieron «en peligro su vida, su libertad y su seguridad ayudando a los judíos». En la actualidad, los descendientes de esos supervivientes forman un grupo de unas cuarenta mil personas.

nalmente la lista con las autorizaciones. Anna enseguida había encontrado su nombre; luego, tras recorrer una y otra vez la lista, tuvo que aceptar lo que estaba leyendo: su solicitud era la única de la familia que había sido aceptada. Al ser preguntado, un esbirro comunicó en plan gracioso que no se concedían visados a «capitalistas, burgueses renegados, que explotaban a trescientos obreros».

Anna habría querido dar marcha atrás, pero era imposible.

«Desde allí, podrás ayudarnos», le indicaron los abuelos, el tío y la tía. Tal vez fuera solo para darle ánimos. Tal vez hubieran perdido ya la ilusión. Todos lloraban como si se tratase de un duelo.

El Intourist exigió doscientos dólares americanos para pagar el viaje de Anna hasta Japón. Allí solo circulaban rublos y zlotys. ¿Dónde encontrar dólares? En el mercado negro, habían indicado con frialdad los funcionarios. ¡Transacción prohibida y castigada con la muerte si lo pillaban a uno! Refugiados sorprendidos mientras vendían una joya a cambio de dólares o encontrados en posesión de divisas estadounidenses habían sido ejecutados. Anna se negó a que su tío realizara esa gestión por ella. Consiguió los dólares y luego, con las piernas temblorosas, consiguió llegar a la oficina del Intourist, donde los sacó de sus botas.

Desconsolada, se puso en camino. En Moscú, cuando la interrogó la GPU, corrió el riesgo, para no poner en peligro a los suyos, de afirmar que no le quedaba familia en ninguna parte, excepto en Estados Unidos, razón que la empujaba a dirigirse hacia allí. Por fin consiguió subir al transiberiano. Uno de los pasajeros había sido salvajemente golpeado en una calle de Moscú. Durante una parada en Birobidzhan, la región creada para reunir a los judíos de Rusia, un habitante les había preguntado adónde se dirigían. «¡Qué locura! —exclamó después de haberlos escuchado—. ¿Es que no saben que ningún judío sale nunca vivo de la Unión Soviética?» Un miedo sin límites se apoderó de ellos. En Siberia, Anna vio un tren de mercancías con pasajeros harapientos, despavoridos, tiritando de frío, con los pies desnudos y los tobillos trabados por cuerdas. La joven quiso llevarles pan, pero los soldados la amenazaron con sus bayonetas.

Cuando el transiberiano se detuvo en Vladivostok, los condujeron a un hotel donde esperaban ya otros polacos. Los japoneses habían declarado que los visados de tránsito para Curaçao ya no eran válidos… Unos soldados rusos se pusieron a registrar a los viajeros, confiscándoles todos sus objetos de valor. Nadie encontró el pequeño diamante que la abuela de Anna había cosido en su cinturón, mientras que la mayoría de sus compañeros fueron desvalijados. Hasta entonces el nombre de Vladivostok había evocado para Anna la alegría de un puerto con sus marineros bailando fogosas czardas, pero a partir de entonces lo recordaría como sinónimo de pesadilla.

Quince días más tarde, no obstante, embarcaban como sardinas enlatadas. Al ver cómo se alejaban de las costas rusas, los creyentes se deshicieron en oraciones de gracia. Se propagó el rumor de que debían su liberación a los raros judíos de Tokio, que habrían presionado a su gobierno. El barco tomó rumbo sur, hacia el pequeño puerto de Tsuruga, en el mar de Japón. Sería el último en realizar la travesía, pues Alemania acababa de declarar la guerra a Rusia.

En Tsuruga, ver a los japoneses con quimono y los árboles floridos los había maravillado. ¡Llegaban al paraíso!

Finalmente los supervivientes llegaron a Kobe, donde una pequeña comunidad judía los acogió calurosamente. Allí, cada uno solicitó un visado para el país de su elección. Algunos ya habían llegado a Palestina, Estados Unidos, Canadá o Australia. Otros seguían esperando.

Se habían acostumbrado a un modo de vida muy diferente del suyo, en un país en el que todo era pequeño, limpio, bonito. Sus visados, previstos para veinte días de tránsito, habían sido renovados una vez, dos veces, varias veces. Y luego, de repente, se les denegó. ¿Qué iba a ser de ese millar de indeseables? Alguien pensó en Shangai y, después de varias gestiones, se obtuvo la conformidad del jefe de las fuerzas navales japonesas. De junio a septiembre, pequeños grupos de polacos habían desembarcado en la orilla del Whangpoo.

—Yo llegué el 7 de julio —precisó Anna.

—El 7 de julio —repitió Walter aturdido.

Sujeto a diversas obligaciones, intentaba controlar su estado de confusión mental. Se acercaba la hora de acudir al Wing On, pero se sentía responsable de Anna. Había estado evaluando por qué serie de milagros se encontraba todavía viva. ¿Cómo se las arreglaba en ese momento? ¿Con qué recursos?

—Vivo con una amiga que conocí en Kobe. Su marido murió en agosto. Difteria, beriberi —resumió Anna—. Cuido a niños austríacos por la mañana e ingleses por la tarde. Al mediodía me paseo.

—¿Podrás seguir enseñándome a tocar la flauta? —intervino Hans con precipitación.

—¡Por supuesto! Encantada.

Se sonrieron. Esos dos ya se amaban. Entonces, Walter dijo a Hans con solemnidad que, a pesar de su joven edad, le confiaba a Anna. El muchacho se tomó su misión muy en serio.

—¡Ven a casa, Anna! —le propuso levantándose—. Creo que todavía queda *Strudel*.

Ella preguntó a Walter con la mirada.

—¡Excelente idea! —dijo él sonriéndoles a los dos.

Miró la hora y se puso en pie de un brinco, contento por haber dejado a Anna en manos de los Fischer. Mientras corría, su corazón brincaba de manera extraña en su pecho, pero la carrera no era el único motivo.

Cuando Walter llegó al Wing On estaba empapado de sudor. Quiso secarse la frente, buscó su pañuelo y se dio cuenta de que se lo había dejado a Anna, de modo que decidió pasar a los servicios del *roof garden* para refrescarse. Al empujar la puerta, le pareció oír que alguien lo llamaba, pero consideró que no tenía tiempo para volverse. La orquesta se estaba colocando.

Cuando salió, Masha lo esperaba.

—¡Ya está! —gritó ella arrojándose a su cuello.

—¡Qué fe… felicidad, amor mío! —tartamudeó él.

Intercambiaron una larga mirada vibrante y la estrechó contra él.

—¡Ya es suficiente, tortolitos! —los regañó Veneto, que se dirigía hacia ellos para reclamar a su pianista—. Tenéis toda la vida por delante, ¿no?

A Walter los ojos le hacían chiribitas cuando se sentó al piano. Para aquel día, la Giulio Veneto's Band había anunciado un programa exclusivo de música americana. ¡Fats Waller, Gershwin, Cole Porter! El pianista se entregaba con toda su alma.

«¡Anna está a salvo!», recordó de repente Walter, ebrio de felicidad. Se preguntó si Masha y ella podrían ser amigas. Luego se rió de sí mismo. ¡La cuestión ni se planteaba puesto que él se iba a Estados Unidos!

Contempló a su prometida, sentada junto a Fanny, quizá por última vez. Estaba resplandeciente. «Fanny seguirá esperando en esa mesa a su Giulio, que hace bailar a otros —le había dicho ella un día—, mientras que tú y yo, en América, nos iremos a bailar juntos como la gente feliz.» En un mes, seis semanas como mucho, pensó Walter, Masha y él estarían navegando rumbo a Nueva York en viaje de novios.

Se prohibió pensar en todo lo que pudiera estropear su felicidad, en la nostalgia que el nombre de Shangai, a causa de Feng-si, le produciría siempre en el corazón. En ese momento solo importaba su entrada en el país del éxito con la mujer amada. Los años negros se deshilachaban ya en la lejanía. Walter estaba ya, como Giulio cantaba en ese momento, «*On the sunny side of the street…*».

IV
Fliegenbar

1

La hora de la partida había llegado.

En su apartamento de la rue Gaston-Kahn, Walter acarició con ambas manos la pequeña mesa de bambú barnizado en la que había comido, bebido, fumado, soñado y trabajado. Un día de rabia, le había dado una patada. El cenicero, una rana de barro, se había caído al suelo, sin romperse de milagro. Esa rana era un regalo de Feng-si. «Te proporcionará suerte», le había augurado con una sonrisa de madona. Walter cogió un periódico, embaló el cenicero con cuidado, lo encajó entre un jersey y unos calcetines y después cerró la maleta. Uno de los cierres empezaba a fallar. Ojalá aguantase hasta el final.

¿No había olvidado nada? Walter recorrió la pequeña habitación con la mirada y vio un periódico sobre la cama. Era el ejemplar del *China Daily Post*, publicación en ese momento clandestina, en la que había aparecido su último artículo. ¡Por supuesto que se lo llevaba! Ni siquiera había tenido tiempo de echarle una ojeada. La prudencia lo había obligado a firmarlo con un seudónimo, Willy Heine-Mann, compuesto en homenaje a dos escritores cuyos libros quemaban los nazis.

De pronto se sentó, desplegó la hoja sobre la mesa y se puso a leer su propio artículo con interés. No tenía ninguna prisa por hacerlo y Walter no era ingenuo. Si, sobre la marcha, se sumergía en esa lectura era por la necesidad de creer en su futuro y, sobre todo, para retrasar el momento de la partida.

Los asistentes que a finales de noviembre de 1941 acudieron al último servicio dominical de los Marines en el Grand Théâtre de Bubbling Road estaban lejos de imaginar hasta qué punto aquel era el último canto que lanzaba al viento la banda. Los estadounidenses se marchaban de China y los marineros que entonaban confiados: «*Onwards Christian soldiers, marching as to war…*», antes de zarpar hacia Filipinas, ignoraban que la mayoría de ellos perecerían unos días más tarde, tras el ataque sorpresa a Pearl Harbor de los japoneses…

Esa fecha, el 8 de diciembre de 1941,* quedaría cruelmente grabada en la memoria de Walter. Aquel día se había despertado sacudido por una alegría tan violenta como el trueno que, según creía, había retumbado sobre Shangai hacia las tres de la mañana. Su primer pensamiento había sido: «¡Hoy, Masha y yo vamos a recoger nuestros visados!».

Ahora bien, aquel «trueno» había sido una serie de cañonazos sobre el Whangpoo.

El crucero *Izumo* había bombardeado dos pequeñas cañoneras, el *Wake* americano y el *Petrel* inglés, a la hora exacta en que los cazas y los bombarderos nipones atacaban la base estadounidense de Pearl Harbor, en las islas Hawai.

Esa misma noche, los japoneses habían tomado la ciudad sin encontrar resistencia. Por la mañana habían difundido un comunicado en el que indicaban que el Ejército y la Marina imperiales habían entrado en combate con las fuerzas militares de Estados Unidos y Gran Bretaña. Luego las tropas victoriosas habían desfilado durante el día entero por las vías principales de la ciudad al son de himnos marciales, mientras sobre las propiedades de los súbditos aliados fijaban carteles en los que se anunciaba que a partir de ese momento pasaban a ser de su propiedad…

---

* 7 de diciembre en Europa.

Evidentemente, las comunicaciones marítimas con América habían quedado interrumpidas.

Walter suspiró y prosiguió su lectura.

… Por su parte, los asistentes al servicio dominical de los Marines ignoraban que el adiós de la banda era también el tañido fúnebre por su propia libertad. Poco después de Pearl Harbor, quienes estaban en posesión de pasaportes británicos, estadounidenses, belgas y holandeses fueron declarados «enemigos nacionales» y conminados a llevar brazaletes rojos que, en un primer momento, les impidieron acudir a las salas de cine y a los jardines públicos. Poco después serían encarcelados, algunos en grandes campos de concentración, otros en almacenes o barracones construidos a toda prisa. Este es ya su segundo año de detención, en nombre de una guerra cuyo objetivo es liberar a un millón de asiáticos de la explotación colonial, obra de los «demonios anglosajones» e instaurar una «Gran Esfera de Coprosperidad en el Asia Oriental».

¿Es necesario especificar que la Concesión Internacional, así desocupada, ha cambiado de aspecto desde que los japoneses han tomado las riendas? Los rostros occidentales han desaparecido. Los hombres de negocios, banqueros, joyeros, industriales, comerciantes y agentes son en la actualidad japoneses. Los rusos y los portugueses contratados en otro tiempo por las sociedades internacionales han perdido su empleo y malviven en una situación económica desastrosa. Para ver a occidentales casi felices, es preciso atravesar Frenchtown. El hecho de que la noche del 8 de diciembre no se atacara ningún edificio francés sobre el Whangpoo no se debió al azar sino a la afinidad de las autoridades en el poder con el régimen de Vichy, así como a su deferencia hacia las potencias del Eje. Es cierto que los nipones han requisado los mejores pisos ocupados por franceses, pero de ningún modo han causado perjuicio a su libertad. También son libres los rusos apátridas. En la medida en que la pérdida de sus empleos así como la galopante inflación les permite sobrevivir…

En ese punto de su lectura, Walter pensó que debería haber intercalado una descripción de los cambios que se habían producido en la vida cotidiana. El año 1942, con las restricciones debidas a la guerra del Pacífico, marcó un hito en la escalada de la pobreza.

Un padre había cambiado a su hija por un saco de arroz. En un almacén, el último pikul* de arroz había sido la causa de un intento de asesinato. A unos pasos del Bund, niños con el vientre hinchado a causa del hambre se dejaban comer por las moscas. Masha había visto a un joven chino demacrado y con las piernas llenas de úlceras arrancar un paquete de las manos de una rusa que salía de una carnicería, desgarrar el envoltorio y comer la carne cruda. «Los refugiados mueren de hambre en Hongkew», había sido un titular del *Shanghai Times*. En verano, a la hora de la comida, había jóvenes que se colaban por las puertas abiertas para arramblar con los platos llenos. Los culis desnutridos se desplomaban en las calles.

Los pocos autobuses estaban equipados con gasógenos que vomitaban un humo nauseabundo. ¡Habían desaparecido las limusinas rutilantes! Apenas circulaban más que los vehículos caqui de los militares japoneses. Durante un corte de luz, por la ventanilla de un tranvía alguien desde fuera había birlado un Borsalino. Había ladrones que se apostaban en emboscada en los cementerios para desvalijar a los visitantes solitarios. Los robos a mano armada de joyas y de especies se multiplicaban en las casas y las tiendas. Los paseantes se veían de repente desprovistos de sus sombreros, carteras, bolsos y paraguas. Una banda operaba entre los niños de familias acomodadas ofreciéndoles modestos juguetes a cambio de sus jerséis o sus vestidos de seda acolchada.

Cada vez que se producía una devaluación, el precio de los artículos se duplicaba de la noche a la mañana. Continuamente había que volver a negociar el salario. Harto, Giulio Veneto

---

* Unidad de peso equivalente a 62,50 kg.

había fundado un sindicato de músicos (eran doscientos veinte), que exigía como remuneración diaria el equivalente al precio de dos botellas de cerveza además de la cena. Las suelas de los zapatos eran de corcho, de linóleo o de neumáticos desgastados. Una carrera en rickshaw se había convertido en un lujo y los occidentales se habían pasado a la bicicleta.

Walter se aseguró de que la llave del candado se encontraba en su bolsillo y luego retomó la lectura en el lugar que había marcado con el dedo.

> … En la medida en que la pérdida de sus empleos así como la galopante inflación les permite sobrevivir, los rusos pueden continuar, como solo ellos saben hacer con tanto encanto, cantando, bebiendo, bailando, organizando conciertos, lecturas o espectáculos y las veladas de la Russian Emigration Association siguen siendo célebres por su alegría…

Las villas inglesas se habían cerrado tras una última recepción al aire libre, un último campeonato de bridge, una última orgía de scotch. Sin embargo, a los rusos sí que se les permitió cultivar su nostalgia zarista, con los aires, los poemas y las músicas llevadas de Moscú o San Petersburgo, que ellos se negaban a llamar Leningrado. A su vez, a los demás refugiados europeos Pearl Harbor los había obligado a cambiar de ambiente cultural. Películas y música de procedencia inglesa o americana habían sido de inmediato prohibidas. ¡Dorothy Lamour, Marlene Dietrich, Paul Robeson o Gary Cooper, desterrados de la pantalla! ¡El jazz, erradicado! Para la Giulio Veneto's Band fue necesario aprender de un día para otro los sistemas de notación de la música japonesa y china (las enseñanzas de Feng-si habían facilitado mucho su aprendizaje) y luego pasar noches enteras realizando la transcripción de las partituras para hacerlas legibles de manera instantánea. Fue agotador, pero divertido. Esos cambios eran mínimos en comparación con los que afectaban a los refugiados.

Aunque aliados de Hitler, los japoneses no parecen compartir su delirio antisemita. Solo se ha acosado a los judíos de origen iraquí, que han sufrido el destino de sus compatriotas de elección, los ingleses. Sir Victor Sassoon, que muy oportunamente se encontraba en Bombay durante el ataque a Pearl Harbor, ha quedado libre, suerte que debe envidiar la familia Kadoorie, detenida tras la confiscación de sus propiedades.

Al mismo tiempo que se conminaba a las radios extranjeras a cesar en sus emisiones, la prensa judía recibió la orden de parar sus publicaciones, con excepción del diario *Shanghai Jewish Chronicle*, dirigido por Ossi Lewin…

¡Un vienés que había llevado bien sus negocios! Desde mayo de 1939 había sabido cómo manejar la susceptibilidad nipona y el día siguiente a Pearl Harbor publicó un editorial en el que, en nombre de los refugiados, mostraba su satisfacción por la lealtad de los japoneses, de quienes no dudaba que aportarían una solución pacífica al conflicto mundial… De aspecto elegante, siempre vestido con refinamiento, Ossi Lewin se mostraba muy exigente, incluso despiadado, con sus colaboradores, pero sabía ganarse el favor de la gente bien situada y permanecía sordo a las críticas. Dirigía su empresa con una firmeza poco común, con la proclamada convicción de que su misión no era resolver problemas sociales, sino fundar un capital…

Lewin, muy molesto por el éxito de la revista bimensual *Die Gelbe Post*, había visto con malos ojos cómo se transformaba en diario. Storfer, el fundador y jefe de redacción, no había aguantado mucho tiempo. La tensión diaria, los cierres siempre complicados y el clima malsano habían hecho mella en su salud. Un ataque al corazón le hizo vender su periódico en 1940. Lewin lo adquirió y, como nuevo propietario, cerró el periódico y despidió a los empleados… Ese personaje sin escrúpulos ejercía, sin embargo, una extraña fascinación sobre Walter.

Miró la hora, preocupado por no retrasarse, y calculó que le quedaba tiempo para terminar su lectura.

… decisión que el jefe de las fuerzas navales japonesas había comunicado en una convocatoria a todos los periodistas extranjeros…

Walter había ocultado de manera cobarde a sus lectores el modo en que habían sido convocados y la naturaleza de la «entrevista». Una mañana, de madrugada, lo había despertado un soldado japonés, que, agitando una carta bajo su nariz, le ordenó que se vistiera. Un camión, que estaba parado en la calle, los condujo hasta las Broadway Mansions. El nipón introdujo a Walter en una habitación donde esperaban ya otros periodistas extranjeros. Se podría haber pensado que se trataba de una rueda de prensa. Walter saludó a Emily Stone, sosa pero conmovedora sin su maquillaje habitual, y a otros colegas. Una japonesa de uniforme entró en la habitación, llamó a uno de ellos y le pidió que la siguiera. Regresó varias veces del mismo modo sin interrupción. La mañana transcurrió sin que ninguno de ellos volviese a aparecer. Una atmósfera cada vez más densa envolvió a los presentes. La ansiedad endurecía los rasgos de unos, provocaba tics nerviosos en otros. El nombre de Walter resonó a última hora de la tarde y fue conducido ante un oficial de la Marina, constelado de medallas. Su espada estaba colocada a través del escritorio. Un expediente con el nombre de Walter reposaba sobre la carpeta. «Sabemos quién es —eructó el hombrecillo en un inglés perfecto al tiempo que blandía su índice acusador—. Hemos escuchado sus programas de radio. Hemos oído sus calumnias contra nuestro aliado alemán. Ahora vamos a ocuparnos de usted y de otros propagandistas mentirosos. A todos cuantos he recibido hoy los he enviado a Bridge House.» A Walter se le hizo un nudo en la garganta al evocar el bello edificio blanco, distribuido antes en pisos, que los japoneses habían transformado en una temible prisión, equipada con salas de tortura, cuyas celdas estaban infestadas de pulgas que transmitían el tifus. Nadie volvía de allí. ¿Es que había escapado del asesino de Dachau para acabar en un calabozo japonés? «¿Sabe quién soy?», le preguntó entonces el oficial con tono desafiante. «No, señor, lo ignoro», balbuceó Walter. El oficial se dio importancia. «Soy el jefe…» El sudor apelmazaba los cabellos de Walter. «El jefe de las fuerzas navales japonesas», le interrumpió Walter con deferencia, pero con una angustia cada vez mayor en la garganta.

La mañana que siguió al ataque de Pearl Harbor, el jefe se había presentado a primera hora en las oficinas de la E. D. Sassóon Company, en el corazón de Sassoon House, el arrogante edificio que rivalizaba con el Banco de China en el Bund. Se sentó en el sillón de cuero y anunció a los empleados aterrorizados: «¡Ahora, yo estoy aquí en mi propia casa! ¡Soy yo quien da las órdenes!». A continuación siguió, en venganza por el desprecio de los «dioses blancos» británicos, un largo discurso sobre la soberanía de la futura «Gran Esfera de Coprosperidad del Asia Oriental», de donde sería desterrado el dominio de todos los extranjeros, quienesquiera que fuesen.

«En efecto, el jefe de las fuerzas navales japonesas —repitió el japonés, con una sonrisa, a Walter el extranjero—. Veo que se acuerda de mí. Fui yo quien le pidió que transmitiera la felicitación del emperador por el Nuevo Año judío. Usted me hizo ese favor, ahora me toca a mí ser amable con usted.» Cogió el expediente de Walter y lo dejó caer en la papelera. «Ahora, vuelva a su casa y manténgase tranquilo».

Todavía tembloroso, Walter le contó a Feng-si su entrevista. Durante el relato, a su amiga se le escapó de los labios un grito: «¡El jefe de las fuerzas navales japonesas!». Walter vio que se había sonrojado. «¿Lo conoces?», le preguntó Walter. ¿Le había oído? Feng-si escuchaba ensimismada el canto de su grillo en la pequeña jaula de madera preciosa. «¿Lo conoces?», repitió Walter. «¡No, no, no! —exclamó ella al tiempo que ofrecía un trozo de sandía al "pequeño hermano cantarín"—. No lo conozco. ¡Bien sabes que yo no frecuento a los japoneses! ¿Crees que tengo ganas de visitar Jessfiel Road 76?» Ese lugar, que albergaba entre otros un servicio especial encargado de la eliminación de los chinos antijaponeses, evocaba la violencia y la crueldad. Feng-si se estremeció de manera ostensible. Luego, sonriente y zalamera, le anunció que estaba buscando el modo de que Walter fuera corresponsal extranjero del *China Daily Post*. La promesa se había cumplido. La prueba, el periódico que sujetaba entre sus manos.

> … Ningún requerimiento oficial había turbado el destino de los refugiados que, tras su éxodo, apenas volvían a respirar y a disfrutar de la vida, cuando estalló la guerra del Pacífico. Hasta el 18 de febrero de 1943, después de la publicación de un artículo antisemita en el *Shanghai Times*…

Siete semanas habían transcurrido ya desde entonces. Siete semanas de angustia y dudas, vividas por Walter con la sensación de ser una rata que se golpea la cabeza sin cesar contra el muro del laberinto.

> … en el que las autoridades de la Marina, del Ejército y de la Gendarmería japonesas proclamaron un edicto. Debido a exigencias militares, los lugares de comercio y vivienda de los refugiados apátridas llegados a Shangai después de 1937 quedarán a partir de ahora restringidos a una zona de la Concesión Internacional limitada al oeste por Chaofoong Road, Muirhead Road y Dent Road; al este por el río Yangtzepoo; al sur por la línea que discurre a lo largo de East Seward Road y Wayside Road; al norte por el límite de la Concesión. La aplicación entrará en vigor el próximo 18 de mayo. Todo aquel que infrinja este reglamento se expone a severas represalias…

«¡Con todo, tú no vas a irte allí! —gritaba Masha—. ¿Y yo? ¿Y yo? ¿Qué va a ser de mí?» Se frotaba los ojos rojos, las venas se le marcaban en las sienes. Walter sufría por ella, tan frágil. «¿Y nosotros? —gimió Genia con un tono moribundo—. ¿Usted seguro de que nosotros poder quedar aquí? Yo demasiado enferma, no soportar otra mudanza.» No se había repuesto de la confiscación realizada por los japoneses del hermoso piso de Grosvenor House y se lamentaba cada vez que golpeaba su enorme cuerpo con los muebles amontonados, como en el negocio de un chamarilero, en aquel primer piso oscuro de la rue Ratard. «Te lo he dicho veinte veces, Genia —replicó Sokolov, harto—. Genia, nosotros vinimos antes de 1937. Ya lo sabes, ¿no?» Se había expresado en ruso, lengua que Walter empezaba a comprender. Era una señal de que Sokolov estaba alterado. Los rusos y los alemanes instalados desde antiguo en Shangai reaccionaban con histeria, mientras que los refugiados más recientes, obligados a abandonar su comercio y su alojamiento para trasladarse a las calles prescritas de Hongkew, enfocaban la situación con relativa calma. «¿Qué va a ser de mí? —continuaba Masha sollozando en los brazos de Walter—. ¡Quédate aquí, te lo suplico! ¡No me abandones! No sabemos qué va a pasar allí. ¿Qué va a ser de mí si los japoneses luego no te dejan salir?» Conmovido por el desconcierto de su prometida, Walter le aseguró que se quedaría en la Concesión Francesa. Por ella, se sustraería a la ley. Tomar la decisión de esa conducta caballeresca lo llenó de una intensa felicidad. «¿Te parece prudente, Walter?» Era la primera vez que Alexander lo miraba con auténtico afecto.

«¡Estás loco! —gritó Feng-si, cuando, sin imaginar la verdadera razón, Walter le anunció su decisión de quedarse en Frenchtown—. Los japoneses te encontrarán y te enviarán a Bridge House. El jefe de las fuerzas navales ya no está ahí para protegerte, ni a ti ni a ningún otro judío. Y no puedes esperar nada de su sustituto, que es un amigo excelente del barón Von Puttkammer.» ¡Puttkammer! El director de la Oficina de Información alemana, encargado de difundir la propaganda nazi. «¡El Goebbels del Extremo Oriente!»

Atónito, Walter fijó su mirada en la de Feng-si. ¿Por qué hablaba de los judíos?

La palabra no había sido pronunciada en ningún comunicado. Ahora bien, era cierto que esa disposición les concernía solo a ellos: los judíos eran los únicos apátridas que habían llegado a Shangai después de 1937. Entonces, ¿cómo es que Feng-si, que no hacía ninguna diferencia entre un judío y un extranjero, había podido establecer esa relación? Y ¿dónde se había informado tan bien sobre los nazis? Walter tuvo de pronto la absoluta certeza de que ella sabía mucho más de lo que aparentaba. Algunos datos relacionados con el jefe de las fuerzas navales japonesas acudían a su memoria… Y ¿de dónde había sacado ese collar de perlas de Japón que rodeaba su esbelto cuello? El futuro yerno de Sokolov sabía distinguir ya las verdaderas joyas de las imitaciones. «¡Dímelo todo!», gritó a su vez, apretándole la garganta a la joven.

Entonces Feng-si le contó cómo, por orden de la Banda Verde, se había convertido en la amante del jefe de las fuerzas navales japonesas. De ese modo, en mayo de 1941, había visto aparecer un coronel alemán, Josef Meisinger, procedente de Tokio, adonde había sido enviado hacía poco con el objetivo de implantar la Gestapo en Japón y China.

Una noche de borrachera, Meisinger se había vanagloriado del apodo que le habían puesto, «el Carnicero de Varsovia», por haber dirigido la ejecución de dieciséis mil judíos polacos. «¡Dieciséis mil! —la interrumpió Walter incrédulo—. Imposible.» Se había reído. «¡Es imposible, Feng-si!» Pero ella estaba segura de haberlo entendido bien. «Escucha el resto», añadió ella. Meisinger visitaba Shangai cada vez con mayor frecuencia, hasta que finalmente se estableció en la ciudad, en un apartamento cercano al del militar japonés, en el Cathay Hotel. Los dos hombres se veían a menudo, pues el alemán se dedicaba a agasajar de manera pródiga al japonés, que no le iba a la zaga. Así, Feng-si, entre el espeso humo de los cigarros, había podido oír a Meisinger exponer sus proyectos. Preconizaba, para los cuarenta mil judíos establecidos en Shangai, lo que él llamaba la «solución final». La red sería arrojada en el mes de septiembre, el día de la fiesta de *Rosh Hashanah* que reuniría a todos los judíos en las sinagogas y los oratorios dispuestos para la ocasión. En compensación, los japoneses recibirían los bienes de la población judía.

Walter escuchó a Feng-si con estupor. Incluso allí, en China, en la otra punta del mundo, los nazis lo perseguían con su odio. Y ¿qué era esa «solución final»? ¡«Solución final»! ¿Final para qué? o ¿para quién? ¿Cuál era el secreto? Por muchas vueltas que Walter diera a esa noción en su cabeza, permanecía opaca. Y ¡Feng-si, que sabía todo, no había dicho nada!

Le acarició la mejilla a Walter como si fuera un niño y prosiguió su relato con una calma que subrayaba su horror. Una vez que los judíos estuviesen reunidos, había indicado Meisinger desplegando un plano de la zona sobre la mesa, se abrían distintas posibilidades. Se podía embarcar a todo el mundo en barcos viejos y desvencijados que serían remolcados hasta alta mar y luego serían abandonados a la deriva. Si fuera necesario, un destacamento iría a hundirlos. También se podía desembarcar a toda la gente en la isla desierta de Tsungming en la desembocadura del Yangtze y dejar que se pudrieran. «¡Dejar que se pudrieran! —gritó Walter pasmado—. Quieres decir ¡que quería matarnos de hambre! ¡Que quería asesinar a cuarenta mil personas!» ¡Imposible de creer! «Es lo que él dijo», le aseguró Feng-si con esa risa que sirve a los chinos para disimular su fastidio. Sin embargo, el jefe de las fuerzas navales japonesas no cedió. En julio de 1942 llamó a Tokio. ¿Acerca de la presión de los alemanes que le reprochaban su debilidad? Feng-si no podía afirmarlo, pero le parecía posible.

Walter permaneció en silencio, descompuesto. De pronto la repugnancia dejó paso a la cólera. Una cólera ciega que exigía una presa. Su mirada cayó sobre el collar. ¡Así que Feng-si había sido la amante del japonés durante más de un año! «¡Me has engañado! —aulló—. Siempre he procurado no pensar en eso que haces para ganarte la vida. Pero él… él… él no te pagaba. ¡Me has engañado!» En su indignación, ¡él mismo se había olvidado de la existencia de Masha! «¿Por qué te enfadas? —le había replicado Feng-si con dulzura—. Era una orden de la Banda Verde. Nadie puede desobedecer a la Banda Verde. Además, el oficial era amable conmigo. Quería comprarme una casa en Tokio para que lo acompañara allí. Habría podido empezar una nueva vida. Si me he quedado en Shangai es por ti.» Ella no había entendido su cólera. «¡Pues me he quedado por ti!», se defendía con los ojos entrecerrados por la pena, sin sospechar hasta qué punto abrumaba a Walter, una vez recuperada su sangre fría, haber preferido ignorar el sacrificio de Feng-si.

Walter soltó un profundo suspiro. Dobló el periódico, lo introdujo en su bolsillo, cogió su maleta, su petate y su sombrero y se marchó sin mirar atrás.

Una bicicleta, férreamente candada, comprada con sus últimas monedas, lo esperaba en el patio. Walter colocó la maleta y el petate en el pequeño remolque de una rueda que le habían prestado los Bauer para la mudanza, se ató el sombrero cónico, tal como lo llevaban los culis, y, de un salto, se subió al sillín.

Pedaleando con rabia, se dirigió hacia Hongkew. Le pesaba saber que defraudaba a Masha, pero una breve frase de Feng-si le perforaba la mente. «El jefe de las fuerzas navales japonesas ya no está ahí para protegerte, ni a ti ni a ningún otro judío. Y no puedes esperar nada de su sustituto.» Por eso obedecía las órdenes japonesas e iba a encerrarse en la Zona Limitada. Y de pronto comprendió qué era esa zona donde habían sido reunidos los judíos: ¡un gueto!… Como los que se habían formado en Lodz, en Polonia, en la primavera de 1940, y más tarde en otras ciudades, cuando las autoridades alemanas de ocupación habían ordenado la división en zonas del barrio judío. ¿No era exactamente igual en Shangai?

Walter se había enterado de esa información sobre Lodz gracias a su radio que captaba las principales emisoras europeas. Los japoneses habían exigido la entrega de los receptores de onda corta bajo pena de represalias y a Walter le daba la impresión de no tener mejor suerte que un pez en su pecera. Tal vez debería haber hecho caso a Masha, pero ¿cómo saberlo? La amenaza se cernía sobre él, daba igual lo que hiciera y a dónde fuera.

2

Mientras pedaleaba, Walter daba vueltas a sus recuerdos. En el mes de enero anterior, Masha se había empeñado en celebrar su boda. «¡Como tú quieras, hija mía! —le había contestado el padre—. Pero en este momento no puedo ofrecerte más que una ceremonia sencilla, con un vestido muy simple y con los testigos como únicos invitados. ¿No prefieres esperarte al final de la guerra?» Y es que Pearl Harbor había supuesto un golpe fatal para el joyero.

En esos últimos años Nanking Road había renacido con la desbordante llegada de la elegancia europea, y era allí, en el mejor tramo, junto al Bund, donde Sokolov había adquirido una segunda tienda en la primavera de 1941. Por pura especulación, con la intención de obtener un beneficio de su venta en vísperas del traslado familiar a Estados Unidos. A esto se añadía la compra de una cantidad, nada desdeñable, de unas gemas muy hermosas, pues sus relaciones profesionales le permitían esperar la clientela de Casanovas británicos, y generosos, que habitualmente se proveían en Londres o París. Debido a Pearl Harbor se había quedado con la lujosa tienda y las piedras en las manos. Nadie pronunciaba la palabra quiebra, pero, aunque pareciera imposible, se había producido. Además de eso, los japoneses habían requisado el piso de Grosvenor House. «La verdad es que ha tenido mala suerte», pensó Walter.

Genia no se había mostrado a la altura de las circunstancias cuando hubo que reducir el tren de vida, disminuir el número de *amahs* y criados, vigilar los gastos y despedir al cocinero.

La nostalgia por los tiros largos y los perifollos hizo retroceder a Masha y posponer el matrimonio. ¡Mejor para ella! Como esposa de Walter, habría tenido que acompañarlo ahora a ese Hongkew, que ella consideraba sucio y maloliente cuando no se trataba más que de visitar a los Fischer. ¿Cómo lo habría soportado?

Pocas veces el mes de mayo había sido tan tórrido. La temperatura superaba los treinta grados. Walter chorreaba bajo su sombrero de culi. Se detuvo para sacar del petate una toalla que se colocó a modo de bufanda alrededor del cuello. Su camisa estaba ya empapada y el agua corriente era un lujo desconocido en la casa donde lo aguardaba una pequeña habitación.

Max Herzberg, claro, había encontrado la solución. Ese marrullero había vendido una importante joya, «con pérdidas», refunfuñaba, a un rico *comprador*, lo que le había permitido adquirir un pasaporte portugués. Ciudadano, a partir de entonces, de un país no beligerante reconocido por las autoridades niponas, se podía alojar donde mejor le pareciese.

Cuando Walter tomó la decisión definitiva de ir a vivir en la Zona Limitada, los mejores alojamientos ya estaban cogidos desde hacía tiempo. Además los precios alcanzaban cifras desorbitadas, pues los propietarios se hacían de rogar para alquilar y cedían ante el que ofrecía más. A esto se añadía que Walter se había quedado sin dinero y vivía al día. La petición de mano, que había sido fatal para su bolsillo, lo había llevado además por mala conciencia a mimar también a Feng-si.

Sin saber a qué puerta llamar, Walter se había dirigido a Werner, que conocía bien Hongkew, y, en efecto, este le encontró una pequeña habitación. Por su parte, él, el antiguo nazi, había optado por la desobediencia. «Yo me quedo aquí, con Hilda.»

Su novia había llegado finalmente mediante el transiberiano. Como era aria y estaba en posesión de un pasaporte alemán, el edicto no le afectaba y Werner vivía en ese momento con ella en una callejuela que daba a la route Louis-Dufour. El día siguiente a su llegada, Hilda desempaquetó el material que había transportado en su maleta y se consagró a la confección de flores artificiales, para colocar en jarrones o en vestidos de noche, que Werner, especialista en la venta ambulante, se encargaba de vender en las tiendas. Ahora bien, eso no reportaba casi nada. Y durante ese tiempo el talento de Hilda, que acababa de salir de una excelente academia de corte y confección, quedaba desocupado. Entonces Walter fue en busca de Max Herzberg y le pidió vehementemente que le prestara dinero con el objetivo de que Hilda pudiera alquilar un local y comprar una máquina de coser. Hombre de buen carácter, no hizo falta insistir al austríaco italo-turco (y ¡entonces portugués!). Al cabo de un mes, Hilda abrió su comercio. Al día siguiente se presentó un chino. «*Me tailor, number one tailor.*»* Lo contrató a destajo. Una hora más tarde entró la esposa del cónsul danés. Después de haber elegido un modelo, Hilda se fue a vender el cuello de chinchilla que guarnecía su abrigo de invierno, para ir a comprar el crepé y la puntilla. Satisfecha, la clienta había divulgado en el mundo diplomático la dirección de la joven costurera que, seis meses más tarde, devolvió el dinero a Max. Werner se ocupaba de la gestión, la contabilidad y los repartos.

«¿Quién razona mejor? —se preguntaba de continuo Walter—. ¿Werner, que desobedece o yo, que me someto?» Se sorprendió al verse pedalear tranquilamente hacia Hongkew, él, rebelde por lo general a cualquier forma de autoridad. Tal vez, a fuerza de observar a los centinelas del Garden Bridge, hubiese calibrado la determinación y la inflexibilidad de los soldados nipones. A ellos mismos se les formaba con severidad. A veces se veía en la calle a oficiales japoneses golpeando con crueldad a sus soldados. Walter tampoco olvidaba el sable del jefe de las

---

* «Soy sastre, un sastre excelente.»

fuerzas navales colocado a través del escritorio, ni la reputación de Bridge House.

«¿Es que no puedes prestar atención, pedazo de *klotz*?»* Desde que había entrado en el Garden Bridge, rebosante de pequeños vehículos y de bicicletas con cargamentos diversos, Walter mantenía un duelo con una carretilla medio hundida bajo el peso de cajas, cartones y colchones, arrastrada por un culi que jadeaba y escupía, y tenía las venas de las pantorrillas tan tensas como cuerdas. A su alrededor iba una familia de polacos, cada uno de los cuales consideraba que debía contribuir al equilibrio general sosteniendo el objeto que mejor le hubiese parecido. Ocupaban tanto espacio que era imposible cualquier adelantamiento. El más barbudo había sido quien profirió la amable interjección cuando Walter intentó forzar el paso a rebufo de una china que corría con dos cestos atados a su pértiga, en cada uno de los cuales acarreaba un niño con carita de viejo.

Walter percibió de pronto, a unos diez metros, la cabellera clara de Anna. El corazón le brincó en el pecho y, de pie, pedaleó con brío.

—¡Anna! ¡Anna!

La rubia se volvió y lo escrutó con unos ojos impávidos bajo una frente estrecha, que no era la de Anna. Era la tercera vez que se llevaba ese chasco. A Walter le parecía ver a Anna por todas partes.

Se habían encontrado en casa de los Fischer, un día de nostalgia de los *Wiener Schnitzel*** con una gruesa capa de pan rallado. Se decía que, si estaban bien hechos, una novia podía sentarse en ellos sin que el vestido se le manchara de grasa. Ataques de risa y canciones vienesas. «*Wien, Wien…*», tarareó Walter en recuerdo de los momentos de gozo.

Gracias a las enseñanzas de Anna, Hans ya tocaba muy bien la flauta. Había adquirido la costumbre de guardársela entre el

* En yídish, «cretino».
** Escalopes vieneses.

cuerpo y la camisa cuando salía. Walter había invitado también a Anna y a su amiga al Wing On. Recordaba haber tocado especialmente bien ese día, inspirado por su pasado musical vienés. Otro motivo de alegría: había animado a Veneto a contratar al pequeño Markus y, esa misma tarde, se alumbró un idilio entre el violinista y la joven viuda amiga de Anna, poco más alta que él.

El sueño de la noche anterior le vino de repente a la memoria. Anna y él estaban bailando bajo los cenadores floridos de una taberna de Grinzig, el famoso barrio de Viena. Ella llevaba aquel vestido con volantes de color verde musgo que le había valido el apodo cariñoso de «bohemia rubia» y, en un tirante, una flor de codeso, racimo de oro que él había cogido para ella. Pero de pronto se encontraban tiritando bajo un viento desapacible, delante de la Stephansdom.* Para escapar del frío, Anna se había metido en la escalera de caracol del campanario, que Walter se puso a subir tras ella, intentando alcanzarla al tiempo que la llamaba. Solo el eco le contestaba. Una vez arriba, dio en vano la vuelta a la plataforma. «Anna, ¿dónde estás?», gritaba. Sus punzantes llamadas quedaron sin respuesta. Se inclinó por el parapeto y vio que, abajo, Anna también lo estaba buscando y lo llamaba dando vueltas por la plaza. «¡Estoy aquí, Anna! —se desgañitaba—. ¡Estoy aquí!» Pero ella no le oía y se desesperaba.

«¡Qué extraño!», pensó Walter. En Viena, conocía a un amigo de sus padres que todas las mañanas anotaba sus sueños y, con regularidad, acudía a la Berggasse 19 a contárselos al doctor Sigmund Freud, con el objetivo de averiguar su significado… Freud había muerto en 1939 en Londres, adonde había huido de los nazis. Walter decidió que prefería no cuestionarse acerca de sus sueños.

Un poco más lejos, el conductor de un camión se le quedó mirando. Reconoció a Alfred Loewenstein, un vienés de su

---

* Catedral de San Esteban.

edad. Era un peso medio que defendía con garra los colores de los boxeadores refugiados.

—¿Trasladáis también la fábrica? —preguntó Walter después de haber evaluado el cargamento apilado en el remolque del vehículo.

—¡A la fuerza! Hay que seguir trabajando. No es momento para estar de brazos cruzados. ¡Pero hemos tenido que malvender dos máquinas! ¡Hay que adaptarse a las circunstancias!

Alfred soltó una carcajada que le arrugó el contorno de los ojos. Unos labios prominentes, que mordían el labio inferior, le daban el aspecto de lo que era: un vencedor. También Alfred había realizado sus estudios en el Gymnasium, pero su padre, un emigrante checo, consideraba que había que enfrentarse a la vida con un «oficio sólido». Por ese motivo había hecho que su hijo desde muy joven aprendiera a cortar camisas, saber al que había sacado su máximo rendimiento en cuanto llegaron a Shangai. Los Loewenstein se las arreglaban bien.

—¿Habéis encontrado buenos locales?

—No están mal. En el 590 de Tongshan Road. Pásate a verme cuando necesites una camisa.

—Vale. Gracias.

—¡Adiós! —le dijo Alfred con un gesto jovial.

Todo parecía salirle bien a ese optimista nato. El optimismo, ¿clave del éxito? «¿Por qué no?», pensó Walter. Ninguna situación podía ser del todo mala. En cada una, decidió, había que encontrar un aspecto positivo al que aferrarse. Incluso, cuando uno estaba obligado a abandonar un nido completamente nuevo, construido con dificultad, por un refugio precario.

De pronto sintió que el hambre, a pesar del calor y el cansancio, le atenazaba el estómago y Walter se dio cuenta de que no había tomado nada desde la cena de la víspera en el Wing On. Era casi mediodía. Una pequeña nube de vapor, por encima de la muchedumbre, señalaba la presencia de un cocinero ambulante. Walter se detuvo y rebuscando en su bolsillo, encontró justo con qué comprar un cuenco de arroz. Sobre su increíble tinglado el hombre estaba salteando unas verduras y vigilaba una fritura. Walter lo reconoció. Era el que, en invierno, ofrecía buñuelos de serpientes. Serpientes que, en primer lugar, pelaba como si fueran plátanos.

Se acordó de cierta ocasión en que se había divertido a costa del horror de Horst Bergmann. Le contó que Feng-si, una tarde de invierno que lo había visto con mala cara, le había preparado un plato reconstituyente. «Muy bueno para la salud —le dijo mientras le servía—. ¡Come!» Confiado, él había obedecido y vació su plato antes de interesarse por la naturaleza de ese curioso guiso con sabor a pollo. «Serpiente —contestó Fengsi—. Muy bueno cuando uno está cansado.» Aquel episodio incitó a Walter a desconfiar de las buenas intenciones de su amiga. «¡Puah!», había soltado Horst, arrugando de asco de tal modo la nariz que se le cayeron las gafas.

El médico berlinés se contaba entre el escaso número de personas cuya situación se había visto mejorada con Pearl Harbor. La marcha de los ciudadanos aliados había abierto el mercado a los médicos, dentistas, ayudantes de laboratorio y químicos. A Horst lo había contratado el Shanghai General Hospital. Cambio doblemente oportuno, pues Laura Margolis, la estadounidense encargada de coordinar la asistencia, que llevaba a cabo su tarea con mano de hierro enfrentándose a los peces gordos y criticándolos cuando se terciaba, había cerrado los dispensarios judíos. Durante una epidemia de tifus en pleno verano, en el cual los *Heime* se habían convertido en nidos de suciedad y pulgas, esos establecimientos, cuyo mantenimiento resultaba excesivamente caro, se habían revelado demasiado pequeños, mal equipados e incluso insalubres. En uno, dieciséis refugiados débiles y enfermos habían muerto de extenuación un día de canícula. Tres bebés habían muerto en otro una noche de invierno en la que se apagó la calefacción.

Los hospitales de la Concesión Internacional habían contratado a decenas de facultativos europeos, mientras que los directores franceses habían hecho oídos sordos a todas las ofertas.

Eran pocos los puestos vacantes en Frenchtown, barrio al abrigo de la vindicta japonesa, pero era evidente que los judíos no suscitaban muchas simpatías en ese barrio de Vichy.

¡Por fin, Kungping Road! A orillas de un solar en el que se entreveían todavía los cimientos de una casa y bajo la vigilancia de la elevada puerta rematada en tímpano que gobernaba una mansión china, se había instalado un mercado permanente donde los refugiados vendían sus bienes: manteles con puntillas y sábanas de lino, besugueras y sartenes, abrigos y trajes, relojes de pared y de pulsera…

Walter buscó en su bolsillo la arrugada tarjeta en la que figuraba la dirección de la señora Armenin, la propietaria rusa. «Debe de estar metida en todo tipo de tráficos —le había advertido Werner—. A su hijo se lo cargaron de un tiro al volante de su camión.» Tampoco ella, como descubrió Walter, era manca. Con el cigarrillo entre los dientes juzgó a Walter de un breve vistazo y le pidió un mes de alquiler por anticipado. Walter se dio cuenta de que ningún argumento la apearía de esa exigencia. Entonces no le quedaba sino vender… pero ¿vender qué? Ni el Reverso regalado por Sokolov el día de la pedida, ni la pitillera de Masha, ni el reloj de Feng-si, ni la cámara fotográfica, último regalo de sus padres, ni la pluma Waterman, símbolo del futuro que quería trazarse… Se decidió por un chaleco de lana inglesa, con la idea de que podría volver a comprarse otro igual cuando la vida volviera a su cauce. La señora Armenin consintió en guardarle su equipaje mientras él efectuaba la transacción. Por la mirada de superioridad que le lanzó cuando hubo regresado con algunos billetes, sospechó que la muy zorra había aprovechado su ausencia para fisgar entre sus bártulos.

La casa china adonde lo envió ocupaba una gran parte de una callejuela que daba a Kungping Road. Una pareja y una vieja estaban de mudanza, ingeniándoselas, dada la estrechez de la escalera, para meter sus pobres muebles por la ventana. No había agua ni en el piso ni en el patio. Doce familias se alojaban en doce habitaciones, seis por planta. Una séptima puerta en el primero daba acceso al reducto donde se encontraban los contadores de la luz. Esa era también la habitación de Walter. Las paredes estaban enlucidas con una costra negra. Un catre de tijera, una mesa rudimentaria, una silla y el bacín constituían el mobiliario. Un puñetazo en el estómago no habría dejado más abatido a Walter que la visión de ese cuchitril. Con todo, la noción de «puñetazo» le recordó al boxeador Alfred Loewenstein, el optimista nato, y la resolución que había tomado ese día: «Encontrar en cada situación un aspecto positivo al que aferrarse». Más tranquilo, Walter decidió demostrarse a sí mismo que podía arrostrar cualquier cosa y coger el toro por los cuernos. Para empezar, pintaría el cuarto de blanco. Tenía el tiempo justo antes de devolver el remolque a los Bauer y acudir corriendo al Wing On, donde, por suerte, podía dejar su esmoquin.

Walter bajó la escalera, compró un pequeño bote de pintura, alquiló un rodillo y se puso manos a la obra. Con un ligero retraso y molido, pero orgulloso, se unió a la orquesta.

—¿Ahora trabajas en un circo? —le preguntó Veneto alcanzándole un espejo de bolsillo.

Walter soltó una carcajada. Manchas blancas, diseminadas, adornaban su rostro. Sonrió contento con la idea de despertarse al día siguiente por la mañana entre paredes limpias.

La pintura estaba seca cuando regresó a su chiscón. Muerto de cansancio, apagó la luz y se acostó sin desvestirse. Un olor fétido y persistente lo alertó (lo conocía pero ¿de qué?), luego sintió unas irritantes picaduras por todo el cuerpo. Volvió a encender la luz. Las paredes que había pintado de blanco estaban todas negras de chinches.

Walter bajó al patio, donde ya se encontraban otros inquilinos. Avanzando con cuidado para no chocarse con nadie, dio por fin con un sitio vacío. Por la mañana, nada más despertarse se presentó en casa de la señora Armenin para protestar.

—Se acostumbrará —le replicó ella.

Walter se marchó con un portazo, pero ella lo llamó de vuelta para prevenirle de que no le devolvería la fianza del alquiler si se mudaba.

Cuando Walter volvió al callejón, se encontró la casa en ebullición. Un refugiado se había suicidado durante la noche.

3

Stateless refugees are prohibited to pass here without permission.*

Mientras caminaba al lado de Anna, Walter miró con resentimiento esa inscripción, mil veces leída y releída, que figuraba en los límites de la Zona. Barricadas de alambre de espino reforzaban la prohibición en algunos lugares, en otros una línea imaginaria atravesaba la calzada en diagonal. Más valía no aventurarse más allá del área autorizada. Emplazados en los sitios de paso, unos refugiados con un brazalete amarillo en el que se leía Paochia vigilaban con atención las idas y venidas.

Walter estaba contento de hablar con Anna. Habían acordado ir juntos a la Shanghai Office for the Affairs of Stateless Refugees,** para obtener cada uno su permiso. Solo ese papel los autorizaría a partir de ese momento a salir unas horas al día de la Zona, Walter para acudir al Wing On y Anna a las casas donde cuidaba niños.

Anna batía el aire húmedo con su abanico de bambú. Tenía ojeras y las facciones cansadas.

—¿Qué significa «Paochia»? —le preguntó sofocando un bostezo.

—«Los Guardianes de la Casa» —le tradujo Walter—. Los japoneses han retomado esta milenaria institución china. Es

---

* «Se prohíbe el paso a los refugiados apátridas sin permiso.»
** Oficina de Asuntos para los Refugiados Apátridas.

una milicia jerarquizada, destinada a la seguridad del barrio. Todos los habitantes tienen que participar por turno.

—¿Tú también?

—¡Por supuesto! ¡De lo contrario me podría costar caro!

Walter se enjugó el rostro y el cuello con el pañuelo. El pelo se le pegaba a la nuca. A las diez de la mañana, el aire de ese mes de agosto era ya irrespirable. Nada más vestirse, uno tenía ya la ropa pringosa. En el fondo de los callejones, allí donde las mujeres habían instalado sus hornos, algunas cocinaban en braga y sujetador. «¿Es que no hay un solo árbol en el gueto?», se preguntó Walter.

Cien mil chinos, unos diez mil japoneses y algunos miles de rusos blancos se amontonaban ya en la Zona, un rectángulo irregular de dos kilómetros por tres, cuando el edicto obligó a entrar por la fuerza a veinte mil habitantes más.

Un barrio de ruinas deshabitadas, en el que importantes complejos como el de la policía, el de la gigantesca prisión de Ward Road con sus anexos (pasaba por ser el mayor establecimiento penitenciario del mundo), el del colegio japonés que ocupaba quince mil metros cuadrados, el de la morada de un general japonés flanqueada por un terreno de juego donde se celebraban competiciones deportivas, o los de dos grandes mercados cubiertos y algunos vertederos de basuras, disminuían otro tanto la superficie habitable.

Algunas callejuelas eran chinas, otras completamente judías. Los japoneses habían desaparecido, tras cambiar sus pisos por los de los barrios internacionales, que los judíos se habían visto obligados a abandonar.

Además de su alojamiento, los industriales y los comerciantes «apátridas» tuvieron que renunciar a sus empresas y los bienes imposibles de trasladar. «¡No todos han perdido!», pensó Walter. Japoneses y rusos blancos hacían grandes negocios. El gueto fue el destino de las manufacturas de jerséis, pantalones, mantas, radios o salchichas, de los pequeños bares y sus prostitutas, de las pastelerías y de las salas de baile. Por ejemplo, el

Café Louis, antes en Bubbling Well Road, acarreaba sus penates a Ward Road Lane, donde anunciaba su apertura para septiembre. Los Bauer, que habían llegado antes de 1937, pudieron quedarse en la avenue Joffre, pero se aburrían en un Wiener Café amputado de su clientela de asiduos. Incluso los dulces, afectados por las restricciones alimenticias, habían perdido el gusto de antaño.

Cuando se proclamó el edicto, Anna y su amiga estaban alojadas en Dent Road, una de las calles que marcaban el límite, pero solo una de sus aceras estaba incluida en la Zona. Ellas vivían en el lado equivocado, de modo que también tuvieron que mudarse. Por suerte, habían encontrado una habitación, pequeña pero soleada, en la casa china que un jurista austríaco y su mujer acababan de comprar enfrente. La pareja se marchó de Viena con un rubí escondido en el tacón de un zapato.

Anna ahogó otro bostezo. Los ojos le lloraban.

«Anna va por mal camino», pensó Walter. Eso le crispaba. No le gustaba la vida que llevaba en compañía de una tal Helga y buscaba el modo de decírselo. Helga, peluquera, tenía a su cargo una familia de cuatro personas y se mostraba poco cuidadosa con las conveniencias que regían la buena sociedad. Walter consideraba también que ejercía una influencia deplorable sobre Anna. Tarde, por las noches, cuando terminaba con los niños a los que cuidaba, Anna se unía a la pandilla de Helga en el Tabarin, el Oceana o el Mascot o en alguna de las numerosas salas de baile que amenizaban las calles de Hongkew y bailaban hasta la madrugada. A las chicas no les faltaban acompañantes. Walter no tenía un céntimo, pero había otros con los bolsillos llenos.

Anna volvió a bostezar y Walter, a propósito, le lanzó una mirada de censura. Ella se dio cuenta y estalló en una carcajada cristalina.

—Ayer por la tarde —empezó Anna a contar—, estábamos cansadas. Entonces Helga dijo: «Esta noche no salimos. No, no salimos. Pero, al menos, nos tomamos un café. Un café, sí. Y luego a casita». Nos fuimos a beber un café. Pero nos entonó tanto que nos entraron ganas de ir a bailar. Cuando hemos vuelto esta mañana, ¡Helga tenía el tiempo justo para lavarse, tomarse otro café e irse a trabajar! Yo, al menos, he dormido tres horas. Hemos conocido a unos japoneses muy simpáticos, muy simpáticos, la verdad.

Walter la empujó con fuerza para evitar que fuera atropellada por una carretilla.

—¡Anna! —tronó—. ¿No te das cuenta de que estás echando tu vida a perder?

Ella lo observó con una mirada fría.

—¿Acaso me he permitido yo un solo juicio sobre la tuya? Nunca te he dicho nada y sé bien que tu prometida no es la única mujer de tus pensamientos. ¿Me tomas por idiota o qué?

—No es lo mismo.

—¡Vaya! Y ¿por qué no?

—¡Porque yo soy un hombre y no me tengo que preocupar de mi reputación! ¿Quién querrá casarse contigo con la vida que llevas?

Anna se detuvo, obligando a Walter a volverse hacia ella, y con la mano en la cadera, le miró fijamente a los ojos.

—Alguien que me quiera por mí misma, por lo que verdaderamente soy. Y mala suerte si ese alguien no existe. Viviré sola y disfrutaré de lo que me vaya encontrando… En apariencia, eres un hombre de mente abierta, pero, en realidad, ¡no eres más que un pequeño burgués! Otra cosa: estoy muy contenta de haberte encontrado aquí, pero no eres ni mi padre ni mi hermano. ¡Adiós!

Se marchó a grandes zancadas. Walter la alcanzó, hicieron las paces y retomaron su camino. Unas cien personas los precedían en la cola que aguardaba entrar en el edificio oficial. Walter echó de menos su sombrero de culi. Se lo había dejado por coquetería. Tras el enfado que le había provocado Anna y su reconciliación, navegaba en una especie de letargo. Escuchó el relato de una joven mujer rubia delante de ellos, que repetía una y otra vez su pasado en honor de su vecina.

—¡Cuando pienso en cómo me enteré de que era de sangre judía! Un día en el colegio me trataron de «sucia judía». «¡Lárgate, sucia judía!» Como había oído historias raras sobre los judíos, le pregunté a mi madre qué era eso. «Fíjate en tu padre —me dijo— y entonces lo sabrás. Él es judío»… Cuando mi padre tuvo que marcharse a Shangai, un vecino aconsejó a mi madre: «¡Divórciese! ¡Así se podrá quedar aquí con sus hijas!». Pero ella amaba a su Hansi, así que lo seguimos y, ahora, también yo me he casado con un judío.

La cola apenas avanzaba. Esa observación llenó a Walter de fastidio.

—¡A este ritmo estaremos aquí hasta la noche! —estalló.

—Es muy posible —subrayó delante de él un hombre enjuto de hombros caídos, vestido con un pantalón corto grasiento, que se apresuró a presentarse—: Me llamo Ackermann.

—Neumann —respondió Walter.

Con repugnancia Walter estrechó la mano que le tendía.

—¡Ah, Neumann! —dijo el otro con aire de entendido observándolo a través de los gruesos cristales de sus gafas—. ¡Es usted el que vive en East Seward Road!

—No, no. Nada de eso. Me alojo en un callejón de Kungping Road. Si se le ofrece algo, estoy a su disposición.

—Podría ser. Nunca se sabe. Deme su dirección exacta para que pueda localizarlo.

Sacó un trozo de papel de su bolsillo y, al dictado de Walter, garabateó las indicaciones con unos dedos grises y las uñas ribeteadas de negro. Anna se había apartado un poco. El hombre olía bastante mal. Walter bajó la cabeza y el sudor le resbaló por el puente de la nariz. La sed, que parecía ser objeto de todas las conversaciones, lo atormentaba.

—¡Apenas un metro en media hora! —gruñó buscando la mirada de Anna.

Ella asintió al tiempo que bostezaba de nuevo, lo que devolvió a Walter una rabia todavía fresca.

—¡Estamos encerrados en un gueto! —estalló dando un

puñetazo en el muro—. ¡Como en Polonia! Esto es un gueto. ¡Sí que merecía la pena escapar de los guetos de Hitler para caer en los de los japoneses! ¿Estás segura de que te parecen «muy simpáticos, la verdad» tus japoneses?

—¡Guetos en Polonia! —se extrañó Ackermann receloso—. ¿Dónde ha oído eso?

—¡En la radio, señor, lo he oído en la radio! Y ahora que los japoneses nos han confiscado los receptores, no podemos saber siquiera lo que pasa en Europa. Mi madre está en Europa. Me gustaría saber qué es de ella. Es humano, ¿no? Estos cabrones de los japoneses han empezado a copiar los métodos de los alemanes. Nos tratan como a animales.

—¡La cola se mueve! —dijo Anna tirando de Walter con brusquedad—. ¡Mira, escucha esta historia que me han contado!

Ponía todo su empeño en retenerlo y el sudor mezclado de sus brazos se deslizaba por sus manos. ¿Por qué repentina razón Anna, tan poco posesiva, quería impedirle hablar con Ackermann?

—¡Escucha! —insistió Anna iniciando su relato.

Un vienés, su mujer y su hijo, tras desembarcar en Shangai con once dólares en el bolsillo, habían sido depositados en el Embankment Building. «¿Podemos ver nuestra habitación?», preguntó. Lo introdujeron en un dormitorio y le invitaron a elegir tres camas. «¡Venga, nos vamos!», decidió entonces tomando por el brazo a su esposa que gritaba: «¿Adónde vamos a ir sin dinero? ¡Estás loco!». En la calle, se encontraron con otro vienés, que les propuso albergarlos durante la noche. Al llegar a su destino, el hombre preguntó si había un café por los alrededores. Sí, el Café Olympia. «Voy allí», declaró a pesar de los nuevos gritos de su compañera: «¡Estás completamente loco! Aterrizamos en China después de un viaje de seis semanas y ¡te largas a un café!». A pesar de sus súplicas, no consiguió nada. Cuando regresó una hora más tarde, ordenó a su mujer que despertase al niño para que oyera cómo su padre había ganado treinta dólares. «Acaba de dormirse», protestó ella. El hombre se empeñó y delante de su hijo, que tenía los ojos abiertos como platos, finalmente reveló: «He comprado una casa en Mac Gregor Road». La mujer le interrogó: «¿Dónde está Mac Gregor Road?». No tenía la menor idea. En el café, había oído a un checo decir que buscaba un comprador para su casa. Preguntó el precio y se erigió en comprador. El checo le exigió un anticipo de cinco dólares. El vienés se los dio… «¿Qué? —aulló su esposa—. ¡Has entregado cinco de nuestros once dólares!» En efecto, luego fue al servicio. Allí manifestó a un hombre su buena fortuna: «Acabo de comprar una casa». «¿Dónde?» «En Mac Gregor Road.» «¿Por cuánto?» Le indicó el precio. «¡Tirada! —exclamó el hombre—. Si hubiese podido, también yo la habría comprado.» Entonces el vienés: «Es suya por treinta y cinco dólares más, al contado». El hombre le entregó de inmediato la cantidad solicitada. «Y ahora —dijo el vienés abriendo la puerta del servicio y señalando al checo—, puede tratar directamente con el señor.»

Walter se rió de buena gana. Le gustaba ese tipo de historias, sobre todo contadas con los expresivos gestos de Anna. Recuperó la calma. Cuando llegaron al pie del inmueble que albergaba la Shanghai Office for the Affairs of Stateless Refugees, oyeron voces procedentes del interior. Se repitieron con regularidad a medida que iban subiendo la escalera y, luego, mientras avanzaban por el pasillo. Sus predecesores en la fila, intrigados y aterrados, se ponían de puntillas y estiraban el cuello para ver qué ocurría en el lugar de la trifulca. Todo lo que Walter y Anna pudieron averiguar era que el oficial japonés nombrado para entregar los permisos se llamaba señor Ghoya.

Al entrar en la habitación, descubrieron a un hombrecillo con cara de mono sentado detrás de un escritorio. Delante de él se encontraba un refugiado bastante alto que se agachaba para hablarle. De pronto el japonés se enderezó como un resorte, saltó sobre su silla y se subió a la mesa. ¡Un enano! Mostrando su superioridad al hombre con una cara arrogante, se puso a berrear señalándose a sí mismo con énfasis.

—¡El rey de los judíos! Soy el rey de los judíos. ¡Yo! Yo soy quien decide si usted puede salir y adónde puede ir. ¿Entendido?

El gnomo se había expresado en alemán. Con un gesto imprevisible, descargó un puñetazo en el mentón de su interlocutor que, asustado, retrocedió de un salto sujetándose la mandíbula. Cuando se hubo calmado por completo, Ghoya descendió con parsimonia de su pedestal, cogió su estilográfica, emborronó algunas líneas de su cuaderno, rellenó una tarjeta azul y se la lanzó al desdichado que salió sin decir palabra.

El siguiente era Ackermann. Tendió sus papeles al oficial con una reverencia obsequiosa.

—Buenos días, señor Ostrowski —saludó amablemente el odioso personaje una vez que hubo descifrado el documento de identidad del interesado—. ¿Desea un permiso?

—Sí, señor. He empezado un tratamiento médico con un doctor de Nanking Road y me gustaría continuar con él.

—Está justificado. Tenga, aquí tiene un permiso por tres meses. ¡Cuídese esa salud, señor Ostrowski!

El hombre de gafas hizo un gesto y desapareció. Alentada, Anna avanzó. Ghoya la observó en silencio.

—Por favor, señor —se animó—, yo querría un permiso.

Ghoya se puso lívido.

—¡Ah, es usted una prostituta!

—No, señor, yo me dedico a cuidar niños.

—A mí no me venga con historias. ¡Usted es una puta!

Anna temblaba, pero aguantaba bien, manteniendo la calma.

—No, no señor, le aseguro que me dedico a cuidar niños.

—¡Us-ted-es-u-na-pu-ta! —gritó golpeando con el puño el escritorio a cada sílaba… Luego, sosegado—: Tenga, este es su permiso.

Le preguntó dónde trabajaba, quedó absorto en su escritura y mientras le tendía una tarjeta rosa:

—¿Cuánto cobra por un polvo?

Anna supo callarse y desaparecer. Era el turno de Walter.

Unos instantes más tarde se encontró con ella fuera. Su entrevista se había desarrollado sin ningún incidente. El japonés simplemente le había informado de sus gustos musicales. Beethoven, Mozart y Schubert. Anna, todavía blanca, examinaba su permiso. En él estaba anotado a qué horas le estaba permitido circular por la ciudad y qué calles podía frecuentar (ilustrado con un mapa de la ciudad) a condición de llevar la insignia adjunta. Su tarjeta rosa y su insignia roja valían por un mes, la tarjeta y la insignia azules de Walter por tres meses. Como él no tenía permiso para atravesar Garden Bridge antes de las dieciséis horas, estaría confinado en la Zona durante todo el día. ¿Cómo ver a Masha a no ser en el Wing On, en esas condiciones? ¿Y cuándo podría visitar a Feng-si?

—¡Y pensar que voy a tener que revivir esta pesadilla en un mes! —gimió Anna—. Voy a intentar encontrar un trabajo en Hongkew. ¿Crees que será posible?… Walter, ¿me estás escuchando?

—Eeh… ¡sí! Estaba pensando en una cosa extraña. El buen hombre delante de nosotros en la cola, nos ha dicho que se llamaba Ackermann, ¿no?

—Sí.

—¡Tenía un documento de identidad a nombre de Ostrowski!

—Sí —repitió Anna—. Sé que vive en el *Heim* de Chaofoong Road. Se le ve a menudo rondando por los cafés, inmiscuyéndose en las conversaciones, siempre sucio, sin afeitar. Me desagrada y no soporto esa manera que tiene de escuchar todo lo que se dice. Pero ¿por qué nos habrá dado un nombre falso?

—No tiene importancia —dijo Walter arrastrando a Anna.

No quería inquietarla. El oscuro personaje podía espiar perfectamente por cuenta de los japoneses. «¡Así aprenderé a no dar mi dirección al primero que llegue!»

No obstante, Walter no pudo evitar preguntarle:

—¿Has oído decir que los principales representantes de los comités de asistencia a los refugiados, los señores Speelman,

Hayim, Kauffmann, Topas y otros han sido detenidos por la *Kempeitai* e internados en Bridge House?

Anna abrió los ojos como platos.

—No, no he oído decir nada. ¡En prisión con este calor! ¡Tiene que ser horrible! Y ¿por qué motivo?

—No está muy claro. Podría estar ligado a la denuncia del complot alemán sobre el que te he hablado, que consistía en llevarse a todos los judíos de Shangai para desembarcarlos en una isla desierta. El vicecónsul japonés Shibata también ha sido detenido. Habría reunido a los dirigentes para darles a conocer el asunto. Si lo ha hecho, ¡ha sido muy valiente!

Walter tenía prisa por conocer el punto de vista de Feng-si sobre estos encarcelamientos. ¿Conocía ella a ese Shibata? ¿Estaba vinculado al jefe de las fuerzas navales? Y, por su parte, ¿no corría ella el riesgo de que la molestasen?

Con el corazón agobiado por un peso indefinido, Anna y Walter arrastraron en silencio sus pies hinchados a lo largo de Muirhead Road y luego se separaron. Anna se iba a cambiar antes de acudir a la casa de sus niños chinos. Walter le ocultó que se proponía ir a comer gratis en el *Heim* de Chaofoong Road. El regalo de cumpleaños de Masha, un abanico pintado a mano que por un lado tenía unas peonías y por el otro un breve poema caligrafiado, lo había dejado sin un céntimo para el resto del mes.

¿Qué plato podía esperar? ¿Judías pintas como cada uno de los días de la semana pasada? Los refugiados ignoraban que todavía disfrutaban de las vacas gordas cuando se quejaban de sus dos cazos de mijo o de tallarines de arroz con algunos dátiles o bien de un único huevo cocido acompañado de pan y margarina o incluso de las raras hebras de carne en la sopa. También sobre ese tema circulaban rumores. Se decía que algunos sacaban tajada de esos tallarines, huevos y judías.

Con todo, recordó Walter, en 1939 se habían servido cuatro millones de comidas a los refugiados. A pesar de las restricciones debidas a Pearl Harbor y del cese de la ayuda estadounidense tanto a las asociaciones como a los particulares, el milagro se perpetuaba. ¿Conseguiría Laura Margolis con su frenética actividad conseguir más fondos?

Cuando llegó al *Heim*, después de haber pasado por casa para coger su recipiente y su sombrero, a Walter le ardía la espalda. Tenía la piel, la boca y el cuerpo entero cocidos. Por segunda vez en ese día, aguardó su turno en una cola. Esta vez por unas judías pintas y un poco de té.

4

Aturdido, Walter se llevó la mano al pelo y la retiró pringosa, cubierta de sangre. ¿Cuántos golpes le habían asestado los policías de la *Kempeitai* con sus porras? ¿Dos, tres? Había usado de nuevo la vieja técnica de Dachau: arquear la espalda y abstraerse.

Luego lo habían llevado a ese despacho. Desconocía el motivo de su detención. No podía ser sino una equivocación.

Un oficial japonés estaba hojeando unos expedientes. Durante un buen rato permaneció absorto en su tarea antes de dignarse a atender al preso. Entonces alzó un rostro inexpresivo.

—¡De rodillas! —ladró de repente en alemán—… ¡Arrodíllese!… ¡Sin darse la vuelta, hacia atrás, hasta la puerta!… ¡De pie!

Walter obedecía con toda la rapidez de que era capaz. Le parecía que con cada movimiento la cabeza le iba a estallar. El oficial le echó una mirada aviesa, con la boca contraída por el odio.

—¡Sabemos que se dedica a la propaganda antijaponesa!

—No, señor —articuló Walter a duras penas—, no he hecho nada parecido.

Mantenía los ojos bajos. Había aprendido por experiencia que no había que mirar a los conquistadores a la cara. Las acusaciones lo bombardearon. Él se empecinó en negar. ¿Cuántas horas habían transcurrido desde que dos policías lo detuvieron a la puerta de casa cuando salió para comprar un cigarrillo y agua hervida? Dos, cinco o diez horas. No tenía ni idea, pues, por suerte, no había cogido el reloj. El oficial encendió un cigarrillo, aspiró una bocanada y soltó:

—Si he entendido bien, ¡me acusa de mentir!

—No, yo…

—¡Ah, por fin está diciendo la verdad! Pues, si yo no miento, ¡es usted el que miente!

Una espesa bruma se había adueñado de la cabeza de Walter. No encontró la respuesta.

—¡Basta de mentiras! —aulló el oficial al tiempo que aplastaba la colilla en el cenicero—. Tenemos pruebas.

Abrió un cajón con un gesto violento, cogió una hoja y leyó en voz alta:

—«¡Sí que merecía la pena escapar de los guetos de Hitler para caer en los de los japoneses!… Ahora que los japoneses nos han confiscado los receptores, no podemos saber siquiera lo que pasa en Europa… Estos cabrones de los japoneses han empezado a copiar los métodos de los alemanes. Nos tratan como a animales.» ¿Reconoce estas palabras?

¿Tenía que negarlo o admitirlo? El oficial no le dio tiempo para reflexionar.

—Le aconsejo que no nos meta una trola —añadió con un tono extrañamente dulce—. Aquí tenemos un tratamiento especial para los mentirosos.

Hizo una señal. Uno de los soldados salió de la habitación y regresó arrastrando lo que en otro tiempo había sido un ser humano. Tenía la cara destrozada. Bajo los ojos casi fuera de las órbitas, un agujero sangriento sustituía a la nariz. La mandíbula le temblaba. Sus piernas estaban rotas. El hombre todavía gemía. Walter bajó los ojos.

—¿Reconoce sus palabras? —vociferó el oficial con los ojos como brasas.

—Sí —murmuró Walter.

Le castañeteaban los dientes.

—¡Es un propagandista antijaponés! —asestó el nipón congestionado por la cólera.

—No, señor… Es cierto que aquella vez dije eso —a Walter le costaba encontrar las palabras—… pero nada más, nunca. No soy un propagandista.

El oficial hizo una señal al primer soldado para que se marchara con su prisionero y dio una breve orden al segundo. Para gran sorpresa de Walter, este último le acercó una silla. Se sentó temblando de los pies a la cabeza.

—¿Un cigarrillo? —le propuso el torturador con una amable sonrisa.

Se levantó y avanzó hasta Walter tendiéndole su pitillera.

¿Era una trampa? Sin saber qué pensar, Walter aceptó. Rechazarlo podría interpretarse como una ofensa. El chasquido de un mechero le hizo echarse hacia atrás. La llama le había rozado el pelo. De vuelta a su escritorio, el oficial quedó absorto en un expediente, firmó unos documentos e hizo de nuevo una señal. Uno de los soldados salió. Cuando regresó, sujetaba un paquete de varillas de bambú muy finas y la punta afilada, que el japonés contempló con una especie de arrobo.

—Nos está contando mentiras —afirmó con una voz empalagosa—. Si persiste, este soldado cumplirá la orden de introducir esos bastoncillos bajo sus uñas. Lo siento por usted.

Walter conocía de oídas el efecto de esa tortura. La inflamación se transformaba en una quemadura insoportable.

—Estoy diciendo la verdad —balbuceó.

—Le dejamos veinticuatro horas de reflexión —le advirtió el oficial con magnanimidad.

Los soldados se hicieron cargo de Walter, le ataron las manos a la espalda y lo arrastraron sin contemplaciones. Sabía lo que le esperaba: una celda minúscula donde lo obligarían a permanecer sentado con las piernas cruzadas, doce o quince horas seguidas; un cuenco de arroz cocido como alimento; las pulgas y las ratas como compañeras.

En ese mismo instante, en el Wing On, Giulio Veneto comprendió que tendría que prescindir de su pianista. ¿Qué le habría sucedido a Walter? El guapo rubio había adelgazado, como todo el mundo, pero parecía que disfrutaba de buena salud.

Veneto tuvo la esperanza de ver llegar a Masha y con ella alguna aclaración, pero no apareció. Señal de que Walter no le había telefoneado y ella no sospechaba nada. Markus, el violinista, compartía la inquietud del director de orquesta. A las once de la noche, cuando emprendieron juntos el camino hacia Hongkew en sus bicicletas, los dos músicos decidieron ir a llamar a la puerta de Walter. Nadie.

¿Qué hacer? Tenían el presentimiento de un acontecimiento trágico. ¿Era preciso echar la puerta abajo?

—Intentemos averiguar si alguien lo ha visto hoy —propuso Giulio.

Se aventuraron en el patio entre los cuerpos tendidos sobre esteras. ¿Podían despertar a una gente que apenas encontraba unas horas de descanso a lo largo de esos días de calor húmedo?

—¡Y Masha que debe estar tranquilamente a remojo en su fresco baño! —dijo el pequeño Markus—. ¡Si ella se imaginase!

Ella había contado, que durante esas noches de canícula, los Sokolov llenaban la bañera de agua fría. El que no conseguía dormir iba allí a remojarse.

Al ver a los dos hombres vacilar indecisos, una mujer les preguntó qué estaban buscando. Ella conocía a Walter, pero no lo había visto en todo el día. La pregunta circuló de unos a otros y, finalmente, alguien se acordó de haber visto a unos soldados japoneses prender al joven y meterlo a empujones en un vehículo militar.

Era demasiado tarde para actuar. ¿Qué se podía hacer?

—Nada —dijo Markus con acritud—. No somos más que unos peleles.

¿Había que advertir a los Sokolov? O, por el contrario, ¿era mejor abstenerse de preocuparlos?

—Vamos a consultarlo con la almohada —dijo Giulio.

Quedaron citados para el día siguiente a las siete de la mañana. El pequeño Markus se reunió con Giulio tras haber llamado en vano, una vez más, a la puerta de Walter.

—Fanny piensa que Masha es demasiado frágil para soportar semejante golpe —manifestó entonces Veneto.

A propuesta del violinista, acudieron a casa de los Fischer. Otto había salido a comprar agua hervida para el té de por la mañana. Greta, al enterarse del motivo de esa visita matinal, palideció. Hans apretaba los puños, ardiendo en deseos de pegarse con los japoneses y liberar a Walter.

—Tengo una idea —anunció finalmente Greta—, pero no puedo decirles más. Tengo que guardar un secreto, ¿me entienden? Confíen en mí, les prometo que les informaré lo antes posible.

Estaba también de acuerdo en que era mejor dejar a los Sokolov al margen mientras ellos no hicieran acto de presencia. A Giulio y a Markus no les quedó más remedio que aceptar las condiciones de Greta. Pesarosos por no poder hacer nada, regresaron a sus casas, al tiempo que Hans iba en busca de su padre.

—No hay que perder ni un segundo —dijo Otto ya de regreso—. Si han encerrado a Walter en Bridge House, corre el riesgo de coger el tifus.

Hans se estremeció. Era una enfermedad mortal. Todo oídos, escuchó el plan que trazaban sus padres, con demasiada lentitud para su gusto. Para ejecutarlo había que salir de la Zona. Sin embargo, ninguno de los Fischer disponía de permiso.

—Solo hay un modo —concluyó Otto.

Padre e hijo se entendieron con una mirada.

—Yo voy —dijo Hans.

Greta le dio ropa limpia. Se vistió mientras escuchaba las órdenes, luego cogió su balón de fútbol y abrió la puerta.

—¡Sé prudente, mi niño! —suplicó Greta.

—Te lo prometo, mamá.

—Vendrás lo antes posible, ¿verdad?

—¡Seguro!

Se abalanzó sobre ella para abrazarla y salió de la habitación en compañía de su padre.

—Voy a quedarme dos o tres metros detrás de ti —le advirtió Otto—. Al más mínimo percance, grita lo más fuerte que puedas.

—Todo irá bien, papá.

Con una carcajada hizo que se desperezaran todos los músculos de su espalda. Podía derribar a cualquier adulto poco entrenado.

Mientras jugaban con la pelota en un solar, habían descubierto una callejuela cuya salida no estaba vigilada por la Paochia. Hans se acercó regateando. De pronto perdió el control del balón, que atravesó el límite de la Zona. El chico lo alcanzó de dos saltos y miró a su alrededor con el corazón palpitante. Nadie lo había visto. Se lanzó, regateando de nuevo, en dirección hacia la ciudad. «He ido a ver a un amigo a Hongkew —se repetía para convencerse—. Soy el hijo del doctor Adler. Vivimos en la avenue du Roi-Albert. He ido a ver a un amigo a Hongkew. Era su cumpleaños. Sus padres son tan pobres que no tiene balón. Hemos estado jugando un rato…»

Para su tranquilidad, Hans sabía que a algunos médicos judíos, que, como el doctor Adler, se habían hecho una clientela japonesa, se les autorizó a permanecer en la ciudad. Además, los nipones se mostraban mucho más flexibles con los niños que con los adultos. Durante el período escolar, el temido Ghoya había concedido un permiso a todo colegial que deseara acudir a un establecimiento fuera de la Zona. Tenía también por costumbre acariciar las cabezas de los pequeños.

De camino, Hans tenía cuidado de no enviar su balón a los bultos envueltos en papel de periódico. Por lo general contenían cadáveres de bebés chinos. Su curiosidad le había llevado a descubrir que el número de niñas superaba con creces al de niños. No lo había comentado con nadie y lamentaba que las niñas fueran tan frágiles.

Sin dejar de regatear, Hans llegó sin problemas ante la casa china de la avenue Joffre. Conservaba un recuerdo maravilloso de su última estancia allí, cuando Walter le pidió que llevara el ramo de nandinas a Feng-si. Y resultó que, como en un cuento de hadas, apenas hubo llegado él delante de la puerta, una música encantadora alcanzó sus oídos. Se estiró lo mejor que pudo la camisa empapada sobre el torso y llamó. Una china muy joven con una larga trenza le abrió la puerta.

—*No Master?* —se extrañó ella con una voz fina que tintineaba como una campanilla.

—*No. Me alone.*

Ella ahogó una risa bajo su mano casi traslúcida.

—*My wantchee see Miss Feng-si* —retomó Hans, molesto al comprender que no se le tomaba en serio, cuando él se consideraba casi como un amigo de Feng-si desde que había oído a Greta explicar a Otto que la china era «una amiga de Walter»—. *Me friend number one Master Walter.*

Fue el «Sésamo, ábrete». La puerta se cerró detrás de Hans, que fue invitado a sentarse en un pequeño salón chino. La música se había callado, pero un concierto de perfumes hacía cosquillas en la nariz al muchacho. Sobre un velador, un plato con golosinas tentaba sus papilas.

Hans oyó cuchicheos, risas y crujidos de tela en la habitación donde había desaparecido la pequeña *amah*. Ella salió y le rogó que esperase. Hans no encontró ningún inconveniente. Toda su prisa lo había abandonado tan pronto como puso el pie en la casa encantada. La joven regresó enseguida con una bandeja de laca negra cargada con una tetera y dos tazas y le invitó a seguirla. Confuso, Hans encontró a Feng-si con el cabello suelto, entre los cojines de una cama con baldaquín. Admiró la calidad de los amplios mosquiteros blancos.

—Siéntate, Hans —dijo Feng-si señalando un taburete con la mano. Tenía las uñas pintadas.

La joven de la trenza sirvió el té, de un extraño color verde oscuro, en una taza de porcelana tan fina, que el muchacho temía aplastarla entre sus dedos. Sin saber dónde poner la vista, miraba fijamente los pájaros bordados en el biombo de seda.

—¿Qué te ha traído por aquí, pequeño Hans? —le preguntó Feng-si, animándolo con una sonrisa.

Se había imaginado que declamaría su relato de carrerilla, pero allí, delante de ella, aturdido y eufórico, no encontraba el comienzo de la madeja. Se dio cuenta de que, durante las revelaciones de Greta a Otto, no lo había entendido todo acerca de las confidencias realizadas por Walter. ¿Qué papeles desempeñaban aquel militar japonés y su amigo el coronel alemán? «Ese puerco», había dicho Greta.

Con todo, Hans consiguió ordenar sus pensamientos. Cuando Feng-si se enteró de que Walter había desaparecido y de que se le había visto partir entre dos soldados japoneses, se enderezó con un movimiento de la cadera y, pálida, saltó de la cama. Su té se volcó en la bandeja. Salió corriendo con su vaporoso salto de cama y gritando órdenes en chino. Una puerta golpeó.

Durante ese tiempo, Walter compartía una celda de veinte metros cuadrados, sin ventana, con unas treinta personas, hombres y mujeres mezclados, extranjeros y chinos, acusados de haber redactado escritos subversivos, de haber empleado receptores o emisores de onda corta, o de haberse dedicado al espionaje. Una mujer estaba embarazada. Entre los hombres, con el rostro devorado por la barba, Walter había reconocido a Joe Farren, el propietario de un night-club muy elegante, donde Masha soñaba con ir a bailar. Estaba envuelto en unos harapos hechos jirones y las piernas, ensangrentadas, le dolían. Otros deliraban o agonizaban.

En la interminable noche que había transcurrido, en medio del jaleo de pulgas, las pesadillas habían agitado a más de uno, encogido sobre su manta sucia que apestaba a orina y a heces. En un rincón se desbordaba el nauseabundo bacín. Por la mañana había circulado una cubeta de agua, sin duda contaminada. Algunos, incapaces de resistir por más tiempo la sed, la bebieron con avidez. «Coger el tifus, coger la difteria, ¿qué diferencia hay después de todo?», pensó Walter a punto de sucumbir. Se llevó a los labios las manos llenas de agua, pero en el último segundo, las abrió sobre el pecho.

Por la mañana, los guardianes distribuyeron *congee*.* Las manos, acabadas en uñas largas como garras, se cerraron con voracidad en torno a los cuencos.

Durante el día solo se permitía una postura: sentados con las piernas cruzadas. Estaba prohibido moverse, hablar y cuchichear so pena de ser golpeados. Los guardianes ejercían una vigilancia constante a través de los gruesos barrotes. En varias ocasiones, Walter había sentido a su espalda que alguien tiraba ligeramente de su camisa, pero, como no quiso correr el menor riesgo, desconocía la identidad de aquel o aquella que había querido llamar su atención.

Al mediodía dos soldados con bayoneta fueron a buscarlo. Desplegó sus rodillas anquilosadas con una mueca de dolor. Con toda probabilidad, ese sufrimiento era benigno en comparación con los que le aguardaban. Antes de dejar la celda, echó una rápida ojeada sobre el detenido que había intentado darse a conocer, un hombre sucio, barbudo y descarnado que no se distinguía de los otros. Walter lo «fotografió» y, al cabo de unos segundos solamente, mientras se alejaba por el pasillo, reconoció la frente estrecha y las manos grandes de su amigo Werner.

Los soldados empujaron a Walter a una habitación.

—¡De rodillas! —ordenó uno.

¿Cuánto tiempo mantuvo Walter esa postura? Cada vez que flaqueaba recibía un golpe. Por fin la puerta se abrió y el verdugo de la víspera entró con paso marcial acompañado de un europeo alto.

—¿Lo reconoce usted? —preguntó el nipón en inglés.

—Lo reconozco —afirmó el otro en el mismo idioma con un acento indefinible—. Es Walter Neumann.

* Gachas de arroz.

El desconocido y el oficial intercambiaron unas palabras en japonés, luego se dieron un apretón de manos y todo sucedió muy rápidamente. Unos minutos más tarde, Walter, desconcertado, apoyándose en el muro pues las piernas le temblaban, oyó cómo se cerraba detrás de él el portón de Bridge House. Se encontraba en North Szechuen Road. La luz directa hizo que le lloraran los ojos.

¿Era de verdad libre?

Un chófer chino salió precipitadamente de un coche que estaba parado delante del edificio blanco con un fumigador. Roció a Walter y con una mano firme lo introdujo en el asiento delantero del vehículo. Su salvador se sentó detrás.

—¿Dónde vive? —le preguntó el desconocido en inglés con aspereza.

Walter indicó su dirección y el chófer arrancó bruscamente.

—Va a cambiar de domicilio. Lo he sacado de ahí esta vez, pero no vuelva a contar conmigo. Recoja sus cosas y márchese de ese lugar lo antes posible. Procure no volver a llamar la atención.

Metió la mano en un bolsillo, sacó dos llaves y un trozo de papel.

—Estas son sus llaves y la dirección de su nuevo alojamiento.

Walter tendió una mano sucia, cuya sola visión lo llenó de vergüenza.

—No sé cómo agradecérselo, señor —balbuceó—. Discúlpeme, debe ser el cansancio. No recuerdo haber sido presentados y confieso que no sé su nombre.

—Cohn… Doctor Abraham Cohn. No es a mí a quien tiene que agradecérselo, sino a la señorita Feng-si, una persona encantadora… De no haber sido por complacerla, nunca habría movido un dedo por un joven que se comporta de una manera tan torpe. Adiós, señor. ¡Dese prisa!

El coche desapareció dejando a Walter en la acera de Kungping Road, con las llaves en la mano. Un sudor le inundó el rostro y se desmayó.

5

En la cama del hospital, Walter esperaba con impaciencia la visita del médico, que resultó ser su amigo Horst Bergmann. Lo habían ingresado la víspera, pero tenía prisa por recuperar su vida normal, olvidar la pesadilla de Bridge House y conservar solo, por todo recuerdo de esos días siniestros, la solidaridad desplegada a su alrededor por sus amigos.

Feng-si había pedido a Hans que acechara el regreso de Walter al callejón de Kungping Road. Antes de comenzar la guardia, el muchacho pasó por su casa para tranquilizar a sus padres y Otto lo acompañó. Así pues, los dos habían visto a Walter bajar del coche y desplomarse. Se abalanzaron para socorrerlo y lo ayudaron a llegar a su habitación. Allí Otto le dio de beber, de comer y le ordenó que descansara, pero él, muy nervioso, blandiendo sus llaves nuevas, intentaba explicar que tenía que marcharse. Sus recuerdos se quedaban ahí. Se había despertado con mucha fiebre en esa cama, donde, según le informó Horst, había estado delirando durante varias horas.

Tenía la boca tan seca que las palabras lo lastimaban como guijarros afilados.

¿Quiénes eran sus compañeros de habitación? Walter quiso levantarse para saludarlos, pero comprendió que le fallarían las fuerzas y se dejó caer sobre la cama jadeante. Se sumió en un sopor de donde lo sacó la llegada de Otto, que le tendía un paquetito. ¡Bombones de Edith! Edith Hirsch era una modista berlinesa de gran talento. Además de sus sombreros maravillosos, por otra parte inaccesibles para las señoras de Hongkew, preparaba unos bombones exquisitos, que «daban de comer» a su familia de cuatro personas. Se compraban por unidades. Otto había llevado tres.

—¡Te has gastado una fortuna! —protestó Walter.

—¡No te preocupes! Greta te regala el que tiene forma de corazón, yo el plano con una avellana y Hans la bola con forma de pelota. ¡Que te devuelvan pronto la salud!

Walter estaba muy emocionado.

—No hacía falta…

—¡No te fatigues, Walter! —le interrumpió Otto—. Mejor escucha lo que tengo que decirte. Mañana no podré venir. Mi permiso solo tiene un día de validez…

Walter se encontraba en el Shanghai General Hospital, fuera del gueto. El bueno de Otto había tenido que enfrentarse a uno de esos japoneses histéricos, para que se le permitiese ir a visitarlo.

—… Presta atención. Hans y yo hemos trasladado tus cosas, incluida la bici, y he devuelto la llave a la rusa. ¡Verás que no pierdes con el cambio! La habitación es bastante grande y muy luminosa. Greta está recogiendo trozos de tela para hacerte una cortina; si no, el sol te va a despertar demasiado pronto por la mañana.

Lleno de gratitud, Walter le cogió la mano y se durmió así. No vio a Otto marcharse. Apenas se hubo despertado cuando una primera monja le puso una inyección. Una segunda le llevó sus medicinas y la comida. Se volvió a dormir y luego sintió la presión de un metal frío. Hors lo estaba examinando con el estetoscopio.

—Me gustaría irme a casa —dijo Walter procurando que su voz sonara firme—. Ya me encuentro bien.

—Me harías un favor, si pudieras ocupar esta cama otros tres días más —bromeó Horst.

Luego se puso serio y le explicó a Walter que había sufrido

una conmoción psicológica, que tenía anemia y que la prudencia exigía esperar a los resultados de unos cuantos análisis que ya estaban en curso.

Walter capituló.

—¿Conoces al doctor Abraham Cohn? —preguntó de repente a Horst.

—¿Por qué?

—Luego te lo diré.

—¿Es uno de tus amigos? —se interesó el médico.

—N… no, en realidad, no.

—Entonces, esta es mi opinión. Ese hombre es uno de los mayores crápulas de Shangai. No se sabe si es iraquí o rumano. En cualquier caso, realizó sus estudios en Tokio y son los japoneses quienes lo habrían enviado a Shangai. Tan pronto como llegó, abrió una consulta en Hamilton House y ha alquilado un bonito apartamento en Frenchtown. Recibido en todas partes, se ha entregado a un tráfico de productos químicos y farmacéuticos, con el cual, puedes creerme, se gana mucho mejor la vida que reconociendo a sus pacientes. Además, como se las ha arreglado para actuar de intermediario entre los japoneses y los judíos rusos, lo han nombrado presidente de la Sacra.

—¿Es decir?

—Una institución creada por los japoneses, que han apelado a la buena voluntad de la comunidad judía rusa. Sirve para resolver los problemas de alojamiento planteados por los traslados forzosos al gueto. Allí la Sacra posee algunas casas, lo que ha dado lugar a jugosas operaciones… Lo mismo que los intercambios forzosos, ¡no lo dudes!

Era de todos sabido que los japoneses de Hongkew habían trocado sus modestos pisos por unas soberbias viviendas en el centro de Shangai. ¡Pero Walter siempre había pensado que eso dependía exclusivamente de las autoridades niponas!

Como aliviado por escupir todo lo que sabía, Horst prosiguió:

—Imagínate, el doctor Cohn ha instalado su despacho de la

Sacra en Peking Road, en un primer piso con ascensor, pero un cartel indica que ¡el uso de ese ascensor está prohibido a los refugiados! ¿Me oyes? ¡Prohibido a los refugiados! Y hasta los viejos asmáticos están obligados a subir a pie. Gracioso, ¿no? Este tipo me desagrada... Pero ¿por qué me hablas de él?

Una enfermera acudió, muy oportunamente, a reclamar los servicios de Horst para una urgencia. ¿Qué habría contestado Walter? Intentó devanar la madeja de sus pensamientos, se preguntó por la naturaleza de la relación que vinculaba a Feng-si y al doctor Cohn, pero no consiguió más que ganarse un fuerte dolor de cabeza y se volvió a dormir.

Cuando se despertó, vio esta vez, sentados en unos taburetes cerca de su cama, a Markus y Veneto. Estaban tan abstraídos en su conversación que no le hacían ningún caso. ¿Qué podían estar contándose unos músicos? Historias de músicos.

—Ya hay diez músicos judíos en la Shanghai Municipal Orchestra —contaba Veneto con orgullo—, y...

—La Shanghai Symphony Orchestra —lo corrigió el pequeño violinista.

—Puede que haya cambiado de nombre, pero sigue siendo la mejor orquesta de Extremo Oriente.

Veneto sacó un alfiler del bolsillo de su camiseta y se dedicó a limpiarse los dientes con cuidado.

—Al principio —retomó Markus—, cuando Arrigo Foa sucedió a Paci, me pregunté si podría hacerlo. No es moco de pavo dirigir una orquesta semejante.

—¿Sabes que es judío?

—No, no lo sabía.

—Llegó a Shangai en 1922.

—¡Qué adelantado! Oye, y ¿Ferdinand Adler, el violinista?

—También es judío. Lo escuché una vez en un solo con la Orchestra. ¡Formidable!

—¿Qué otros buenos músicos judíos conoces?

—Los dos hermanos Joachim: Otto, el violinista, y Walter, el violonchelista —respondió el director que, rascándose la barbilla, citó a continuación una decena de nombres más—. Muchos son profesores en el Conservatorio —añadió.

—¿Tienen alumnos chinos?

—Sí, por supuesto. Ahora, sobre todo chinos.

—Y ¿cómo hacen para entenderse?

—Con intérpretes chinos. ¡Ah! Me olvidaba del profesor Alfred Wittenberg…

—¿Es el violinista que formó un trío con Schnabel y Hekking?

—Ese mismo. Es una historia antigua. Habrán pasado treinta años. ¡Imagínate su carrera, si se hubiera podido desarrollar con normalidad, sin Hitler y los nazis! Se dice que es el mejor músico de China.

El pequeño Markus aprobó en silencio. Un profundo suspiro se escapó de su pecho.

—¡Son un buen montón, todos esos grandes músicos! Podemos estar orgullosos de nosotros mismos. Shangai nos debe mucho.

—¡Y Wolfgang Fraenkel! —articuló débilmente Walter—. ¿Sabíais que era abogado antes de transcribir entero de memoria el *Concierto n.º 3 en sol mayor* de Mozart?

—Hay gente que sobrevive a todos los naufragios —observó Veneto— y otros que se ahogan con la primera ola.

Solo en ese instante, los visitantes se dieron cuenta de que el enfermo había hablado y exclamaron con una sola voz:

—¡Hola, Walter! ¿Cómo estás? ¡Nos has dado un buen susto!

—Estoy mejor, gracias, estoy mucho mejor… ¿Sabéis algo de Masha? ¿Se ha preocupado demasiado?

Markus le contó que no había informado de toda la historia a los Sokolov hasta la víspera por la tarde, cuando Walter ya estaba a salvo de Bridge House y hospitalizado.

—Masha pregunta cuándo debe venir a verte —añadió Markus.

«¿Cuándo debe?», se preguntó Walter. Habría preferido oír «cuándo puede venir a verte». Como ignoraba quién era el responsable de esa formulación, se abstuvo de todo comentario.

—Pasado mañana —respondió.

Aquel día el esfuerzo realizado por Walter para mostrarse presentable lo agotó. Feliz de poder acostarse de nuevo mientras esperaba a su prometida, evaluó su estado de debilidad y se angustió de repente con la idea de tener que dejar el hospital un día más tarde. Además, esas horas en las que no tenía nada mejor que hacer que dar vueltas y vueltas a sus pensamientos lo volvían loco. Se reconcomía a causa de Lisa. Le amargaba haber sido expulsado de una vida cultural en la que otros habían encontrado salidas.

Las puertas del diario *Shanghai Jewish Chronicle* regentado por el insoportable Lewin así como las del semanal sionista *Jüdischen Nachrichtenblatt** parecían difíciles de atravesar y, sin explicarse el motivo, le repugnaba ofrecer sus servicios al jefe de redacción, amigo de los Sokolov, del trilingüe *Our Life*. Su colaboración con el *China Daily Post*, anónima a la fuerza, no satisfacía todos sus anhelos. Aun así, no podía quejarse. Un gran número de periodistas en el paro a causa de Pearl Harbor vegetaban en los *Heime*, destino del que él se había escapado gracias a su contrato en el Wing On.

«¿Por qué no escribe para el teatro?», le había comentado un día Sokolov, él que solo asistía a espectáculos clásicos y lanzaba pestes de la actuación mediocre de los cómicos locales.

Masha llegó con su abanico y un vestido de color coral que a Walter le encantaba. La acompañaba su padre.

—Está bromeando, Walter —lo regañó Sokolov con un gesto de profundo aburrimiento, mientras barría la sala con sus ojos gris pálidos—. Pero… pero… ¿a quién veo aquí?… Vania, ¿eres tú? —preguntó en ruso.

Profiriendo exclamaciones indignadas se dirigió hacia la última cama.

---

* *Hoja de Noticias Judías.*

—¿Eres tú, Vania? ¡También tú estás enfermo! ¿Qué es todo esto? No será grave, ¿verdad?

Walter cogió de la mano a Masha. Ella se abanicaba suavemente, con languidez.

—Te he echado en falta —dijo ella.

Walter sonrió.

—No lo he hecho adrede.

Intentó contarle su aventura en unas pocas palabras, sin detenerse en el tratamiento que soportaban los presos de Bridge House y a excepción de un detalle: debía su liberación a la ayuda de Max Herzberg.

—¿Al menos, no habrás cogido una enfermedad grave?

Él la tranquilizó. Horst le había aconsejado que hiciera reposo otros tres días en casa. Entonces estaría en forma.

—Y, tú, amor mío, ¿cómo estás?

Masha arrugó la nariz.

—Con tal que la guerra acabe pronto… Estoy harta de esta vida. No tiene ninguna gracia no estar nunca juntos.

—Sí, es muy duro.

—Y ya no me gusta el Wing On. No es divertido ver bailar a los demás.

—Tienes razón, Masha, pero hay gente mucho más desdichada que nosotros. Decenas de pianistas se pelearían por ocupar mi plaza.

—Rena, al menos, puede divertirse con sus amigos.

—¡Ve tú también! Haz que te inviten, ve a bailar. Te aseguro que me agradará.

—Sin ti no me apetece. Querría una vida normal, ¿me entiendes?

Sacudió la cabeza. ¿Qué era una vida normal?

Vio de nuevo la celda, a los prisioneros con sus heridas, sus rostros macilentos, sus ojos que se iluminaban de terror cuando la puerta chirriaba sobre sus goznes. Y, de pronto, vio a Werner, a quien había olvidado por completo. ¡Hasta ese segundo se había borrado de su memoria! Su negativa a mudarse a Hongkew no le había salido bien. Y Joe Farren, con las piernas destrozadas, ¿qué motivo lo había llevado a prisión?

—¿Qué te pasa, Walter?

Él le describió el estado deplorable de Joe Farren.

—¡Para! —gritó Masha—. Es demasiado horrible... ¡Y pensar que me habías prometido llevarme al Farren's! Todas mis amigas han ido y yo no. También me dijiste que después del Farren's iríamos a un club de gángsteres del Western District...

Walter escuchaba incrédulo.

—Sí —insistió ella con un tono de niña pequeña—. Te aseguro que me lo prometiste. Por supuesto, fue antes de Pearl Harbor, pero ¡aun así! Me dijiste que había dos bandas rivales, los Tigres y los Dragones. También me dijiste que los bandidos llevaban abrigos europeos sobre sus vestidos chinos. ¡No me lo he inventado!

—¿Qué tal, tortolitos? —pregonó Sokolov regresando hacia ellos—. ¿Habéis podido deciros vuestros secretos? ¿Todo bien, Walter? ¿Necesita algo?... No le molestamos, ¡espero!

—Molestarme, ¿por qué?

Sokolov se inclinó hacia él y susurró:

—Vania no está bien del todo, me preocupa.

—¿Quién es Vania?

—El marido de Dunia, mi antigua empleada. No ha encontrado trabajo. Me pregunto cómo viven... Ven, Masha, tenemos que irnos. Si no, tu madre se va a inquietar. Y además, no conviene fatigar a nuestro enfermo.

Sujetaba entre sus dedos un puro que debía estar deseoso de encender.

Después de la cena, la madre superiora se detuvo junto a Walter. Era una mujer alta y distinguida, una *Gräfin** austríaca.

—Parece desconcertado, muchacho.

—No es nada. Solo un poco de melancolía.

* Condesa.

No sabía cómo llamarla. Ni «hermana» ni «madre» podían atravesar sus labios.

—No hay melancolía que resista a unas páginas de las Sagradas Escrituras. Pruebe y verá.

Insistió con tanta dulzura que Walter no pudo rehusar. Ella se marchó y regresó con una biblia. Walter jamás había leído el Nuevo Testamento. Tampoco el Antiguo.

De acuerdo con su costumbre, abrió el libro por el final. Cayó en las páginas del Apocalipsis, sobre estas líneas: «Ay de la tierra y el mar, pues el Diablo ha descendido hacia vosotros, sabedor de que sus días están contados».

Optimista, le pareció un presagio feliz, pues para él, el Diablo era un monstruo de tres cabezas, los aliados del Eje. Por desgracia, se ignoraba qué crímenes cometería todavía Satán y hasta cuándo duraría su reino.

6

—¿Y si lo llamásemos *Fliegenbar*?* —propuso Jimmy con tono pícaro al tiempo que golpeaba con su chancleta las moscas gordas y estridentes.

Walter celebró el hallazgo con una gran carcajada. El bar se trataba, en realidad, de un puesto de agua (¡fresca!), instalado al fondo de una callejuela, bajo un nido de cables telegráficos. Manfred Hirschfeld, un chico de Breslau, había tenido la idea cuando regresaba del *Heim*, después de una hora de cola en medio del calor húmedo del mediodía.

«Todo eso por una comida infame», se quejaba. Verduras secas, en medio de las cuales, por toda proteína, se revolvían unos gusanos. «Hay que triturarlo todo —indicaban las encargadas—. Si no, los niños no lo van a querer.»

El pantalón corto de Manfred estaba empapado de sudor. Beber, beber, soñaba con beber, y beber simplemente agua. Agua buena y fresca, como la que bebían las gentes normales en sus oficinas. Disponer de una garrafa de agua potable era un lujo inaccesible para los refugiados. De vuelta en su casa, mientras lanzaba una mirada cargada de acritud a la nevera, en ese momento rebajada al rango de vulgar armario, Manfred había compartido sus reflexiones con su joven esposa, Elsa, que obtenía unas exiguas ganancias dando la vuelta a los cuellos y los

* En alemán, «Bar de las moscas».

puños de las camisas. Y de pronto, surgió la idea. «¡Pues vende agua! —gritaba su voz interior—. ¡Compra hielo, seis vasos y una docena de botellas de agua hervida a los chinos! ¡Baja la nevera a la calle y vende el agua!»

El negocio había ido tan bien que un mes más tarde Manfred adquirió tres minúsculos taburetes chinos. Vivía en el primer piso. Cuando el sol apretaba, proporcionaba sombra a su clientela colocando una sábana sobre las cañas de bambú que servían para tender la ropa. Lo más duro era bajar y subir por la mañana y por la noche la nevera, que ocupaba todo el ancho de la escalera. No eran más que dos.

Desde entonces, Manfred andaba con la cabeza alta. Por primera vez desde su llegada a Shangai, el antiguo representante de máquinas de coser conseguía ganar algo de dinero.

—¿«Fliegenbar»? —repitió él frunciendo el ceño— ¿«Fliegenbar»? ¿De verdad crees que ese es un nombre para atraer a la clientela?… Dime, Jimmy, ¿es cierto que eres mago?

El alto pelirrojo sacudió la cabeza, con su mirada azul siempre encendida con un eterno brillo burlón.

—Diplomado.

—Bueno, pues si eres mago, me quitas de encima las moscas y Walter, que es un chico instruido, me encuentra un nombre bonito. Un vaso de agua gratis a cada uno por su tarea.

«El bar de los sin blanca», pensó Walter, pero se guardó su reflexión para sí.

—Por supuesto, soy mago, pero para trabajar tengo necesidad de mis accesorios, como tú de tu nevera para vender agua fresca, y los he tenido que dejar en el monte de piedad a la espera de conseguir un contrato.

Precisamente, aquel día de mayo de 1944, se «festejaba» el cumpleaños de Jimmy. Cumplía veintidós años. A los dieciséis años, en Berlín, su padre le había regalado una radio. «Una radio muy buena —decía—, con la que escuché los discursos de Hitler.» Enfrente de la casa familiar se había instalado una mujer médico, que se marchó a Shangai. Jimmy, que entonces se llamaba Gerhardt, la imitó en 1937. Era judío únicamente por parte de madre, una intelectual acomodada. Ante su decisión, su padre había exclamado: «¡A Shangai! ¡Pero si esa ciudad es muy peligrosa!». Jimmy le había contestado: «¿Y no es muy peligroso quedarse aquí? Entre las dos aventuras, prefiero la más divertida». Su madre había rehusado acompañarlo a causa de un amante, diciendo que se reunirían más tarde. «Dejó pasar demasiado tiempo —comentaba Jimmy—. Cerraron Shangai y se acabó.» A menudo recordaba, con los ojos cerrados, su talento para descubrir artistas y darlos a conocer. En otra época, habría tenido un salón.

¿Qué habría sido de la madre de Jimmy? ¿Qué habría sido de Lisa? Nadie sabía nada. Walter había oído decir que algunos refugiados recibían misivas de sus familiares, transmitidas por la Cruz Roja. Habían tardado casi un año en llegar a sus destinatarios. Aguardaba recibir la suya y vigilaba su buzón.

Jimmy se había llevado ropa buena, su estilográfica y sus pertrechos para los trucos de magia, arte que había practicado durante más de dos años con un profesor. Había ofrecido su primer espectáculo remunerado a bordo del *Biancamano*. Fue un viaje sensual y jubiloso. Por fin podía hacer lo que se le antojase y decidir por sí mismo. «Era mágico», recordaba el mago. Enviaba tarjetas postales en cada escala. Perdió la virginidad con una cantante de opereta. En primera clase compraba cigarrillos que revendía a la tripulación y regresaba a encaramarse en una banqueta del bar donde, silencioso, abría de par en par las orejas. En Colombo, desembarcó su maleta, esperando seducir al encargado de un hotel con su talento, pero se desengañó. En Manila, las chicas eran tan hermosas que estuvo a punto de perder el barco.

Tan pronto como llegó a China, su espectáculo mudo le consiguió un contrato para una gira por Pekín, Tientsin y Tsingtao, en la encantadora Riviera china, con sus pequeñas playas y sus palmeras. De regreso a la polvorienta Shangai, Jimmy eligió domicilio en el Hôtel des Colonies. No duró demasiado. Gastaba su dinero en los night-clubs sin conseguir un contrato. Con el último céntimo, se marchó a un *Heim*. Se hizo vendedor de salchichas, luego vendedor de libros en alemán que compraba, a cambio de algunos servicios, en la librería Heinemann, lo que le había permitido alquilar una habitación en un callejón de Hongkew. La vida proseguía como en un tiovivo, con altibajos, entre habitaciones imposibles y dormitorios colectivos. Un contrato de seis semanas le aseguraba un alquiler de seis meses. Una vez consiguió un cuchitril en la trastienda de una panadería. Al regresar a casa, aspiraba el delicioso olor del pan recién hecho, que él no se podía permitir por falta de medios.

—¿Acaso nosotros somos auténticos gilipollas —preguntó Jimmy malhumorado— o es que los demás son unos genios?

—¿Por qué?

—Me han hablado de un tipo que llegó aquí con una sola maleta. Pero ¡qué maleta! Toda tachonada. Antes de partir, sustituyó las tachuelas de latón por tachuelas de oro. Ha hecho una fortuna vendiendo las tachuelas y comprando pisos... ¿No se nos podría haber ocurrido también a nosotros?

—A mí no me habría servido de nada que se me hubiese ocurrido —se consoló Manfred—, no tenía guita para los clavos.

—Y yo no tenía tiempo —recordó Walter—... Mi amigo Max también tachonó su maleta. Me han hablado de otro que descubrió que sus acciones en el extranjero estaban aseguradas contra incendios. Las quemó en presencia de un abogado, que levantó acta por escrito. Luego, se hizo indemnizar en Shangai...

Manfred, tan admirado como exasperado, se golpeó la frente con la palma de la mano.

—¿De qué te quejas, Jimmy? —lo regañó Walter—. ¿No tienes casa y comida?

Se rieron a coro. En ese momento, Jimmy atravesaba otro período bajo. Tenía que contentarse con la sopa popular y se alojaba en casa de un pintor berlinés que se ganaba el pan cantando en un cabaret vienés. Adoraba a ese hombre, que le prodigaba una enseñanza artística mediante los cuadros reproducidos en los paquetes de cigarrillos. Como estaban casi siempre juntos, algunos los tomaban por homosexuales. ¡No habían visto a Jimmy cortejando de manera escandalosa a una bailarina del Wing On!

«¿Eres vienés? —le preguntó allí un día Jimmy a Walter—. No sé por qué, me siento atraído por los vieneses. Los reconozco al primer vistazo.» Después de algunos instantes, prosiguió: «También reconozco a los chicos que han estado en los campos de concentración... Andan a toda prisa... Tienen todos sus sentidos alerta... Recuerdan a los zorros enjaulados que se golpean contra las rejas...».

—¡No estás muy hablador hoy, Walter! —observó Jimmy—. ¿Qué te ocurre?

—Nada —dijo Walter obligándose a sonreír—. Es la hora de la digestión...

Era cierto que habían hecho un exceso. Por el cumpleaños de Jimmy, Walter había comprado dos rodajas de salami, además de dos huevos cocidos (¡a un dólar americano cada uno!) y zanahorias encargadas con anticipación a Greta. Un acuerdo amistoso al que Walter recurría de vez en cuando. Las mujeres que cocinaban encontraban así la manera de obtener una pequeña ganancia. Una, con ocho abonados para el almuerzo, organizaba dos turnos al día en su minúscula habitación.

—Walter está de mal humor porque ¡pierde al ajedrez! —anunció Manfred con guasa, mientras servía un vaso de agua a la industriosa propietaria de la *Krawattenklinik*:* se reconocían las corbatas que la buena señora había salvado suprimiendo la parte dañada, porque el pico batía por encima del estómago de su propietario.

—Lo has adivinado —respondió Walter con un nudo en la garganta—. No soporto perder al ajedrez.

---

* En alemán, «Clínica de corbatas».

Jugaba con Veneto. El músico había tallado las figuras del juego en las bobinas de madera recogidas en los talleres de las costureras y los sastres amigos, a cambio del préstamo de los periódicos que él cogía en el Wing On, después de que se fueran los clientes. Walter llevaba una semana perdiendo todas las partidas. No se concentraba en el juego. De pronto no aguantó ya más la conversación, se levantó y entregó sus diez céntimos a Manfred.

—¿Qué prisas tienes? —se extrañó Jimmy.

—Voy a asegurarme de que Heinrich ha arreglado bien la cadena de mi bici. Si no ha acabado, esperaré. No tengo ganas de hacer de nuevo el camino a pie.

—¿Hoy no hay ajedrez? —le hizo rabiar Manfred.

—No, toca descansar —dijo Walter obligándose a componer un gesto alegre—. ¡Adiós, chavales!

Se alejó a grandes pasos, aliviado por estar solo. Le había costado una mentira. En realidad, la bicicleta ya estaba lista. Solo quedaba ajustar el cuadro. Ese dispendio se añadía a los gastos ocasionados por el cumpleaños de Jimmy. Para asegurarse la posesión de la suma que suponía el conjunto, Walter había vendido sus gafas de sol. «Pierdo al ajedrez —pensó— porque no me repongo de haber perdido en todos los tableros.» No dejaba de dar vueltas a los acontecimientos de los quince días anteriores.

En el fondo, todo había sido una cadena de hechos desencadenada por Masha.

Walter se consideraba feliz por haber conseguido que Ghoya le autorizase todos los trimestres a salir diariamente del gueto a las cuatro de la tarde, para acudir al Wing On. Había logrado el permiso gracias a Markus, a quien el neurótico japonés había elegido para que le diera clases de violín. «Es la primera vez que mi corta estatura me sirve de algo», se congratulaba Markus. El mal genio de Ghoya hacia los hombres que superaban el metro sesenta no conocía límites. «¡Habla demasiado bien el inglés! —manifestó a un hombre espigado como un junco—. Haría mejor en irse a Estados Unidos. No hay permiso. ¡Salga!» Lo que no le impidió lanzar cinco minutos más tarde a otro hombre de gran estatura: «Habla realmente mal el inglés. ¡Sin inglés, no hay negocios! Permiso denegado. ¡Lárguese!».

Los instantes de intimidad con Masha se limitaban, pues, a cuartos de hora esporádicos, hurtados cuando Walter, si el hambre no lo hostigaba demasiado, conseguía pedalear lo bastante rápido para llegar antes al Wing On. «¡Hoy no estás muy contento que digamos!», empezó por reprocharle un día Masha. Walter acababa de enterarse de la muerte de Werner, su compañero de travesía. Werner, que había sido encarcelado en Bridge House por haber desobedecido el traslado al gueto. Werner, que había cogido el tifus allí. Werner, que había muerto dos semanas después de su liberación, dejando sola a Hilda en Shangai.

«¿Por qué no explicas a Ghoya que estás prometido? —Masha se había puesto nerviosa, obstinada en su idea—. ¡Sola, sola, siempre estoy sola!», había gritado sin conmoverse por la soledad definitiva de Hilda. «Es todavía joven —pensaba Walter para disculparla— y siempre ha estado muy mimada.» Había explicado a Masha que el japonés era imprevisible, incluso le contó la última historia que circulaba sobre él. ¿Que al irascible renacuajo se le antojaba abofetear a un hombre con gafas? Magnánimo, le animaba primero a que se las quitara. En cierta ocasión, un muniqués, advertido, depositó sobre la mesa sus quevedos así como su dentadura. Ghoya le concedió el permiso sin tocar al hombre y este, tras ajustarse su prótesis, se deshizo en agradecimientos. El gnomo se desquitó con el siguiente refugiado.

«¡Vete a ver a Okura!», le ordenó entonces Masha. Pero Okura, otro oficial japonés, no emitía más que permisos diarios. Además, su sonrisa inmutable ocultaba instintos de bestia feroz. Mientras que los malos tratos infligidos por Ghoya no tenían consecuencias, Okura no se contentaba con cruzar la cara a los solicitantes, darles patadas en el trasero o golpearlos. A algunos los enviaba a las celdas de Bridge House durante varias semanas.

No obstante, como Masha seguía rabiosa, Walter le lanzó desafiante: «¡Por otra parte, nada te impide a ti venir a verme a Hongkew!».

Era martes. Masha recogió el guante y le anunció que acudiría el jueves, pues, el miércoles, una amiga la había invitado a tomar el té. Su hermano Ivan la acompañaría, precisó. En efecto, temía caer en manos de soldados japoneses beodos, que paseaban tambaleantes en grupos por las calles, cantando a voz en cuello canciones de borrachos y molestando a las muchachas. «Con sus piernas arqueadas», había añadido, como si eso constituyera un motivo de temor adicional.

Esa doble visita suponía un duro golpe financiero para Walter, que con dificultad llegaba a pagar el alquiler y un cuenco de tallarines a treinta céntimos por almuerzo, adornado de vez en cuando con un vaso de agua refrescada gracias a los cuidados de Manfred. Con el estómago dolorido, soñaba con comida durante días enteros. Se le hacía la boca agua solo con ver a una cocinera ambulante que atizaba el fuego de su fogón con un abanico. Entonces pensaba que tragaría sin dudar buñuelos de tortuga o incluso de serpiente, si se los ofrecieran.

Las buenas maneras requerían que se citase con Masha e Ivan en un café. Ya puestos, eligió el más famoso, el Roof Garden, en el tejado del Broadway Cinema. Un lugar frecuentado por los privilegiados, los que seguían prosperando: propietarios de comercios fructíferos tal como el Viennese Tailor for the Man of Taste o el Royal Glover,* un camisero con letrero anglo-germánico-chino-japonés o incluso el farmacéutico que, al haber comprendido la atracción de los chinos por los colores, fabricaba la única pastilla de la casa en toda la gama del arco iris… «¿Con qué voy a pagar esta pequeña fiesta?», se preguntó

---

* Respectivamente, El Sastre Vienés para el Hombre de Gusto y El Guantero Real.

Walter. Había vendido su manta de invierno, inútil en esa estación. Hasta que llegase el invierno tendría tiempo de sobra para conseguir otra.

Masha, Ivan y él se pusieron tibios de buen café y se hartaron de pasteles con nata montada a la sombra de una palmera en un tiesto y con el sonido de un violín de fondo. ¡Qué felicidad ver el rostro radiante de Masha, su carita de gato relamiéndose el hocico! Llevaba un vestido estampado de cerezas y un ramito de cerezas prendido en el sombrero. «¡Estás preciosa!», la lisonjeó. Ella hizo una mueca. Ese vestido era del año anterior. Su padre se había negado a regalarle vestidos nuevos ese año. De pronto exclamó: «¿Y si nos llevases al Hongkew Street Bazaar? Todo el mundo habla de él».

Estaba al final de Kungping Road, donde Walter había vendido la víspera su manta. La idea de pasar de un día para otro de un lado al opuesto de los improvisados escaparates y de visitar el lugar como turista le parecía divertida. Sin embargo, apenas se encontraban en la calle, Masha e Ivan se detuvieron con los ojos como platos, al ver al personaje que se dirigía hacia ellos. «Nathan Deutsch —murmuró Walter—. Abogado.» El hombre estaba vestido con uno de los sacos de harina distribuido en los *Heime* por la Cruz Roja. Un saco blanco marcado con una cruz roja, al que le había hecho tres agujeros, uno para la cabeza y dos para los brazos. Tenía el rostro tan demacrado como el de los mendigos chinos y las piernas igual de delgaduchas y ulcerosas. «¡El carnaval fue la semana pasada!», se burló Ivan. A duras penas Walter contuvo el guantazo que le pedía la mano y se limitó a aconsejar entre dientes: «Sin duda estaría mucho más presentable si le regalases tu pantalón».

Walter había oído hablar de Nathan Deutsch a Anna. Nacido en una familia muy acomodada, el abogado nunca había ejercido a pesar de su diploma. Llevaba un estilo de vida suntuoso y disfrutaba de un abundante servicio doméstico. Había coincidido en Dachau con el padre de Helga, que, movido por la compasión hacia aquel hombre que se encontraba allí más desvalido que los demás, lo ayudaba a lavarse y lo curaba cuando lo golpeaban. «Si salimos de aquí —decía Deutsch a su salvador—, te daré el dinero suficiente para que te vayas de Austria.» Había mantenido su palabra y compró al padre de Helga un billete para Shangai. Durante ese tiempo, su esposa, que era aria, había podido llegar a Estados Unidos desde donde regularmente le remitía envíos. Hasta Pearl Harbor. El padre de Helga, desempleado, no lo podía ayudar. «Si el señor Deutsch se acicala así —insistió Walter procurando dominar su cólera—, es que ha debido de vender lo que le quedaba de ropa.»

¿Estaba escuchando Ivan? Rebuscaba con frenesí en las cajas y las bandejas donde convivían un osito de peluche con la oreja rota, un bombín, un servicio de té para veinticuatro personas, una navaja de afeitar, un bolso de fiesta, libros para niños, una rosa del desierto, un sifón, una combinación de seda bordada, un abrigo de terciopelo, una armónica, camisetas, una baraja, una máquina de escribir, boquillas… Un hombre con la cabeza cubierta con un gorro besó su candelabro de plata antes de dejarlo.

Ivan había sacado la cartera del bolsillo para contar su dinero. «Si pudiera encontrar una buena estilográfica no muy cara, sería genial. He perdido la mía y papá se niega a comprarme otra. ¿Quieres ayudarme, Walter?»

Walter tenía los puños apretados en los bolsillos. Un huracán, que contenía lo mejor que podía, empezaba a agitársele en el estómago. Le dejó sin respuesta. Conforme pasaba el tiempo, su futuro cuñado se le hacía más y más odioso. Lo consideraba mentiroso, egoísta e interesado. En ese momento se acercó una mujer con timidez hacia Masha y Walter. Le sobresalían las clavículas por el escote desbocado de su vestido descolorido y remendado. Sujetaba un pequeño estuche de terciopelo púrpura mostrándoles su contenido: dos anillos de oro enlazados. «¿Buscan alianzas?», les preguntó con los ojos llenos de esperanza.

—No, gracias —replicó Masha con aspereza—. Al menos no alianzas de ocasión. —Luego, movida por el mismo impulso, se volvió hacia Walter—: Me pregunto cómo se puede tener tan poco corazón como para vender su alianza. ¿No te parece, cariño?

A Walter no se le había pasado por la imaginación romper.

De golpe se le había presentado ante sus ojos la verdadera personalidad de Masha. Se quedó mirando el mohín y el desprecio pintados en sus labios. No era más que una niña mimada. Ese debía de ser el motivo, pues sus padres no eran capaces de negarle nada, por el que él, seguramente, había sido aceptado en la familia. Era bonita pero tonta, pretenciosa, perezosa, incapaz de participar en una conversación elevada, de interesarse por el destino de los demás. Solo se preocupaba de sí misma. La belleza no duraría, a juzgar por el triste espectáculo de su madre, y la pereza y estupidez no harían más que empeorar. ¡Sus sentimientos, pura comedia! Solo la inquietaba ser amada, efectuando una constante puesta en escena de sí misma, imitando con sus comportamientos los de las modelos o las actrices de moda. Ella no amaba a Walter, se amaba a sí misma al amarlo a él y ser amada por él.

Entonces, Walter, sin sentir ya ningún apego, le dijo con un tono extrañamente tranquilo:

—Nunca tendrás ocasión de vender o de conservar las alianzas que nos habrían unido… Todo es por mi culpa, Masha. Perdóname, me he equivocada acerca de ti y de mí. Tú eres una extranjera aquí y yo soy un extranjero en tu casa. ¡Que seas feliz con un marido que se te parezca!

Llegó a ver su semblante pasmado, la boca totalmente abierta, la mano levantada para detenerlo. Llegó a oír su llamada ahogada, pero se dio la vuelta y se alejó a grandes zancadas en medio de la multitud. A pesar del calor, un sudor frío se deslizaba por su rostro. De pronto se le nubló la vista, un violento dolor le dobló en dos y vomitó el pastel de nata montada.

Cuando llegó al Wing On con algo de retraso, oyó a Veneto que le decía: «Me has asustado, Walter. He pensado que los japoneses te habían encarcelado de nuevo». Una sonrisa triste crispó los labios de Walter: «Te equivocas de calabozo, Giulio. Acabo de escaparme de los rusos».

Lo que Walter ignoraba era que la víspera una amiga había invitado a Masha a tomar el té en el Wiener Café. Nunca había vuelto desde la partida de Walter, pero Serguei, el camarero ruso, enseguida la reconoció. «Debe de estar decepcionada —le dijo señalando con la barbilla al pianista calvo con perfil de águila desconcertada—. Nos ha abandonado su guapo conquistador de románticos cabellos. Mala suerte, ¿eh?» Sin darse cuenta de que él estaba intentando sacarle información, Masha cayó de lleno en la trampa. «¡No se preocupe por mí! ¡Sé dónde localizarlo! Estamos prometidos y nos casaremos cuando acabe la guerra.» Como prueba, mostraba triunfante su mano en la que resplandecía el hermoso diamante. «¡Pues, sí! ¡Sí que va en serio!», admiró el ruso. Como Fengyong pasaba cerca, el coloso lo llamó: «Ven a ver un momento el tremendo diamante que nuestro Walter ha regalado a la señorita por su compromiso. ¡No sabía que fuera tan rico! ¿Lo trajo de Europa o lo ha comprado aquí?». Fingiendo no haberlo oído, Masha atendía amablemente a Fengyong. Con la cabeza ligeramente inclinada y los labios estirados en una sonrisa, salmodiaba: «¡Felicidades, señorita, muchas felicidades!… ¿Desde hace mucho tiempo prometidos?». «¡Oh, sí! —suspiró Masha—. El 17 de enero de 1940. ¡Más de cuatro años ya!»

El confinamiento forzoso en el gueto había alterado la relación de Walter con Feng-si. Como la Concesión Francesa le estaba vedada, Walter ya no podía dejarse guiar por el deseo para correr junto a su amiga. Los encuentros tenían que estar organizados. Entonces, cuando salía del Wing On, se arriesgaba a acudir a la avenue Joffre, tras ponerse un vestido chino encima de sus ropas, con un sombrero bien calado en la cabeza y circulando sin luz, atento para evitar las patrullas japonesas. Hasta el día siguiente por la tarde permanecía en la casa china, donde lo trataban a cuerpo de rey. Podía bañarse y dar su ropa para que la lavaran y la plancharan, lo que le permitía descansar de los continuos esfuerzos para mantenerse limpio y digno a pesar de la precariedad de su vivienda, pero se reconcomía de impaciencia mientras Feng-si se dedicaba a sus ocupaciones. El regreso era todavía más peligroso, sobre todo durante el verano. Walter prefería entonces desplazarse ataviado con su traje, tras envolver su vestido en papel de periódico, y fingir que actuaba en completa legalidad. Cuando llegaba, su camisa estaba empapada.

La tarde de la ruptura con Masha, Walter se acordó de que ya una vez Feng-si supo cómo curarlo de una pena desconocida para ella. Hacia las ocho de la tarde le telefoneó esperando que estuviera dispuesta a recibirlo. «¡Ni esta tarde, ni nunca más, Walter! —había gritado Feng-si—. Piojo de perro, no eres más que un burgués como los demás. Lo quieres todo, la prometida, la amante, y desprecias a quien te proporciona placer.» Y colgó sin más.

También un día Anna lo había tildado de «burgués». ¿Qué les pasaba a todas?

Ignoraba qué desdichado azar había provocado el drama hasta hacía poco temido y en ese momento improbable. Era como pasearse por la montaña un día de invierno soleado y verse de repente sorprendido por una avalancha. Consideraba injusto que Feng-si lo hubiese rechazado precisamente cuando acababa de romper con Masha. Sin embargo, no intentó defenderse ni protestar, consciente de su deslealtad con ella, respetuoso con su dolor. Pero había perdido en todos los tableros. Y ese era el motivo por el que perdía al ajedrez con Veneto.

Para acrecentar su mal humor, Walter se cruzó con la mirada de un hombre con cabeza de bulldog y barriga prominente, sentado en un café delante de un plato de salchichas. ¿De qué lo conocía? De pronto se acordó.

Walter y Veneto habían regresado un día del centro con tres minutos de retraso. El bulldog, que realizaba el turno para la Paochia, había amenazado con romper sus permisos si no lo recompensaban por su complicidad. La mayor parte de la gente que llevaba el brazalete amarillo, incluido Walter cuando le tocaba, se avenía a ayudar a los retrasados si podían… Con un gesto rápido, Walter le arrancó el permiso y el hombre, furioso, llamó con un silbido al jefe japonés que patrullaba en bicicleta. Este condujo a Walter y a Veneto al puesto de policía, de donde fueron liberados al término del toque de queda, a las seis de la mañana. Fue entonces, de regreso, cuando a Giulio se le pinchó la rueda delantera. Heinrich, que pasaba por allí, se ofreció con amabilidad a arreglársela. Desde aquel día la orquesta entera era cliente fiel de ese reparador de bicicletas.

Walter estaba tan desmoralizado que ni se acordó de contemplar los espectáculos que, por lo general, le alegraban el alma. Le gustaba espiar las imágenes de felicidad. Un fabricante de pelotas en un patio. Una hermosa china, casada con un rico japonés, a la que se veía en un piso grande y espacioso jugar con un niño pequeño vestido de seda.

Había una muchedumbre en el tramo de la callejuela donde Heinrich, un antiguo ingeniero hamburgués, se había instalado como reparador de bicis. Un hombrecillo fuera de sí, encogido sobre el suelo, profería lamentos entremezclados con sollozos. Hablaba en yídish y Walter tuvo que recurrir a las explicaciones de un criado chino para comprender el motivo de semejante desesperación. Músico y padre de dos niños, el desdichado se había resignado, con el corazón roto, a vender su violín para dar de comer a su familia. Se apostó en Kungping Road. Un hombre de cabellos canos examinó el instrumento con aire de entendido y le indicó que conocía a un posible comprador. Se pusieron de acuerdo sobre el precio, así como sobre la comisión del intermediario. Este último se puso el violín bajo el brazo con la promesa de regresar al cabo de media hora y no había vuelto a dar señales de vida… El pobre hombre estuvo recorriendo en bici todas las calles del gueto con la esperanza de reencontrar al individuo hasta que uno de sus pedales se rompió. Soltaba unos alaridos insoportables de animal herido. Walter, impotente, prefirió marcharse y regresar más tarde.

A cada paso se cruzaba uno con otro drama. Los músicos callejeros, que pululaban, se disputaban los patios y los extremos de los callejones. Con un fondo de violín, de guitarra, de acordeón, de trepidantes danzas húngaras o polacas, de valses vieneses, de endiablados ritmos cíngaros, de aires yídish o de melodías rumanas se suicidaban gentes desesperadas; se separaban parejas consumidas por una promiscuidad abyecta; se morían niños de hambre, de meningitis, de difteria, de malaria, de cólera; la poliomelitis dejaba a otros lisiados de por vida; a los diabéticos les faltaba la insulina; había muchachas que, para abortar, ingerían mezclas de quinina y vodka; los viejos luchaban contra los mosquitos, las chinches, las arañas gigantes, las pulgas, las cucarachas, las ratas nocturnas que trepaban por su tripa; se prostituían chicas tuberculosas, o se ejercían oficios inimaginables. Una madre soportaba el calor de la estrecha cocina de un pequeño restaurante chino, porque el propietario le permitía dar los huesos de la sopa a su pequeña, que aguardaba en la calle y los chupaba durante horas. Un huérfano de doce años se ganaba la vida llevando niñas a los japoneses. La esposa de un anciano juez, que no sabía hacer nada con sus manos, se entregaba por la noche al «Goebbels del Extremo Oriente» o al coronel Ehrhardt, que manifestaban predilección por los bares del gueto, y al día siguiente a un marinero griego, inmovilizado en Shangai a causa de la guerra y convertido en propietario de un garito.

Mirando a su alrededor, Walter llegó a la conclusión de que Nathan Deutsch, cuando hizo los tres agujeros en su saco de la Cruz Roja, ignoraba que había impulsado una moda.

«¡Basta! —se ordenó Walter de repente—. Deja de lamentarte. Mira la miseria a tu alrededor. Todavía tienes dos brazos, dos piernas, un trabajo, una cabeza bien amueblada y el futuro ante ti.»

Como para confirmar su esperanza, oyó el zumbido de unos bombarderos en el cielo. ¡Por desgracia, eran japoneses! Pero tres días más tarde Walter distinguió aviones estadounidenses. Cazas Mustang, que realizaban, sin duda, una misión de reconocimiento y que debían de estar al límite de su radio de acción. A principios de año las autoridades japonesas habían ordenado el oscurecimiento de la ciudad y el aullido de hiena de las sirenas perforaba las noches.

A pesar de la prohibición de utilizar radios de onda corta, algunos manitas habían fabricado receptores improvisados. Solo Veneto había conseguido conservar de manera oficial el suyo, pues logró persuadir a los ocupantes de que era un enamorado de la música japonesa y que su aparato, provisto de unos altavoces muy potentes, le permitía darla a conocer. Alfred Loewenstein, el boxeador que confeccionaba camisas, se había unido a una red clandestina aliada, gracias a la cual podía transmitir novedades sobre la guerra. La caída de Hong Kong, de Manila, de las Indias Holandesas, la rendición de Singapur y el avance japonés a través del Pacífico habían ensombrecido los corazones, pero la esperanza renacía en torno a los dos frentes con la capitulación del ejército alemán en Stalingrado, así como con el éxito de los norteamericanos en la batalla de Guadalcanal, en el archipiélago Salomon y luego en las islas Marshall. Se seguía con atención el avance del general MacArthur hacia Filipinas. Walter había dibujado para Hans un mapamundi donde el muchacho clavaba alfileres victoriosos.

Una vez que hubo pagado su deuda y recogido su bicicleta, Walter regresó a su casa en Muirhead Road, una de las mejores calles del distrito, en el edificio de la Sacra donde el doctor Cohn, con un desprecio cuyo mero recuerdo todavía lo inflamaba, le había concedido una habitación en el segundo piso. Situada en el ángulo del edificio, disfrutaba de una doble orientación. Una escalera de mano sobre el pequeño balcón permitía acceder al tejado en terraza donde Walter, envuelto en su mosquitero, pasaba la mayor parte de sus noches. Allí, a veces durante horas, se quedaba absorto en la contemplación del pequeño pueblo chino, que vivía con tan poco y aceptaba su destino sin rebelarse.

Los culis abrumados por el cansancio se detenían en la casa

de té de tabiques verduscos, rezumantes de una humedad que goteaba en el serrín. Los culis se apretujaban en los bancos de madera el tiempo que duraba un cuenco de arroz o de té o un cigarrillo de tabaco malo. Dormían en su rickshaw una hora o dos y luego se ponían de nuevo en marcha para recoger a los clientes a la salida de los burdeles o de los cabarets. Hombres y mujeres en cuclillas se aliviaban en un solar, donde a veces, en la oscuridad, depositaban furtivamente los cuerpos de sus hijitas inútiles.

¿Cómo quejarse entonces de los seis servicios (de los que cuatro estaban inutilizables), cada uno con su lavabo, incluso si había que compartirlos entre ciento veinte personas? ¿O de las paredes que dejaban pasar hasta los murmullos? Allí todo el mundo sabía a qué pareja la dureza de la vida la soldaba y a cuál la disgregaba.

Retumbaba una discusión. Los polacos habían debido de acaparar los puntos de agua. Semejantes a los austríacos en su afán por obtener siempre lo mejor, los polacos se distinguían de estos por sus maneras poco amables. En sus luchas tribales se destrozaban entre sí con ferocidad, pero presentaban un frente unido contra toda agresión exterior. Injuriaban a los alemanes y especialmente a los austríacos, culpables a sus ojos de haber renegado de los principios religiosos y de haber arrastrado al pueblo judío al abismo. Manifestaban en todo una extraña combatividad.

Cuando hubo que incorporarse al gueto, algunos adujeron su nacionalidad polaca para refutar su condición de apátridas y negarse al traslado. Seis rebeldes obstinados, detenidos por los japoneses, encontraron la muerte en prisión.

Algunos eran unos apasionados de los libros y los estudios hasta la locura. Era célebre un hombre de Lublin, tan delgado que daba pavor pero sostenido por una llama espiritual. Su esposa languidecía a ojos vistas, pero él rehusaba desguarnecer su biblioteca en provecho de los alimentos terrenales que habrían impedido que la pobre mujer se marchitara.

Abajo la disputa se enconaba.

—¡Siempre es igual, ustedes se creen los únicos en este mundo! —gritaba una austríaca, la señora Klein tal vez, pescadera en otro tiempo, que no tenía por costumbre dejarse pisotear—. ¡Incluso han terminado con toda la electricidad!

Los japoneses racionaban la corriente eléctrica y la cortaban implacablemente al término de los kilovatios concedidos. Sin inmutarse, los polacos se obstinaban en calentar sus comidas en placas eléctricas prohibidas. Del mismo modo sobrepasaban su cuota de agua. De manera general, se despreocupaban del destino común y no hacían caso de los reglamentos.

Walter cambió su pantalón corto por el largo que había puesto a «planchar» bajo el colchón, cogió las pinzas para la bicicleta y bajó. En el descansillo inferior se agitaban una formas, estallaban las injurias. Un episodio que podría alimentar la sempiterna discusión entre Otto, cuyo antipolonismo se exacerbaba de día en día, y Anna. «Se creen superiores a todo el mundo —se exasperaba Otto— y son de una exigencia increíble, pero no son más que unos patanes. Jamás he visto semejante egoísmo.» A estas afirmaciones Anna respondía: «Tal vez, pero son ellos quienes han proporcionado una vida espiritual a la comunidad. Desde el punto de vista intelectual, ¡son ellos los filántropos!».

Y era cierto. Llegados a Shangai con la esperanza de no permanecer allí más que durante una breve estancia, se restablecieron cuando no les quedó más remedio. Entonces crearon asociaciones de solidaridad, círculos literarios y artísticos, montaron espectáculos musicales y teatrales. Fundieron caracteres hebreos con los que imprimían libros y los volvían a imprimir a medida que la humedad los descomponía. Entre otros, habían editado el Talmud de Babilonia, ¡un corpus de casi seis mil páginas!, así como todo un arsenal de escrituras sagradas y de libros de oraciones, fundaron una biblioteca de obras en hebreo y yídish. Reunían los textos llevados de Europa por unos y otros y los reproducían con una energía tenaz. Anna no carecía de ejemplos.

«¿Qué será de ella?», se preguntó Walter. No había visto a Anna por lo menos desde hacía un mes. Era raro. ¿Cómo reaccionaría al enterarse de que había roto su compromiso con Masha? Las civilizaciones asiáticas la apasionaban. Tal vez podría hablarle de lo que le había enseñado Feng-si, puesto que la china también había desaparecido de su vida… Pensativo, Walter pedaleaba hacia el Garden Bridge, cuando oyó que lo llamaban.

Se volvió, reconoció a Hans y lo esperó, extrañado de ver cuánto había crecido. Ya no era un niño, ¡debía de tener diecisiete años!, pero conservaba la candidez de su mirada. Contentos de haberse encontrado, prosiguieron juntos su camino. Walter empujaba la bicicleta. Un tono apesadumbrado atravesaba las palabras de Hans y Walter recordó con nostalgia la vida trepidante que llevaba en Viena a su misma edad, corriendo del teatro a la ópera, del tenis a la piscina, del café al baile, en alegre pandilla con Gustav, Liselotte, Magdalena y Anna…

—¿No tienes amigos, Hans?

Hans torció el gesto.

—Todos son más débiles que yo en la lucha. No me divierte estar venciéndolos siempre y a ellos, por otra parte, tampoco, y no quiero perder a propósito.

—¿Y las chicas?

Mientras preguntaba a Hans, Walter pensaba en Anna con emoción. ¿Por qué no continuaban aquel amor esbozado en Viena puesto que se habían reunido? ¡Entonces se entendían tan bien!

Las orejas de soplillo de Hans tomaron un tinte carmesí.

—¿No conoces chicas? —retomó Walter.

—Sí, una.

Súbitamente trastornado, Walter pensó que, por ver a Anna, habría registrado todo Shangai, si Veneto no lo hubiese estado esperando en el Wing On. Se imaginaba dando vueltas con ella, abrazándola tan fuerte contra sí que a ella se le cortaba la respiración.

—¿Y estás enamorado de esa chica? —preguntó Walter.

—Sí —confesó Hans mirándose fijamente los zapatos.

«¿Cómo encontrar a Anna antes de mañana por la mañana? —se preguntaba Walter—. Imposible. ¡A no ser que se haya quedado en casa esta noche!» Con el corazón rebosante de alegría, se prometió llamar a la puerta de Anna de regreso del Wing On. Reanudó la conversación con Hans.

—Esa chica, ¿sabe que tú la amas?

—No.

Tampoco Anna sabía cuánto la quería Walter.

—¿Por qué no se lo dices?

—No sé cómo tratar con las chicas. No sé qué hay que decir, qué hay que hacer.

¡Anna, Anna, Anna! Su nombre le brincaba como una cabritilla. Anna la bohemia rubia, Anna la cíngara. ¡Cuánto la quería Walter!

—Y además, ella no querría —añadió Hans taciturno.

—¿Por qué?

—Es mayor que yo. Y el resto no te lo puedo contar.

—Entonces no te puedo ayudar, Hans.

Walter pensaba con tanta intensidad en Anna que el amor no correspondido de Hans empezaba a abrumarle. Decidió preocuparse por su propio destino.

—¿Cuándo has visto a Anna por última vez?

Hans se sobresaltó, se puso pálido y tartamudeó:

—Pero… pero… ¿cómo lo has adivinado?

—Adivinar ¿qué?

Walter ya no entendía nada. Hans lo miraba como si fuera el diablo.

—¡Que es Anna!

Esa vez le tocó a Walter experimentar una conmoción. ¡Hans estaba enamorado de Anna! Walter contestó lo primero que se le ocurrió.

—Porque todo el mundo está enamorado de Anna.

—Ya ves que yo haría el ridículo… Y además ahora es demasiado tarde… Cuando tocábamos la flauta, al menos, la veía. Ahora…

—¿Qué ha cambiado ahora?

—¿No te lo ha dicho ella?

—No, no me ha dicho nada. ¿Qué es lo que ha cambiado?

—…

Una angustia repentina oprimió a Walter. Con su mano libre agarró el hombro de Hans.

—¿Qué es lo que ha cambiado? ¡Contéstame!

—Es ella quien tiene que decírtelo.

—Lo quiero saber. ¿Me oyes? ¡Lo quiero saber!

Hans persistía en su silencio. Walter se puso a sacudirlo como si fuera una hucha de la que se espera ver que caiga una moneda.

—Se va a casar —confesó finalmente Hans, como si de los dos no fuera él quien hubiese podido inmovilizar al otro en el suelo.

—¿Con quién?

—Con un japonés.

Walter se puso de nuevo a empujar la bicicleta. Con la cabeza gacha y los dientes apretados se sostenía en medio del calor infernal. El aire estaba inmóvil.

—Ya ves que no se lo puedo decir —afirmó Hans con un hilo de voz.

Habían llegado al Garden Bridge. El Whangpoo estaba liso, llano, negro y viscoso como una inmensa mancha de aceite.

7

En el Fliegenbar, el último de los tres pequeños taburetes chinos crujió bajo el peso de Jimmy, a pesar de estar hecho un montón de huesos. Los otros dos habían sido arrastrados por un tifón mientras Manfred ponía su nevera a resguardo en la escalera. El «encargado» recogió los trozos de madera con cuidado y los depositó junto a la pared de la casa.

—Excelente taburete —soltó a modo de oración fúnebre—. Ha resistido… trece meses y medio. Recuerdo que los compré el 1 de mayo.

Jimmy cogió un viejo trozo de papel, sacó un lápiz de su bolsillo y escribió: «1 de mayo de 1944-17 de julio de 1945». Luego dejó con solemnidad su obra sobre el pequeño montón, suspiró y fingió que se secaba una lágrima.

«¡Trece jodidos meses!», pensó Walter mientras Jimmy, imitándolo, se sentaba con las piernas cruzadas en el suelo.

Optimismo en 1944, con el desembarco estadounidense en Francia. Normandía liberada en junio y París en agosto. Luego, casi un año más tarde, una inmensa esperanza había agitado el gueto, que en mayo, tras el suicidio de Hitler y la caída de Berlín, celebraba la capitulación de Alemania. No obstante, aquí y allá se oían los lamentos: «Ya veis, habríamos hecho mejor en quedarnos en Europa. Allí la guerra ha acabado y nosotros, nosotros estamos aquí arrinconados. Si hubiésemos pasado todo este tiempo en un campo de concentración, habríamos tenido qué comer de manera regular y no habríamos padecido este horrible clima y todas estas enfermedades».

Y los días transcurrían sin que llegara la más mínima noticia de Lisa. Empezaron a circular rumores extravagantes. El *Shanghai Jewish Chronicle* publicó un relato de horror difundido por los soviéticos y titulado: «Treblinka». Era el nombre de un campo de concentración donde los alemanes habrían cometido «exterminios». Pero a Ossi Lewin, un manipulador al que algunos no dudaban en calificar de «monstruo», sin duda las fabulaciones le daban igual. Por otra parte, ¿qué crédito se podía otorgar a los rusos? Era sabido que en el pasado habían ensamblado, con todo tipo de elementos, relatos de atrocidad para justificar su propia barbarie.

Aun así, Walter estaba consternado por la semejanza de esas pretendidas revelaciones con las palabras de Feng-si concernientes a Meisinger, el «Carnicero de Varsovia»… Aparte de eso, estaban esas imágenes… Walter no había ido al cine desde hacía tiempo, pero el Broadway y el Wayside seguían llenando la sala. Se contaba que en uno, durante el noticiario, un tal señor Braun había reconocido al hombre pálido y delgado que acompañaba a los liberadores rusos a través del campo. «¡Mi hermano, es mi hermano! —había exclamado—. ¡Es él, es mi hermano!» De golpe, los montones de cadáveres demacrados, retorcidos y doblados, las montañas de gafas y zapatos, las cámaras de gas y los hornos crematorios ganaron credibilidad y varios espectadores tuvieron que salir de la sala para vomitar.

¿Cómo podía ser que los japoneses hubiesen permitido difundir semejantes atrocidades sobre sus aliados del día anterior? ¿Qué pensar? ¿Cómo saber qué había sido de Lisa?

Desde que Walter rompió con Masha y perdió a Feng-si y a Anna, su vitalidad parecía haberlo abandonado. Se contentaba con vegetar día tras día, agotado por los esfuerzos que exigían mantenerse aseado y comer. El dinero se devaluaba cada día, de modo que los empleados preferían un salario en especie. Un profesor del Conservatorio ganaba cuatro sacos de arroz al mes.

Walter no pudo volver a comprarse una manta. Por suerte se había unido al señor Jin, el dueño del Dragón de Primavera, un anciano de cráneo liso y fina perilla, lleno de sabiduría, que se había quedado sin familia. En un pasadizo, el señor Jin regentaba un restaurante frecuentado por chinos. Walter lo ayudaba a cambio de la comida. En invierno, una cortina de fieltro delante de la puerta impedía que penetraran el viento y el frío. Por la tarde, de regreso del Wing On, Walter pasaba a descolgarla, se tapaba con ella para dormir y la llevaba de vuelta por la mañana.

El calor abotargaba ese día los cuerpos y los espíritus de los asiduos del Fliegenbar. Una capa húmeda bañaba Shangai. Ni siquiera el vagabundo, un gandul que tenía por costumbre despertar la compasión de unos y otros («Yo soy el señor Sin Suerte»), y de ese modo había timado a todo el mundo y conseguido suficientes subvenciones como para comprarse una vivienda, reunía las fuerzas necesarias para lamentar su miseria. Acababa de informar sobre un «campo de trabajo». Había oído decir que los judíos del gueto serían conducidos a un «campo de trabajo» antes del final del verano. «La cantidad de patrañas que ese tipo nos ha podido contar», pensó Walter empapado de sudor.

—La pobreza llama a tu puerta —suspiró Jimmy perdido en sus pensamientos—, cuando ves la trama de tu último pantalón.

—Por cierto —dijo Walter sin energía—, tengo que llevar dos pantalones viejos a Greta para que me haga uno con ellos. Es urgente. Me voy.

En ese preciso instante llegó Hans arrastrando los pies. Acarreaba un pequeño cubo.

—¡Hola, chicos! ¿Me ayudáis a limpiar los tallarines?

Greta compraba tallarines de segunda calidad. Jóvenes chinos, provistos de un cuchillo para rajar los sacos, una pala, una escobilla y un saco, perseguían a los camiones de reparto y vendían el botín a los tenderos de ultramarinos, quienes, a buen precio, lo despachaban enseguida a granel. Al cliente le tocaba quitar los trozos de cristal, los guijarros, la arena y los clavos oxidados mezclados con los tallarines de cualquier tamaño.

—Estaba a punto de irme —respondió Walter.

Le resumió el asunto de los pantalones.

—¡No seas antipático! —suplicó Hans—. Ayúdame, luego yo te acompañaré a tu casa e iremos juntos a la mía.

Walter odiaba limpiar los tallarines, pero había percibido una llamada de socorro en la voz de Hans. Nunca olvidaba el papel que había desempeñado en su liberación de Bridge House. Se pusieron manos a la obra sobre un periódico desplegado.

—¡Qué tostón de trabajo! —se quejó Hans separando con delicadeza un gusano.

Por nada en el mundo lo habría matado.

—Uno no tiene derecho a quejarse —lo regañó Jimmy—, cuando se tiene la suerte de ser recibido cada día en su casa por un olor a cocina. ¿Qué has comido hoy?

—Mijo.

—Greta le pone muchas cebollas —recordó Walter—. Eso le da un gusto muy bueno.

—Y, sobre todo, oculta la falta de color —rió sarcástico Hans.

—¿La falta de color?

—Cuando tiene mildíu siempre está descolorido. ¡Igual que las patatas dulces congeladas!

—¡La cebolla es mágica! —se maravilló Jimmy que, bajo una mirada de desaprobación de Hans, añadió el cadáver de una gorda mosca azul a su colección. Tenía habilidad para atraparlas entre sus grandes manos lisas—. Si fuera poeta, escribiría una oda a la cebolla —añadió.

Hans soltó una carcajada. ¡Nunca se le habría pasado por la cabeza! Su fuerte era la aritmética, tenía un espíritu pragmático. Tras sus años en el liceo, había decidido ganarse la vida y daba clases de alemán e inglés, entre otros a los nietos del rico *comprador* que en otro tiempo había tiranizado a su padre. Pero esas clases, que al principio emprendió con alegría, no lo hacían feliz. El muchacho lo despreciaba, la chica no pensaba más que en hacer copiar a su modista los vestidos de Ann May Wong, la actriz china de Hollywood. Otto, que había sufrido tanto por no haber podido obtener el diploma deseado, era el primero en animar a su hijo, a pesar de todo, a que prosiguiera sus estudios. Al final, Hans se matriculó en la St. John's University.

Por su parte, Otto se dedicaba a la búsqueda de una nueva fuente de ingresos, pues solo los ricos, a quienes no faltaba nada, se preocupaban todavía por la decoración de interiores. Y esos se proveían en el centro. Por aquella época, Otto también vendía huevos. Se los compraba a un chino y los repartía entre sus clientes habituales, en las hermosas casas, en las que el ascensor le estaba prohibido. Walter lo había visto un día, en un espectáculo sorprendente, clasificar los huevos todavía cubiertos de pequeñas plumas. Cogía uno, dos, tres y hasta cuatro huevos entre los dedos de una sola mano, los pasaba por delante de una bombilla encendida, examinaba la yema a través de la cáscara translúcida, luego depositaba los huevos buenos en una cesta y los malos en otra y volvía a empezar.

La segunda alarma de aquel día desgarró el aire. Una advertencia de dos minutos. Ya nadie hacía caso. Los ataques aéreos se habían convertido en moneda corriente desde que los estadounidenses, tras ochenta y dos días y otras tantas noches de lucha encarnizada, habían arrancado la isla de Okinawa a los japoneses. Muertos y heridos se contaban en ambos bandos por decenas de millares. Dos mil kamikazes japoneses habían sacrificado su vida a los mandos de sus aviones.

Desde Okinawa los estadounidenses enviaban hacia Tokio sus fortalezas volantes, los B-17, B-24 o B-29 cargados de bombas. En Shangai habían atacado el aeródromo de Longhua y los muelles. Los japoneses habían cavado fosas en las que en caso de alarma lo único que se podía hacer era tirarse boca abajo o acurrucarse, pues la capa de agua que bañaba los cimientos de la ciudad, a un metro por debajo del suelo, impedía la construcción de sótanos y refugios subterráneos. Así pues, la llamada de las sirenas, que además sonaba por lo general justo en el momento en que aparecían los aviones, servía como mucho para advertir a los amantes de los artefactos voladores. Entonces estos se precipitaban, cada uno a su puesto preferido, para admirar alto en el cielo, fuera del alcance de las ametralladoras antiaéreas, el fuselaje plateado de los potentes bombardeos. Las sirenas tenían también como efecto alimentar la esperanza. Su canto anunciaba que los estadounidenses se acercaban y que terminarían por expulsar a los japoneses de Shangai, como lo habían hecho en Filipinas y en las islas Marianas.

—¡Uf! —resopló Hans, acariciando, en el interior del cubo, la superficie de los tallarines limpios.

Walter, nervioso, se impacientaba.

—¡Venga, vamos, Hans! —ordenó tirando de su compañero—. ¡Adiós, Manfred! ¡Hasta mañana, Jimmy!

El encargado del Fliegenbar respondió con un gesto jovial mientras una amplia sonrisa dejaba ver sus dientes separados.

¡Si Dios quiere! —soltó el mago.

Era una antigua broma, a imitación de la forma de responder de los judíos piadosos de Europa Central. Jimmy era ateo.

—¿Qué tal esos amores, Hans? —preguntó Walter de camino.

—Lo mismo. No le he dicho nada. Es tan bonita que un montón de chicos forrados la pretenden. ¿Qué tengo yo para ofrecerle?

Ya no se trataba de Anna, que se había marchado a Nagasaki con su marido, un empleado del «rey de la perla» Mikimoto, sino de Paola, otra vienesa encantadora. «Es ella», murmuró entre dientes Hans, poniéndose encarnado, un día en que Walter y él se la habían cruzado mientras atravesaban el mercado. «¡Mira que tiene buen gusto, el pequeño!», pensó Walter.

Hans admiraba a Paola de lejos y soñaba con ella noche y día. Soñaba con lo que podría suceder, pero, como no se lo decía, nunca sucedía nada, salvo en su mente.

¿Cómo ayudar a Hans, él que ayudaba a todo el mundo?

«Demasiado calor para reflexionar», pensó Walter, sudoroso y pegajoso. La planta de los pies le abrasaba a través de las suelas. Ya estaban cerca de su edificio. Unos metros más y se podrían rociar con el agua del grifo.

Entonces la sirena de Chusan Road resonó por tercera vez. Walter y Hans miraron el cielo opaco. En el umbral del Dragón de Primavera, el señor Jin escrutaba la masa nubosa y Walter atravesó la calle para saludarlo. Intercambiaron algunas palabras en medio del estrépito de los motores.

—¿Qué te ha dicho? —preguntó Hans.

—Que nunca ha oído a los aviones volar tan bajo.

Los aparatos daban vueltas por encima de la ciudad, se alejaban y volvían. ¿Cuántos eran? ¿Diez? ¿Veinte? ¿Treinta? Las sirenas empezaron a rugir de nuevo, esta vez de continuo, y la gente se puso a correr.

—¡Váyase a casa, rápido! —dijo el señor Jin al tiempo que cerraba la puerta—. ¡Hoy es un mal día!

No era un hombre que se alarmase por nada.

—¡Vamos, Hans!

Apenas habían atravesado la calle, cuando la explosión los arrojó contra un muro de hormigón. Walter se desvaneció. «Entonces —se dijo Walter—, esto es ver las estrellas.»

Cuando volvió en sí, yacía sobre el pavimento, envuelto en un espeso humo negro. Alrededor de él, un silencio de muerte. Aturdido, Walter se preguntó si todavía estaba vivo. Intentó moverse, agitó los dedos, las manos, los brazos, luego los dedos de los pies, los pies, las piernas y finalmente la pelvis, el tronco, la cabeza, esperando a cada instante despertar un dolor desgarrador. No sintió más que una quemadura a lo largo del brazo, ahí donde sus dedos le hicieron saber que se le había desollado la piel. ¿Dónde estaba?

El humo empezaba a disiparse y veía formas que se movían, pero no oía nada. ¿Se había quedado sordo? Alguien se inclinó sobre él. Reconoció a Hans, que murmuraba.

—No oigo nada —dijo Walter desesperado.

Se preguntó por qué coincidencia el joven Fischer, que persistía en hablarle, se encontraba a su lado.

—¡Respóndeme, Walter! —percibió por fin, aliviado al comprender que estaba recuperando el oído—. ¿Te duele algo?

Unas violentas detonaciones le devolvieron la memoria. ¡Los bombarderos! Sus zumbidos disminuían dejando paso al estruendo de los muros que se desmoronaban, a los alaridos estridentes de los heridos. El aire quemaba los pulmones. Un ciclista surgió de la oscuridad.

—*Hilfe! Hilfe!… Ärzte, bitte! Kommen Sie rasch! Wir haben hundert Tote in die East Yuhang Road!**

¡Cientos de muertos! Y las explosiones no habían cesado…

—¡Mis padres! —aulló de repente Hans—. ¡Mis padres!

Chusan Road, donde vivían los Fischer, cruzaba East Yuhang Road. Walter se irguió, tuvo un vahído. Hans lo cogió por debajo del brazo y lo levantó. A Walter la cabeza le daba vueltas, pero hizo acopio de sus fuerzas. Sus pies aplastaron pequeños montones que crujían. Los tallarines, de vuelta a su estado anterior, se habían amalgamado con cristales y guijarros. Hans recogió su cubo vacío y se marcharon.

En la esquina de la calle, la presión del aire había hecho que la fachada de una casa china se desplomase. Los habitantes, ofuscados pero indemnes, miraban con estupor la espesa nube de polvo que se elevaba de los escombros. Las fichas de un juego de *mah jong* estaban esparcidas por la calzada, una radio seguía desgranando música china de cinco tonos. El viento arrastraba residuos en llamas.

Cuanto más avanzaban Walter y Hans, más aterrador resultaba el espectáculo. Chinos y europeos vagaban conmocionados, atemorizados, sangrando por la nariz y las orejas. En un callejón el humo indicaba un incendio. La gente corría hacia las llamas con cubos de agua. La Paochia evacuaba las casas vecinas.

Retomaron su carrera, se cruzaron con rickshaws donde los

---

* «¡Ayuda!… ¡Médicos, por favor! ¡Vengan, rápido! ¡Tenemos cientos de muertos en East Yuhang Road!»

376

culis transportaban heridos que gemían. En el mercado de Chusan Road, docenas de cadáveres alfombraban el suelo entre los pescados, las frutas, las verduras y los cascos de obús. Brazos y piernas amputados se vaciaban de su sangre. Tendidos sobre los puestos, los heridos se quejaban y se retorcían de dolor. ¿Yacían los padres de Hans entre las víctimas? Hans quiso acercarse, pero Walter lo retuvo.

—Vamos primero a tu casa, luego veremos.

Delante de la casa, dieron con una aglomeración. Otto y Greta se apartaron de ella y los abrazaron con lágrimas en la voz bajo la impresión de un pavor retrospectivo. Los dientes les castañeteaban todavía. Proyectados a la escalera, los dos se habían reencontrado al final de los escalones, una acrobacia que les había causado algunos moratones y chichones. Pero eso no era nada con el drama que, indirectamente, podrían haber causado. Justo debajo de su vivienda habitaban los Strauss. La pareja se había ido a hacer unas compras al centro, dejando sola a la pequeña Gertrud, que tenía diez años. La máquina de coser de Greta había atravesado el techo y las trenzas rubias de la niña todavía temblaban.

Walter se acordó de repente de su plan de llevar los pantalones a Greta. Volvió a ver la escena. Iba a marcharse del Fliegenbar cuando apareció Hans con su cubo de tallarines…

—Me has salvado la vida, Hans.

Estrechaba con fuerza las muñecas de su amigo.

—¡Yo! ¿Por qué?

—Si no me hubieses retenido con tus tallarines, habría pasado por el mercado de Chusan Road en pleno bombardeo.

Un sudor frío, a pesar del calor, le recorrió el espinazo. Los ojos de Hans, que se había puesto todo encarnado, resplandecían como castañas en el erizo apenas abierto.

—¡Apártense! ¡Apártense! —gritó alguien.

Un europeo pálido y sin aliento acarreaba al hombro, como un saco, a una mujer ensangrentada. Hans se abalanzó, se ofreció para darle el relevo, alzó a la herida como si fuera una pluma y se marchó con tanta rapidez que al esposo le costó seguirlo.

Apareció entonces un guardia de la Paochia en bicicleta. Con la ayuda de un megáfono, pidió a todas las personas válidas llevar a la prisión de Ward Road, que los japoneses habían abierto para los heridos, cuantas telas pudieran servir para hacer vendas e hilas. Junto a otros muchos, Walter se apresuró allí, con su camisa en la mano, y la entregó.

En ese mismo lugar, se acababa de poner término a un penoso incidente. Los primeros heridos, abandonados en el suelo, no habían recibido ningún cuidado médico. Los facultativos chinos del hospital penitenciario se negaban a actuar con el pretexto de que no se les pagaba por ese servicio. Un responsable de la prisión atravesó la calle para proponer al propietario del café vienés que llamara a médicos judíos. Unos minutos más tarde, se presentaron ocho, entre los que había un cirujano. Estos solicitaron instrumental, así como la asistencia de enfermeras. Sus peticiones fueron rechazadas, pues nadie se ofrecía a remunerar esos servicios. Durante media hora, los médicos estuvieron intentando tratar a los heridos, pero sin ninguna eficiencia. Entonces el cirujano entró de nuevo en el despacho del médico jefe para reiterar su solicitud. De nuevo fue denegada. Aquel se dio la vuelta, echó el cerrojo a la puerta y abofeteó al chino hasta que los instrumentos le fueron proporcionados.

Enfermeras y médicos se ocupaban ya de los heridos tan pronto como estos llegaban. En un rincón del patio reunían a aquellos cuya cara, brazos y manos presentaban un extraño color azulado. Nada podía ayudar ya a esas pobres gentes, sus venas habían estallado. Los chinos soportaban su sufrimiento con heroísmo. A los médicos les llevó tiempo amputar a varios, sin anestesia. Recién operado, uno de ellos sacó la cartera del bolsillo y preguntó al cirujano cuánto le debía. Por su parte, los médicos chinos, reunidos en un despacho, jugaban una partida de *mah jong* mientras fumaban cigarrillos.

Walter se unió a una cuadrilla que, con camillas, iba en busca de heridos. Por primera vez, judíos y chinos actuaban con total solidaridad. Ni los unos ni los otros, que tenían en común un sentido de la familia muy desarrollado, estaban acostumbrados. La tragedia no impidió los momentos cómicos. Un alemán autoritario, con un inglés muy limitado, forzaba enérgicamente la voz con la esperanza de que los chinos así lo entenderían mejor.

De los escombros surgían estertores. Al lado de una mujer carbonizada agonizaba un joven chino cubierto de sangre, con el vientre abierto, el hígado a la vista y los intestinos extendidos por el polvo. Todos volvieron la cabeza o se cubrieron los ojos.

—No tiene salvación —murmuró el médico del equipo.

Cogió su jeringuilla, inyectó una dosis letal de morfina al desdichado y le cerró los ojos.

Por todas partes los equipos de salvamento trabajaban sin descanso, cavando la tierra o tranquilizando y transportando heridos, mientras que los balcones y las fachadas seguían desmoronándose. Los culis, cuya única fortuna a menudo eran los harapos con que se cubrían la espalda, se desvivían generosamente. Cargaban a los heridos sin descanso y los depositaban en los puestos de socorro improvisados.

La cuadrilla de Walter entró en un edificio al mismo tiempo que un adolescente europeo regresaba a su casa. Su madre estaba tendida en el suelo, con el cerebro derramándose fuera del cráneo, junto a un vecino con la yugular abierta.

—¡Mamá! —empezó a gritar, con el semblante crispado por la angustia y el asco—. ¡Mamá!

El médico se le acercó y lo rodeó con su brazo, pero el chico se zafó de un tirón y salió corriendo entre alaridos. Walter se precipitó detrás de él. El muchacho avanzaba como un poseso entre las ambulancias, los camiones de bomberos, los conductores de rickshaws y los peatones enloquecidos. Sin embargo, Walter estaba a punto de alcanzarlo cuando, a la entrada del callejón del Fliegenbar, se chocó con una especie de arcón. Walter no pudo evitar el golpe. Desequilibrado, se cayó. El tobillo le arrancó un grito de dolor cuando quiso levantarse y retomar la persecución. Entonces echó una mirada malhumorada al obstáculo y reconoció la nevera de Manfred, calcinada.

Un montón de cascotes ocupaba el espacio del Fliegenbar. Unos chinos clasificaban los escombros humeantes.

Saltando sobre su pie sano, Walter se acercó.

—¡Manfred! —llamó con todas sus fuerzas—. ¡Manfred! ¡Elsa!

En vano. Repitió su llamada desgañitándose, hasta que una vieja china desdentada le dijo:

—*No more piecee man, no more piecee woman.**

Había recogido una tajadera y la apretaba contra sí como si fuera el objeto más preciado del mundo.

Walter le preguntó en chino si habían ido los socorristas y la anciana le informó de que los heridos habían sido trasladados. Nadie le pudo proporcionar más detalles.

Renqueante, Walter regresó a su casa caminando entre los edificios que despedían humo y los cadáveres que todavía atestaban la calzada. Vio cómo un médico europeo extraía con su navaja una esquirla de obús clavada en la pierna de un chino. En algunos lugares, la sangre se le pegaba a las suelas. «¡Vivir! —rugió—. ¡Quiero vivir!» ¡Qué estupidez haber corrido tras aquel muchacho, haber creído que lo podría socorrer! ¿Para qué? Era ridículo. ¿No había sufrido Walter lo suficiente para saber que todo el mundo se queda solo a la hora de superar los trances y que nadie puede ayudar a nadie? Cuando se tumbó en la cama, había agotado sus reservas de compasión. Le pareció que ningún cadáver podría ya nunca más arrancarle lágrimas ni sentimiento de piedad.

Se vendó el tobillo y, apretando los dientes, bajó a lavarse. Luego se vistió lo mejor que pudo, llamó a un culi y negoció la carrera hasta el Wing On a cambio de los últimos billetes que le quedaban. ¡Qué descanso! El aire le refrescaba agradable-

* «No hay más hombres, no hay más mujeres.»

mente el rostro cuando el conductor conseguía mantener un buen paso.

Los músicos supervivientes (¡la orquesta estaba de milagro al completo!) tocaron aquella tarde como dioses. «¡Ahora, voy a vivir!», se repetía Walter.

Durante la cena, preguntó quién podía prestarle el dinero para una llamada de teléfono y la vuelta a casa en rickshaw. Para su sorpresa, no sintió ningún apuro. El batería filipino le propuso adelantarle el equivalente a dos paquetes de cigarrillos Camel.

Walter llamó a Max Herzberg, a quien tuvo la suerte de encontrar justo antes de que saliera a darse una vuelta por el Cercle Sportif Français, y le resumió los acontecimientos.

—Y entonces —dijo Max mordisqueando su puro—, ¿adónde quieres ir a parar?

—No me queda ni un *Groschen.**

—¡Pobre gilipollas! No quisiste hacerme caso, has perdido seis años de tu vida.

A Walter le temblaban las manos.

—Ahora quiero vivir, Max.

—Entonces encuentra joyas. La gente de Hongkew todavía no lo ha vendido todo.

—¡Eso no, Max! —suplicó Walter—. Yo no soy Sulzberger. Para mí ese tipo es un cabrón.

—¿Porque sigue haciendo las camisas del coronel Ehrhardt y compañía?

—No, ¡las camisas me la sudan! Pero vende a Ehrhardt el oro y las joyas que les saca a refugiados como él. Y eso no lo soporto.

—Entonces, quédate en la mierda —dijo Herzberg articulando perfectamente las palabras— y deja de fastidiarme.

—Adiós y gracias.

Walter soltó de golpe el auricular sobre su soporte y con ambas manos se apretó el corazón que le palpitaba desbocado.

---

* Céntimo de schilling austríaco.

8

Habían transcurrido diez días.

Walter cerró tras de sí la puerta del pabellón del Jewish Hospital a los olores de yodo y éter y respiró profundamente. De buena gana habría encendido un cigarrillo. El estado de Jimmy, a quien la nevera de Manfred había reventado el bazo, ya no era preocupante. El cirujano le tuvo que extirpar el órgano. Tras haber estado a punto de morir, el mago se reponía de la operación, contento de estar todavía vivo. Además, tenía comida y alojamiento. ¡Un chollo!

Manfred había muerto al instante. Elsa, su mujer, se debatía entre la vida y la muerte.

Treinta y un refugiados habían fallecido, así como más de trescientos japoneses y centenares de chinos, hasta mil o dos mil. Algunos aseguraban incluso que cuatro mil. Más de quinientos heridos, de los que la mitad eran europeos, se encontraban todavía en los hospitales. Un millar de personas se habían quedado sin alojamiento. Debido a la canícula fue preciso celebrar los entierros lo más rápidamente posible. Varias personas de las comitivas se desmayaron. Al día siguiente continuaron los bombardeos, sembrando el terror y provocando la respuesta frenética de las baterías antiaéreas. Pero esta vez, para los civiles todo quedó en un susto.

Aquel día fatal del 17 de julio, nueve bombas habían caído sobre Hongkew. En las redes clandestinas, unos afirmaban que el objetivo de los estadounidenses era una emisora de radio japonesa, otros que los A-26 tenían como misión destruir el aeropuerto de Chiangwan, al norte de Shangai. La densidad de la masa nubosa era tal que los pilotos solo habrían podido calcular el impacto en el blanco en función de la hora a la que habían salido de su base en la isla de Okinawa.

Otros sospechaban incluso que los estadounidenses habían querido destruir las reservas de armas y municiones establecidas en secreto por los japoneses en el corazón del área ocupada por civiles, en lugares como la prisión de Ward Road o una fábrica metalúrgica.

La última hipótesis era la más inquietante. ¿Quién sabía si no quedaban otros escondrijos análogos, futuros blancos?

Cuando Walter llegó al Wing On, distinguió a Max Herzberg. Instalado en un velador, daba caladas a su puro al tiempo que tamborileaba sobre el mármol con impaciencia. El reciente portugués, que debía de estar aguardándolo, le hizo de inmediato una seña para que se acercara. Walter sentía una comezón en la punta de la nariz. A pesar de las dudas iniciales, fue finalmente a colocarse, con las piernas separadas, delante del insolente fumador de cigarros de Manila. Le dirigió una mirada asesina.

—¿Vienes para insultarme de nuevo?

—¡Déjalo! Es agua pasada… ¿Tiene alguna importancia entres dos buenos amigos como nosotros? Venga, siéntate. ¿Un scotch?

—No, gracias.

Max se fijó de pronto en el esmoquin de Walter, era el mismo que le había dado seis años antes, y soltó una carcajada estridente que le agitó la barriga.

—¡Pero, bueno! ¿Sigues llevando ese pingajo?

Su estallido de risa terminó con un acceso de tos. Se ahogaba. Walter tenía los puños apretados en los bolsillos.

—¿Has venido a burlarte de mí?

—¡No, no, no, pero eres tan gracioso, mi pequeño Walter!

—¿A qué has venido? —dijo Walter con un tono cortante—. Tengo que estar al piano en dos minutos.

De inmediato, Herzberg recuperó su seriedad.

—Vengo a proponerte tu última oportunidad.

Walter se sentó y clavó sus ojos en los de Max. El ofrecimiento no podía ser desinteresado.

—Te escucho.

—¿Has oído hablar de la Conferencia de Potsdam?

—No.

—Tuvo lugar ayer. Gran Bretaña y Estados Unidos exigen que Japón capitule sin condiciones.

La tensión de Walter se relajó. Un fluido tranquilizador le recorría el cuerpo. ¡Por fin la paz y la libertad esperadas durante tantos años!

—La victoria está próxima —confirmó Herzberg.

—¡Qué alegría! Me cuesta creerlo…

Su felicidad era tan intensa que en algunos segundos había olvidado el comienzo de la charla.

—Y entonces —retomó de repente Walter—, ¿mi última posibilidad?

—Después de la victoria…

Max le expuso su plan.

Una semana más tarde, una nueva bomba dio pábulo a las conversaciones. Los periódicos la habían registrado en dos o tres líneas. Esta vez había caído en Japón. Más exactamente en una ciudad llamada Hiroshima. A esa bomba la llamaban «atómica». Según contaban, se desintegraba en pequeñas bombas y estas a su vez en otras. Como las muñecas rusas.

Solo unos días más tarde se descubrió en qué difería ese instrumento de muerte de los demás y los indecibles estragos que había causado. Fue entonces cuando los estadounidenses lanzaron la segunda bomba atómica sobre Nagasaki.

Nagasaki, donde vivía Anna.

Walter había recibido hacía poco la primera carta de Anna. Parecía feliz con su marido, un japonés prendado del arte europeo, que había estudiado en Viena. Anna esperaba un hijo.

La asfixiante noche del 9 al 10 de agosto, Walter regresó apesadumbrado del Wing On, cogió la estera y el mosquitero y subió a tumbarse en el tejado donde quince personas aproximadamente se apretujaban contra el pretil. ¿Qué estaban mirando? Walter se acercó a una pareja vienesa de unos cincuenta años con la que había simpatizado durante esas noches implacables en las que el calor impedía pegar ojo. Luise y Jakob Fleck, pioneros del cine austríaco, habían trabajado en los estudios de Shangai y su película *Kinder dieser Welt*,* en colaboración con el gran director Fei Mu, había visto la luz en 1941. Luise no era judía.

—¿Qué sucede? —preguntó Walter.

Le señalaron el tejado más próximo. Una mujer con el pelo desgreñado gritaba y gesticulaba.

—Una loca —dijo con fatalismo el señor Klein, un antiguo sombrerero de Granz—. Motivos no le faltan, con lo que nos está tocando vivir.

—¡Pero si es la señora Hoffmann! —exclamó la señora Kauffmann con un tono que excluía toda duda sobre la salud mental de la mencionada persona—. ¡Chitón, cállese! —Usó las manos a modo de megáfono—. ¿Qué dice, señora Hoffmann?

—¡La guerra ha terminado!

—¡Eso son rumores, ya lo sabe! Todos los días llegan noticias sobre el tema.

—¡No, esta vez es cierto! ¡La guerra ha terminado! Me han telefoneado del consulado suizo.

No había ya duda. La señora Hoffmann tenía una *amah*, un criado chino y teléfono. Muchos se lo habían envidiado en exceso.

---

* En español, *Los niños del mundo*.

Una explosión de alegría colectiva le dio la réplica. En la terraza, alemanes, austríacos y polacos caían unos en brazos de otros y se abrazaban. Los pañuelos abandonaban los bolsillos.

—¡Venga! —dijo Luise a Walter tras los primeros instantes de emoción—. ¡Vamos a regarlo! He guardado unas botellitas de coñac… ¿Te acuerdas, Jakob? ¡Nos las dieron en el Park Hotel!

Con esas palabras había hecho surgir el perfume de los viejos tiempos. Era el que iban a respirar de nuevo a pleno pulmón. Brindaron por el futuro. Los Fleck tenían la cabeza llena de proyectos. Lo importante era conseguir dinero. ¡Vaya un problema! Se desternillaron de risa.

De golpe, Walter se preguntó si los Fischer, los Veneto, así como Richard y Markus Silberstein, se habrían enterado de la buena nueva. Sin embargo, entre los Fleck y él pasaba una corriente tan fuerte que no podía decidirse a dejarlos.

—¿Quieren acompañarme a casa de mis amigos, los Fischer? —les propuso.

Ellos aceptaron. Luise y Jakob conocían a pocas personas del gueto donde habían vivido en el aislamiento de su amor. Ese día estaban contentos de mezclarse con los demás.

En la planta baja, con la ayuda del vodka, los polacos bailaban y desafinaban. La calle estaba ya llena de gente. Los chinos observaban sin entender el extraño comportamiento de los «Narices largas».

—¡Los nipones están vencidos! —gritó Walter al señor Jin.

—¡Ah, usted habla el chino! —observó Luise con interés.

—El shangainés —precisó Walter, rodeando con sus brazos al anciano cuya perilla, de repente, se mojó de lágrimas.

La noticia irrumpió entre los asiáticos, cada uno de los cuales se fue rápidamente en busca de los suyos.

En Chusan Road lo sabían ya. ¡Extraordinario concierto de alemán, de yídish, de ruso, de polaco! También se oía música. Walter apretó contra sí, hasta ahogarlos, a Otto y Greta, a los que Luise y Jakob abrazaron espontáneamente, aunque no se conocían.

—¿Dónde está Hans? —se preocupó Walter.

—En casa de Anna —dijo Greta.

—Sí, ¡otra Anna! Anna Berger.

—¡Una polaca! —intervino Otto con una mueca.

—¡Vale ya, Otto! —se enfadó Greta—. ¡Es encantadora! Hans la conoció el 17 de julio. Estaba inmovilizada bajo un montón de escombros. Él la sacó y la transportó al hospital. Ya está de vuelta en su casa, pero todavía está débil. Va a verla todos los días. Le está enseñando a tocar la flauta.

Una nueva felicidad inundó el corazón de Walter. Esta vez, estaba seguro, Hans sabría qué decir y qué hacer.

Los cinco se fueron entonces a casa de Veneto, que estaba ya rodeado por otros músicos de la orquesta. De nuevo se abrazaron, bebieron, lloraron y bailaron. Giulio tocaba la armónica, de la que nunca se separaba. La noche continuó así, en medio de la emoción. Antes de regresar a su casa, Walter, Luise y Jakob fueron al final de Muirhead Road, de donde arrancaron y se llevaron dos de esos letreros que impedían a los «apátridas» atravesar un determinado límite. ¡Dulce miel de la venganza!

No obstante, los japoneses aparecieron al día siguiente en sus puestos como si nada hubiese pasado. ¿Se habrían equivocado? Los pesimistas empezaron a dudar de nuevo. Sin embargo, Walter comprendió que se había logrado la victoria cuando en el Garden Bridge vio a una decena de chinos que avanzaban con la cabeza alta sin descubrirse. Los centinelas japoneses ni se inmutaron.

Al día siguiente, numerosos comercios cerraron. Como si los comerciantes se negasen a entregar sus mercancías. El azúcar y los cigarrillos habían desaparecido de las estanterías. Debido a la galopante inflación, un huevo valía en ese momento mil dólares de Shangai. Walter había visto ofrecer una pluma Waterman usada, semejante a la suya, por quince mil dólares, con lo que se podían comprar quince huevos. Aquel día el dólar americano valía entre doscientos mil y quinientos mil dólares chinos, pero nadie los vendía.

Hubo que esperar hasta el 15 de agosto para tener por fin la confirmación oficial del cese de las hostilidades. Se había advertido a la población de que habría una importante declaración difundida por la radio. Walter se plantó cerca de un café japonés, que había dejado su receptor encendido de continuo. Al mediodía, el locutor anunció que el monarca iba a hablar e invitó a todos los oyentes a levantarse. Petrificados, con la cabeza inclinada, los japoneses escucharon la voz ronca y monocorde del emperador. El Hijo del Cielo se expresaba en la antigua lengua que solo a él le estaba permitido emplear. El locutor tradujo a continuación la alocución del soberano y el auditorio estalló en sollozos. Walter se enteró luego de que ni la palabra «capitulación» ni la palabra «rendición» habían sido pronunciadas. Su Majestad Imperial había llamado a su pueblo a afrontar lo insoportable. El sueño del orgulloso Japón se había desintegrado.

Ese era el día que aguardaba Max Herzberg. Fue al Wing On y entregó un maletín a Walter. Estaba lleno de dólares estadounidenses. Walter lo ató a su trasportín y atravesó Shangai, mientras la ciudad celebraba su liberación al son de los petardos. La alegría y el alivio se habían adueñado de las calles. Los fumadores se embriagaban con un placer reencontrado, el de encender un cigarrillo por la noche y, por primera vez, desde Pearl Harbor, los carteles luminosos brillaban con todas sus luces. Como en el pasado. O casi.

Los japoneses iban a abandonar la ciudad. Algunos embarcarían hacia México o Perú, otros regresarían a su país, pero todos querían, debían, vender sus bienes lo antes posible y no conservar más que lo esencial. Invadieron Kungping Road. Era lo que Max había previsto.

Walter había solicitado la ayuda de sus amigos Jakob y Luise, de Hans y de su amiga, la nueva Anna, una salvaje adorable, tan rubia como él moreno. Walter y Luise buscaban los objetos interesantes, Jakob se encargaba de las cuentas y Hans y Anna los transportaban.

En la ciudad se vio regresar a los estadounidenses, británicos y neerlandeses internados en los campos japoneses. El miedo se leía aún en sus rostros demacrados. Volvieron a sus oficinas y notificaron a los japoneses que debían desalojarlas en cuarenta y ocho horas.

La ceremonia de la rendición, preparada por el general Douglas MacArthur, tuvo lugar el 2 de septiembre en la bahía de Tokio, a bordo del acorazado *Missouri*. Al día siguiente, Manuel Siegel, el asistente recién liberado de Laura Margolis, fue a recorrer el gueto con una delegación de oficiales estadounidenses. Estos se desplazaban en extraños vehículos que llamaban jeep. Todos los refugiados salieron a la calle para aclamarlos. La emoción alcanzó su culmen cuando uno de los liberadores, un aviador, reconoció a sus padres.

Desde Berlín, estos habían mandado a su hijo en 1938 hacia Gran Bretaña en un envío de niños. Él se enroló en la RAF y luego en el ejército del aire estadounidense. Alguien le había informado de que sus padres vivían en Hongkew.

Esa visita marcó el fin oficial del gueto de Shangai.

La noche anterior a la partida forzosa de los japoneses tuvo lugar un increíble mercado. Un chino adquirió una casita con un jardín plantado de rosas, un ruso encontró calzado para su pie, un polaco cargó con un traje apenas hilvanado, que todavía llevaba prendidos la aguja y el hilo, una austríaca aprendió a tejer. Se llevaría la técnica con el tejido empezado.

Walter compraba y compraba, entusiasmado por la ridiculez de los precios. Se liquidaban miles de quimonos, kilómetros de obis, recipientes de laca, puertas correderas delicadamente pintadas, mesas bajas, biombos, aguadas de tinta china, estampas, colecciones de cuencos con tapadera, porcelanas y cerámicas preciosas, abanicos, estatuillas de marfil, máscaras, esmaltes tabicados, paneles de madera tallada, juegos de *go* y ajedrez, instrumentos de música…

Una muchacha muy joven con ojos soñadores ofrecía su laúd de tres cuerdas con un plectro de marfil. Era conmovedora, ¡con qué sonrisa desafiaba la fatalidad! Walter sujetó el instrumento bajo el brazo, decidido a conservarlo para siempre. El rostro de la muchacha le seguía obsesionando cuando llegó a su vivienda. Estuvo contemplando detenidamente el *shamisen* y comprendió de pronto la fascinación que ejercían sobre él las tres cuerdas tensadas sobre la piel. Representaban el pasado, el presente y el futuro.

«Queda por tocar la partitura de la tercera cuerda», pensó Walter. La punteó y le devolvió un sonido cristalino.

V
Victoria Peak

1

—¿Sigues tocando el piano? —preguntó Feng-si mientras jugaba con un rizo de su cabello.

Los pendientes de jade se balanceaban en sus orejas.

—Por supuesto —respondió Walter con una alegría maliciosa—. Pero solo para mí mismo. He comprado un piano de cola japonés muy bueno.

Abrió la pitillera, ofreció un cigarrillo a Feng-si y accionó la suave moleta de su mechero Dunhill.

—Gracias. —Expulsó el aire redondeando sus labios de un rojo intenso—. ¡Un piano de cola! Entonces, ¿vives en un piso grande?

—Una suite en el Astor.

Los ojos de Feng-si brillaron de admiración y curiosidad.

Walter, que había vivido su propia ascensión sin plantearse preguntas, se había acostumbrado a las buenas sorpresas diarias. Figuraba entre aquellos a los que la vida les iba bien en Shangai, como si la guerra jamás hubiese perturbado su vida de lujo. Instalado en el Wiener Café, saboreaba su suerte. Acababa de ver entrar a Feng-si y de invitarla a su mesa, cosa que ella había aceptado tras un instante de indecisión.

Walter tenía las manos cruzadas sobre el velador. Vio que Feng-si escrutaba furtivamente, uno tras otro, sus anillos.

—¿No te has casado?

—No… Mi ex prometida se fue de Shangai la semana pasada con su familia. Se ha ido a vivir a Nueva York.

Walter no había vuelto a ver a Masha. Sabía esa última información por Klara Bauer, que la había obtenido de su prima rusa, la cual divulgaba con fidelidad los cotilleos del Jewish Club.

Un gran número de europeos habían regresado a sus pisos saqueados por los japoneses. En algunos, estos habían almacenado armas o fardos de tela para uniforme. Otros habían servido de cantinas. El de los Sokolov había sido transformado en despachos. Los aturullados funcionarios nipones quemaron sus archivos directamente sobre el parquet del salón grande. Asqueados, los Sokolov decidieron dejar la ciudad cuanto antes. Pudieron cumplir su deseo a finales del mes de enero de 1946, entre los primeros emigrantes, lo que provocó la profunda envidia de sus amigos apátridas. Al carecer del ansiado visado, muchos de estos últimos empezaban a barajar la posibilidad de aceptar el pasaporte soviético propuesto por Stalin. «¿Por qué no? —decían—. Rusia ha cambiado. Ahora es aliada de Francia, de Inglaterra y de Estados Unidos.» Irse a vivir a Moscú les parecía un modo de regresar al mundo occidental.

En efecto, la mayoría de los exiliados buscaban la manera de marcharse de la ciudad de sus sufrimientos. A finales del año anterior, un primer barco había llevado a unos mil pasajeros a Palestina.

Walter había reiterado su solicitud de visado para Estados Unidos, pero sabía que tenía que armarse de paciencia. El consulado estadounidense estaba formado por un pequeño grupo de personas. Por cada solicitud, había que abrir en primer lugar un expediente que duraba un mes aproximadamente y no conseguían tramitar más de cuatro o cinco al día. Además, el destino de Walter estaba ligado al cálculo de cuotas. Al igual que antes de la guerra, los estadounidenses se atenían a cuotas de inmigración. La de la pequeña Austria era minúscula, mientras que la cifra de austríacos que deseaban llegar a Estados Unidos era muy elevada. Algunos de ellos, así como un grupo de alemanes, se presentaban como polacos en razón de su lugar de nacimiento, lo que no suponía una gran diferencia. La cuota asignada a Polonia también era mínima. Paradojas de la administración, sus hijos nacidos en Shangai, considerados chinos, obtenían de inmediato el visado.

Eran muy pocos los alemanes y los austríacos que elegían volver a su país. A estos los antiguos compatriotas los injuriaban, tan grande era su animosidad hacia la patria madrastra. «Yo estaba tan orgulloso de ser alemán —recordaba el médico Horst Bergmann—. Y un buen día me dijeron: "Tú eres judío y eso es todo, una mierda". Un martillazo en la cabeza. ¿Regresar a Alemania? Jamás.» Tenía proyectado instalarse en San Francisco, donde su joven esposa, una chica de Hannover, amable pero desprovista de cualquier encanto, se reencontraría con una parte de su familia.

Con todo, Walter no estaba impaciente. Los años de la guerra le habían enseñado a esperar. Era una espera felina, en la que el animal, en apariencia adormecido, permanece presto a la acción. Las cosas nimias lo maravillaban y los grandes dramas lo dejaban impávido. Y, además, la vida en ese momento le sonreía. Max Herzberg le pagaba su parte de las cantidades embolsadas por la venta de los bienes japoneses. Por otro lado, Walter escribía artículos para el periódico estadounidense *Shanghai Evening Post* y, además, le apasionaba la recuperada industria del cine, en cuyos estudios lo habían introducido Jakob y Luise. Tras su huida de la Shangai ocupada, los cineastas chinos volvían a la ciudad con una energía renovada. Los antiguos integrantes de la compañía Lianhua, que habían retomado su estudio, se negaban a cedérselo al gobierno y fundaron la Kunlun. La experiencia tentaba a Walter, que estaba buscando un tema para una película.

En medio del ambiente cargado del Wiener Café, Klara Bauer fue a besar a sus dos amigos. Con los años, la cojera se le había acentuado, pero su rostro no había perdido nada de su jovialidad ni de su bondad. Se sentó junto a ellos.

—¡El final de una época! —observó Klara al tiempo que

señalaba con la barbilla *L'Écho de la Chine*, que estaba leyendo Walter antes de la llegada de Feng-si.

Una fotografía mostraba a los firmantes del reciente tratado franco-chino, que ponía fin al contrato de 1844 y estipulaba la devolución a China de la Concesión Francesa, último bastión de los derechos extraterritoriales.

El gaullista *L'Écho de la Chine* había sucedido (¡solo después de Hiroshima!) a *Le Journal de Shanghaï*, a las órdenes de Vichy. Extraños estos franceses a quienes no habían alterado ni la liberación de Francia, ni la capitulación de Alemania, ni el proceso a Pétain. Allí, en Shangai, a despecho de un meritorio puñado de gaullistas de primera hora, el vichysmo se había sobrevivido a sí mismo durante un año, mantenido por militares y pequeños funcionarios incapaces de comprender los cambios. Además, ¡Vichy armonizaba tan bien con el sistema colonial!

—¿Hay noticias de Lisa? —consultó Klara con precaución.

—Nada todavía.

Walter suspiró. El deseo de hablar sobre esa pesadumbre le había hecho atravesar aquel día la puerta del Wiener Café, desafiando la antipatía declarada de Serguei y la desagradable presencia de Fengyong. Klara y los Fischer eran los únicos con los que podía hablar de Lisa. Walter había revisado en vano las listas de supervivientes de los campos nazis, expuestas al público.

Algunos refugiados habían recibido cartas de familiares y de ese modo se habían enterado de que un padre, una madre, un hermano o una hermana habían desaparecido en Auschwitz o en algún otro campo, o incluso habían sido abatidos por una de esas pequeñas unidades itinerantes de asesinos, los *Einsatzgruppen*, que, en los territorios conquistados por los alemanes, habían ido a la caza de sus víctimas y allí mismo habían realizado matanzas masivas.

Pero el nombre de Lisa no figuraba en ninguna lista y Walter no había recibido ningún aviso. Sus llamamientos de búsqueda a Viena, a la Cruz Roja y a la oficina en Shangai de la HICEM no habían recibido más que respuestas negativas. Nadie sabía qué había sido de Lisa. Walter empezaba a temer que nunca más la vería. El proceso a los nazis se había abierto en Nuremberg en el mes de noviembre y los relatos publicados por los periódicos alimentaban obsesivas y espantosas visiones.

—Las buenas noticias son a veces las que más tardan en llegar —dijo Klara con amabilidad.

Se levantó para ir a saludar a cada uno de los clientes por las mesas, un hábito cortés que conservaba. Walter dejó la taza de café sobre la mesa.

—¿Recuerdas lo que me contaste sobre los proyectos del coronel nazi Meisinger?

La cucharilla de Feng-si se quedó suspendida en el aire.

—Perfectamente.

—Me negué a creerte, pero tenías razón. El cónsul alemán ha revelado la existencia de cámaras de gas construidas en Pootung* por los japoneses. Meisinger quería exterminar allí a toda la población del gueto. Unos oficiales estadounidenses me han llevado allí.

—¿Qué es lo que has visto?

—Barracones, blocaos y también un edificio de ladrillo con chimeneas. En el interior se puede ver una decena de estructuras circulares semejantes a hornos. Aparentemente nunca se han utilizado. El Mikado no dio su aprobación final. Solo faltaba su firma para que nos hubieran... liquidado.

Walter había pronunciado esta última palabra en inglés.

—¿Qué significa «liquidado»?

—Matado.

Ella dejó en silencio su mano compasiva sobre la de Walter, recordándole así su cuerpo cálido y dulce, sus gestos tiernos. Él se estremeció.

El pianista, un moreno filiforme de mirada lánguida, fue a sentarse en el taburete de cuero que los años habían veteado de estrías blancas. Templó sus dedos y tocó *Honeysuckle Rose*, que

---

* Pudong en la actualidad.

recibió a una los aplausos de aquellos ejemplares de estadounidenses altos, guapos y robustos que habían sustituido a los «ena-
nos de las islas» en el decorado de Shangai. Ya ni siquiera se veían
japoneses en las calles. No obstante, todavía se oía hablar mucho
de ellos. Los europeos salidos de los campos de internamiento
de Pootung, Chapei y Longhua no paraban de hablar sobre la
crueldad de sus antiguos carceleros. Los rostros macilentos, des-
dentados le recordaban a Walter a sus compañeros de Dachau.

Sonrió torpemente a Feng-si, menos habladora de lo que él
recordaba. ¿Le molestaba el ruido? Walter conocía lo bastante
bien su rostro como para leer en él la reprobación cuando sus
vecinos, soldados estadounidenses ya muy expansivos, pidieron
otra ronda. Golpeándose los muslos, evocaban cómo se habían
indignado al ver hombres uncidos como bestias a las carretas.
Poseídos por un anticolonialismo espontáneo, sentaron por la
fuerza a los culis en los rickshaws y tiraron de ellos por las calles con gran enfado de los ingleses. Aquellos bravos muchachos
todavía se asombraban de haber visto cómo el primer alborozo
de los chinos daba rápidamente paso al disgusto.

Feng-si se inclinó como para revelarle un secreto:

—De verdad, estoy muy agradecida a los estadounidenses
por habernos liberado, pero a menudo los encuentro groseros.

—Pertenecen a otra civilización. Tienen otros valores. Esos
de ahí lucharon a muerte en Okinawa. Luego se quedaron allí
arrinconados, acumulando meses de paga. Ahora tienen ganas
de divertirse, de olvidar, y tienen dinero para gastar. Para los refugiados, la presencia del ejército estadounidense es una bendición. Ha creado miles de puestos de trabajo.

Feng-si asintió con la cabeza, convencida.

—Las chicas de mi casa los adoran. Siempre traen regalos,
chocolate, chicles, medias de nailon. He contratado a cuatro
singsong girls para ellos. Les gustan mucho. Me va tan bien que
he podido comprar un pequeño establecimiento para Fengyong. Abre el lunes próximo. Esta es su última semana en el
Wiener Café.

Feng-si se enderezó con una sonrisa de orgullo en los labios.

—¿Qué tipo de local?

—Un bar de cervezas cerca del puerto, con dos pequeñas habitaciones arriba.

Allí era donde las chicas llevarían a los marineros. Seguro que Fengyong sabría cómo ocuparse de su negocio. Bajo el remolino indomable en la coronilla, el flequillo en otro tiempo lleno de trasquilones lucía ahora bien cortado, lo que acentuaba su aspecto de determinación. ¿Seguiría siendo tan supersticioso? Al igual que numerosos chinos, Fengyong creía a pie juntillas en los genios. En la calle, atravesaba en el último segundo delante de un tranvía o de un coche con la esperanza de que el vehículo atropellara a los malos espíritus prendidos de sus faldones.

Los ojos de Walter y los de Feng-si se encontraron. Por segunda vez, Walter tuvo la impresión de que ella lo miraba como si lo estuviera redescubriendo.

—¿Y a ti —dijo ella—, no te gustaría comprar un café o un restaurante? Se pueden hacer buenos negocios en este momento.

—No, eso no me tienta. Además, tengo la intención de ir a vivir a Nueva York. Estoy esperando mi visado.

Era la primera vez, desde hacía tantos años, que él podía revelar ese deseo secreto a Feng-si. Experimentó un extraño sentimiento de desnudez. ¿Lo había oído Feng-si? Estaba examinándose con atención un pequeño bultito rojo en su mano de marfil.

—¿Qué es de tus amigos los Fischer? —preguntó ella con precipitación—. ¿Y de Hans, el encantador muchacho?

—Han decidido emigrar a Canadá.

Walter prefirió callarse la conmovedora historia de Hans. Anna Berger, que tenía justo dieciséis años, y él se amaban con locura. Cuando los padres de la chica consiguieron visados para Estados Unidos, Hans creyó, en su inocencia, que bastaría con casarse para que Anna pudiera quedarse en Shangai hasta que a él le fuera posible irse de China. Sin embargo, los Berger no lo veían así. «No hay nada que discutir. Ella es demasiado joven para casarse. A esa edad uno cree estar enamorado para siempre. Que venga con nosotros y ya veremos más adelante.» Berger padre había añadido que la única función del Señor consistía ya en unir las parejas y que si Anna y Hans tenían que casarse, sucedería. Los jóvenes estaban hundidos. Anna se había negado a comer. No sirvió de nada. El primer paquebote de inmigrantes se la llevó y Hans, destrozado, no conseguía rehacerse.

—¡A Canadá! —repitió Feng-si—. Todo lo que sé de ese país —ahogó una risa con la mano— es que el presidente Sun Yat-sen estuvo refugiado allí.

Se sobresaltó al ver la hora en el reloj del café.

—Es tarde. ¡Tengo que irme!

Walter consultó su reloj.

—Se ha pasado en un momento la hora.

—Tengo que irme —repitió Feng-si.

Pero no se movía. Por el contrario, miraba a Walter con intensidad. ¿Qué esperaba de él? Sin estar seguro de haber adivinado, se lanzó.

—¿Querrías cenar conmigo una noche fuera?

—Con mucho gusto.

Feng-si sonreía. Walter sintió destellos de la felicidad de antaño aguijoneándole la columna vertebral. Se llevó la mano al bolsillo interior de su chaqueta.

—Vaya, me he olvidado la agenda en el escritorio. ¿Has cambiado de número de teléfono?

—No.

Walter le prometió a Feng-si que la llamaría pronto y le besó la mano con ternura. Ella le dedicó una sonrisa radiante y luego se dirigió hacia la salida, atrayendo hacia su elegante figura las miradas seducidas de los soldados estadounidenses.

2

Durante el camino de regreso a casa, Feng-si daba vueltas y vueltas a sus pensamientos en la cabeza.

Se había consagrado durante mucho tiempo a un único objetivo: proporcionar a Fengyong la posibilidad de abrir un negocio que le permitiera mantener a su familia. Poco antes de que muriera el padre, ella había conseguido ya instalarlos en un pequeño piso en condiciones. Los niños estaban correctamente vestidos y alimentados. Cuando ella veía las pandillas de huérfanos sometidos a la mala influencia de granujas, que proliferaban alrededor de los muelles o entregados a su propia suerte, sin refugio, siempre hambrientos, viviendo al día de pequeños hurtos y de pobres ocupaciones, como mendigar, vender periódicos, recoger colillas en el Bund, o empujar rickshaws en la subida del puente por algunas monedas, que se reunían, con la mirada alucinada alrededor de los vendedores de raviolis o de buñuelos y a los que se podía ver muertos de frío desde bien temprano por las mañanas, Feng-si experimentaba un gran orgullo. Sus hermanos y hermanas vivían como seres humanos, no como animales.

Puesto que Fengyong poseía ya su bar de cervezas, Feng-si podía pensar en su propio destino. Soñaba con un marido honesto, pero solo un campesino podría quererla a ella, que no entendía la vida en otro sitio que no fuera el centro de una ciudad. A falta de poder casarse, Feng-si había considerado la posibilidad de convertirse, como sus hermanas juramentadas Susu y Manli, en concubina oficial de un comerciante acomodado. Sin embargo, Feng-si, a la que habían compartido varios hombres, se negó en adelante a compartir un hombre con otras mujeres. La influencia occidental, tal vez. Ningún pretendiente digno de interés se le presentaba. Nada se divisaba en el horizonte. ¿Tendría que decidirse a empezar de nuevo su vida en una ciudad donde nadie la conociera? ¿Pekín, Cantón o Nankín?

Walter acababa de reaparecer en su vida. Seguía igual de seductor, maduraba bien. Unas finas arrugas en la comisura de sus sonrientes ojos se añadían a su encanto. Dos años antes una cólera de tigresa se había adueñado de Feng-si el día en que se enteró de la traición de su amante, a pesar de que ella había sacrificado por él al jefe de las fuerzas navales japonesas y una vida tranquila en Tokio. ¿Por qué lo perdonaba? Porque, al verlo en el Wiener Café, la fiebre se había apoderado de ella, las mejillas se le habían encendido y había vacilado sobre sus altos tacones. Y luego, cuando le anunció que había roto con esa perra y que se iba a marchar a Estados Unidos, se había sorprendido soñando con acompañarlo. Sonriendo, se acordó del estremecimiento de Walter cuando puso su mano sobre la de él. Sus ojos se hablaban, podía jurarlo. En ese momento Feng-si veía con claridad su propio futuro. Tenía que organizarlo todo para reconquistar a Walter.

Abrió la puerta de casa y, con el corazón palpitante, se dispuso a aguardar el sonido del teléfono.

3

Por su parte, Walter cogió un triciclo para ir a Foochow Road, pasando por delante de hileras de comercios llenos hasta los topes de productos de lujo. Le gustaba vagar por esa calle donde herboristerías colmadas con mil tarros de hojas, polvos y raíces compartían acera con papelerías repletas de mil sellos, pinceles y estilográficas, con librerías atestadas con miles de libros, ediciones pirateadas de los clásicos y los modernos del mundo entero. También era allí adonde daba Hui Le Lui, el callejón colmado con mil prostitutas y *singsong girls*.

Walter estaba saliendo de su papelería preferida, tras adquirir un frasco de tinta para su nueva Parker, una provisión de papel y algunas libretas de tapa negra, cuando tuvo un encuentro perturbador: Zola. Sí, Émile Zola, el escritor y periodista francés. Al descubrir la serie de los *Rougon-Macquart* en la librería de Zhonghua, Walter se dio cuenta de que nunca había leído ningún libro del hombre al que él admiraba, tanto por su valor como por el soberbio «Yo acuso» publicado en *L'Aurore*, cuando el ejército francés se ensañaba en la condena al capitán Dreyfus. Pero además, ¿desde hacía cuántos años no había tenido Walter un verdadero libro entre sus manos?

De vuelta a casa, se sumió en la obra con vértigo, recuperando la felicidad de pasar una página tras otra, escuchando la música del papel, sin obedecer más que a su deseo de leer, leer y leer. Paraba cuando los ojos hinchados le escocían. No percibía el paso de los días.

De pronto, Walter supo que tenía el tema para su película. Según los comentarios de sus amigos cineastas, en los estudios se elaboraban dos tipos de proyectos: críticas encubiertas que apuntaban al despotismo del gobierno nacionalista, y Walter como extranjero rehusaba mezclarse en eso, o bien pinturas realistas de la vida miserable infligida al pueblo. Y en ese sentido, Zola le proporcionaba una trama fabulosa. Poco a poco surgió la idea de una adaptación muy libre de *Nana*, que Walter iba a situar en el Shangai de posguerra.

Una cortesana, la efervescencia del fermento revolucionario, la sombría fatalidad. Historia perfecta para poner en escena la amarga desilusión del pueblo, la corrupción de los medios gubernamentales, el lujo desenfrenado, el desprecio de los ricos. Walter no se ocultaba a sí mismo que él disfrutaba con un tipo de vida lujoso, pero lamentaba la enorme fosa, que cada vez se iba haciendo más y más profunda, entre los que se abrevaban en niágaras de ginebra, whisky o vodka, vestidos con telas inglesas o kilómetros de seda, calzados con zapatos de cuero y alimentados con patos, faisanes o pollos, y los desharrapados, descalzos, vestidos con mugre y andrajos, con el apetito exacerbado por los vapores de los alimentos calientes que chisporroteaban, se freían a fuego lento o se cocían en medio de las bulliciosas calles.

Un feliz precedente apoyaba el proyecto de Walter. *Los ángeles del bulevar*, película de gran éxito dirigida por Yuan Muzhi en 1937, que contaba una historia ambientada en los barrios pobres de Shangai, se inspiraba en la obra del estadounidense Frank Borzage, que había puesto en escena unos personajes que se desenvolvían en los bajos fondos de París.

Walter encontró el título un día en que, obsesionado por Nana, se paseaba como un fantasma entre las bellezas que adornaban Love Lane: *La muchacha de los barrios bajos*. Había llegado el momento de ponerse al trabajo. Exaltado, llamó de inmediato a Jakob y Luise para anunciarles su proyecto.

—¿Escribimos juntos el guión? —propuso.

Entonces Walter se enteró, desconcertado, de que sus amigos habían decidido regresar a Viena. Sin ellos, ¿qué podía hacer él? Con todo, rehusó abandonar la idea de esa película que lo obsesionaba. Los Fleck se comprometieron a hallar un coguionista antes de irse. Juntos los tres acumularon citas, reuniones y numerosas decepciones. Por fin Walter conoció a Zhong Tao, que rondaba los treinta, había cursado estudios en Francia, había escrito para el teatro y el cine y había representado algunos papeles breves. Tocaba todas las teclas. Tenía una figura larga y estrecha, unos ojos en eterno movimiento, una sonrisa casi constante.

El proyecto entusiasmó a Zhong Tao. Walter no había experimentado una gran simpatía por el chino, pero cuando al día siguiente de haberse conocido, apareció con unas notas redactadas por la noche, no dudó de que había dado con el compañero preciso. Como Zhong Tao tenía que ausentarse de Shangai durante quince días, acordaron ponerse a trabajar cuando volviera.

Entonces Walter se sintió disponible para llamar a Feng-si. Había transcurrido casi un mes desde su encuentro. Ofendida por la poca diligencia de aquel a quien ella aguardaba, se hizo de rogar hasta que por fin fijó un día para la semana siguiente.

A pesar de que hubiese tardado en llamarla, Walter sentía una gratitud infinita hacia Feng-si. Ella lo había amado, mantenido y sacado de Bridge House. Se había prometido que, ya que se habían reconciliado, nunca dejaría pasar un Año Nuevo a lo largo de su vida sin hacerle un regalo y lo había apuntado de inmediato en su agenda. Decidió llevar a Feng-si al lugar más alegre e insólito de Shangai. Era un parque en las afueras, al oeste de la ciudad. Allí uno podía pasear bajo los árboles, remar en el estanque iluminado por faroles, bailar en un pabellón, cenar en otro, asistir a un espectáculo en otro. Sería también una ocasión para aplaudir a Jimmy, que estaba allí contratado en un espectáculo de magia. Walter se alegraba de poder ver de nuevo, como en la competición de patinaje sobre ruedas, el rostro de Feng-si estremecerse de placer y gozo.

Estaba ataviada con un traje de noche, vestido y bolero, de un color a juego con los pendientes que le había regalado Walter, de modo que parecía una muñeca de jade. Walter se había adornado el ojal con un clavel rojo oscuro. Una pareja digna de la elegancia del taxi de lujo que estaba esperándolos a la puerta.

Sumidos en el placer del reencuentro, Walter y Feng-si no miraban el camino. Walter le estaba contando el bombardeo de Hongkew, cuando una sacudida brutal los arrojó uno encima del otro. Estaban en una calle sombría. El chófer se precipitó fuera del coche, seguido de Walter. El vehículo había chocado con un rickshaw, que había quedado volcado. Por suerte estaba vacío. Una de las ruedas se había torcido. El conductor gemía. Intentó conseguir una compensación, pero el chófer se negó y le conminó a dejar libre la vía. El desdichado se puso a gemir de nuevo.

—*Sa me wa, sa me wa?** —se oyó.

Apareció un policía chino, salido no se sabía de dónde.

—El rickshaw no tiene farol —protestó el chófer— y esta calle está muy oscura.

El policía cogió al culi aparte, luego al chófer y entablaron unos parloteos interminables. Walter se reprimía irritado sin intervenir. Había aprendido que los chinos, impermeables a la impaciencia, desprecian al que se deja dominar por ella. Finalmente el policía le preguntó:

—¿Tiene diez mil dólares? Si los tiene, démelos para el culi, porque el chófer no tiene dinero. Así el asunto estará arreglado y usted se podrá marchar.

Walter se los tendió, escéptico, sabiendo muy bien cómo terminaría el asunto, pero contento por irse. El policía se embolsó el dinero y al pobre mendigo lo hizo largarse a patadas

* «¿Qué ocurre?»

406

con su rickshaw inutilizable. La cólera encendía a Walter cuando ocupó de nuevo su sitio en el taxi.

—Esta corrupción, ¡también la mostraré en mi película! —le soltó a Feng-si.

—¿Debido a los diez mil dólares? —se asombró ella.

—No, debido a los médicos chinos que dejaron que heridos sufrieran con el pretexto de que no iban a cobrar por ese trabajo. Los que pagan el pato son siempre los pobres.

Le contó otra escena vivida durante el bombardeo, que también deseaba introducir en la película. Estaba buscando heridos entre las ruinas cuando apareció la cabeza de un chino vivo, pero aprisionado bajo los escombros. Walter redobló sus esfuerzos. Apenas tenía los brazos ya libres, el hombre, muy preocupado, le preguntó cuánto le debía, acostumbrado como estaba a no conseguir nada sin apoquinar primero.

—Herzberg, que sabe un rato sobre corrupción, me ha prometido que me va a contar historias instructivas —añadió Walter.

Buscó una postura cómoda, bostezó.

—¿Estás cansado?

—¡Exhausto! No había imaginado que la búsqueda de un coguionista fuera tan agotadora. Si no hubieses sido tú, habría anulado cualquier cita para hoy y me habría acostado a las ocho.

Halagada, Feng-si le dio las gracias con un gesto mimoso.

A lo largo de la noche, Walter le dirigió todo tipo de atenciones, pero ella lo sentía ausente. A menudo sacaba su libreta, garrapateaba y se disculpaba con una sonrisa. Feng-si se dio cuenta de que él, tanto en el restaurante como en la barca, o en la sala de baile, solo pensaba en su película.

Walter seguía pensando en su película cuando se enlazaron cerca de la cama con baldaquín y luego cuando Feng-si se apartó de él para dejar que se deslizara su vestido de seda. Reencontraron los gestos de antes, pero faltó la emoción de otro tiempo. Feng-si tenía una rival, que se llamaba Nana.

4

Las masas sombrías de los depósitos se difuminaban en la niebla de aquella noche de finales de diciembre. Con la frente apoyada en el cristal de la ventana de su habitación, Walter miraba sin ver. Estaba rumiando. Los estudios de la Kunlun habían rechazado el guión, cuya escritura había terminado junto con Tao en los últimos días de noviembre. Sin embargo, Jakob y Luise, que lo habían leído cuando estaba prácticamente terminado, justo antes de embarcarse hacia Nápoles, no dudaban de su éxito.

¿Era posible que el rechazo se debiera a razones antisemitas? Estaba claro que todos los judíos debían irse de China.

Más que nunca, los culis, los vendedores y los criados sonrientes insultaban al extranjero, que pensaban que no les iba a entender. Walter había oído cómo en diferentes ocasiones lo trataban de hijo de puta, de huevo de tortuga de ocho días, de víbora arisca. Un tendero había rehusado vender guirlache chino a una joven rusa con esta salida: «*Missee come back when eyes no blue!*».*

Los chinos salían de un siglo de dominación extranjera, que había vuelto servil al pueblo mediante el opio, y de casi quince años de opresión japonesa, que había matado o herido a veinte millones de los suyos. La xenofobia en el ambiente, que era fácil de explicar, servía de estímulo tanto para los nacionalistas

---

* En pidgin, «¡Señorita, vuelva cuando deje de tener los ojos azules!».

como para los comunistas chinos, dirigidos por Mao Tse-tung. La guerra civil, reanudada por el fracaso de la entrevista entre Mao Tse-tung y Chiang Kai-shek, estaba en su apogeo. La disciplina y la fuerte resistencia del Ejército Popular de Liberación tenían en jaque a las modernas armas de los nacionalistas, proporcionadas por los estadounidenses, en manos, sin embargo, de tropas superiores en número, pero descuidadas y mal dirigidas. Además, los comunistas conseguían atraerse para su causa a los campesinos, gracias a las redistribuciones de tierras.

La Shangai roja minaba el corazón de la Shangai capitalista. Los comunistas infiltrados en los sindicatos habían fomentado cientos de huelgas y de conflictos sociales, reclamaban la promoción de las mercancías nacionales y el boicot a los productos estadounidenses. Decenas de empresas y oficinas extranjeras habían tenido que cerrar sus puertas, lo que, unido a la partida de la mayoría de los soldados estadounidenses, había suprimido centenares de empleos.

A la crisis del trabajo se añadía la crisis del alojamiento, conflicto en el que la xenofobia china apuntaba a los judíos. En Hongkew, un grupo de chinos enfurecidos habían invadido algunas casas para intentar expulsar a los refugiados. Se manifestaban en la calle enarbolando unas pancartas en las que proclamaban: «Japos y judíos son nuestros enemigos», así como caricaturas de judíos barbudos con narices aguileñas, acompañadas de consignas en la más pura tradición de la propaganda nazi.

Por otra parte, los permisos de inmigración parecían emitidos con cuentagotas, a pesar de que el Comité de Refugiados había difundido en el mundo entero un llamamiento de socorro:

Quince mil refugiados que han sobrevivido al terror nazi y a las brutalidades japonesas aguardan todavía, expulsados de su hogar desde hace años y ya una vez terminada la guerra, ser salvados de la miseria. NO PODEMOS PERMANECER MÁS TIEMPO

EN SHANGAI. Muchos de nosotros estamos en posesión de los documentos y los medios necesarios, pero no podemos partir. Otros, desprovistos de certificados, esperan auxilio. Ayúdennos. Alerten a los gobiernos, parlamentos, periódicos, organizaciones y altas personalidades de su país. Hagan todo lo que puedan. NO NOS OLVIDEN.

Walter se fumó un cigarrillo tras otro. Estaba que se subía por las paredes, lleno de rabia y resentimiento. Cogió el *shamisen* y, pulsando las cuerdas, buscando armonías, consiguió desprenderse de su cólera. Una vez calmado, analizó la situación.

Los chinos rechazaban su guión y los estadounidenses se hacían de rogar para acogerlo. ¿Por qué no regresar a Europa vía Austria, lo que sería fácil, y buscar a Lisa? A continuación, se irían los dos juntos a Estados Unidos. Pero ¿por qué país empezar? Bien mirado, ese proyecto no tenía ningún sentido. Walter no lo iba a hacer mejor que los equipos especializados en esas búsquedas y había recurrido a todos. Más valía, pues, esperar el visado para Estados Unidos. Y puesto que no daba con un productor para su película, iba a batirse el cobre y a fundar su propia productora.

Se puso el esmoquin y bajó al bar, donde podía encontrar a Max Herzberg, al que intentaría ganarse para su causa. El nuevo portugués vivía también en el Astor desde que el Park había sido monopolizado por la Cruz Roja estadounidense.

Max desplegaba todos sus recursos de seducción ante un *comprador* de tela china y fieltro occidental. Más valía tener paciencia. Walter se dirigió hacia los altos taburetes. En uno de ellos estaba sentada la mujer que, vestida de verde, en otro tiempo lo había deslumbrado en el Park Hotel. Ese día, vestida toda de rojo, adornada con rubíes y fumando cigarrillos rosa, bebía un cóctel de grosella. Walter nunca la había vuelto a ver. ¡Qué ajada estaba! Y, con todo, resucitaba de maravilla la atmósfera perturbadora de Shangai en los años treinta. «Shanghai Lily», recordó evocando la asombrosa figura de Marlene Dietrich en *Shanghai-Express*, cuando soltaba con su voz inimitable: «*It too-oo-k more than one man to change my name in Shanghai Lily*».* ¿Qué actriz podría representar a la disoluta Nana? Walter todavía no la había encontrado.

Como la conversación de Max se prolongaba, Walter pidió que le entregaran un mensaje en el que le decía que se iba al Shanghai Club.

Delante del número tres del Bund, estaban aparcados tres automóviles. Las esposas que tenían que esperar a sus maridos. Una anécdota había atravesado los muros de la institución británica. «¿No creen —había propuesto uno de los miembros del comité directivo a sus homólogos— que podríamos habilitar una pequeña habitación en la planta baja, para evitar a las señoras que esperen a sus esposos en la calle?» Tras un ligero carraspeo, el presidente respondió: «Un caballero jamás hace esperar a una mujer, de modo que esa habitación es innecesaria».

Walter se alegró de no haber llamado esa tarde a Feng-si, mujer y china, doblemente vetada entre esos muros. A ella parecía gustarle verlo de nuevo y, como en sus ojos Walter sorprendía frecuentes destellos de tristeza, procuraba distraerla lo más a menudo posible. Pero, para un futuro productor de cine, la barra más larga del mundo era el lugar por excelencia para hacer contactos. Walter sintió que allí estaba en su sitio, en su elemento. Encendió un cigarrillo y, atravesando la espesa moqueta del salón, pasó revista a la tropa.

---

* «Ha hecho falta más de un hombre para que me convierta en Shanghai Lily.» Película de Joseph von Sternberg.

5

—*Kampei!*

Mayling, «Endrina», se limpió los labios grasientos por la salsa y apuró la taza inclinando la cabeza hacia atrás. Sus pechos opulentos tensaron la seda roja de su vestido. «Apetitosa», pensó Walter, sorprendiendo la mirada de Zhong Tao, que miraba sorprendido la suya.

No sin dificultad, Walter había conseguido montar su sociedad de producción, la Golden Dragon Company. Además de Max Herzberg, participaban en ella Paul Boulanger, un francés que antes había trabajado en la Banque d'Indochine y había hecho fortuna comprando terrenos donde construía edificios que luego revendía, así como el señor Wu, el antiguo patrón de Otto Fischer. La idea de recurrir al viejo jefe había partido de Greta, cuando Walter, en su errática búsqueda de capitales, le había confiado su desconcierto.

Walter llamó al camarero y le pidió otra botella de vino de arroz. De camino hacia Canadá, los Fischer debían de estar ya atravesando las aguas del mar de China. La tarde de ese triste día de enero, Walter había acompañado a sus amigos al embarcadero donde estaba anclado el paquebote. Mientras regresaba en la lancha, que en medio de la neblina amarillenta hendía el agua marrón y sucia, Walter se maravilló de la cantidad de favores que la tierna Greta y Otto, sin ningún recurso financiero, le habían prestado. Había contenido las lágrimas al besar a

Hans, flaco y desesperadamente retraído. Nunca había recibido la prometida carta de su Anna, a la que seguía queriendo con un amor desmesurado. ¿Habrían escamoteado los padres de Anna la carta? ¿Se habría perdido?

Walter les había llevado regalos elegidos con cuidado. Una blusa de seda bordada para Greta, una pitillera y un mechero para Otto y una hermosa flauta para Hans. Los tres habían manifestado una gran alegría, pero Walter esperaba hacerles regalos mucho mejores cuando, también él, viviese en el Nuevo Mundo. Se habían prometido procurar verse lo antes posible. Mientras se daban la mano, una parte de Walter ya se había ido con ellos.

Con el beneplácito del viejo señor Wu, la Golden Dragon Company pudo por fin constituirse. Walter y Tao emprendieron entonces la búsqueda de un realizador, de actores y de técnicos. Solo les quedaba hallar la diosa que representaría el papel de Nana. Walter deseaba encontrar una actriz del temple de Ruan Lingyu, la estrella del cine mudo, turbadora intérprete de *La Divina*, que se había suicidado de joven. Sin embargo, todas las perlas de Shangai estaban cogidas. ¿Confiar en una joven promesa?

Entonces Tao le habló de su hermana Mayling.

Mayling había hecho un pequeño papel anodino en una película que transcurría en Catay. «No la han dejado lucirse —argumentaba Tao—. Mayling tiene madera de estrella.» Walter intentó primero escurrir el bulto inventando diversos pretextos. Sabía que, una vez en presencia de Mayling, no podría negarle el papel, si no quería desprestigiarla a ella y, en consecuencia, también a Tao. Un juego peligroso.

Pero los días transcurrían y Walter iba de decepción en decepción mientras desfilaban chicas delgaduchas, angulosas, bobas o faltas de gracia. Finalmente había aceptado conocerla en medio del barullo de aquel restaurante. En el piso inferior, el bar y la sala de baile lindaban con las salas de juego de donde continuamente llegaba el clap-clap de las bolas de billar que hacían carambola y el clic-clac frenético de las fichas de *mah jong*. En ese templo de la cocina de Sichuan, Tao había encargado una copiosa comida, en la que abundaban el ajo, el jengibre y los pimientos rojos, que enseguida les hicieron sudar.

—*Kampei!* —exclamó Tao—. ¡Por nuestros proyectos!

Walter bebió de buena gana. El vino de arroz lo ayudaba a ahogar la tristeza de haber visto partir a sus amigos. A su vez, no tardó en incitar al hermano y la hermana Zhong a levantar su taza.

Mayling era una chica alta y apuesta, vivaracha y provocativa. La barbilla un poco gruesa hacía que resultase pesada la parte inferior de su rostro, pero ella lo corregía pintándose los ojos en ala de mariposa, bajo la arqueada ceja. El brillo azulado de sus pupilas en constante movimiento evocaba con fuerza el pequeño fruto que le daba nombre. Walter estaba todavía lo suficientemente lúcido para adivinar que su manera de engullir enormes porciones de *kueifei chi* y de *hsiangsu ya,** una actitud poco china, dejaba entrever su posible parecido con la glotona Nana. Cuando la conversación estuvo ya bien encauzada, Tao alegó de pronto una reunión de amigos a la que no podía faltar y se marchó.

—¿Hasta mañana, Walter?

—Hasta mañana.

Walter y Mayling se quedaron uno frente a otro. Walter, desprevenido, le pidió que le hablase de sí misma. Mayling le confesó que le gustaba el lujo y el juego. En un torbellino de palabras describió su vida. Una noche iba a cenar al más elegante de los restaurantes rusos, al día siguiente a un cabaret, una noche más tarde al Grand Monde y otra al Cercle Sportif Français, al Casanova o al Tower Night Club del Cathay, sin olvidar el teatro y el cine. Le encantaba bailar la samba y la conga, le gustaba frecuentar las tribunas del Race Course y del canódromo y asistir a los partidos del Auditorium. Todo eso, por supuesto, cuando no tenía que actuar en el escenario o para la pantalla, su pasión.

¿Estaba diciendo Mayling la verdad? No había muchas po-

* «Pollo de la concubina imperial» y «Pato crujiente».

414

sibilidades. Más bien debía de estar describiendo la vida de sus sueños.

Ella cogió uno de sus finos cigarrillos dorados y se lo llevó a los labios. Cuando Walter le ofreció fuego, Mayling se acercó a él captando su mirada y puso su mano con las uñas pintadas alrededor de la de él para cobijar la llama. La caricia lo turbó. Como un poco de vino teñía todavía el fondo de la botella, Walter lo repartió entre las dos tazas. Luego sus ojos se deslizaron hasta el pecho de la joven.

—Su vestido es chino —observó exhalando el humo de su Craven—, ¡pero usted aprecia sobre todo las distracciones europeas!

Mayling se echó a reír. Se reía a carcajadas, con la cabeza inclinada, los hombros agitados a espasmos, con un ruido ronco que cesó justo en el momento de mayor intensidad del estallido. Como una europea.

—Soy china, pero me gusta todo lo que viene de París.

El nombre de la ciudad mágica designaba Europa. Con una sonrisa chabacana, Mayling se recogió su cabellera ondulada, se despejó la nuca de fina piel, donde sobresalía una vena que descendía hacia el pecho, y se inclinó hacia Walter.

—¿Qué le parece mi perfume?

A Walter se le dilataron las ventanas de la nariz.

—¡Sublime!

Volvió a inhalar.

—*Crêpe de Chine!* —anunció Mayling—. Ya ve, es China y viene de París.

—En conclusión, usted lleva una vida muy agradable —resumió Walter, fingiendo que se había tragado su relato—. No le falta realmente nada.

—Sí, la fama. Haría cualquier cosa por conseguirla —afirmó Mayling dirigiéndole una mirada cargada de desafío—. El astrólogo me la ha vaticinado para el año de la rata.

El año de la rata comenzaría en 1948, en el siguiente mes de febrero.

Una tormenta se desataba en la mente de Walter. Pedir a Mayling que hiciera una prueba supondría contratarla, pues sería hacer una afrenta a Tao no querer luego confiarle el papel a su hermana. ¿Tenía todavía elección? Intentó acordarse de la figura de Mayling, de su manera de andar cuando entró en el restaurante. ¿Tenía la memoria atascada o no había prestado atención? Walter solo recordaba a Mayling sentada. Para verla en movimiento le propuso ir a terminar la noche a alguna otra parte.

Mientras esperaba su abrigo con las piernas un poco separadas, Mayling daba golpecitos de impaciencia con su pequeño pie, calzado con cabritilla dorada. Formas generosas, la cintura fina. Con una mano apoyada en la cadera, daba vueltas con la otra a su bolsito de perlas alrededor del asa. Walter dejó una cuantiosa propina sobre la bandeja de estaño y, pasando entre la hilera de atareados camareros, arrastró a Mayling a la calle helada. Como tiritaba, la empujó en el primer taxi que llegó.

—¿Dónde podríamos ir a calentarnos? —le preguntó él.

—Donde usted desee.

En la sombra Walter adivinó su mirada lasciva.

—Usted conoce mejor que yo Shangai. ¡Elija!

—¿De verdad?

Su voz un poco ronca le perturbaba y le dictó su respuesta.

—De verdad… Lléveme donde iría Nana.

«La has fastidiado», le susurró su voz interior.

No lejos del parque de atracciones New World, con su famoso tobogán acuático, el chófer los dejó en un pasadizo de Yu Ya Ching Road. Empujaron la puerta de una casa de té y Mayling pidió que le abrieran un pequeño salón privado. En el medio había un diván con la estructura de palisandro esculpido, cubierto con un dosel de adornos amarillos. Un perfume dulzón flotaba en el aposento.

Se tumbaron sobre la tela tornasolada, entre cojines, y apoyaron la cabeza sobre un pequeño rodillo duro. Walter observó cómo dos adolescentes aplicadas, con sus menudos pechos cubiertos por un vestido de seda blanca transparente, preparaban pipas de opio, dando vueltas con el extremo de una vara de plata a una gota de la espesa pasta negra que chisporroteaba sobre la llama.

Aspiró el humo y, a la primera bocanada, se sintió maravillosamente ligero, sereno y feliz de vivir.

Tras la segunda pipa, adquirió una lucidez que nunca antes había alcanzado. Recordó el guión de *Nana* todo entero, descubrió un fallo y cómo solucionarlo. Imaginó el estreno de la película. El preestreno, la publicidad, los elogios. Cerró los ojos, vio escenas de su infancia cuando su padre le compró su primera bicicleta. La dulce risa de su madre lo consolaba de su torpe intento. Al siguiente, volvía victorioso a arrojarse en sus brazos. Lisa le acariciaba la frente. Los finos dedos se deslizaban entre sus cabellos, seguían el dibujo de sus cejas, se paseaban por sus labios… Abrió los ojos. Mayling lo observaba, recostada sobre él. Sabía que la iba a poseer. Sentía un deseo áspero, pero quiso hacerla dudar de su poder de seducción. Cuando cedió y la tumbó debajo de sí, los muslos de Mayling se abrieron sobre una flor caliente y palpitante, que Walter llamó «camelia». Ella representó para él Nana.

6

En la paz de la mañana, Feng-si compró velas y varillas de incienso a una anciana de negro, agazapada como un mono en un rincón del templo Jing'ansi.* Luego se detuvo delante de la hermosa diosa de mármol blanco, Guannin, diosa de la misericordia, que sujetaba un loto, y estuvo observándola durante mucho tiempo.

Unos ruidos de pasos y de conversaciones sacaron a Feng-si de su contemplación. Por su elevada estatura reconoció al sacerdote, que, con su cráneo afeitado, sobresalía varias cabezas sobre el séquito de fieles pendientes de sus palabras. Se decía que estaba liado con una mujer extremadamente rica y que disfrutaba de otras siete concubinas. A algunos pasos, su guardaespaldas, un ruso blanco, no lo perdía de vista.

El edificio donde deseaba rezar Feng-si estaba consagrado a Buda Amitabha. Su vientre dorado brillaba en la penumbra con un resplandor cómplice. Tal vez sus grandes orejas podrían oír el dolor de Feng-si. Walter apenas le concedía una noche al mes. Esa vez habían transcurrido ocho semanas sin que él diese señales de vida. Feng-si aguardaba su llamada y se sentía zozobrar como una barca resquebrajada por un escollo. Cada día le parecía tan largo como una estación de lluvias y por la noche le entraban ganas de llorar.

* Templo de la Tranquilidad.

La película, que había empezado en diciembre de 1947, ocupaba todo su tiempo, decía Walter. Era junio. Hacía justo un año, calculó Feng-si, que las autoridades habían concedido la licencia para rodar. La actriz principal se había puesto enferma, lo que había interrumpido el rodaje durante cuatro semanas. Walter había aprovechado para realizar un viaje a Hong Kong. ¿Qué había ido a hacer allí? El rodaje se había reanudado a marchas forzadas y Feng-si seguía esperando que Walter le contara todo, como había prometido.

¿De qué modo podría conducir a Walter a la idea de desposarla cuando apenas se veían y lo sentía preocupado, obsesionado, distanciado de ella? ¡Cómo lo habían cambiado los años! Seguía siendo simpático y atento, pero ¡tan lejano e imprevisible!

El mes de enero anterior, cuando consiguió el visado para Estado Unidos, apenas se había alegrado. Al enterarse, Feng-si se había estremecido, temiendo que se marchara de inmediato de Shangai. Sin embargo, Walter, al contrario que los demás refugiados, no parecía tener prisa por partir. Era de lo más sorprendente, puesto que todos los extranjeros se iban de China desde que los ejércitos comunistas habían acometido la conquista del sur. En el norte, esas tropas estaban atacando las grandes ciudades ocupadas por el Guomindang y sumaban victoria tras victoria. La ciudad de Kaifeng acababa de caer en sus manos.

Por el momento, Walter se mostraba sobre todo deseoso de terminar su película. El estreno estaba previsto para final de año. Feng-si tenía de plazo hasta entonces para decir a su amante cuánto lo amaba y que le era fiel, limitándose a cantar, a tocar música y a velar por la buena marcha de su casa.

Delante de los pebeteros, los grandes jarrones de flores y los fruteros ofrecidos a la divinidad, Feng-si sacudió las varillas de incienso, al tiempo que se inclinaba, y luego las colocó en el receptáculo de cenizas situado al pie de la estatua sagrada. Levantó con fervor las manos juntas, las separó, las volvió a unir y miró cómo se consumía el incienso. ¡Ojalá, al llevar su oración, el humo pudiera atraer hacia ella el favor del cielo!

Sin embargo, cuando se levantó, Feng-si seguía desconcertada y decidió consultar el oráculo. Cogió una vasija de bambú que contenía unas varillas numeradas y la agitó de modo que hizo saltar una de ellas. Cayó el número diecisiete. Feng-si buscó esa cifra en el casillero, sacó un rollito de papel del compartimiento y, febril, leyó el texto impreso. Los sonidos se formaban silenciosos en sus labios. Sus manos temblaban.

«Las raíces del loto germinan en el fango —descifró Feng-si—, pero su tallo gracioso emerge del agua fangosa y muestra su flor preciosa. Si encuentra a quien lo aprecie y lo adopte, bailará en el aire puro como un hada celeste en un palacio de jade.»

Feng-si depositó una limosna en la bandeja de bronce, guardó el oráculo en el bolsillo interior de su bolsito de piel de serpiente y se marchó repitiéndose: «Si encuentra a quien lo aprecie y lo adopte…».

7

—*Master cow-cow* —le advirtió Nong, «Gañán», el criado de Max Herzberg con una mueca elocuente—. *Savey-box makee puff puff.**

A este hombre de unos cincuenta años una enfermedad infantil le había dejado el ojo derecho medio cerrado, lo que le confería un aspecto taimado.

—¡Entra, Walter! —gritó Max desde la habitación principal.

Sentado detrás de su escritorio, acababa de soltar el teléfono y rumiaba su cólera, con los ojos negros, la cara amarilla y el puño soldado a la barbilla. Lanzó un silbido de admiración al ver aparecer a su amigo y a continuación metió la mano en una copa de cristal llena de nueces de anacardos, que le ofreció.

—¡Ten, come!

—No, gracias.

—¡Menudo esmoquin!… Disfrútalo antes de que los comunistas te lo birlen. El Ejército Rojo acaba de entrar en Tientsin.

Cascaba las nueces con rabia.

—Bonita ciudad —comentó Walter con tono frívolo—. ¿Me das fuego?

—¿Eso es todo lo que se te ocurre? —se irritó Max lanzándole el mechero—. ¡Tenemos a los comunistas encima y

---

* En pidgin, «El amo está colérico. El cerebro le echa humo».

el señor se pierde en consideraciones estéticas! ¿Qué día es hoy?

Esta vez cogió un puñado de pasas de otra copa.

—15 de enero de 1949.

Walter respondió sin dudar. Tenía esa fecha grabada en la memoria desde que la eligieron para el estreno de *La muchacha de los barrios bajos*.

—¡Te apuesto mi entrada a que el 20 están en Pekín! Hay que largarse, Walter. Al ritmo que avanzan, en cuatro meses los tenemos aquí. ¡Y la caza al capitalista va a ser despiadada!

Mientras se atiborraba de frutos secos, fue repitiendo los pavorosos cuadros que sus contactos en las ciudades ocupadas le habían descrito. Los comunistas detenían a personas de manera arbitraria, las encerraban en cárceles y las despojaban. No valía ninguna explicación. Obligaban a los detenidos a confesar su vida en diferentes ocasiones, durante horas, y, en cuanto encontraban una variación entre dos versiones, por mínima que fuera, acusaban a los desgraciados de mentir. La encarcelación duraba tanto que no se advertían los errores. Cuando interrogaban a un preso, los torturadores se relevaban para impedirle dormir. El hombre, a veces, se volvía loco. Los émulos de Mao eran esos chinos para los que el tiempo no contaba.

Walter, que estaba rebuscando en sus bolsillos, interrumpió su narración.

—¿Podría Nong ir a comprarme cigarrillos?

—Ten, coge de los míos —dijo Max abriendo su pitillera.

Walter miró los Burleigh con cara de disgusto.

—Prefiero los Craven.

—Como quieras. ¡Nong! —llamó Max.

El criado pareció salir de un armario. Walter sacó un fajo de billetes de su cartera de cuero y se lo tendió a Nong, que lo guardó en un saquito de yute.

—¡Si alguien me hubiese dicho que un día iba a pagar tres millones de yuanes por un paquete de cigarrillos!

—¡Nong te traerá el cambio! —bromeó Max.

¡Nada más incierto! La cotización del *gold yuan** variaba de hora en hora, los precios cambiaban varias veces al día. La paga recibida por la mañana había perdido ya parte de su valor a la hora de la comida. Era mejor cobrarla en dólares estadounidenses, pesos mexicanos o en lingotes de oro. Había que consultar la Bolsa antes de cerrar la menor transacción. Unos ciclistas recorrían la ciudad anunciando las tasas del Bund. Los empleados de la compañía francesa de los tranvías hacían negocios comprando los billetes en el punto de salida de la línea y vendiéndolos en la llegada.

Apenas salió Nong, Walter estalló.

—No necesito cigarrillos, Max. Lo que te quería decir es que estás completamente loco, ¿a quién se le ocurre hablar así de los comunistas delante de Nong? Sabes bien que prometen la construcción del paraíso terrenal y que las gentes simples se dejan camelar por su palabrería. ¿Cómo quieres que no crean en sus promesas de paz, de integridad, de libertad? ¿Cómo quieres que el pueblo se les oponga cuando se le promete que a partir de ahora podrá comer hasta hartarse, vestirse correctamente y que es él quien va a gobernar el país? ¡Max, por favor, sé realista! ¡Nong puede denunciarte y tú estás arruinado si por desgracia también ocupan Shangai!

A pesar de la papada que se le desbordaba por encima de la pajarita, Max tenía la cabeza gacha como un niño pillado en falta. Solo desconfiaba de los desconocidos.

—No es el estilo de Nong —dijo después de un instante de reflexión—. Es un buen tipo.

—Yo, al menos, te he advertido —replicó Walter—. ¿Piensas ir con esa camisa?

---

* «Bajo la amenaza de los fusiles, los ciudadanos fueron a los bancos a "depositar su oro por la patria". A cambio recibían billetes con la cabeza calva de Chiang Kai-shek, cínicamente bautizados como *gold yuan*. El oro salió para Taiwan y los habitantes de Shangai se quedaron con un desastroso papel moneda, cuya cotización caía día tras día» (Robert Guillain). La cotización del *gold yuan* alcanzaba doce millones por dólar estadounidense el 19 de mayo de 1949, veinte millones al día siguiente y uno más tarde, cuarenta y dos.

—¿Qué le pasa a mi camisa? Bonita seda, ¿no? Casi sin estrenar.

—¿Cuántos kilos has engordado en estos últimos meses?

Max se ajustó la faja toda arrugada, pensada para ocultar su barriga.

—¡Más vale dar envidia que pena!

—Ya hablaremos cuando los comunistas desembarquen —le susurró Walter al oído—. Ahora vamos, es la hora.

—Bueno, voy a cambiarme de camisa —rezongó Max echando una mirada torva a las copas de frutos secos.

Walter cogió uno de los cigarrillos que le había llevado Nong, al que le entregó el cambio, y, mientras esperaba a Max, volvió a leer el correo. La primera carta era de Markus. Entusiasmado, el violinista le contaba su vida difícil pero estimulante en un kibutz del Estado de Israel, que había declarado su independencia en mayo de 1948. Que el músico pudiera trabajar la tierra dejó a Walter pensativo. No le parecía nada tentador. Esa misiva contrastaba con el desaliento de la de Giulio Veneto, escrita en Nueva York.

Allí la gente era ruda, recia, grosera. Impacientes u holgazanes, desconfiados hacia los inmigrantes recién llegados. Hacía falta disponer de una sustanciosa cuenta bancaria para despegar en condiciones cómodas y tener éxito. «*Money*» era la palabra clave. Los Veneto no vivían mejor que en Shangai. El gato se había comido una tajada de hígado de ternera, su única ración de carne para la semana. En la carta escrita en alemán resaltaban tres palabras en inglés: «*struggle for life*».*

Ahora bien, Walter no tenía ni fortuna (*La muchacha de los barrios bajos* había devorado sus reservas), ni parientes acomodados, ni oficio estable. Todavía ignoraba lo que la película podría proporcionarle. Además, ¿podría llegarle el dinero si vivía fuera de China? «Ya no tengo ganas de arrastrarme como un pordiosero», analizó Walter.

---

* «La lucha por la vida.»

—¡Estoy listo! —gritó Max.

Bajaron. Cogote de Pollo, el chófer, les abrió la portezuela del Packard. Astuto como un zorro, ese virtuoso del teléfono de bambú, comunicación inmediata e inmaterial, sabía exactamente lo que pasaba en las habitaciones de todos. Cuando el violinista Heifetz estuvo en Shangai, fue invitado a varias fiestas durante una misma noche. No hizo falta indicar ninguna dirección a Cogote de Pollo para que condujera a Max y a Walter allí donde había que estar. Del mismo modo, ese día los llevaba al Lyceum, sin que ni Max ni Walter se lo hubieran especificado. «Ya no tengo ganas de desgastar mis suelas ni de hacer trabajar a mis pantorrillas —prosiguió Walter en la limusina—, estoy hasta la coronilla de andar con la lengua fuera, de estar confinado en universos mezquinos.» La carta de Veneto, en el bolsillo, le resultaba tan molesta como una quemadura.

Se abrían paso por la noche ruidosa y centelleante. Max permanecía callado, excepcionalmente sombrío, dando vueltas, sin duda, a su temor a los comunistas, así como a la observación de Walter acerca de Nong. Tal vez se lamentase por no haber solicitado ningún visado de inmigración.

«¿Y si me instalase en Hong Kong?», pensó de pronto Walter, con el corazón palpitante. En cualquier caso, era el momento de acumular la suficiente riqueza para no ser considerado un pordiosero en Estados Unidos.

Los chinos ricos de Shangai empezaban a trasladar sus fábricas y sus residencias hacia el «Puerto de los Perfumes»,* que constituía un cobijo magnífico. Walter lo había podido comprobar durante cuatro semanas. El motivo de ese viaje: la decepción provocada por Mayling. De estrella en la ciudad pasaba a convertirse en una torpe marioneta en los estudios. Su interpretación resultaba falsa. Walter había conocido entonces al gran actor Dong Binian, cuyas fructíferas enseñanzas se podían contratar. Tras evaluar las aptitudes de Mayling, el artista se

---

* Significado de «Hong Kong» en cantonés.

consideró capaz de mejorar su actuación en cuatro semanas. Se llegó a un acuerdo. Para anunciar la «enfermedad» que justificaría su ausencia, Mayling fingió en varias ocasiones padecer accesos de debilidad. Sin embargo, el maestro, próximo a algunas personalidades del Guomindang, se sintió de pronto amenazado, hasta el punto de huir a Hong Kong, donde se reunió con muchos de sus colegas. Los estudios cinematográficos florecían en la colonia británica establecida en territorio chino, desde que los hermanos Shaw, principales productores en Shangai de *wu xia* y de *kung-fu*,* se hubiesen instalado allí en 1941. Walter decidió entonces llevar allí a Mayling para que pudiera beneficiarse de las clases de Dong.

No podría olvidar fácilmente la exaltación que se había adueñado de él al contemplar el Victoria Peak. Estaba de pie en el *Star ferry*, que unía la península de Kowloon con la isla de Hong Kong. El viento le golpeaba en la frente y la brisa marina le llenaba los pulmones. ¿Cuándo había visto por última vez una montaña, colinas verdes, bosques? ¡Cuánto había echado de menos todo eso!

Walter se había establecido un programa: escribir un reportaje y conocer a magnates del cine, antiguos shangaineses en plena efervescencia, que, en el «Hollywood de Oriente» rodaban películas para la diáspora china en los países del sudeste de Asia. No obstante, en primer lugar, Walter se propuso escalar el Victoria Peak, donde pudo admirar suntuosas mansiones con galerías que daban a amplias zonas de césped, y recorrió embriagado los senderos abiertos en medio de la vegetación tropical que, después del asfalto y el polvo de Shangai, se le antojaba la jungla. Las orquídeas y los hibiscos crecían con la impaciencia de la mala hierba. Walter los miraba con tanto asombro como el enjambre de Cadillac, Rolls y Bentley, que se aglutinaban tan pronto como caía la noche delante del Peninsula, un palacio construido en los años treinta por Ellis Kadoo-

---

* Artes marciales. El *wu xia* es un combate con arma blanca y el *kung-fu* un combate sin armas.

rie. Coches de los que salían mujeres adornadas con alhajas. La única decepción de Walter: los chinos, que hablaban en cantonés, no entendían nada de su shangainés.

Cuando regresó de Hong Kong, Mayling había perdido sus tics y sabía ya variar sus expresiones, pero su interpretación carecía todavía de flexibilidad y de naturalidad. Por eso Walter no se hacía demasiadas ilusiones sobre el éxito de la película. Además, esta tendría que rivalizar con encarnizados competidores: *Arrepentimiento eterno*, la primera película china en color, así como los Tarzán y las películas del oeste americanas.

—¿Sigues con Mayling? —indagó Max.

—No por mucho tiempo —respondió Walter con un tono resuelto.

—Me pregunto cómo la soportas.

—¡Yo también!

Se acordó de su despertar la noche de amor y opio en la casa de té de Yu Ya Ching Road. ¿Cuántas pipas de opio se habían fumado cada uno? Poco importaba. Walter tenía el espíritu vacío, su único deseo era recuperar el bienestar y la fuerza imaginativa que procuraba la droga. Su perfume dulzón lo atraía como un canto de sirenas. Pero, de pronto, le vino a la memoria su reencuentro con Thomas Schoenberg, el antiguo amigo con el rostro descompuesto y los finos dedos temblorosos. Con un esfuerzo inmenso, Walter se apartó entonces del lecho y, demasiado débil para sacar a Mayling de su inercia, la abandonó con la esperanza de no volver a verla.

Sin embargo, estaba en China y Tao, el hermano, vigilaba. Walter no pudo evitar contratar a la actriz. Los frecuentes encuentros habían hecho que cayera en sus redes, pero en adelante se guardó de acercarse al opio. En Hong Kong Walter empezó a hartarse de las escenas y de las exigencias de Mayling, la insaciable. Se fumaba sus cigarrillos uno tras otro y no paraba hasta que no tenía el vestido más bonito, las joyas más hermosas, los accesorios más elegantes. Si descubría cerca de ella en un restaurante o en una fiesta a una mujer guapa, el semblante se le ponía verde de envidia. ¿Que su rival llevaba tres pulseras? Mayling quería cinco.

Walter estaba esperando al estreno de la película para comunicarle la ruptura.

Cogote de Pollo hizo chirriar los neumáticos al frenar delante del Lyceum, en la route Cardinal-Mercier, en el momento en que llegaban Franz y Klara Bauer, que se apoyaba en Feng-si. Los tres habían acudido juntos. Walter se abalanzó hacia Klara y la estrechó entre sus brazos. Franz y ella se iban al día siguiente a Australia. Un chino había comprado el Wiener Café.

—Ya nos lo hemos deseado todo por teléfono, ¿no, Waldi? —dijo Klara con voz temblorosa, al tiempo que acariciaba la mejilla de Walter—. Franz y yo nos iremos enseguida, después de la película. Todavía me quedan algunas cosillas por empaquetar… Puede que no nos volvamos a ver… Te enviaré nuestra dirección en cuanto sea posible y me dirás si has recibido noticias de Lisa. Tu madre habría estado muy orgullosa de ti hoy. Otra vez, te deseo lo mejor, pequeño. ¡Dios te proteja!

Walter sintió que se le hacía un nudo en la garganta y las lágrimas afloraban en sus ojos. Apenas consiguió decir:

—Gracias, Klara. También yo os deseo lo mejor a Franz y a ti… Gracias por todo lo que me habéis dado.

Franz y Walter se dieron un abrazo, mientras el antiguo propietario del Wiener Café murmuraba a su manera una bendición. Luego, demasiado emocionado para hablar, Walter pasó el brazo por los hombros de Feng-si, que se había mantenido apartada, y, en una agradable complicidad, dio algunos pasos en su compañía antes de recibir a sus invitados.

—Esta noche, voy a estar muy pillado —le advirtió—, pero te llamaré muy pronto.

En la aureola de la luz difundida por una lámpara de la pared, Feng-si tenía, como una madona, ese hermoso rostro liso y puro, tan misterioso, que lo había seducido en otro tiempo. Sus grandes ojos abiertos, extrañamente fijos, lo interrogaban en silencio.

—¡Siempre tan encantadora!

—¡Te estábamos buscando por todas partes, Walter! —exclamó en chino una voz chillona.

Era Mayling, escoltada por Tao. Tiró de él con un gesto violento. Apenas le dio tiempo a Walter para dirigir una sonrisa de disculpa a Feng-si.

Dándose aires, con un escote provocativo, Mayling procuraba que todo el mundo se enterase de que ella era la reina de la fiesta.

—¿Quién era la chinche esa con la que estabas hablando? —preguntó una vez que estuvo sentada en el sitio de honor, en la sala llena, entre el viejo señor Wu y Walter—. Parecíais cola y laca.

Walter fingió no haberla entendido.

—Yo no he hablado con ninguna chinche.

—¡Sí, hombre! ¡La china!

La primera imagen de los títulos de crédito apareció en la pantalla.

—Una amiga maravillosa… ¡Ahora, cállate!

En conjunto, los actores hacían bien su papel. Contra todo pronóstico, Walter descubrió con placer la película en su integridad. Había dejado a Tao ocuparse, con el excelente montador, de la ejecución definitiva. Los invitados estallaron en aplausos, mientras los asociados de la Golden Dragon Company, el anciano señor Wu, Paul Boulanger y Max Herzberg, manifestaban su satisfacción. Quedaba por saber si le gustaría al público, lo que se averiguaría en los días posteriores. Los fotógrafos disparaban. Los periodistas se acercaban, cuaderno y lápiz en mano. Todos se prestaron complacientes a sus exigencias. El éxito de la película dependía en gran medida de los artículos que apareciesen en la prensa a partir del día siguiente.

Una vez que Walter, Tao, Mayling y los demás actores hubieron posado diez veces bajo los flashes y contestado a las preguntas, entraron en el salón que había acogido a los invitados y encontraron el bufé arrasado. Pilas de platos sucios y filas de vasos vacíos atestiguaban que todo el mundo se había saciado. Respondieron a las felicitaciones, a los abrazos y un vértigo se apoderó de ellos cuando, después de que se hubo ido la última persona, comprendieron que ya habían pasado las breves horas por las cuales habían consumido tanto tiempo, energía y dinero. Todos sentían un cansancio nervioso. Paul Boulanger fue el primero que rehízo su ánimo bajo su cara oronda y colorada, atravesada por un recortado bigote.

—¡No nos vamos a despedir así!

—¡Podríamos ir al barrio judío! —soltó su amiga Denise, una morenita muy maquillada, con una sonrisa en los labios—. ¡Allí se pueden comer platos deliciosos y es muy pintoresco! ¿Nunca va allí, Walter?

—Lo frecuenté mucho en otra época. ¡No la mejor!

La ironía del tono alertó a Boulanger, que no era una mala persona.

—Os invito a todos a casa —decidió.

Y se precipitó hacia el teléfono para advertir a su nuevo cocinero chino. Todos hacían milagros, pero este, que había servido durante años en barcos de guerra franceses, se había revelado como un pastelero asombroso. Boulanger regresó muerto de risa.

—Le he dicho que llevaba a unos veinte amigos y me ha contestado: «Me las arreglo».

Se debía de estar organizando una carrera frenética. El chino y su pinche debían haber ido ya corriendo a pedir prestados a los cocineros de las casas vecinas huevos, mantequilla y otros productos mientras que el criado se valía de los mismos recursos para conseguir la vajilla y la cubertería que faltase. Todos conocían el contenido exacto de las alacenas del barrio entero.

—A casa del señor Boulanger —ordenó Max a Cogote de Pollo al subirse al Packard.

—*Yesyes, my savee.*

¡La amabilidad con que simplificaban la vida de sus señores dejaba pasmado! Walter se acordó de nuevo de la carta de Veneto. *Struggle for life!* ¿Iba él a abandonar los privilegios al fin conseguidos por una vida incierta? El avance de las tropas comunistas amenazaba sin embargo el edén.

—Tienes razón, Max —suspiró—, Shangai huele a chamusquina.

—¿Y?

—La semana que viene vuelvo a Hong Kong para preparar mi desembarco.

En Hong Kong Walter podría encontrar un segundo edén.

8

Feng-si regresó al día siguiente por la mañana al templo de Guannin, la diosa de mármol con el loto blanco. Estuvo rezando durante mucho tiempo en la penumbra. Cuando salió del templo se le antojó la curiosa idea de volver al Jardín del Mandarín Yu, siguiendo las huellas del paseo realizado con Walter, unos años antes. El cielo estaba gris y bajo, pero la temperatura era bastante agradable para un día de enero.

Feng-si había rezado mucho por el éxito de *La muchacha de los barrios bajos*. De camino, compró dos diarios. Esperaba encontrar en ellos buenas críticas de la película y planeó leerlos en un determinado banco. Recordaba que era allí donde había contado a Walter la historia de la institutriz. Aquel día Walter la había escuchado, ¿la habría entendido?

En el primer periódico que abrió, Feng-si vio una fotografía de Walter con la actriz principal, Zhong Mayling. Se prohibió sentir celos. ¿No era esa proximidad exigencias de la profesión? El artículo adjunto elogiaba la película y explicaba cómo Walter, con la ayuda de Zhong Tao, se había inspirado en una obra francesa para producir una película auténticamente shangainesa. El segundo periódico, uno de esos «periódicos mosquitos» tan populares, publicaba una fotografía de Mayling petrificada con una sonrisa devorahombres. A las preguntas acerca de sus proyectos, contestaba que había depositado su carrera entre las manos seguras del señor Walter Neumann. El perio-

432

dista comentaba que se les veía a menudo juntos en los restaurantes y en las salas de baile de moda. A esto Zhong respondía que, en efecto, estaban muy unidos. En el cine y en la vida.

«Nuestro romance no es un secreto para nadie… Espero anunciar pronto nuestro compromiso.»

¿Cuántas veces leyó Feng-si esas dos frases? Primero sin comprenderlas. Luego distinguiendo cada sílaba. Sus manos y sus labios empezaron a temblar. Su cuerpo afligido se encogía en torno a su corazón.

Permaneció mucho tiempo, ¿cuánto?, postrada en el banco. Luego supo lo que le quedaba por hacer. En la Ciudad China, muy próxima, Feng-si llegó a la calle donde se vendían objetos consagrados a los ritos funerarios y encontró finalmente lo que estaba buscando: una corona de flores de loto.

Con el brazo a través de la corona, llegó a los muelles. Dudó. Finalmente llamó a un culi. Le ordenó que, por la cantidad de dinero que llevaba en el bolso, siguiera la corriente del río hasta donde pudiera, en dirección al Yangtze. «Hacia el mar», soñaba. Tras una hora de carrera aproximadamente, el hombre la dejó allí donde se acababa el camino, justo al lado de las últimas cabañas, y le preguntó si tenía que esperarla. Feng-si declinó el ofrecimiento y el corredor se desvaneció en la bruma.

Caía la noche cuando la joven tomó un sendero que bajaba hacia el río. Reconoció el lugar. Nada había cambiado. El agua chapoteaba contra las piedras planas y mecía, a algunos metros, una colonia de sampanes. Era allí donde su padre la había llevado un día para bañarse, cuando era el culi más rápido de Shangai. Tenía catorce años. Le confesó su orgullo por verla tan hermosa. «Vela por tu virginidad —añadió—. Te convertirás en la concubina de un rico comerciante y tus padres entonces podrán descansar el resto de sus días.» Pero el padre se desplomó algunas semanas más tarde en medio de la calle.

Feng-si consideraba que había cumplido su contrato con la vida. Había honrado a su «madre» como debía y su hermano

Fengyong estaba en condiciones de tomar el relevo en relación con la familia. Sin esperar ya ninguna alegría, estaba preparada para el viaje al más allá.

Se soltó el cabello y luego se quitó el abrigo. Lo dobló y lo depositó en una roca junto con su bolso. Una repentina tormenta desató la cólera del Whangpoo. El río empezó a maltratar el reflejo del pálido cuarto de luna y a golpear a los sampanes con olas despiadadas. Una fuerte lluvia furiosa, que crepitaba sobre el río, atravesó en algunos segundos la túnica de Feng-si, inmóvil, y lavó su cuerpo.

Sin embargo, el chaparrón se transformó poco a poco en llovizna. El ruido se debilitó, el río meció de nuevo la colonia de sampanes y la negra noche se llenó con las corrientes de los arroyos entre las piedras.

Purificada, Feng-si pasó los brazos y la cabeza por la corona de loto, dejó que se deslizara hasta la cintura y, con las manos juntas, entró serena en el Whangpoo.

Ese mismo día, Walter había intentado en varias ocasiones ponerse en contacto con Feng-si. Los acontecimientos se habían precipitado para él al mediodía, a partir del momento en que abrió los periódicos que le había llevado el criado. Un par de elogios sobre la película lo habían puesto de buen humor cuando dio con la entrevista de Mayling en la que esta declaraban que los dos vivían un apasionado romance. La rabia se apoderó de él. «Tengo que romper ya», decidió entonces. ¿Por qué no irse al día siguiente a Hong Kong? Walter ordenó de inmediato al criado que le preparara las maletas, pidió al portero que le reservara un asiento en el tren y empaquetó algunos objetos que componían su decorado íntimo. Las cartas de Lisa, sus estilográficas, su cámara de fotos y el *shamisen*.

Walter pensaba ausentarse de Shangai dos meses más o menos y quería ver a Feng-si antes de irse. Cuando la llamó hacia las cinco de la tarde, después de haber hecho varias llamadas de teléfono y de haberse visto con su banquero, así como con el jefe de redacción del *Shanghai Evening Post*, Huilan le anunció con su voz cantarina que la señora todavía no había regresado de su paseo. Dejó recado de que la llamaría por la noche.

Mientras tanto, fue al bar del Cathay Hotel, donde había quedado con Max, Tao y Boulanger. Jamás atravesaba la entrada del vestíbulo sin un pensamiento de ternura por ese otro él mismo que, una noche de diciembre de 1938, había sido expulsado por el portero de guantes blancos. Entonces, como si se acabara de quitar su collar de esclavo, se daba cuenta de la ligereza de su traje de franela inglesa y de la suavidad de su abrigo de cachemir.

Walter llegó antes de tiempo a la sexta planta y se acercó a la ventana. A su espalda los barmans agitaban las cocteleras. El cielo estaba bajo y, en el Whangpoo, los barcos anclados gemían al viento como para acompañar su dolor. El director de la asociación que realizaba las investigaciones sobre los familiares que se habían quedado en Europa, con el que había hablado una hora antes, le había dado a entender que ya no quedaba ninguna esperanza de encontrar a Lisa. «¿Quiere decir que ella… que ella ha desaparecido por completo —había balbuceado Walter—… que está muerta?» Después de un silencio, el hombre le había contestado: «Eso es lo que temo».

Walter cayó en la cuenta de que ni siquiera tenía una fotografía de Lisa. Ni tampoco de su padre. Sus rostros se le aparecieron difuminados sobre la niebla que devoraba al Whangpoo. Fue entonces cuando un furioso chaparrón se abatió sobre la ciudad. Una sirena de barco bramó tres veces, luego otra vez más durante mucho tiempo. El agua crepitaba sobre los cristales, que transformaba en cortinas de lágrimas. Después las gotas se fueron espaciando y el chaparrón quedó reducido a hilachas. Un pálido cuarto de luna quedó prendido de la llovizna como una bandera en el más alto de los mástiles.

El ascensor se detuvo en la planta. Llegaron todos juntos, Max, Paul, Tao. Y, con un vestido rojo, Mayling, a la que Walter no había invitado. Apenas la saludó. Se comportó como si ella fuera transparente. Ella no consiguió llamar su atención más que al despedirse, momento en que Mayling le hizo una escena por su falta de consideración hacia ella.

—¿Por qué soy la última en enterarme de que te vas a Hong Kong? —le fulminó ella, a pesar de que, sin emoción alguna, Walter la miraba gesticular—. Si Tao no me hubiese advertido, yo no habría sabido nada. ¿Quieres desprestigiarme?

—Yo nunca te he prometido que me fuera a casar —le respondió con un tono neutro al tiempo que encendía un cigarrillo.

Observó las volutas de humo que daban vueltas alrededor de la lámpara mientras llovían las súplicas y las injurias alternadas de Mayling. Oír que lo trataba de «fornicador» y de «sucio excremento de tortuga» le hizo estallar de risa.

Antes de dormirse unas horas más tarde, se acordó, sin embargo, del rostro de Mayling contraído por la violencia. «¡Te encontraré donde quiera que vayas —le había amenazado— y te haré pagar caro la afrenta que me infliges!»

Walter se encogió de hombros. Solo lamentaba una cosa, no haber encontrado a Feng-si en su casa.

9

Walter no regresó a Shangai hasta el 24 de mayo, para celebrar los cuarenta años de Paul Boulanger, que había organizado una «fiesta por todo lo alto». También eligió esa fecha para su despedida definitiva de la ciudad.

El viajero tenía la impresión de flotar entre dos aguas cuando llegó a su suite en el Astor. Las treinta y seis horas de tren le habían parecido más cansadas que las veces anteriores. Su alojamiento le dio la sensación de una concha vacía. Contingencias materiales, devolver ese apartamento y preparar su mudanza, le habían obligado a regresar, pero habría preferido un corte limpio con Shangai aprovechando su marcha anterior.

Walter había dejado su alma en Hong Kong, en el chalet alquilado en Robinson Road, en la pendiente del Victoria Peak, la montaña donde se escalonaban las mansiones de los *taipan*. Se había enamorado del «Puerto de los Perfumes».

Como le sobraba un poco de tiempo, Walter se tumbó sobre el canapé. Sin embargo, un remolino de imágenes y de recuerdos le impedían dormirse. Se vio a sí mismo con una extraordinaria nitidez en Nathan Road, en Kowloon. Como si estuviera observando a un viandante en la calle y eso se produjera en ese preciso instante.

Walter baja hacia el mar. La avenida, tan ancha como Nanking Road en Shangai, hormiguea con la misma efervescencia. Pero no hay nada occidental aquí. Las herboristerías, los vende-

437

dores ambulantes, los carteles con amplios caligramas rojos o amarillos, la ropa flotando en las cañas de bambú colgadas de las ventanas y la multitud pipiante recuerdan más bien las callejuelas recoletas de la Ciudad China, impresión reforzada por el aspecto de los cantoneses, más vivos y más menudos que los shangaineses. La muchedumbre chilla, ríe, vocea. Un chavalito con la cabeza afeitada, que está devorando una raja de sandía, se agacha para hacer sus necesidades a través de su calzón abierto sin soltar la mano de su madre y se va escupiendo bien alto las pepitas.

Frente a Walter se dibuja enseguida un espectáculo del que nunca llega a hartarse. Del otro lado de un espacio marino en el que se cruzan en un vaivén incesante todos los artefactos flotantes del mundo, desde el yate al chinchorro, del sampán al navío mercante, emerge la isla de Hong Kong aureolada de una bruma ligeramente dorada. Alternándose con los pabellones de tejados coronados con ondulantes dragones, los grandes edificios trazan la línea de la costa marina y, más arriba, se unen con las laderas de las colinas de donde surge la verdosa pendiente del Victoria Peak.

Tras el baño en la muchedumbre china, un placer típicamente británico: el té de las cinco. Walter toma Salisbury Road a la izquierda y llega al Peninsula. Camareros con librea blanca, chóferes, porteros y mozos de equipajes se entregan a su ballet diario, corren, vuelan, trotan. En el *lobby*, con bajorrelieves de estuco dorado y pilastras orientales en el techo, queda todavía una mesa libre. Walter saborea su suerte contemplando las escaleras monumentales, las inmensas arañas de cambiantes colores. Como para saludarlo, la orquesta filipina se embarca en *El Danubio azul*. En ese momento se acerca el maître del hotel, contrariado, frotándose las manos como si se las estuviera enjabonando. Esa mesa estaba reservada, pero la nota ha desaparecido misteriosamente. ¿Le importaría a Walter compartirla con un asiduo del Peninsula?

—¡Por supuesto que no!

Al primer vistazo, Walter sabe que conoce a ese hombre no muy alto, tripudo, ágil y ligero a pesar de su tamaño de orangután. Unos sesenta años. Una pajarita completa el traje azul con rayas blancas y el ala del sombrero deja en la penumbra una nariz rota. El recién llegado agradece a Walter su amabilidad y le dice que se hará más pequeño de lo que ya es. Un acento cockney conocido. Entonces Walter se presenta.

—Morris Cohen —responde el hombre levantándose el sombrero que deja ver unos escasos cabellos muy cortos.

—¡Two-Gun! —suelta Walter, tras reconocer al antiguo guardaespaldas de Sun Yat-sen, que asiente, divertido—. ¡Usted es Morris «Two-Gun» Cohen! ¿Se acuerda del Wiener Café, en Shangai? Yo allí fui primero camarero y luego pianista.

—¡Claro! —dice alegre Cohen.

Le da una palmadita en el hombro como un viejo amigo. Y de inmediato le traza el recorrido de los últimos años, pues no ha perdido el gusto de encantar a su auditorio. A finales de diciembre de 1941, Cohen se encontraba en Hong Kong («Debía de estar comprando armas para el Guomindang», piensa Walter, pero puesto que Chiang Kai-shek se encontraba en una posición muy difícil, evitaría hablar de política) cuando se produjo la invasión japonesa.

—Fui encarcelado en un campo de concentración y torturado. Sí, torturado —repite Two-Gun con una mirada dura—. Tal vez se lo cuente un día. —De un vistazo mira los techos de estuco dorado—. También los propietarios de este lugar, los Kadoorie, sufrieron lo suyo. ¿Sabe que el alto mando japonés ocupó el Peninsula?

—Sí, y durante ese tiempo Wang Chingwei instaló su gobierno títere en Marble Hall, ¡en su palacio de Shangai!

—Exacto. Elly Kadoorie y su hijo Lawrence fueron internados aquí en Stanley Camp. Luego fueron llevados a Shangai, primero al campo de Chapei y luego ¡a las dependencias del propio Marble Hall! ¡Tal vez a las dependencias del servicio! Allí es donde murió sir Elly. Había reinado sobre miles de hombres, salvado e instruido a otros miles… Los Kadoorie poseían aquí la China Light's Power Station, una central eléctrica. Cuando Lawrence regresó en 1946, no solo tuvo que mendigar a los estadounidenses una habitación aquí en el Península, que era su propio hotel, además los japoneses habían transformado la central en ¡madera para calentarse!

—¿Y ahora?

—Están reconstruyendo. No me preocupan demasiado. El tranvía del Peak les pertenece. Han perdido la pasta pero han recuperado, sobre todo en Shangai, una gran parte de sus posesiones. Los Kadoorie tienen el *joss*. ¡Aquí hay que tener el *joss*!

El *joss* es la suerte. Una suerte infernal, con la complicidad de Dios y del Diablo juntos. Una de las pocas palabras en cantonés que Cohen conoce. Se asombra al enterarse de que Walter sabe shangainés y le ofrece un puro de Manila.

—Entonces, ¿los chinos le gustan? —pregunta Two-Gun.

—Mucho.

—A mí también. Los británicos los desprecian… Usted me resulta muy simpático, Walter.

Y entonces, llega esa oferta maravillosa: Cohen le propone ser su guía en Hong Kong. Conoce sus rincones más secretos tan bien como a las gentes mejor situadas.

Primero cuenta su novela.

Todo empezó con William Jardine, gran contrabandista de opio ante el Eterno, a quien los chinos dan el sobrenombre de Vieja Rata Cabeza de Hierro debido a un golpe tremendo, que recibió en una pelea, pero que no pareció afectarle. Una gran parte de las cajas aprehendidas en 1839 por las autoridades de Cantón* le pertenecían y, muy influyente en Londres, el escocés empujó a la Corona a la guerra. Enviado al Imperio

---

* Como el opio diezmaba al pueblo, el emperador chino prohibió su importación. En 1839 los chinos aprehendieron en Cantón cuarenta mil cajas desembarcadas clandestinamente por los ingleses, lo que desencadenó la primera guerra del opio. Terminó en 1842 con la derrota china. El tratado de Nankín obligó a China a ceder Hong Kong a la Corona británica y a abrir cinco puertos, entre ellos Shangai, al comercio así como a la residencia de extranjeros.

Celeste, el capitán Charles Elliot anexionó Hong Kong por las armas. Gran descontento de Su Majestad, la joven reina Victoria, y de los oficiales londinenses: Elliot podría haber encontrado algo mejor que esta «isla estéril, casi deshabitada», a la que se consideraba sin futuro. Del mismo modo, a regañadientes, los ingleses aceptaron su posesión «a perpetuidad», concedida por el tratado de Nankín. Algunos años más tarde, se le añadió Tsimshatsui, el extremo de Kowloon.* El lugar donde Walter escuchaba boquiabierto a Morris Cohen, en el *lobby* del Peninsula.

—¡Ni una sola calle lleva el nombre del desdichado capitán Elliot! —se desternilla de risa Two-Gun—. ¡Vayamos a Western! —dice de pronto—. Allí es donde se dejaban caer los marineros de Calcuta que escoltaban el opio de Vieja Rata Cabeza de Hierro en los veleros ingleses de la Compañía de las Indias Orientales. ¡Es ahí donde está el verdadero Hong Kong!

El sol se pone, tiñendo de rojo la bahía, cuando cogen el *Star ferry* para la isla. Unos minutos de una travesía llena de sorpresas continuamente renovadas. La brisa empuja los juncos con velas de seda rojiza, ahuecadas y ondeantes como crinolinas. Con su bastón, Morris señala el antiguo funicular que, como un ciempiés, escala el Victoria Peak, en cuya ladera mejor orientada se levantan las moradas de los *taipan*.

Un breve recorrido en uno de esos curiosos tranvías con imperial, de color verde y con asientos de madera, y se encuentran ya en el corazón del antiguo Hong Kong. A pesar de su peso y de su edad, Morris siente un vivo placer en internarse en las callejuelas escalonadas, donde se ejercen los inmemoriales oficios de China. En Man Wu Lane, los grabadores inclinados sobre su banco tallan las fichas de *mah jong*, sellos de marfil, ámbar y jade. En medio del olor a musgo y a ginseng,

---

* Palabra del cantonés que significa «Nueve Dragones». Deriva de una antigua creencia china relacionada con la morada de los dragones en las montañas. Kowloon tiene ocho picos y el noveno corresponde al joven emperador Ping, considerado como un dragón debido a su estatus.

los herboristas machacan o exprimen cantidades infinitesimales de polvo de lagarto, de murciélago o bilis de oso carbonizada. Olor a tinta de imprenta en Bonham Strand con sus casas de balaustradas esculpidas. Sedas y crepés, abanicos y vestidos de ópera. Boas y vinos de serpiente en Jervois Street. Pescados secos con forma de hilos gruesos o de funda de almohada. Cada calle tiene su espectáculo.

—Para encontrar muebles —dice Morris, a quien el ruido y el bullicio ponen contento—, tiene que venir aquí, a Cat Street. En otro tiempo se llamaba el «mercado de los ladrones». Todavía se pueden hacer negocios cuando a uno le gustan el palo de rosa y la rota. Hay que explorar los rincones de los tenderetes. ¡Aquí se pueden encontrar hermosas pistolas!... Venga, hoy quiero mostrarle también Man-Mo Miu, el más antiguo templo de Hong Kong. Está dedicado al mismo tiempo al dios de la Literatura, Man, y al dios de la Guerra, Mo. ¡Mo es venerado a la vez por la policía y por el hampa!

Suspendidas del techo se consumen espirales de incienso cónicas mientras retumba el gong y suena una campana. Una hermosa mujer está rezando. Walter piensa en Feng-si. Ella agita un *chum** hasta que cae una varilla numerada. ¿Por qué se conmueve tanto Walter al pensar en Feng-si? Le va a regalar un billete de barco para Hong Kong. La llevará a ese templo. Ella rezará al dios Man por él.

Cohen le saca de su ensueño.

—¿Vamos a cenar?

Dos culis los llevan hasta Causeway Bay. Los sampanes dan vueltas por el puerto. Una mujer, vestida con una túnica y un pantalón sin forma ni color, gobierna el que eligen los dos nuevos amigos. Los ojos de la mujer no miran. Con un puño en la cadera, maneja la espadilla con tanta facilidad como si se tratara de agitar un abanico. Vive noche y día en su barco y es posible que nunca haya puesto un pie en la tierra. Enseguida se

---

* Caja de bambú.

aproximan embarcaciones envueltas en una nube de un humo cargado de olores, en los que cocineros y cocineras presentan pimientos rellenos, cazuelas de mariscos, cangrejos con judías negras, gambas salteadas, pescado al vapor cocinado con cebollino y jengibre fresco y aderezado con aceite de soja y sésamo. ¡Una delicia!

—¡No des la vuelta a tu pescado! —advierte Morris muy serio—. Podrías hacer zozobrar un barco en el mar... La próxima vez hay que venir al mediodía por los *dim sum*.* ¡Son famosos!

Cada día sorprende a Morris y Walter en un sitio diferente, en medio de la frondosidad de la primavera, que adorna los árboles con brotes, flores y nidos de pájaros exuberantes. En Wanchai, dentro de los bares y cabarets de marineros. En la cima del Victoria Peak, donde Walter descubre el deslumbrante panorama de la bahía devorada por la península de Kowloon, a lo lejos los fértiles Nuevos Territorios que alimentan Hong Kong, concedidos a los ingleses hasta 1997, y más lejos aún las montañas de la China continental. En el pueblo de pescadores de Aberdeen donde, en los barcos, viven también hakkas, una tribu cuyas mujeres, vestidas totalmente de negro y tocadas a bordo con un sombrero inmenso del que cae un volante, trabajan en los desmontes de la isla. En los circuitos de carreras de Happy Valley, donde Walter reencuentra la fiebre del pueblo por las apuestas, que agitaba las tribunas de Shangai. Entre las figurillas grotescas, estatuas que hacen muecas, dragones y quimeras de la mitología china, distribuidas por el jardín barroco, fantástico y maravilloso, de donde surge la pagoda coronada con un «Buda compasivo», donación del inventor del «Bálsamo del Tigre», Aw Boom, que inunda Asia con sus frasquitos en cuyo sello figura un tigre dando un salto, con la boca abierta y la cola al viento.

---

* Literalmente, «pequeños corazones». Pequeñas porciones de comida saladas o dulces, que, por lo general, adoptan la forma de raviolis cocidos al vapor, buñuelos o rollitos.

Un día toman el vapor crema para la otra orilla del delta del Río de las Perlas,* hacia la casi isla de Macao, en manos portuguesas.

—Uno de los mayores importadores de oro en el mundo —advierte Morris con los ojos entrecerrados a causa del humo de su cigarro—. Actividad prohibida por los ingleses, pero… —estalla en una carcajada— ¡todo el oro de Hong Kong procede de Macao! Un especialista introduce los lingotes en el cuerpo de los barqueros.

Desde el mar se distingue una ciudad en semicírculo que se desliza como un graderío. Miles de juncos se balancean al pie de las colinas.

—¿Cuál es el programa de hoy?

—Las chicas, el juego… Opulencia y decadencia. ¡La vida, amigo! ¡Tienes que ver a los chinos jugar al *fan-tan* en el Hôtel Central! La chusma ocupa el jardín. Lo más granado de la sociedad juega desde el balcón y hace llegar sus apuestas en copas atadas con una cuerda.

Allí, en Macao, entre la dispar muchedumbre de asiduos, mandarines y culis, ancianas damas chinas arrugadas y jóvenes portuguesas de seductores corpiños, mestizos de todas las edades, gentes de mundo y desharrapados, se encuentran con Max Herzberg.

Walter abraza al viejo amigo.

—¿Qué haces aquí, Max?

—Estoy en mi casa —reivindica el portugués—. En 1943 compré un pasaporte para eludir el gueto —explica a Cohen—. ¡Y sí, Shangai corre el riesgo de volverse demasiado popular para mi gusto!

«En efecto, las previsiones de Max se han cumplido», pensó Walter dándose la vuelta en el canapé de la suite del Astor House en el que se había acostado. El 22 de enero los comunistas ocupaban Pekín. Las tropas del Ejército Popular de Liberación

---

* Las tres perlas de China del sur que son Hong Kong, Macao y Guangdong, provincia cuya capital es Cantón.

descendían hacia el sur… Se esforzó por no pensar en nada. El sueño lo iba entumeciendo lentamente.

Cuando se despertó, Walter se preguntó dónde se encontraba y reconoció con estupor el apartamento del Astor House, donde, tras haber evocado sus recuerdos de Hong Kong, había terminado por dormirse y había tenido un sueño desagradable.

Su corazón todavía palpitaba. El sueño tenía una base real. Al regresar del maravilloso mercado de pájaros en Hong Lok Street, Morris había decidido de pronto dar un rodeo por el corazón de Kowloon, cerca de la Walled City.*

Controlaba sin parar la hora con su reloj de pulsera.

—Kowloon City —le explicó de camino— es una ciudad dentro de la ciudad. Permanece bajo jurisdicción china. Antes estaba amurallada. Los japoneses derruyeron sus fortificaciones y aprovecharon las piedras para agrandar el aeropuerto de Kai Tak, pero ningún blanco que tenga apego a la vida entra allí. Al menos de día.

La historia databa de 1898, cuando el gobierno inglés alquiló por noventa y nueve años sus «Nuevos Territorios» al gobierno imperial de Pekín. Esa franja de tierra casi desierta al norte de Kowloon incluía un pequeño pueblo chino. Ahora bien, como consecuencia de la afluencia de refugiados del norte por centenares de miles, el espacio habitado de la península se había extendido de tal modo que Kowloon había englobado aquel pueblo.

—Los policías británicos se mueren de rabia —dijo Two-Gun con una media sonrisa—. Nunca han tenido derecho a entrar.

—¡Increíble!

—¡Pero cierto! Walled City se ha convertido en un hervidero de fumadores de opio, de antros y el asilo de los crimina-

* Ciudad amurallada.

les prófugos. Impunidad asegurada. Si cometes un robo, puedes vivir tranquilo allí hasta el final de tus días.

Una risa pastosa sacudió a Cohen.

—Me gustaría saber qué va a ocurrir cuando expire el arrendamiento de los Nuevos Territorios en 1997 —añadió—. China Popular nunca ha reconocido lo que llama «los tratados desiguales». Según ella, se firmaron bajo la amenaza de las cañoneras. Si rehúsa prolongar ese arrendamiento, es el fin para Hong Kong. A la colonia británica no le quedará más remedio que convertirse en china, ¡también ella!

—¡Estás bromeando!

—Te acordarás de mí el 1 de julio de 1997.

—¡Si todavía estoy en este mundo! —se rió burlón Walter.

Habían llegado a Tung Tau Tsuen Street. Unos policías vigilaban la entrada de los callejones, otros obligaban a los paseantes a apartarse.

—Esperan a alguien —masculló Two-Gun entre dientes, con el semblante tenso y el bastón inmóvil—. La policía se aprovecha de la rivalidad entre bandas. Paga a criminales para forzar a otros hasta el límite del enclave.

Una vez más consultó su reloj. Luego, con dos dedos en la boca, emitió un prolongado silbido entrecortado. Breve, largo, breve. Unos sonidos idénticos le respondieron. Nadie apareció, pero los policías le lanzaron una mirada suspicaz.

—¡Vámonos! —dijo Cohen que se precipitó de inmediato en una casa china.

Walter lo siguió de patio en patio, entre gentes indiferentes, ocupadas en una partida de cartas o de *mah jong*. Pero en uno de los patios, una china vestida de morado que fumaba un cigarrillo los observó con una mirada torva. Por fin dieron con una calle paralela y Walter comprendió por el comportamiento de su amigo que no obtendría respuesta a ninguna otra pregunta sobre la Walled City. «Al menos no hoy», pensó.

Walter se frotó la cabeza, todavía bajo la impresión de ese sueño espantoso que recordaba el episodio vivido con Two-

Gun, con la diferencia de que la china con el cigarrillo tenía la cara de Mayling. Ella había emitido un largo silbido y unos chinos de cara patibularia habían obligado a Walter a entrar en un laberinto de escaleras en las que se precipitó. Oía la respiración de sus perseguidores a su espalda. Uno de ellos lo agarró por la chaqueta, tenía un enorme cuchillo en la mano… y se había despertado.

Walter acudió sin ganas a la fiesta de Paul Boulanger. Tenía la sensación de que se cernía una amenaza, pero ¿cuál? El jardín estaba maravilloso. Unos farolillos se balanceaban en los alcanforeros. Colgadas de las ramas bajas, unas guirnaldas de pétalos de rosa perfumaban la noche.

—¡Magnífico! —felicitó Walter con sinceridad.

La cara encarnada de Boulanger se ensanchó con una amplia sonrisa.

—Walter, tienes que volver por Navidad. Este año, está decidido, organizo un baile de disfraces. Yo ya tengo mi traje de maharajá.

—¡Qué guapo está mi Paul —intervino Denise— cuando se pone su gran turbante con el penacho blanco!

Walter no conocía a casi nadie. Después de haber pensado en que Feng-si lo acompañara, se abstuvo por temor a un reencuentro con Mayling. Pero ni Mayling ni Tao aparecieron. «¡Cuánto lo siento por Feng-si! —pensó Walter—. Le habría encantado esta fiesta.» Se consoló con la idea de un posible encuentro al día siguiente.

Mientras tanto, Walter se entretuvo finalmente hablando con un grupo de diplomáticos que le preguntaron largo y tendido sobre Hong Kong. Hacia la una de la mañana, Paul Boulanger le presentó a Pierre Fano, a quien lamentó no haber conocido antes. Elegante y espiritual, ese cuarentón nacido en Shangai había estudiado en Francia, donde adquirió numerosos títulos. Cuando regresó en 1946, tras veinticinco años de ausencia, fue nombrado inesperadamente tesorero y luego presidente del Cercle Sportif Français, al mismo tiempo que se ocupaba de cuatro importantes compañías fundadas por su padre. La primera, una sociedad de ahorro que cada mes nombraba a suertes un ganador, no paraba de crecer atrayendo en masa a los chinos tan ahorradores como jugadores. La segunda sociedad, hipotecaria, había comprado terrenos y luego había construido unos edificios magníficos, que había vendido de inmediato. Pierre Fano vivía en el Picardie, edificio que pertenecía todavía a la familia y era el objeto de la tercera sociedad. La cuarta era, finalmente, la Assurance Franco-Asiatique, compañía que el señor Fano padre había creado al darse cuenta del extraordinario coste de las primas que debía pagar a otros por asegurar sus inmuebles.

—¡Genial! —admiró Walter, asombrado por tanta perspicacia y dinamismo.

«Un ejemplo», pensó.

Daban las cinco cuando Pierre Fano y él se separaron, jurándose volver a verse.

La ciudad estaba tranquila. En frente, en el parque de Kukaza, unos adeptos al *taichi* se entregaban a su gimnasia matinal, encadenando con flexibilidad movimientos lentos y estilizados. Walter estaba observando la danza de un anciano con una fina perilla y gafas, provisto de un bastón, que se agachaba alternativamente sobre cada rodilla, cuando oyó un pesado ruido de pasos. Se dio la vuelta. Una interminable fila de soldados, muchos de ellos en harapos, tomaba lentamente y con calma posesión de la calle. ¡Los comunistas!

La imperturbabilidad y la determinación de los soldados andrajosos hicieron sentir a Walter un miedo irracional. ¡Huir, largarse rápido! Coger el tren no, podrían cortar la vía. Walter se metió en un rickshaw, corrió al Astor, se enteró de que el «último avión» que unía Shangai con Hong Kong estaba completo pero que quedaba una plaza en un paquebote que salía esa misma mañana, entregó una bolsa de billetes como propina al portero para que fuera a buscarle su billete, recogió al azar sus objetos en una maleta y se dirigió rápidamente hacia el embarcadero.

Eran las once cuando resonó la sirena del paquebote. Walter examinaba el muelle con la vista, temiendo ver aparecer en cualquier momento el temido ejército entre el bullicio de los chinos ricos, de los culis miserables, de los pobres rusos blancos, de los ingleses indiferentes y de los agitados filipinos.

Por fin el paquebote se soltó del muelle.

Recorriendo el camino inverso al que había realizado más de diez años antes, Walter vio cómo disminuían los rascacielos y los palacios guarnecidos con pilastras y columnatas. En ese momento podía dar un nombre a cada uno de ellos, en algunos de los cuales él había sido alguien. Llegó huyendo, cubierto con un abrigo estrecho y ajado, debajo del cual se veían las perneras de un pantalón mugriento que se le pegaba a la piel desde hacía más de dos semanas. Se iba huyendo de nuevo, pero vestido con un esmoquin que no había tenido tiempo de quitarse.

Walter miró cómo se alejaba Shangai. Todavía estaba acodado en la borda cuando el paquebote rebasó las piedras desde donde Feng-si había entrado en el Whangpoo. Eso, Walter ni se lo imaginaba. Se entristeció algunos instantes por haber tenido que abandonar su piano japonés. Pero ¿qué importaba? Victoria Peak lo aguardaba.

VI

Jinjiang Tower
1994

1

El canto de los grillos, los trinos de un ruiseñor, el croar de
una rana y el aroma de los nardos llenaban la noche. Walter
aspiró el aire a pleno pulmón. Un gran manto de cachemir le
cubría los hombros. Se quitó la pajarita, la guardó en el bolsillo de su esmoquin y se dirigió hacia el cenador con forma de
pagoda. Feliz y cansado, el *taipan* de cabellos canos se sentó en
el banco desde el cual le gustaba contemplar, más allá de las
catedrales de cristal y acero cubiertas con los neones más altos
del planeta, fijos para no distraer a los pilotos que aterrizan
en Kai Tak, la bahía de Kowloon, ribeteada con un collar de
luces.

Allí, ni un sonido, ni un ruido, mientras que los gritos, las
voces, las músicas, los tintineos de las cajas registradoras debían
mantener todavía despiertas las calles de tiendas, las galerías comerciales instaladas en grandes edificios, en los hoteles y en la
estación. Un almacén de ropa en Nathan Road raras veces cerraba antes de las cinco de la mañana.

Cada minuto contaba en Hong Kong. Allí no se vivía, se
corría. Como surcos, las líneas de metro se hundían en los dos
túneles bajo el mar y se multiplicaban en varias vías. Todos los
hongkoneses se enorgullecían de hacerlo mejor que el vecino.
Un joven directivo de Hongkong Telecom abría cada mañana
la puerta de su despacho a las cuatro y media. Sus colegas afirmaban que a menudo regresaba a la oficina después de los cóc-

teles y de las cenas y no salía antes de medianoche. Sus colaboradores lo imitaban.

Tener éxito era la palabra clave en una colmena que los ríos de refugiados, la mayoría clandestinos, habían hecho pasar de quinientos mil habitantes, después de la guerra, a casi seis millones. El crecimiento se aceleró a partir de 1949, cuando cayó la cortina de bambú sobre China hasta la frontera de los Nuevos Territorios, con la única salvedad de la colonia británica, así como Macao, la portuguesa.

Walter nunca olvidaba que también él era un refugiado. E, incluso, un superviviente.

A menudo, sentado en el banco de esa pequeña pagoda, pensaba en sus padres. No pasaba un solo día sin que evocara su recuerdo. A pesar de todas sus búsquedas, investigaciones y preguntas, Walter jamás tuvo una confirmación sobre el destino de Lisa. Alguien le dio a entender que podría haber sido fusilada en un tren que se dirigía a Riga. Pero no era más que un rumor. Numerosos vieneses deportados al este fueron asesinados en Kaunas, Riga o Minsk. Otros, enviados hacia los territorios ocupados de Polonia, habían perecido en los campos de la muerte de Kulmhof, Auschwitz, Belzec, Sobibor, Treblinka o Majdanek.

Walter suspiró.

«A mamá le habría encantado esta fiesta», murmuró mientras se daba un masaje en el hombro dolorido que, desde hacía diez o quince años, nunca había dejado de anunciarle la lluvia. Aquel mes de abril no lo dejaba en paz.

Para celebrar el trigésimo aniversario de su grupo de prensa, Walter había invitado a quinientas personas en la propiedad sobre las alturas del Peak, donde había reunido las sedes de sus tres sociedades, la South Asia News, L'Austriana y la Golden Dragon Company, así como su residencia privada. El arquitecto de esa maravilla era Pei. Walter había reconocido el talento del artista mucho antes de que realizara la elevada torre del China Bank, el más hermoso rascacielos de Asia, o la reciente pirámide del Louvre en París. En 1980, fecha de la construcción de la «casa», Pei ya había recurrido a la forma perfecta del triángulo explorando la alianza entre tradición y modernidad.

La entrada de las sedes sociales y la de sus dependencias privadas se daban la espalda, pero las dos partes del edificio estaban comunicadas desde el interior. El despacho de Walter hacía las veces de paso. Un experto en *fengshui* presidió la elección del terreno. El edificio, cuya configuración estaba destinada a atraer la felicidad y la fortuna, tenía una fachada al sur, se alzaba sobre una superficie de agua y estaba protegido por la parte de atrás y por los lados por la colina y una arboleda. Dos leones de piedra asegurarían la prosperidad. El experto había fijado el lugar, la fecha y la hora de su colocación. «Leones chinos, sin duda, pero también símbolos de Judá», pensaba Walter con frecuencia.

¿Creía Walter en el *fengshui*? ¿Creía en Dios? Dos preguntas para las que no tenía una respuesta tajante. En realidad, Walter admitía la existencia de algo sobrenatural, probablemente imputable a la ignorancia humana frente a los misterios del universo, y había aprendido a realizar sacrificios de acuerdo con los ritos que sirven para unir a las comunidades. Creer no podía hacer daño. Ni los magnates europeos de Hong Kong, ni el propio Chris Patten, el gobernador británico, corrían el riesgo de descuidar las prescripciones de la geomancia china. Se limitaban a ocultar púdicamente bajo otras denominaciones el importante presupuesto destinado al experto, así como a los acondicionamientos recomendados. Vivir bien en Hong Kong significaba que se había encontrado el arte de acomodar los negocios con el cielo, los fantasmas y los espíritus.

El suntuoso hotel Regent, que se asentaba en un terreno ganado al espacio marino justo delante del Peninsula, al que arrebató la vista del mar, había dedicado en 1980 varios cientos de miles de dólares de Hong Kong para obedecer las instrucciones de los geomantes. Estos habían determinado que el edificio entorpecería el paso de un dragón que entraba al puerto por ese lugar para su baño diario. A los promotores se les aconsejó entonces instalar, en toda la altura de la entrada y del entresuelo, una gran cristalera circular que reflejase el mar. Una solución de compromiso que el dragón aparentemente había considerado aceptable, pues no había sobrevenido ninguna desgracia que enturbiase la vida del Regent.

Beber una copa en el piano-bar del Regent, cuando el crepúsculo irisaba el mar adormeciendo a los barcos en el halo trémulo de las primeras luces, pertenecía a esos instantes de gracia de los que Walter nunca se cansaba. Proyectada en los imponentes edificios que de año en año se renovaban y cuyo número seguía creciendo a pesar de la escasez de terreno, veía una y otra vez la película de su vida. Cuando hacía balance de su pasado, consideraba que debía su fuerza a las debilidades que había sabido vencer. Nunca se había lamentado de haber tenido que sustituir el Nueva York de sus sueños de juventud por el Manhattan del Oriente. Si se hubiese ido a América, no habría conocido China y él amaba profundamente el espíritu chino tal como lo había conocido en Shangai y sobrevivía allí, apartado de la invasión comunista y de las dos catástrofes consecutivas: la Revolución Cultural y la matanza de los estudiantes en la plaza de Tiananmen.

Walter amaba y comprendía la China inmemorial. La repentina muerte de Bruce Lee, estrella del *kung-fu*, uno de los responsables de la ascensión de Hong Kong a la categoría de capital del cine, solo había extrañado a los occidentales. Los chinos conocían la causa. Un tifón había arrancado el *bagua* de Bruce, ese pequeño espejo octogonal que, fijado en el exterior de las casas, sobre las ventanas, asegura la protección contra probables demonios. Y Bruce había olvidado colocar otro después del tifón. Walter había incluso hablado de ese accidente una hora antes con Jackie Chan, nuevo héroe del *kung-fu*, que había sucedido a Lee con un estilo muy personal de su invención. Jackie había acudido a la recepción en calidad de vecino, de amigo.

El teléfono inalámbrico emitió su llamada modulada. Muriel debía estar a punto de dormirse.

—*Yes, sweetheart** —dijo Walter al descolgar.

—No te acuestes muy, muy tarde —murmuró Muriel con cariño.

Walter sonrió. Sabía que ella se figuraba que él haría lo que se le antojara. Esas palabras de apariencia anodina reflejaban una realidad mil veces más intensa. La de un amor, a pesar de los roces y las discusiones, nunca desmentido.

—No te preocupes… No estarás demasiado cansada, ¿verdad, cielo? Ha sido una agradable fiesta, ¿no?

—¡Estupenda! Será un magnífico recuerdo. ¡Todo ha salido bien! Seguro que aparecen fotos bonitas en los periódicos.

—Espero que haya otras muchas fiestas por el estilo.

—Yo también, amor mío. Muchas más. Pero, para eso, tienes que cuidarte y dormir un poco… ¡Ah! ¿Sabes por qué los señores Wong han venido en dos coches distintos?

Muriel estalló en esa risa, fresca como una cascada, que a Walter tanto le gustaba.

—… No.

—Porque la señora Wong había decidido ponerse un vestido de encaje rosa con un bolero de visón rosa y venir en su Rolls rosa conducido por un chófer de librea rosa. ¡Y el señor Wong se ha negado a hacerse un esmoquin rosa!

—Lo comprendo. ¡Sobre todo con ese careto de gamba!… ¿Qué coche usó él?

—Un Bentley dorado.

—¡No se priva de nada! —comentó Walter, acordándose del diamante de 6,89 quilates que le había conseguido.

El señor Wong habría podido perfectamente engalanar a su esposa con una piedra de al menos siete quilates, pero ella consideraba esa cifra un talismán: el seis significaba «longevidad», el ocho «prosperidad» y el nueve «fasto imperial».

---

* «¡Sí, amor mío!»

Los dos esposos se susurraron palabras de cariño, que solo ellos entendían, y colgaron. Walter ya no se separaba nunca de su teléfono móvil* desde que el aparato le había permitido en cierta ocasión arrancar su Jaguar de las garras de unos contrabandistas.

Todas las noches, toneladas de mercancías pasaban clandestinamente de la colonia británica a la China Popular, en barcas de fibra de vidrio, en pequeños barcos de cabotaje, en grandes juncos de pesca o en sampanes. La estrella de esas flotillas era el *taifé*** negro cuya cabina de acero protegía contra las balas de los guardacostas chinos. Equipado con motores muy potentes, pilotado por una tripulación de tres hombres, desafiaba a la tempestad, a la policía y a los tiburones. A bordo, reproductores de vídeo, cadenas de música y televisores, climatizadores y ordenadores, ciclomotores y motos o bien cigarrillos estadounidenses, coñac francés y, con frecuencia, un coche de lujo, cargado en apenas dos minutos. Bastaba con que el piloto acelerara de inmediato para desaparecer del alcance de la marina británica.

Walter estaba jugando una partida de golf con sus dos hijos cuando le sonó el teléfono móvil: el chófer, que se había alejado unos cuantos pasos, acababa de ver cómo desaparecía el Jaguar por un recodo de la alameda. Walter llamó enseguida a su coche. Por suerte, no había llegado al puerto, lo que le permitió negociar su traspaso con los bandidos.

Tras respirar por última vez los efluvios del bosquecillo, Walter se dirigió lentamente hacia la casa. Puesto que a Muriel le había gustado esa fiesta, daría otra dentro de un año, para celebrar su cuadragésimo quinto aniversario de matrimonio. ¿Quién sabía si llegarían a los cincuenta? Walter había alcanzado la edad en que otros mucho más jóvenes le parecían ya desgastados. Su médico le recomendaba a menudo que se cuidara su viejo corazón de setenta y cinco años, pero él no lo veía así. El otro corazón, el del espíritu, seguía teniendo veinte años.

* Una rareza en aquella época.
** «Mosca grande.»

Tenía la sensación de que apenas habían transcurrido diez años desde aquel día de octubre de 1949, en que subió a pie Robinson Road y buscó en vano un taxi para volver a casa a última hora del mediodía.

Mientras bajaba, un concierto de voces lo sacó de su ensimismamiento. El canto, que había despertado en Walter una resonancia particular, procedía de un jardín tropical. La verja estaba abierta. Aventurándose por la alameda, Walter descubrió un hermoso edificio blanco de estilo morisco con dos torrecillas labradas y un amplio pórtico rematado por una terraza con balaustrada. ¡La sinagoga Ohel Leah, donación de los Sassoon!

Entró. Un anciano chino, que debía ser el guardián, le tendió una *kipá*. Unos hombres vestidos de blanco y con los hombros cubiertos por un *taled** se balanceaban al ritmo del cántico. Los ventiladores batían el aire caliente que no disminuía en nada el fervor de los fieles. Varios tenían un fruto rojo que se llevaban a la nariz. Una granada. Entonces, era el día del *Yom Kipur*. Y esos hombres, que cumplían un ayuno de veinticinco horas, respiraban el perfume ligeramente ácido de la granada para evitar desmayarse. Estaban rezando con el objetivo de ser inscritos un año más en el Libro de la Vida.

De repente, las voces dieron paso a un silencio lleno de espera. De espaldas a la asamblea, el oficiante se cubrió en ese momento la cabeza con su chal y el sonido de una trompa resonó en el cielo. Por primera vez en su vida, Walter oía el *shofar*, símbolo de la alianza del Eterno con su pueblo. Un sonido poderoso y vacilante a la vez, como para afirmar la inquebrantable fuerza de la convicción del creyente al mismo tiempo que la duda desgarradora sobre sí mismo. Un sonido que conmovió a Walter hasta las lágrimas.

Desorientado, se dejó arrastrar por la marea de fieles que salían del oratorio hacia una pequeña habitación. Delante de un aparador, las familias volvían a la vida cotidiana, mientras be-

* Chal para las oraciones.

459

bían lentamente grandes vasos de agua. Walter se encontró de pronto cara a cara con Emmanuel Roth.

—¡Qué alegría verlo aquí, señor Neumann!

Hablaron, comentaron la marcha de un proyecto común y luego Roth le preguntó:

—¿Le esperan para la comida tradicional?

—No he hecho el ayuno. He entrado aquí por azar.

Walter sintió que se ponía rojo.

—No existe el azar. ¡Qué se le va a hacer!, ya ayunará el año que viene…Venga entonces a mi casa, si está solo esta noche. Nada le impide romper el ayuno en nuestra compañía.

Para su propia sorpresa, Walter aceptó gustoso.

Roth vivía en el camino del Peak y su chófer lo esperaba delante de la sinagoga. Algunos minutos más tarde, Walter era presentado a la señora Roth, así como a su única hija, Muriel, de dieciocho años. El fino rostro de la joven muchacha rubia, su piel transparente, sus ojos del azul de los nomeolvides, que a veces tiraban hacia el azul lavanda, conmovieron a Walter. Él tenía treinta años, la edad de fundar un hogar. Al punto decidió que ella sería su mujer. La conquistó y el siguiente mes de abril se celebró la boda.

Sin que nadie lo hubiese forzado, Walter se convirtió en un asiduo de la sinagoga. Le empezó a gustar la atmósfera de las ceremonias religiosas y de las velas del sabat que Muriel encendía el viernes por la noche en la mesa dispuesta para la fiesta, delante de los dos panes trenzados. Un día empezó a estudiar hebreo.

Un año más tarde había nacido David Arthur, hoy en día padre de dos niños. Walter sintió en aquel momento un especial orgullo por haber engendrado un hijo que llevase su apellido. Luego, en 1953, nació Lisa, siete años antes que Jonathan, el «benjamín», en ese momento un seductor de treinta y cuatro años. Al cabo del tiempo, Walter se había sorprendido de preferir a su hija, a pesar de su divorcio y de su vida tumultuosa. Desgraciadamente, Lisa no había encontrado un hombre a su altura. De los tres hijos, era ella, la chica, la que tenía más de Walter. De él había heredado, entre otras, una facultad que la opulencia no había conseguido eliminar: las cosas más sencillas los hacían felices. Una flor, una sonrisa, el olor del jardín cuando caen las primeras gotas de lluvia.

Rebelde y elegante, daba sopas con honda a sus dos hermanos que se habían contentado con ser hijos de papá, mientras que ella se había trazado su propio camino. Aunque era Walter quien tenía la última palabra sobre su imperio, había confiado las riendas de las dos sociedades a los chicos. No habían hecho nada especial. Lisa, en cambio, deseó forjar algo nuevo. Así, Walter le cedió una cantidad destinada a crear una «Fundación para jóvenes talentos». En ese momento estaba orgulloso de su hija que, por una parte, se había revelado como una gestora perfecta y, por otra, demostraba tener un don para descubrir artistas, sobre todo músicos y cantantes. Lisa no dudaba en pasearse el domingo entre los cuarenta y cinco mil empleados domésticos filipinos que, después de misa, organizaban comidas en el malecón del *Star ferry* en las que intercambiaban noticias sobre el país. Además, Lisa tocaba bastante bien el violín y juntos se regalaban unas horas de música fantásticas.

El ascensor dejó a Walter en su despacho. Jamás se acostaba sin pasar primero por esa habitación. Las paredes estaban desnudas, a excepción de dos cuadros del austríaco Gustav Klimt, un paisaje otoñal y una pareja enlazada, además de un instrumento de música, bastante rudimentario, que intrigaba a las visitas: un modesto *shamisen* japonés.

Sobre el escritorio se veía, recién llegado, un fax que anunciaba el programa de un seminario internacional: «Judíos en Shangai - 21 de abril de 1994 - Shangai - China».

Durante mucho tiempo Walter había borrado Shangai de su memoria, rechazando todo lo que le recordara a aquella época, rehusando pensar en ella. Shangai era un agujero negro de una decena de años. Ni siquiera en compañía de Max Herzberg, propietario de varios establecimientos de juego en Macao, donde Walter acudía con frecuencia a jugar, hablaba del tema. Max no se había casado, pero varias mujeres asiáticas de diversas nacionalidades le habían proporcionado una decena de hijos euroasiáticos que, convertidos en adultos de gran belleza, formaban un clan temible. Se movían con soltura por la isla, donde la mayoría de los macaenses eran mestizos, nacidos de padre portugués y madre china.

Cuando bajo la influencia de Deng Xiaoping, China se lanzó en 1979 a una política de apertura, Walter fue uno de los primeros en acudir al país. Sin embargo, limitó su estancia a Pekín. Dos años más tarde, encontró allí a Lawrence Kadoorie, en persona, convertido hacía poco por la gracia de la reina Isabel II en lord Kadoorie «of Kowloon in Hong Kong and of the City of Westminster», ¡el primer hongkonés en lograr esa distinción! Todos los bienes de los Kadoorie en Shangai habían sido requisados en 1949 cuando Mao Tse-tung expulsó a Chiang Kai-shek del continente, pero sir Lawrence, contemporizador, se estaba reconciliando con China.

«Mao Zedong y Jiang Jieslu», se corrigió Walter aunque esta grafía no afectaba casi a la sonoridad de los nombres. Bajo la influencia de los periodistas estadounidenses, entusiasmados con la victoria comunista de 1949, el mundo entero terminó por adoptar en 1958 el pinyin, sistema de transcripción introducido por los propios chinos para unificar las pronunciaciones del mandarín a través del país.

Walter había regresado numerosas veces a Pekín. En 1992 asistió a una fiesta dada en honor del restablecimiento, gracias a la intercesión de lord Kadoorie, de las relaciones diplomáticas del Estado de Israel con China y conversó sobre los judíos de China con los camaradas Epstein y Shapiro, judíos de nacionalidad china, afectos al gobierno de la China Popular.

Israel Epstein, que había llegado en 1916 a Tianjin, antes Tientsin, con sus padres obligados a huir de Varsovia, cautivaba a su auditorio contando el asombro que se podía leer en los ojos rasgados de un judío de Kaifeng al ver sus pecas, sus ojos azules y su gran nariz. «¿Usted, un judío? —había exclamado este último—. No da el tipo.» La anécdota databa de 1938.

Israel Epstein contó a Walter la historia de los judíos de Kaifeng. Sus antepasados se habían establecido hacia el año 1120 en la ciudad, entonces capital de la dinastía Song del norte y, con un millón de personas, la mayor aglomeración del mundo. Conocedores de la ruta de la seda, esos comerciantes de algodón procedían de Persia. Las setenta familias edificaron una sinagoga en 1163, que estuvo en servicio hasta la mitad del siglo XIX. Tres estelas confirmaban la presencia judía. A lo largo de los siglos, los judíos de Kaifeng olvidaron el hebreo, se asimilaron a los chinos rápidamente y, más afectos al imperio que el propio emperador, adquirieron por la combinación de matrimonios y adopciones un semblante típicamente chino, acentuado por la larga trenza que se balanceaba a su espalda. Sus descendientes conocidos se contaban en doscientos. Algunos planeaban construir un monumento conmemorativo, incluso un centro de estudios, edificado según el modelo de la antigua sinagoga.

Israel Epstein, comprometido primero con la lucha antijaponesa, se convirtió después en periodista y en los años cincuenta se enganchó a *China Reconstructs*,* la edición en inglés de una revista gubernamental creada por la señora Sun Yat-sen. De ese modo se ganó una estancia de cinco años en prisión durante la Revolución Cultural. Al igual que numerosos escritores, artistas y periodistas, había sufrido la férula de los guardias rojos, soportando injurias, trabajos humillantes, sesiones de crítica y de autocrítica, estrecha vigilancia, reeducación política, prohibición de escribir. Pero eso era agua pasada. Desde entonces, se había convertido en uno de los diez ciudadanos de origen extranjero que participaba en el Consejo Político Consultivo del Pueblo Chino. De esos diez «expertos extranjeros», cinco eran judíos. Como Sidney Shapiro, también presente en aquella fiesta.

* En castellano se titulaba *China reconstruye*. (*N. del E.*)

Shapiro, por su parte, había nacido en Nueva York en 1915. Era abogado y un azar administrativo lo había conducido al aprendizaje del chino. En 1947, consiguió una plaza en un carguero por trescientos dólares y desembarcó en Shangai. La guerra civil estaba en su apogeo. «Las condiciones de vida del pueblo eran espantosas —recordó—. Había cadáveres sobre las aceras… Yo, el abogado pequeño burgués, empecé a entender la realidad de China.» Walter asintió con la cabeza, pensando: «Yo, en cambio, estaba tan acostumbrado a ese espectáculo que no me daba cuenta».

Shapiro eligió el partido del pueblo, pero, sin embargo, para subsistir, se vio obligado a hacer aquello de lo que creía haber escapado poniendo un océano entero entre él y su antigua vida: volvió a trabajar como abogado en un gabinete de juristas estadounidenses. Al poco tiempo se casó con una joven china, encantadora y brillante, actriz y escritora. Mientras ella editaba un periódico progresista, él procuraba medicamentos al Partido Comunista. Fichados por el Guomindang, los Shapiro huyeron con la intención de llegar a los «territorios liberados». Bloqueados en Pekín, esperaron a la liberación por el Ejército Rojo. ¿Qué podía hacer un joven abogado burgués en una China socialista? Para evitar hundirse en la locura, tradujo novelas chinas, entre ellas, la popular *Outlaws of the Marsh*.* En ese momento, Shapiro estaba trabajando en la historia de George Hatem, llamado Ma Haide, un doctor Schweitzer chino, un maronita nacido en Estados Unidos en una familia de inmigrantes libaneses. Esa obra le permitía introducir su sentimiento personal sobre la Revolución Cultural: un «atolladero generador de caos» y deplorar las causas de la revuelta estudiantil en la plaza de Tiananmen: «corrupción, falta de libertad y de democracia». Los males de la China eterna. «Ya verá lo que le aguarda el 1 de julio de 1997», concluyó Shapiro riéndose.

En efecto, la devolución de Hong Kong a China, recupera-

---

* Célebre novela Ming de Luo Guan-Zhong, Shi Nai-An, *A la orilla del agua*.

ción de una de las economías más espectaculares del mundo capitalista por el mastodonte comunista, ocupaba los titulares de la prensa mundial desde 1982, cuando se iniciaron las negociaciones entre la señora Thatcher, primera ministra del Reino Unido, y los jefes pequineses. La Bolsa de Hong Kong se desmoronó y el sector inmobiliario se hundió apenas hubo anunciado Deng Xiaoping su intención de restablecer la soberanía china en la colonia, incluidas las posesiones acordadas «a perpetuidad» a la Corona por el tratado de Nankín: la isla de Hong Kong y la península de Kowloon. A la Dama de Hierro no le quedó más remedio que ceder, lo que le valió el sobrenombre de «Dama Oxidada». En Hong Kong, el horror, la cólera y la angustia culminaron el día siguiente a la matanza de la plaza de Tiananmen, el 15 de mayo de 1989, cuando Li Peng, primer ministro, proclamó la ley marcial. Era la primera vez desde 1949.

Hasta entonces solo la élite de Hong Kong había preparado la huida. De puntillas. Bastaba con comprar un terreno en Canadá, lo que daba derecho a un pasaporte canadiense… ¡y no impedía hacer negocios con la China Popular! Los chinos ricos procedentes de Shangai fueron los primeros dispuestos a hacer el equipaje. Pero la locura se había apoderado de todos los medios el día siguiente a la matanza de Tiananmen. Los cambistas, las empresas de mudanzas, las agencias de turismo y los vendedores de maletas tuvieron grandes beneficios. Mil inmigrantes se unían cada semana a la diáspora china.

Otros más pesimistas, que se disponían a seguirlos, se las ingeniaban, al precio de un trabajo frenético y de un ahorro total, para reunir algo de dinero antes de exiliarse bajo otros cielos. Las tríadas,* especializadas en el blanqueo del dinero procedente de la droga, establecieron para su provecho un tráfico de pasaportes falsos de los que se beneficiaban el hampa y los policías corruptos.

* Bandas que, sin motivo, se vinculan con las antiguas sociedades secretas, cuyo símbolo era un triángulo que une el Cielo, la Tierra y el Hombre.

Los dudosos acudían a los adivinos del templo de Wong Tai Sin, dios de los refugiados y de los desesperados, que, no lejos de Walled City, acogía a sus fieles bajo un techo de tejas amarillas. Agitaban las varillas de *joss* en el *chum* para preguntar a la divinidad: ¿había que quedarse?, ¿había que partir?

Por su parte, los optimistas disponían de un arsenal de adivinanzas. ¿Quién podía matar de hambre a Hong Kong? ¿Quién podía cerrar un grifo de agua y privar al territorio del cuarenta por ciento de su abastecimiento? ¿Quién se había convertido en el principal socio financiero de Hong Kong? ¿Quién era el propietario de bienes raíces en su territorio más importante? ¿Quién podía sostener la moneda y manipular la Bolsa? ¿Quién era capaz, en cualquier instante, de espaciar sus puestos fronterizos de modo que, sin disparar un solo tiro, el territorio fuera invadido por hordas de hombres, cuyo sueño, noche y día, era precisamente ese puesto en el que un soldado chino medio ganaba en un mes la cantidad que numerosos hongkoneses gastaban en su comida diaria? Para todas esas preguntas había una sola respuesta: el gobierno de Pekín. Pruebas de que China apreciaba el bienestar de Hong Kong.

«¡Esperemos a ver! —había contestado Walter a la pulla de Shapiro, mientras atrapaba con los palillos un trozo de pato crujiente—. Los chinos son perfectamente capaces de hacer coexistir dos sistemas en un solo país.» Sin dejar de masticar, el agregado de la embajada israelí, que parecía tan aficionado a la comida pequinesa como Walter, se adhirió a su opinión. «¿Cómo se presenta la estancia en China de su presidente?», le preguntó Walter. El viaje oficial llevaría a Haim Herzog a Shangai, donde el jefe del Estado deseaba rastrear las huellas familiares. Su tío, refugiado, había muerto allí. Walter encendió un cigarrillo para hacer frente a la turbación que lo agitaba. «Pero ¿quedan huellas?», preguntó con la voz alterada.

El diplomático le habló entonces del profesor Pan Guang y del fascinante entusiasmo de ese historiador, joven decano del Centro de Estudios Judíos. «¡Un Centro de Estudios Judíos!

—exclamó Walter, sabedor de que los últimos judíos se habían marchado de Shangai en 1949—. ¡Increíble!» Debido a la actividad de Pan Guang, le informó el diplomático, Shangai se había convertido hacía poco en un lugar de peregrinación, por donde desfilaban estadounidenses, canadienses, israelíes y australianos. «Yo también fui refugiado en Shangai», se oyó murmurar Walter. «¡Entonces debe ponerse en contacto con Pan Guang! —replicó al punto el agregado al tiempo que hojeaba su agenda—. Mire, estas son sus señas. ¡Cópielas!» Walter obedeció, dócil como un niño bueno. Le parecía que una orden superior le había sido dictada a través de las palabras del israelí.

Tras un intercambio de correspondencia con el profesor chino, Walter recibió una invitación de la Oficina de Asuntos Extranjeros de la municipalidad de Shangai, que empezaba con estas palabras: «El pueblo chino y el pueblo judío se profesan una amistad tradicional y los shangaineses compartieron lo mejor y lo peor con los refugiados judíos durante la Segunda Guerra Mundial. En conmemoración y a fin de acrecentar los vínculos de amistad chino-judía, se va a construir un monumento en el emplazamiento del antiguo barrio judío en el distrito de Hongkew, el 19 de abril de 1994…». Invitaban a Walter a una estancia de cinco días en Shangai. Participaría en un coloquio: *Los judíos en Shangai* y en un simposio: *La economía y el comercio internacional en Shangai*. Habría también una visita a la Shangai Jinqiao Expert Processing Zone, la primera de ese tipo en la China continental. Walter se había hecho de rogar, pero finalmente aceptó aportar su testimonio.

En su oficina de Hong Kong a las dos de la mañana, acababa de encontrar el fax que le anunciaba el programa definitivo del seminario. Su intervención figuraba bajo el título: *Un periodista austríaco refugiado en Shangai*. Walter miró el calendario. Faltaban siete días para ese viaje. Dejó la hoja sobre el escritorio con la idea de irse por fin a descansar. Sin embargo, una fuerza lo retenía. Se sentó en el sillón. Más que una fuerza era una imagen.

Estaba viendo a Feng-si. «Fengxi en pinyin», pensó. Para él, su amiga sería para siempre Feng-si y la veía tal como se le apareció por dos veces en la realidad, iluminada por una aureola de luz, madona de rostro liso y puro, tan misterioso. La primera vez fue en el Wiener Café, la segunda durante el estreno de *La muchacha de los barrios bajos.*

Walter nunca volvió a ver a Feng-si después de aquella noche, nunca habló con ella. Nadie le había dado noticias sobre ella. A menudo pensaba en ella, con un profundo agradecimiento y algunos remordimientos. Las circunstancias le habían impedido darle señales de vida, a pesar de que, se acordaba perfectamente, un día se juró que le enviaría siempre un regalo por Año Nuevo. Muriel, educada a la inglesa, no habría entendido ese gesto y Walter temía herirla si un día llegaba a enterarse.

¿Qué habría sido de Feng-si? ¿Cómo habría sobrevivido al año 1949, en que los comunistas, en unos pocos meses, limpiaron Shangai de maleantes y prostitutas? ¿Habría conseguido escapar a las mallas de la red? Tan dulce, tan amable, se merecía haber podido fundar un hogar feliz. Walter se complacía en imaginar a Feng-si convertida en una anciana refinada, con un cuello de encaje y la comisura de los ojos arrugada con miles de sonrisas.

Poco importaba su apariencia. Sería por siempre quien había mantenido a Walter a flote, quien lo había salvado de las brutalidades japonesas. Se verían de nuevo en Shangai y podría darle las gracias. Una sonrisa iluminó los labios de Walter al imaginar la contribución que habría podido hacer al sesudo coloquio: «Un amor chino-judío».

2

—Si me lo permite, una última pregunta —dijo Steve Hochstadt, un profesor de historia de una pequeña ciudad de Estados Unidos, especializado en Alemania durante la primera mitad del siglo xx.

—Por supuesto —respondió Walter riéndose.

Tanto entusiasmo le fascinaba.

—¿Qué le enseñaron sus años en Shangai?

Dos austríacos y una inglesa, también universitarios, además de una periodista francesa participaban en la entrevista. Los magnetófonos giraban desde hacía casi dos horas en la habitación del hotel, en la octava planta de la Jinjiang Tower. A petición de Steve Hochstadt, un barbudo de pelo moreno, rizado y largo, recogido con una goma roja, Walter había reunido allí a las cinco personas.

La lluvia golpeaba en el ventanal. Las maletas estaban todavía sin deshacer. Walter aún no había visto casi nada de Shangai, aparte de algunos vestigios de la Concesión Francesa, que reconoció a través de las ventanas del minibús que lo había recogido en el aeropuerto, junto con los otros cinco asistentes al congreso. La Jinjiang Tower, una hermosa torre, completamente nueva, estaba situada en Changle Lu.* «¿La rue Bourgeat?», se preguntó. No estaba seguro. ¡Todo había cambiado tanto!

---

* *Lu* significa «calle».

Los viajeros habían sido invitados a acudir a uno de los restaurantes del hotel antes de tomar posesión de su habitación. Para los chinos, acostumbrados a cenar hacia las siete, era tarde. Los demás participantes ya habían dejado el comedor. Una vez acomodados en la mesa, cada uno de ellos se había presentado y Steve, con un ardor que conmovió a Walter, le preguntó si estaría dispuesto a confiarle esa misma noche sus recuerdos. Los otros cuatro habían expresado también su deseo de escucharlo.

—¿Qué me enseñaron mis años en Shangai? —repitió Walter lentamente reclinándose en el respaldo de su sillón.

Entonces se percató de la litografía colgada de la pared. Representaba un ramo de peonías rosas en su esplendor. Tres pétalos caídos al pie del jarrón recordaban que la decadencia se anuncia en la plenitud. Walter descolgó el teléfono, que se encontraba al lado, y encargó una botella de champán.

—Me enseñaron a disfrutar de la vida —respondió riéndose.

El pudor le obligó a mantener en silencio su aventura con Feng-si, no lo que conservaba de ella.

—Los chinos —retomó— me han enseñado la lógica de lo ilógico… Una cosa es cierta, su contrario también. Demasiado pegamento deja de pegar.

Una manera de ser que lo hacía parecer imprevisible y lunático a los ojos de los europeos, pero que más de una vez le había proporcionado ventaja en los desafíos importantes. Reaparecía allí donde no lo esperaban sus adversarios.

—…También he aprendido a dominar la cólera.

En los momentos de mayor ira, se limitaba a fruncir el ceño, apretar los labios o fingir una risa. «Un caballero», solía decir su suegra.

—Shangai me enseñó la paciencia —prosiguió—, la tolerancia y la solidaridad, cualidades ausentes en mi bagaje de joven burgués de Viena. Ya no me detengo, como en otro tiempo, en la apariencia o en la pertenencia. Procuro ir más allá.

Walter estiró las piernas y cruzó los brazos. Tenía en la cabeza el discurso que le habría gustado pronunciar ante sus hijos.

—He visto desplegado ante mis ojos el muestrario completo del comportamiento humano. Junto a la abnegación ejemplar, la lealtad indestructible o la honradez rayana en la estupidez, he visto cómo la codicia y el ansia de poder transformaban a jóvenes príncipes en reyes abotargados y arrugados; he sido confrontado con la necedad común, la que adula a los fanfarrones, pisotea el ser en provecho del parecer, favorece la moda en detrimento de la sensatez, baila el agua a los privilegiados y desprecia a los individuos.

Una galería de retratos desfiló ante sus ojos.

—He visto pasar —continuó— gentes despreciables que toman al asalto castillos de naipes, se instalan al mando del puente levadizo galleando sobre un montón de ruinas y, cuando se dan cuenta de que se precipitan al foso, se las ingenian para arrastrar a la ruina a otros antes que ser los únicos en hundirse. Tengo bien calados a los que no existen más que gracias a su floreciente cuenta bancaria, a un padre o a amigos influyentes… Una parte de mí los desprecia, pero me resulta imposible saber cómo me habría comportado en su lugar. Cuando sobrevienen las dificultades, cada uno encuentra su lugar donde puede y como puede. Algunos lo hacen de manera más decente que otros, pero, sobre eso, no se pueden dar órdenes y no somos buenos jueces de nuestros propios actos… Esto es lo que tenía que decir.

Steve se acariciaba la espesa barba.

—¿Le puedo hacer otra pregunta? —intervino la francesa.

Era una mujer elegante que guardaba cierto parecido con la Emily Stone de su pasado. Una multitud de nombres afluía a su memoria desde que había salido de Hong Kong. Sacó la agenda de su bolsillo, añadió Emily Stone a la lista ya iniciada y, de repente, consultó el reloj. Las once ya. Demasiado tarde para ponerse a buscar a Feng-si. Con una sonrisa animó a la periodista a seguir.

—¿Qué cualidades le sirvieron de ayuda durante esos años?

Walter se había planteado a menudo esa cuestión, por lo que no tuvo que pararse a reflexionar.

—El optimismo y el esfuerzo. Pero tampoco he dudado en correr riesgos. Querer protegerse no es más que cerrarse a la vida.

El chasquido de la tecla anunció el final de la cinta al mismo tiempo que el camarero llamaba a la puerta. El corcho de la botella saltó y la conversación prosiguió sin orden ni concierto.

—¿Qué utilidad puede tener para usted esta grabación? —preguntó de improviso Walter al historiador.

El estadounidense, que estaba ordenando su material con cuidado y pegando etiquetas en las cintas, explicó que tenía intención de elaborar una «Historia oral de la comunidad judía de Shangai». Sus abuelos, de origen vienés, habían encontrado refugio en la ciudad. Steve había entrevistado ya a decenas de personas aprovechando los encuentros que se habían organizado acá o allá en el mundo. Los participantes habían sido localizados mediante los ficheros de la época. Como Walter no había participado en la vida de la comunidad judía de Shangai, nunca se le había avisado de estos actos.

—¿Con quién ha hablado ya, por ejemplo?

Steve sacó una lista de uno de los amplios bolsillos de su pantalón caqui a juego con su chaleco de campaña. Con su barba y su pelo rizado, hacía pensar en un revolucionario cubano. ¡América era extraña!

Un nombre en la lista llamó la atención de Walter.

—¡Hans Fischer! Conocí muy bien a un chico que se llamaba así. ¿Es el mismo?

Atando cabos, Walter y Steve llegaron a la conclusión de que sin duda se trataba del hijo de Greta y Otto, que se había convertido en profesor de universidad en Toronto.

La ternura se adueñó de Walter. Preguntó si Hans parecía feliz.

—Sí —respondió Steve tras reflexionar—. Está casado, es padre de dos hijos y he oído decir que sus alumnos le profesan auténtica veneración. Pero me pareció que a veces lo acometía la nostalgia.

—¿Le habló de Anna? —preguntó Walter dando una calada a su cigarrillo.

—Hans conoció a dos Annas que supusieron mucho para él. Una se fue a Japón, creo. La otra a Estados Unidos. Ignora qué ha sido de ellas.

La memoria de Walter se había vuelto acomodaticia y se había desentendido de Anna la polaca y de la carta que Hans aguardaba con tanta congoja. «¿Es esto envejecer? —se preguntó—. ¿Amoldar el pasado a su antojo?» Se alisó el cabello hacia atrás.

—Y ¿sabe qué ha sido de sus padres? —preguntó entonces.

—Los dos han muerto, ya no recuerdo las fechas ni las circunstancias. Si quiere, le puedo enviar la cinta con la entrevista de Hans.

—Me encantaría.

Sentimientos contradictorios agitaban a Walter. Lamentaba no haber visto de nuevo a sus antiguos amigos a los que tanto debía. ¡Pero la vida los había llevado a cada uno por caminos tan alejados! Y ¿qué habrían podido compartir? Tal vez valía más, en algunos casos, que las fotos amarillentas no se desprendiesen jamás del álbum del pasado.

Lo invadió una extraña desazón. Estaba convencido de que había cometido un error al rastrear las huellas de aquella época. Se estaba metiendo en un atolladero.

La estela de mármol negro con letras doradas grabadas en chino, hebreo e inglés emergía de entre una montaña de flores, cuyos pétalos se volvían azulados bajo la violencia de la lluvia. Caía en ráfagas tan compactas que los oficiales habían tenido que renunciar a soltar las palomas. Los cámaras de la televisión y las decenas de músicos de la banda se habían envuelto en impermeables transparentes. A través de la capucha se veía cómo se hinchaban las mejillas de los clarinetistas. El agua llegaba a los pies. Los tacones de aguja de las azafatas chinas se hundían en el barro. Se ocupaban de cubrir, con unos amplios paraguas, al alcalde, al diputado, a los invitados importantes mientras tiritaban dentro de su largo vestido rojo o verde, abierto hasta el muslo.

Un vestido semejante a los que en otro tiempo llevaba Feng-si. Ella prefería los tonos pastel, rosa, marfil o jade, que le sentaban tan bien.

Después de haber buscado en vano un rastro de su amiga en la guía y mediante informaciones telefónicas (para lo que se valió del shangainés que se esforzaba en practicar desde que decidió realizar el viaje), había llamado esa misma mañana al profesor Pan Guang para comunicarle que acudiría al lugar de la ceremonia por sus propios medios. La iniciativa inquietó al joven decano, que contaba con el *taipan* para responder a las preguntas de los periodistas al término de los discursos.

Huai Hai Road, la antigua avenue Joffre, estaba muy cerca del hotel. Walter se había dado cuenta mientras desayunaba en la planta cuarenta y dos de la Jinjiang, en el restaurante panorámico animado por un movimiento rotatorio. ¡Cuánto habían crecido los plátanos! Walter, que había realizado un viaje a Europa a comienzos de los años cincuenta, se daba cuenta de hasta qué punto Frenchtown se parecía antes a una ciudad francesa en miniatura, con su ayuntamiento, sus mansiones engalanadas con malvarrosas, sus agentes de policía con esclavina y quepis, sus buzones de color azul y sus bancos octogonales rodeados de árboles en el parque.

Y en ese momento, ¡qué asombrosa uniformidad presentaban los semblantes! La multitud de peatones, ciclistas y automovilistas chinos ya no deparaba ningún rostro europeo. En cambio, la diversidad de los atuendos era sorprendente. Del más rico al más pobre, ni camisa Mao, ni vaqueros, como si el uniforme hubiese hartado definitivamente a los supervivientes de la Revolución Cultural. Las muchachas eran coquetas y hermosas. Reinaban la moda y el dinero.

Se sentía que la ciudad estaba ansiosa por vivir tras su largo purgatorio. Los almacenes japoneses ofrecían ligueros, botas y minifaldas de cuero. Walter se había enterado por el portero de que las meretrices estaban de vuelta en el Hôtel Equatorial y que la JJ, la «mayor discoteca de Asia», un establecimiento custodiado por treinta y seis gorilas, acogía cada noche a mil muchachos que se contorneaban bajo un enorme insecto amarillo que vibraba en el techo. El portero, no obstante, aconsejaba a Walter honrar con su presencia el karaoke instalado en la antigua catedral.

La circulación, muy densa, se resumía en una lucha de poder. Todo se jugaba en la mirada. Se trataba de una especie de tango, bailado muy apretado, en el que cada uno debía ceder por turno, pero el más caradura, peatón, ciclista o automovilista, se colaba.

A duras penas reconoció Walter la casa de Feng-si. Estaba descuidada, ruinosa, privada de su jardín. El corazón le palpitaba cuando empujó la puerta de entrada, ligeramente entreabierta... Bicicletas y cochecitos de niños atestaban el recibidor de antaño. Varias familias debían vivir entonces hacinadas en la habitación. Dos ancianas, sentadas delante de puertas dispares, que no existían antes, se entretenían discutiendo mientras limpiaban verduras. Se quedaron petrificadas, amenazadoras con su cuchillo en el aire al ver aparecer a Walter y le respondieron con una mueca negativa cuando él evocó el nombre de Feng-si. De vuelta en la calle, avanzó algunos metros hacia la antigua route Cardinal-Mercier. Tenía un nudo en la garganta. De inmediato vio la torre en construcción, cubierta con una red verde extendida sobre una estructura de bambú, que se alzaba en el emplazamiento del Wiener Café, y se metió en un taxi.

Shangai contaba en ese momento con trece millones de habitantes. ¿Cómo podía encontrar Walter a Feng-si? Sumido en un sentimiento de impotencia, no dejaba de dar vueltas a su fracaso.

Nanking Road seguía igual de bulliciosa. La visión del arco metálico del Garden Bridge, en ese momento Waibaidu Bridge, resucitó el aterrador recuerdo de los centinelas japoneses. Las Broadway Mansions y el Embankment Building se mantenían bien. Las sirenas de los barcos rugían, dándose unas a otras la réplica como un eco.

Delante de la estela conmemorativa, con la humedad metida hasta los huesos, Walter se dio cuenta de repente de que había estado pensando en alemán. ¿Desde cuándo no le había pasado eso?

Tal como le había anunciado el profesor Pan, los periodistas de la radio y de la prensa escrita lo esperaban a la salida de la ceremonia. Expresarse en shangainés le proporcionó un éxito rotundo. Las cámaras de la televisión siguieron sus pasos cuando el cortejo recorrió una callejuela del antiguo gueto que había sobrevivido. En ese momento era una de las más bonitas. El guía dijo que los judíos eran «ricos», que habían instalado lujosas salas de baño, terrazas con flores… Un murmullo indignado alertó a Walter. Se dio la vuelta y vio a una persona cuya mirada chispeante reconoció de inmediato, Rena, la amiga de Masha. Las cámaras filmaron su abrazo lleno de emoción. ¡Qué extraño resultaba encontrarse allí, después de tantos años! La última vez que se habían visto, Walter y Masha eran todavía novios.

—No debemos haber cambiado —soltó Rena con malicia—, puesto que nos hemos reconocido al instante.

¡Vivaracha Rena! Se había casado en Israel tras salir de Shangai en 1949. La pareja vivía en ese momento en California, adonde antes les habían precedido sus hijos.

—¿Y Masha? —preguntó Walter.

Un resplandor apagado atravesó la mirada de Rena.

—Creo que vive en New Jersey. Se ha divorciado tres veces. Vino a verme a Israel, pero fue un reencuentro muy decepcionante. No me dejé engañar por su aspecto de angelito. Cuando tenía veinte años, podía pasar. Ahora resulta de lo más ridículo. Masha nunca ha admitido que los demás puedan ser sus iguales. Siempre tiene que dárselas de importante, tiene que sobresalir, que acaparar la atención, todos tienen que admirarla, que estar pendientes de ella. Continuamente exige un tratamiento especial, hace un mundo de cualquier tontería. Y cuando uno se cansa o le niega un capricho, se queja de que ya no la quieren. ¡De buena te libraste, Walter!

—Nuestra escuela —explicaba Benjamin Fishoff en la tribuna— era una habitación en la que estudiaban, comían y dormían cuarenta chicos.

Walter se acordó de que ese hombre, la víspera, después de la visita al gueto, se había llevado la sorpresa de reconocerse en una foto expuesta entre los documentos que trazaban el periplo de las comunidades judías de Shangai. Se había creado un museo en las paredes de la sinagoga Ohel Moshe, situada en Chang Yang Road, la antigua Ward Road. La sede social del periódico *Wen Hui Bao* se alzaba en el emplazamiento de Beth Aharon y los martillos neumáticos habían atacado un año antes la New Synagogue, pero otros edificios de aquella época subsistían: la hermosa Ohel Rachel transformada en Oficina de Educación de la municipalidad; la Shanghai Jewish School, muy cerca, fundada por Horace Kadoorie y dividida entonces en apartamentos; el antiguo Jewish Club convertido en conservatorio de música y el Jewish Hospital, a veces el último refugio de los refugiados, un establecimiento en ese momento especializado en otorrinolaringología.

—*Alone I came, strange in food, strange in ways, strange in everything** —proseguía el orador.

«Todos han vivido la misma experiencia —pensó Walter reprimiendo un bostezo—, pero es única para cada uno.» A medida que avanzaba la jornada, entendía menos lo que le había empujado a participar en ese falso reencuentro. No tenía nada contra el acto en sí mismo (los demás asistentes, europeos y chinos, parecían atentos y extremadamente interesados), pero tenía la sensación de haberse desplazado por nada. Michael

---

* «Llegué solo, ajeno a la comida, ajeno a las maneras, ajeno a todo.»

Blumenthal, a quien se alegraría de ver, renunció en el último momento. ¡Qué pena! El muchacho que en otro tiempo jugaba en la trastienda del Café Louis con el hijo de los propietarios se había convertido en secretario del Tesoro estadounidense bajo la presidencia de Jimmy Carter y su firma aparecía legible en los billetes de banco emitidos por aquel entonces. Walter escuchó con placer el mensaje grabado que Michael Blumenthal dirigía a los congresistas:

«¡Nosotros hemos tenido suerte! Somos los supervivientes del cataclismo histórico que condujo a la destrucción y a las tragedias personales de millones de individuos… Sin embargo, eso no fue fácil en este rincón perdido de la tierra, de donde extrajimos provechosas lecciones que espero que no nos hayamos olvidado de transmitir a nuestros hijos… Por mi parte, yo he aprendido que lo que cada uno hace en su vida depende únicamente de sus propios recursos y de su fuerza interior…».

El espíritu de Walter vagaba errante. Hechizado de continuo por la imagen de Feng-si, terminó por confesarse que había aprovechado el pretexto de ese coloquio, que, al contrario que un viaje de placer, no podía atraer a Muriel, para ver por última vez a la amante de su juventud. Y eso en vano.

Michael Kadoorie, hijo de sir Lawrence, también se había echado atrás. Walter habría tenido curiosidad por escuchar el testimonio del heredero del *taipan* más venerado de Hong Kong. Tal vez eso le habría ayudado a entender mejor a sus propios hijos.

«*Human dynamo who powered Hong Kong*»,* había titulado una página el *South China Morning Post* por la reciente desaparición de lord Kadoorie, a la edad de noventa y cuatro años. Walter recordaba las conversaciones con Two-Gun. De regreso en Hong Kong, donde los japoneses habían arrasado sus propiedades, los hermanos Kadoorie se habían puesto manos a la obra, habían rehecho su fortuna y, de paso, la de la colonia bri-

---

* «La dinamo humana que engendró la energía de Hong Kong.»

tánica. A continuación, con la llegada de Mao y de los comunistas, todas sus posesiones en Shangai les habían sido confiscadas. Sir Lawrence, un visionario, desbordaba energía. En sentido literal y en el figurado. Multimillonario en dólares, se había convertido en el patriarca de una familia que tenía el treinta y cinco por ciento de la China Light and Power, empresa de la que había sido presidente durante cincuenta y siete años, la mayoría de la cadena Hongkong and Shanghai Hotels, así como diversas industrias y sociedades más.

Después del entierro judío en la estricta intimidad, se había celebrado un servicio conmemorativo en la sinagoga Ohel Leah. Walter había asistido. Durante casi una hora, el Hong Kong moderno que lord Kadoorie había contribuido a construir pasó a un segundo plano. Los salmos y oraciones hebraicas parecían elevarse a mil leguas por encima de las torres de cristal y hormigón que consumían la energía proporcionada por la China Light and Power. Detrás de la élite, de los millonarios, de los oficiales e industriales de Hong Kong así como de la China Popular, todos cubiertos con un sombrero o con una *kipá*, se habían amontonado más de quinientas personas en la sinagoga y bajo la carpa instalada en el jardín. «Era un visionario —se repitió Walter pensativo, mientras jugaba con una de las cajas tubulares de cerillas de la Jinjiang Tower—. Y siempre consideró con serenidad la devolución de Hong Kong a China.»

Sin embargo, algunas cuestiones le preocupaban. ¿Era posible que los salarios siguieran siendo en Hong Kong diez veces más altos que en el resto de China? ¿Podría Hong Kong, bajo el gobierno comunista, continuar siendo la ciudad donde acudían los emires para proveerse de joyas, vestidos de alta costura y preciadas antigüedades?

La comunicación de un periodista estadounidense muy joven del *Times*, Daniel Levy, que se había propuesto escribir la biografía de Morris «Two-Gun» Cohen, sacó a Walter de sus cavilaciones. Se enteró de que Sun Yat-sen, antes de su muerte, había ordenado que en su entierro no participase ningún europeo, «a excepción de sus amigos judíos y especialmente su consejero, el general Cohen».

A la hora de la cena, Walter invitó al periodista a sentarse a su lado y entonces le tocó a él evocar el recuerdo de aquel que le había abierto las puertas de Hong Kong. El joven apenas comía, ocupado como estaba en anotarlo todo febrilmente.

Ese intercambio llenó de satisfacción a Walter. Pero una hora más tarde, el paseo en barco por el Huangpu, antes Whangpoo, a lo largo del Bund, iluminado por el resplandor de los castillos de fuegos artificiales que se reflejaban en el agua, mitigó los sentimientos del *taipan*. Odiaba esos entretenimientos para turistas. Allí más que en ningún otro sitio. Él había conocido todos los rincones de Shangai y respirado sus olores más íntimos. Observó el elegante vuelo de los murciélagos y luego, abandonando el puente húmedo y ventoso, se instaló en la cabina donde se servía el té. Té chino, con el que se regalaba desde que había llegado. Muriel no servía más que té inglés.

Cerca de Walter fue a sentarse un hombre fornido al que había oído, o más bien visto, hablar durante la ceremonia en Hongkew. Ralph Hirsch era el director de una asociación estadounidense que reunía archivos sobre la vida de los refugiados en Shangai.

—¿Hirsch? —preguntó Walter. Ese nombre le recordó con emoción los tres bombones, comprados ¡al precio de qué sacrificios! a Edith, que Otto le había llevado al hospital—. ¿De la familia de Edith?

Los ojos de Ralph brillaron como ascuas.

—Su hijo.

En aquella otra época, cuando era un muchacho de unos quince años, se enorgullecía de la pelusilla que sombreaba su labio superior. Una corta barba entrecana ocultaba entonces sus facciones. Walter y él, que apenas se habían tratado, se palmearon en la espalda como viejos camaradas. Gracias a Ralph, Walter reencontró las huellas de algunos entre los que se contaban aquellos a los que él había querido. Otros congresistas, además del grupo de la primera noche, se les unieron y retazos de vidas centellearon como pavesas en la noche.

El relato del destino de Jimmy Paxton, el mago, entristeció a Walter. En 1949, Jimmy, que se negaba a regresar a Berlín, se había planteado vivir en Shangai. Los comunistas iban a desbaratar sus planes cerrando todas las salas de fiesta. Tras haber recibido una negativa de Australia, terminó por conseguir un afidávit para Estados Unidos y, después de un movido viaje, arribó a Ellis Island.

—Jimmy solo conoció un año de bonanza en Shangai, entre 1947 y 1948 —resumió Ralph—. «Podía comer cuanto quería y beber aguardiente», solía decir. Y también: «La primera vez que lloré en el cine, fue en América, cuando me di cuenta de que yo no estaba hecho para ganar mucho dinero».

El mago había ido tirando, cambiando de un trabajo a otro y soñando con San Francisco, donde lo aguardaban, aunque él lo ignorase, otras desilusiones. Acabó regresando a Berlín, consciente de no haber llegado nunca a nada. Comparaba su vida con la de un árbol joven al que las circunstancias habían impedido crecer recto. El exilio en Shangai había destruido sus apoyos.

Otro destino que entristecía a Walter era el de Franz y Leopoldina Epstein, que habían regresado a una Austria poco interesada en volver a ver a los suyos, con el argumento de que entre los refugiados podía haber ocultos antiguos nazis. Como Franz y Leopoldina tenían pocas esperanzas de que Viena les remitiera los documentos necesarios para su partida, se casaron por tercera vez. Matrimonio chino, en esa ocasión. Tras dejar el ataúd de la madre en tierra china, la familia cogió el barco hasta Nápoles, luego un vagón para ganado, itinerario agotador para Franz que, curando a sus desdichados enfermos en una clínica del Ejército de Salvación, había contraído una enfermedad pulmonar. En Viena, en un ambiente hostil y todavía antisemita, los Epstein descubrieron que su piso había sido requisado.

Leopoldina trabajó limpiando casas, único oficio posible

entre la grave enfermedad de Franz y las constantes afecciones de la pequeña Elisabeth. Franz no sobrevivió más que dos años.

Walter jamás había vuelto al país cuya nacionalidad había conservado por tanto tiempo (hacía solo quince años que poseía pasaporte inglés), pero se prometió hacer entonces ese viaje, puesto que un nuevo presidente de la República había sustituido a Kurt Waldheim, tan condescendiente con los nazis.

Poco a poco, otros congresistas fueron a contar sus vidas. Una estadounidense, que había permanecido soltera, relató que sus padres habían regresado a Austria y que ella, consciente de que no volvería a verlos, los había abrazado en el muelle, ese mismo muelle hacia el que se dirigía en ese momento el barco.

La voz del capitán, que agradecía a los pasajeros haber elegido su embarcación y les deseaba una feliz continuación, se superpuso a la de ella. La lancha estaba atracando en el embarcadero y todos se levantaron. Walter rodeó afectuosamente los hombros del profesor Pan, modesto y acongojado, para felicitarlo por su trabajo así como por la organización de las jornadas.

—¿Qué le empujó a recuperar las huellas de la vida judía en Shangai? —le preguntó—. ¿De dónde procede su entusiasmo, profesor?

Walter se expresó en shangainés, contento de recobrar una riqueza de vocabulario que creía perdida.

—Un recuerdo de infancia. Mi mejor amigo era judío y yo sufrí cuando se marchó de Shangai. Luego, por su causa, he procurado saber más y sigo impresionado por la catástrofe que se abatió sobre el pueblo judío durante la guerra.

Subían por los escalones del muelle. Enfrente se elevaba el antiguo Cathay Hotel, rebautizado Peace Hotel.

—¡Vengan! —exclamó Walter a los que lo rodeaban—. ¡Les invito a tomar una copa!

Nada había cambiado, pero el correr de los años había deslustrado los dorados, arañado la caoba y comido el azogue de los espejos. La camarera, que vestía al estilo chino y tenía el rostro pálido muy maquillado, no habría desentonado en el decorado de antaño, con su moño alargado y su flequillo alto y engominado, que le caía en rizos sobre la sien. Atendía de manera discreta y sonriente. ¡Qué contraste con la vulgaridad de los desaliñados turistas europeos que se contoneaban torpemente sobre la pista al son de *Tea for two*!

—¡Excelente orquesta! —apreció Walter, que reconoció a la mayor parte de los músicos por haberlos oído en otro tiempo.

—¡Estuvieron ensayando en secreto durante la Revolución Cultural! —reveló Pan con orgullo.

Un deseo de volver a ver el lugar donde había escuchado a esos músicos se apoderó de Walter. Pagó las consumiciones, pidió disculpas al pequeño grupo y tomó el ascensor hasta la planta sexta.

El antiguo bar había dado paso a un amplio restaurante. Los camareros, que esperaban a que se fuera la última pareja, vieron llegar a Walter con espanto. Sus rostros se dulcificaron cuando comprendieron que el visitante solo deseaba admirar el espectáculo desde la ventana. Se veía perfectamente cómo se perfilaba la torre de la televisión ensartada en dos esferas gigantescas de cristal, «la más alta de Asia» hasta el momento, que emergía de Pudong, en la otra orilla del Whangpoo, barrio unido ya a la ciudad por un túnel subterráneo y, en breve, por «el puente más largo del mundo». Cuarenta y cinco años antes, Pootung no era más que un terreno insalubre, un vivero de fábricas de hilados y de cigarrillos, adonde solo se podía llegar por el río. En aquel tiempo, delante de esa misma ventana, Mayling había tratado a Walter de «fornicador» y de «sucio excremento de tortuga». Se acordó también de su boca, contraída por la violencia, que lo amenazaba: «¡Te encontraré donde quiera que vayas y te haré pagar caro la afrenta que me infliges!».

Two-Gun le había informado de que Mayling se había casado con un camarada de Mao y se había hecho amiga de la temible Jiang Qing, la esposa del Gran Timonel. No había dudado en inventarse una biografía roja e incluso había hecho asesinar a uno de sus antiguos amantes, testigo molesto de su pasado.

Max Herzberg le había contado un día que Mayling acababa de comprar una casa en Macao. Walter había quedado una noche con Max en la oficina de este, quien, de acuerdo con su costumbre, estaba observando la sala de juego a través de un falso espejo que le permitía ver sin ser visto. De pronto exclamó: «Ahí está Mayling». Walter distinguió a una mujer gruesa, que llevaba unas grandes gafas oscuras. Estaba hablando con una croupier. Un rictus de dureza deformaba su boca. Sus manos cargadas de anillos y rematadas por unas garras rojo sangre, sostenían un montón de placas y dos paquetes de cigarrillos.

Walter estaba taciturno cuando el ascensor del Peace Hotel lo dejó en la planta baja. Nada en Shangai lo atraía y en Hong Kong había tanto que hacer… Solo el profesor se había quedado esperándolo. Los demás se habían ido a pie. Walter llamó a un taxi y le pidió al joven decano que le indicara primero su dirección. Suponía que el salario de profesor no le permitiría pagarse un medio de transporte tan lujoso. De camino le reiteró sus felicitaciones, agradecimientos y expresiones de ánimo, y finalmente le explicó que, por desgracia, lo habían requerido urgentemente en su casa.

—Pero, entonces, ¡no va a ver Pudong! —se entristeció Pan—. Una zona de desarrollo única en China, tan grande como el estado de Singapur. Es el momento de invertir allí. Luego lo lamentará.

—Enviaré dentro de poco a mis hijos —prometió Walter.

—¿Saben shangainés?

—No.

Pan acababa de poner el dedo en la llaga. Sus hijos ni siquiera habían considerado útil aprender el cantonés que se hablaba en Hong Kong.

—No importa —dijo amablemente el profesor—. En nuestros colegios, la enseñanza del inglés es muy buena. Incluso hemos establecido el aprendizaje del hebreo en algunas escuelas infantiles.

—¡Del hebreo! ¿Ha dicho del «hebreo»?

Pan asintió, contento por su efecto.

—¿Cómo es eso?

—Nuestros dirigentes piensan que esos niños construirán un puente con los judíos del mundo entero, ya acudan estos a Shangai o vayamos nosotros a visitarlos.

—¡Ingenioso! —reconoció Walter, divertido.

Tal como iban las cosas, llegaría un día en que, sobre la tierra, habría más chinos que judíos que hablasen hebreo.

Los dos hombres se separaron delante de la casa de Pan, en la antigua rue Lafayette, tras profundas demostraciones de amistad. Walter se dirigió al recepcionista para pedirle que le buscara un avión que le llevase de vuelta a Hong Kong al día siguiente. Sin darle tiempo para hablar, el empleado le indicó que lo estaban esperando desde hacía dos horas e hizo una señal en dirección al vestíbulo.

Walter se volvió y vio acercarse a un anciano chino.

Era un hombre delgado. Estaba elegantemente vestido con un traje gris oscuro sobre una camisa blanca y tenía el rostro lleno de arrugas, pero su paso era ágil. Parecía deslizarse sobre el suelo. ¿Quién era?

Bajo la cabellera todavía espesa, los ojos carecían de cualquier expresión. De pronto Walter reconoció el remolino en la coronilla.

—¡Fengyong!

El hermano de Feng-si inclinó la cabeza sonriente y le tendió la mano. A la occidental.

A la china, Walter lo condujo hacia los sillones, pidió té y, amordazando su impaciencia, se interesó educadamente por la salud de Fengyong así como por la de su familia, respondió acerca de la suya, manifestó su gozo ante esa ocasión de «reanudar una vieja amistad», dijo que estaba muy contento de haber vuelto a Shangai, se enteró de que Fengyong había experimentado una gran alegría al reconocerlo en la pantalla de la televisión y se había apresurado para desearle la bienvenida y se informó sobre la buena marcha de los negocios del chino, todos los temas que había que tratar antes de poder formular la pregunta que tanto le interesaba:

—¿Cómo se encuentra la amable Feng-si?

El rostro de Fengyong no se inmutó.

—¿Cuándo la vio por última vez?

¿Por qué le respondía el chino a una pregunta con otra?

—En el estreno de mi película. Al día siguiente, quise ir a saludar a Feng-si, pero no estaba en casa. Luego tuve que irme de Shangai en escasas horas.

—Al día siguiente —retomó Fengyong impasible—, mi hermana compró una corona de loto y se dejó arrastrar por el Huangpu.

Las manos y los labios de Walter empezaron a temblar. Se puso pálido.

—No me lo puedo creer —balbuceó—. Siento una pena inmensa, inmensa de verdad.

No encontraba las palabras. Fengyong lo examinaba con una mirada helada.

—A pesar de todo tuvimos suerte. Un pescador la salvó.

Walter frunció el ceño. ¿Cuál era el significado? Luego, de repente, henchido de alegría:

—¡Entonces está viva!

Sintió que los ojos se le llenaban de unas lágrimas que logró contener.

—Sí —dijo Fengyong al tiempo que sacaba un paquete de cigarrillos de su chaqueta y se palpaba los bolsillos en busca de fuego.

—¿Está viva? —repitió Walter.

Le tendió una de las cajas tubulares de cerillas. Fengyong la examinó con mucho interés antes de usarla.

—*Very smart!* —apreció el chino con una débil tos que se

cubrió con la mano—. Mi hermana vive en Francia. Está muy bien casada.

—¡Estupendo! ¿Con un francés?

—No, con un austríaco. Un judío. —Fengyong soltó una risa típicamente china—. Mi cuñado trabajaba en la peletería de Chan Kee, en Szechuen Road, y se trasladaron a París en 1950. Feng-si es muy feliz. Tiene tres hijos y una hija, vive con su marido en un bonito piso y acaban de tener su séptimo nieto.

Una nueva risa. Walter se le unió de buena gana, liberado de una dolorosa carga. Vació su taza de té. Fengyong encendió otro cigarrillo.

—También yo he conocido muy bien a Zhong Mayling —anunció el chino con una sonrisa vagamente cómplice.

«¿Qué significa este "también"?», se preguntó Walter, aunque, como empezaba a sentirse cansado, se contentó con sacudir la cabeza. Fengyong aplastó la colilla en un cenicero, se levantó y se inclinó. Walter consiguió ocultar su alegría. Tras las cortesías de costumbre, estaría por fin libre de organizar su regreso a Hong Kong. Se marcharía feliz.

—Me gustaría invitarlo a comer mañana —dijo Fengyong.

—¿Mañana?

Un combate se libró en el espíritu de Walter. ¿Marcharse como había decidido o quedarse? Era evidente que Fengyong deseaba pedirle algo.

—Sí, mañana, honorable *taipan*. —El chino inclinó el busto—. Me gustaría presentarle a mi hijo mayor, el sobrino preferido de Fengxi.

Fengyong ya no diría nada más esa noche, eso era seguro. ¿Podía Walter negar su ayuda a la familia de Feng-si?

—Con mucho gusto —respondió ocultando su contrariedad con una sonrisa.

Fengyong le indicó la dirección de un restaurante en la antigua Ciudad China y se despidieron con profundas manifestaciones de cordialidad. Cuando llegó a su habitación, Walter se sentía de nuevo apesadumbrado. Odiaba que lo manipularan así. Una extraña desazón, que ya había experimentado la primera noche, le provocaba la impresión de estar metiéndose en un atolladero.

Al día siguiente, Walter se levantó temprano. El sol brillaba, incitándolo a ver de nuevo tranquilamente la ciudad. Pidió que le reservaran un billete en el avión de la noche, con Dragonair, comunicó su regreso a Muriel y, con las manos en los bolsillos, salió al reencuentro de su Shangai.

El Lyceum Theatre continuaba su brillante carrera, acogiendo a celebridades del mundo entero. Al pie de Grosvenor House, Walter distinguió las ventanas del primer piso de los Sokolov. Enfrente de las Cathay Mansions, un espléndido Garden Hotel ocupaba el antiguo Cercle Sportif Français. Walter se concedió el privilegio de volver a ver la escalera y los pilares art déco, la sala de baile bajo la vidriera semejante a un gigantesco cabujón. El Picardie, que había pertenecido a Pierre Fano, a quien Walter había conocido en casa de Paul Boulanger, seguía haciendo guardia en Hengshan Road, que en otro tiempo recibía el nombre de avenue Pétain.

Marble Hall, la antigua residencia de los Kadoorie, acogía a niños becados bajo el rótulo de Children's Palace. En el pretérito palacio de los Hardoon se instalaban ferias de muestras. Ese día tocaba material electrónico transportado en antiguas carretillas. Walter no tenía intención de llegar hasta la casa de campo de sir Victor Sassoon, pero se había enterado de que la Banda de los Cuatro, en guerra con el «revisionismo» de Deng, la había elegido como lugar de reunión. Un gran parque público ocupaba el terreno del hipódromo, frente al Park Hotel, todavía en uso, y el Great World, símbolo de todos los vicios de la antigua «Sodoma y Gomorra», se hacía perdonar su pasado libertino acogiendo un Centro de la Juventud. Por último, la Bolsa de Shangai había ocupado el Astor House.

Paso a paso, este itinerario había ido llenando a Walter de emoción y de desencanto. Con todo, la exaltación se apoderó de él cuando penetró en las callejuelas de la antigua Ciudad China y volvió a ver los Yu Gardens, magníficamente restaurados. Sin embargo, no se entretuvo y regresó a las bulliciosas calles. Calles dedicadas a los abanicos, a los vestidos de novia, a los hilos de seda, calles de vendedores de té, de buñuelos. Como antes, las pequeñas gentes corrían andando, andaban corriendo, chop chop. Pequeñas gentes conmovedoras. Al observar las antiguas casas inalteradas, Walter no dudó de que el grito del recogedor de excrementos seguía rivalizando al alba con el canto de los gallos mientras la fila de los cubos vacíos se alineaba a su espalda.

Fengyong y su hijo Yimou, «Que busca la justicia», aguardaban ya en el restaurante. Yimou, un soltero de treinta y cinco años, se parecía tanto a Feng-si que podría haber sido su hijo. El óvalo de su rostro, su piel clara y sus corteses modales fascinaron a Walter. Hablaba inglés con fluidez, había ocupado diversos puestos en buenas empresas y deseaba trabajar en Hong Kong para formarse en la manera de actuar occidental.

—Yo no era lo suficientemente rico como para proporcionarle estudios en Europa —dijo Fengyong con una mirada insistente.

La sala se había vaciado. Vestido todavía con su traje de cocinero, el chef fue a sentarse en un taburete para fumarse un cigarrillo. Al tiempo que miraba con insistencia a los tres hombres, se limpió la oreja con cuidado, examinó la cosecha reunida bajo la uña de su meñique y la hizo saltar de un papirotazo. Walter dio la señal de partida, Fengyong la de intercambio de tarjetas y se levantaron.

Fuera, el cielo se había puesto gris de nuevo y el frío era intenso. Walter sintió un escalofrío. Volvió a decirle a Yimou que le encontraría un buen empleo. Lo pensaba de verdad. De ese modo saldaría por fin su deuda con Feng-si.

Cuando se quedó solo, Walter se ocupó del regalo que llevaría a Muriel. Se acordó de una tienda de curiosidades que regentaba un tal Wu Yutsing, el nombre le vino de golpe a la memoria, un amigo de Feng-si, en el corazón de la Ciudad China. Encontró la calle y el establecimiento. Curioseó, fisgó, negoció el precio de un frasco precioso y estaba a punto de pagarlo cuando un estuche medio abierto captó su atención. Contenía un antiguo reloj con la esfera de jade. «Maravilloso», pensó Walter cautivado. No había sido nunca usado y tenía todavía su certificado de procedencia. Un artesano lo había hecho en 1938, el año de todos los tormentos, el año en que Walter había sido arrojado a China.

Al salir de la tienda con el reloj en el bolsillo, tuvo la idea de que ese regalo sería una prenda de amor además de un símbolo de su desquite frente a la vida. Un ciclo se había cerrado. Walter podía abandonar Shangai con el corazón contento.

Pero ¿era posible abandonar Shangai?

VII

Hong Kong
1997

Sentado en su despacho, Walter recorre con una mirada desengañada la prensa internacional de ese lunes, 30 de junio de 1997. En todos los periódicos, el titular de la primera plana se refiere al mismo acontecimiento. Solo varía el tono.

¡CUANDO DEN LAS DOCE, EL ARROZ ESTARÁ COCIDO!
UN NO-SUCESO
¡CUATRO, TRES, DOS, UNO, CERO!
¡ÚLTIMA CEREMONIA DIARIA DE LA BANDERA BRITÁNICA!
FELIZ STATU QUO
¡ADIÓS, HONG KONG!
FIN DE LA CUENTA ATRÁS
EL MATRIMONIO DE LOS HIJOS DE MAO Y DE MCDO
¡BUENOS DÍAS, CORRUPCIÓN!
HONG KONG, MÁS PEQUINÉS QUE PEKÍN
EL FIN DE UN MUNDO
PEKÍN LO HARÁ MEJOR QUE LOS BRITÁNICOS
LA UNION JACK SUSTITUIDA POR LA BANDERA ROJA Y LA FLOR DE BAUHINIA
LA REPÚBLICA POPULAR SE HACE CON LA JOYA DE LA CORONA

Sobre todo eso ha estado hablando Walter con Muriel y Lisa por la mañana durante el desayuno. Se han entretenido imaginando los preparativos de Margaret Thatcher, por una parte, y de Den Xiaoping, por la otra. La Dama de Hierro está invitada a la fiesta desde hace más de diez años, pero ¿acudirá?, y el Pequeño Timonel lleva siglos repitiendo que su mayor deseo es entrar en Kowloon en 1997, aunque sea en silla de ruedas. Este, que no ocupa más cargo oficial que el de presidente de la Federación China de Bridge, celebrará en menos de dos meses su noventa y tres cumpleaños oficial, pues su edad real sigue siendo objeto de controversia. Algunos afirman que raras veces está consciente, que solo los aparatos lo mantienen vivo y el rumor lo ha enterrado ya varias veces.

¿Podrá Deng cumplir su palabra? Suspense. «¿Y si su cansado corazón dejara de latir cuando den las doce?», ha imaginado Lisa de manera novelesca.

Lo que es seguro es que a medianoche, tal vez habría que decir a la hora cero, los grandes edificios van a quedar deslumbrados por las luces después de que las innumerables campanas hayan repicado su último tañido bajo la égida británica. Más allá de las ciudades, los ríos y las montañas, se harán eco del carillón del inmenso reloj instalado en Pekín en la plaza de Tiananmen, que cantará el final de la cuenta atrás.

Lo que es seguro es que a medianoche un concierto de cláxones llenará las calles de la difunta colonia. En la televisión, los ídolos del mundo del espectáculo beberán champán y brindarán en copas grabadas con la inscripción china «Bienvenida a China», formando con sus dedos la V de la victoria. Lejos del estruendo, Chris Patten, el último gobernador de Hong Kong, procederá a la devolución oficial de las llaves. Luego, seguido por las cámaras del mundo entero, abandonará la ceremonia y cogerá un avión de la British Airways que despegará hacia Londres. En el puerto, los últimos quinientos soldados de la guarnición británica marcharán con gravedad hacia una lancha que los transportará al último portaaviones con las armas de Su Majestad. Los últimos kilts, los últimos gorros de piel, el último canto de los gaiteros: un desgarrador *Auld Lang Syne*.*

Cuando la Union Jack se haya arriado por última vez, una unidad del Ejército Popular de Liberación, que ha llegado al

* Canto de despedida escocés.

494

mediodía, se adelantará para desplegar la bandera china y, a continuación, la bandera roja con la flor blanca de la Bauhinia, emblema de la «región administrativa especial de Hong Kong». El presidente chino, Jiang Zemin, un shangainés, y el primer ministro, Li Peng, se llevarán la mano al corazón, mientras que, semejantes a mariposas que dejan su crisálida, las banderas alzarán el vuelo en el pesado aire. En la frontera norte con China, más protegida que nunca, un zumbido de helicópteros advertirá a los habitantes de los Nuevos Territorios que una guarnición de nueve mil fornidos chinos está entrando en Hong Kong, siguiendo a su comandante, el general de división Liu Zhenwu, magnífico en su jeep.

—Los motivos para inquietarse por el futuro son evidentes —ha admitido Walter—, pero no más evidentes que los motivos para mostrarse confiados.

Walter pertenece al comité encargado de preparar la transición, un comité nombrado por las autoridades chinas entre los principales empresarios que ya habían sellado acuerdos comerciales con la China Popular. Está bien situado para saber que China es, desde hace tiempo, la dueña de la casa y que ha comprendido el interés de animar a esos magnates a mantener el sistema que permite que Hong Kong, una pequeña mancha en el planeta, sea la octava potencia económica del mundo y ocupe el tercer puesto financiero del globo. Pekín no va a matar a la gallina de los huevos de oro.

Walter abre el cajón de su escritorio, toca la pared del fondo y accede al escondite donde ha guardado los cuadernos con sus pensamientos íntimos. Nunca ha dejado de escribir. Solo Lisa, su adorada hija, conoce la existencia de esas recopilaciones, pero nunca las ha visto. Walter le ha pedido que no los abra hasta después de su muerte, así como la de Muriel. Está seguro de que Lisa no lo traicionará.

«¡Two-Gun había previsto todo! —anota con admiración—. En 1949 sabía ya que la colonia británica no tendría otra solución que hacerse china.»

Su pluma prosigue sobre el papel: «Una de las cuestiones inquietantes sigue siendo la libertad de prensa, que corre el riesgo de ser amordazada por leyes nuevas. Este es el motivo por el que algunos titulares de hoy son tan virulentos, debido a la intranquilidad de los periodistas por poder manifestar a partir de ahora su opinión con franqueza y al temor de muchos a que Pekín abra expedientes a sus detractores».

Hace mucho tiempo que los comunistas se han infiltrado en las redacciones y que los pequineses están sentados, a través de intermediarios, en los consejos de administración. Ni siquiera el *South China Morning Post* se ha librado. Los lectores no tienen por qué haberse dado cuenta. La línea editorial vela por el momento para preservar la clientela del periódico.

«Es difícil también —sigue anotando Walter— no preocuparse acerca de la aplicación de los Derechos Humanos.» El futuro inmediato del abogado Martin Lee, cabeza del Partido Demócrata hongkonés, el más célebre de los opositores de la colonia, da lugar a muchas apuestas. El 3 de julio, fecha de la primera reunión del nuevo Consejo Legislativo, las cámaras y los periodistas del mundo entero (hay ocho mil presentes) esperan ver expulsado de la Cámara por la policía al que la *Far Eastern Economic Review* ha nombrado «mártir» Lee. Ese día el parquet de la Bolsa jugará al yoyó.

¿Qué va a ocurrir, se pregunta el fiel amante de los musicales de Broadway, con los escenarios de Hong Kong, por donde desfilan compañías y obras de todos los países? Los artistas son pesimistas. «1997 va a ser el año de los ingenuos —ha declarado el fotógrafo Kary Kwok—. Un año de celebración a lo largo del cual China estará en el objetivo de los medios de comunicación. Pero 1998 será el año crucial. Todo podría cambiar de verdad.» En su «Autorretrato como Miss Hong Kong 98» ha sustituido la diadema de costumbre por una gorra comunista, verde con la estrella roja.

Si se amordaza a Hong Kong, la familia Neumann y sus empresas emigrarán. Se han tomado todas las disposiciones. En general, Walter, Muriel y Lisa permanecen serenos, optimistas. Pero el diálogo resulta áspero con David y Jonathan, los hijos que, desde el comienzo de las negociaciones, tomaron partido por los británicos. «¡Ni que fuerais descendientes de la reina Victoria!», se había burlado Walter. Para poner las cosas en su sitio, les había recordado quiénes eran sus bisabuelos paternos: emigrantes de un barrio de Budapest. «¡No lo olvidéis jamás!», se había enfurecido.

David y Jonathan lo irritan por su falta de diplomacia. En el conflicto que los enfrentó a los demás accionistas de la Golden Dragon Company no supieron evitar el desprestigio a los herederos del viejo señor Wu.

En 1949, el anciano señor Wu también se trasladó a Hong Kong y la muerte se lo llevó poco después. Aunque conservan importantes intereses en Hong Kong, sus hijos regresaron a Shangai hacía casi diez años. Están haciendo grandes negocios. La ciudad se ha convertido en el nuevo eldorado desde la explosión del gran boom inmobiliario. Doscientos cincuenta mil habitantes han sido expulsados de sus alojamientos, en ocasiones antiguos palacios donde vivía una familia por habitación con una cocina compartida por planta, y han sido confinados a los extrarradios. Durante el día, el centro late al ritmo de los picos, las piquetas y las excavadoras, mientras que por la noche se levantan audaces andamiajes. Un hongkonés está en el origen de esa mutación, un shangainés se convertirá en el primer jefe del gobierno hongkonés bajo la férula china. Los vínculos entre las dos ciudades, entre la «Perla del Extremo Oriente» y la antigua «Perla de Asia», se han entrelazado en una inextricable red.

«David y Jonathan han tenido una juventud demasiado fácil —suspira Walter regresando al descontento que le inspiran sus hijos—. Mis años en Shangai me enseñaron a buscar los auténticos valores y a comprender mejor a las personas… Ninguna universidad, ningún período de prácticas pueden sustituir a semejante escuela de vida… Sin embargo, Muriel y Lisa tampoco han sufrido y ¡tienen el don de encontrar la llave de los corazones!… Tal vez sea porque son mujeres.»

La suficiencia de sus hijos irrita tanto a Walter porque le recuerda a la suya cuando era joven. Pero ¿acaso no tenía él la excusa de desconocerlo todo sobre la mentalidad china? Recuerda que en sus primeros días en el Wiener Café no tuvo consideración hacia el pobre lavaplatos que era entonces Fengyong. Fingió no haberse dado cuenta de que el chino también deseaba el puesto de camarero que había quedado libre por la enfermedad de Kurt. O, más bien, le pareció normal que fuera él, el occidental «evolucionado», quien se lo quedara.

Según parece, Fengyong no le guarda rencor por ello ni tampoco por haber infringido su prohibición de tratar con Feng-si. Si no, ¿le habría confiado el septuagenario de hoy la formación de Yimou, su hijo mayor? Chen Fengyong le dirige frecuentes mensajes de amistad a través de Yimou, desde que este se ha convertido en el «secretario personal del *taipan*». Walter siempre ha confiado ese puesto a chinos. Como decenas de miles de compatriotas, el anterior se largó de golpe a Canadá. ¿Una suerte?

Walter no va a escribir nada más hoy. Guarda su cuaderno, atento al ruido del resorte que asegura el secreto.

Con los dedos se echa para atrás los mechones que le cubren la frente, luego coge el portafirmas donde Martin, el nombre occidental que ha elegido Yimou, le ha preparado las cartas que tiene que firmar.

Las oficinas van a cerrar excepcionalmente pronto ese día, pero la agitación que reina en ellas todavía le llega a Walter. Resulta odioso. Decide huir. Tras una breve lluvia, el calor ha debido alcanzar las temperaturas anunciadas. Veintinueve grados, cuarenta y ocho por ciento de humedad. Normal para un 30 de junio. El tifón que amenazaba parece renunciar. Walter se irá a nadar. ¿Acudirá a la pretenciosa piscina, falsa ruina galorromana, del Peninsula? El fastuoso hotel de la cadena de los Kadoorie está formado por una torre de treinta pisos. El techo, desde el que se domina Victoria Harbour y Kowloon, cuenta con dos helipuertos. Una nueva flota de diez limusinas Rolls-Royce está a disposición de los clientes. Con esta reflexión, Walter opta por su pequeña cala de Macao.

El aire saturado de Hong Kong, un bosque permanente de grúas, le pesa. En la bahía donde los últimos juncos de vela bogan con pabellón turístico, los pólders ganados al mar aproximan cada día más la isla al continente. El nuevo aeropuerto de Chek Lap Kok, para cuya construcción se ha necesitado la «importación» de setenta mil obreros y que en pocos meses acogerá a ochenta millones de pasajeros al año, modifica completamente la estructura de la ciudad con sus túneles, su red de carreteras, sus vías de tren, su puente colgante de más de dos kilómetros… Una de las grandes obras faraónicas proyectadas por los británicos antes de irse.

La ciudad zumba como nunca. Desde finales de 1995, todos los hoteles estaban llenos para esa noche histórica y algunos, especulando con una subida de los precios, habían preferido no admitir reservas. La gente se amontona en el Peninsula, el hacinamiento es aún mayor que de costumbre en el bloque de inmuebles de Shamshuipo, en Kowloon, que, en épocas normales, detenta el récord mundial de concentración humana. Solo los tranvías deambulan al ritmo lento que les ha proporcionado el éxito entre quienes buscan publicidad y los ha transformado en reclamos ambulantes. Es difícil encontrar un ápice vacío en su carrocería metálica azul, roja, verde o blanca.

Desde hace ya algunos meses, Walter anhela el desierto. Ha descubierto una pequeña cala salvaje al norte de Macao muy cerca de la frontera china. Una anciana, aunque puede que sea más joven que él, de tez rosada como la piel de una patata dulce le guarda la ropa en su choza, le prepara jarras de agua clara y le bendice por las monedas que le deja al marcharse. «*Tsek ban mo?*»,* le pregunta todas las veces, utilizando sin

---

* «¿Ha comido?», que equivale a nuestro «¿Cómo está?».

malicia ese saludo ligado al hambre y la pobreza recurrentes del pueblo chino. Él la llama Laoma, con un pensamiento de ternura hacia la «anciana madre Yang», la madre adoptiva de Feng-si.

A Walter le gusta flotar de espaldas, sin preocuparse de la dirección adonde lo llevan las olas, moviendo apenas los brazos y las manos. Una vigorosa brazada lo devuelve regenerado a su punto de partida.

Además, en Macao podrá ver a su viejo amigo Max. Su último encuentro data ya de algunas semanas. Max, que ha adelgazado, se está recuperando de un problema cardíaco. Dice que está del todo recuperado, pero quién sabe. Después del baño, Walter lo invitará a tomar un vino en una de esas pequeñas tascas a la sombra de las casas pintadas de un rosa apagado o un verde pálido, con columnatas y balcones de hierro forjado, que a uno le recuerdan a Budapest y al otro a Italia.

«¡Macao, mi trocito de Europa!», anotó Walter un día en su cuaderno.

Descuelga el teléfono.

—Martin, ¿a qué hora tiene la salida el siguiente aerodeslizador para Macao?

—¡Voy a consultar el horario, *taipan*!

El paseo por el mar es agradable, tranquilo. ¡Al menos, en principio! Hace casi dos años, el aparato fue asaltado por unos piratas que exigieron un rescate por los pasajeros y se apoderaron del dinero. ¡Un botín estimado en diez millones de dólares de Hong Kong!

—¡Sale en media hora, *taipan*!

—¡Vamos!

Walter nunca se ha lamentado de haber contratado a Martin, inteligente, dócil y trabajador, como secretario personal. Solo deplora la excesiva reserva del sobrino de Feng-si, que no se confía jamás y mantiene siempre un rostro sonriente, pero impasible. En cuanto desembarquen en Macao y lleguen a la cala, Martin le pedirá permiso para «pasearse por la isla». Es su secreto común. A Muriel le inquietan esos baños en parajes desiertos y cree que Martin vigila a su jefe. Walter odia la idea de sentirse vigilado. Para él la soledad es vital.

Accederá, pues, al deseo de Martin, que se volverá a marchar en el taxi y estará puntualmente de regreso a la hora convenida. Walter sabe que Martin es exigente en cuanto a la belleza femenina y está deseoso, según dice, de fundar una familia, por lo que en un primer momento sospechó que andaba buscando una bella esposa macaense. Las hongkonesas no le inspiran más que desprecio. Martin sostiene que son guapas pero que solo les interesan los occidentales, pues el matrimonio es un medio de conseguir un pasaporte extranjero. Pero no le da pena. Esas no saben hacer otra cosa en la cocina que calentar *dumplings** congelados.

Luego, un día, Walter se enteró por Max de que Martin aprovechaba sus paseos por Macao para acudir a las casas de juego. Es un jugador empedernido. Juega a las cartas, al *mah jong*, a la lotería, apuesta a todo, baila con la ruleta y las máquinas tragaperras. Pero ni su semblante ni su comportamiento revelan jamás nada de sus pérdidas ni de sus ganancias.

Vladimir, el chófer, los conduce hasta el embarcadero. Su padre, que presumía de duque, era el guarda en el Wing On de Shangai. El ruso blanco, que también había huido de los comunistas y se había establecido en Hong Kong, daba vueltas alrededor del Peninsula en busca de trabajo. Fue así como, habiendo reconocido a Walter, se dirigió a él y se convirtió luego en su chófer. Cuando le llegó el momento de la jubilación, movido por un sentido preciso de la dinastía, cedió el volante a su hijo, Vladimir, y Walter no vio ningún motivo para oponerse.

Walter o Martin llamarán a Vladimir cuando vayan a coger el barco de regreso para que acuda a esperarlos al embarcadero, hacia las siete. Walter tendrá el tiempo justo para prepararse

---

* Raviolis chinos.

para el inicio de las celebraciones, inauguradas por la ceremonia británica, que tendrá lugar, en un símbolo sublime, justo a la hora en que se pone el sol.

De camino, Martin se detiene para dejar una carta urgente en uno de los pesados buzones adornados con los emblemas reales, casi la única herencia de la era británica colonial. Retratos reales, efigies, banderas y estatuas ya han desaparecido. Una flor blanca de Bauhinia, emblema de la futura «región administrativa especial» ha sustituido el rostro de Isabel II en los billetes de banco y los nuevos sellos de correos prefieren una vista de «Hong Kong by night» a la reina.

Walter se echa a reír.

—Todo el mundo está pendiente de que esta noche se efectúe el traspaso de Hong Kong a China, sin darse cuenta de que tuvo lugar hace aproximadamente un año y medio, ¡el día en que el chino Larry Wong se arrellanó en el sillón del general Watkins en la presidencia del Royal Jockey Club!

¡Eso sí que había sido una revolución! El club de las superélites ponía fin a más de un siglo de dominio británico. El epíteto «Royal» había pasado de inmediato por la guillotina.

—Ningún accidente grave se ha vuelto a producir en el circuito de carreras desde 1965 —observa Martin con una sonrisa enigmática.

Le gusta recordar ese episodio.

Durante unas reformas, el Royal Jockey Club omitió consultar a un geomante para que estableciera el buen *fengshui*. Unos accidentes, casi en el lugar mismo del hipódromo, provocaron la muerte de tres jinetes. Una serie trágica, que cesó finalmente tras una sesión de geomancia.

Había habido otra serie trágica, la de muertos y heridos en una noche de celebración del Año Nuevo. En un barrio de bares y restaurantes en la ladera de la colina, unos jóvenes que bajaban por una calle en pendiente patinaron sobre el pavimento inundado de cerveza, se cayeron y, a pesar de los gritos, fueron aplastados por la oleada de miles de personas que en ese momento salían de los bares, bebiendo y cantando. No había ninguna escapatoria. Todos rodaban unos sobre otros.

¿Y si la devolución de Hong Kong se resumiera simplemente en otro atropello gigantesco, causante de muertes estúpidas y crueles, de heridas para toda la vida, así como del despido de las domésticas filipinas para reemplazarlas por *amahs* chinas?

De acuerdo con su costumbre, Walter no se olvida de observar los puestos de los vendedores de frutas y sus perfectas pirámides. Manzanas verdes y rojas. Recuerdo de las manzanas recién cogidas que comía en el campo al final del verano en Austria. Verdes con la piel roja, dulces y ligeramente ácidas, dejaban un gusto a pera con el último mordisco.

Suspira. De vez en cuando, pero cada vez más a menudo, a Walter le sucede que no comprende su siglo. Entonces experimenta la necesidad de reencontrar su pequeña cala de Macao, de sumergirse en la naturaleza, de verla revivir tras el período mortal del invierno, de observar su curso inmutable. Y cualquier indicio del renacimiento de la vida lo llena de una alegría reconfortante.

Por tercera vez, el comisario chino con los dientes picados vuelve a la carga.

—Señora Neumann…

Muriel lo mira como si lo viera por primera vez. No logra convencerse de la presencia real de ese hombre con aspecto de bulldog. Parece salido de una película mala y nada de lo que dice puede ser cierto. Impresión reforzada por la noche que ha pasado en blanco aguardando.

—Señora Neumann —insiste el comisario—, ¿a qué hora se dio cuenta de la desaparición de su esposo?

A Muriel, sus ojos de un gris azulado se le ponen en blanco. Querría olvidar, pero tiene que recordar.

—A las seis de la tarde —enuncia con una sucesión de suspiros—. Mi marido tenía que arreglarse para la celebración oficial y me extrañé de no haberlo oído regresar. Llamé a Vladimir, el chófer, que me dijo que estaba esperando su llamada para recogerlo en el embarcadero. Entonces marqué el número de su teléfono móvil, del que nunca se desprende, pero…

Prorrumpe en llanto. «El número al que llama no está disponible», le recitó el contestador del operador.

—Ten, mamá, bebe un poco de té —dice Lisa acercándole una taza.

En la otra mano, la joven mujer, ojerosa, sujeta un pañuelo hecho un ovillo. Viste simplemente unos vaqueros y una camiseta negros y con frecuencia se echa para atrás la cabellera pelirroja.

—¿Cuándo habló con su marido por última vez, señora Neumann? —retoma el comisario.

—Hacia las tres.

—¿Qué le dijo?

—Que se había puesto el bañador, que iba a nadar una horita, que, tal vez, más tarde quedaría con su amigo el señor Herzberg, pero que todavía no había conseguido localizarlo, y que luego volvería a casa.

—Usted afirma que no estaba solo.

—Su secretario, Martin Chen, lo acompaña siempre.

—Entonces, ¿ha hablado usted con el señor Chen o ha oído su voz?

—… No.

—¿Ha recibido noticias del señor Chen?

—Ninguna.

—Hemos podido averiguar que el señor Chen fue visto dos veces durante ese lapso. La primera, en el vestíbulo del Mandarin Oriental, cerca del embarcadero. Martin Chen hablaba con una persona de edad…

El comisario prefiere por el momento salvaguardar a la mujer de cabello platino claro que lo mira con espanto, por lo que no considera útil mencionar la descripción que figura en la ficha. La mujer, una china gruesa, con las uñas pintadas y los de-

Epílogo

En todos los rincones del mundo, en Hong Kong, en Singapur o en Macao, en Nueva York, en Los Ángeles, en Washington, en Indianápolis, en Filadelfia, en Miami o en San Francisco, en Montreal, en Vancouver o en Toronto, en Melbourne o en Sydney, en Tel Aviv o en Jerusalén, en Londres, en Berlín, en Génova, en Viena o en Salzburgo, en París, en Sarcelles o en Neuilly siempre encontrará a alguien que le hable con emoción de Shangai.

Para unos, Shangai permanece como la ciudad brillante, fútil, seductora, a la que llaman el «París de Oriente», el «Paraíso de los Aventureros» o la «Perla de Asia».

También es la Shangai roja, la Shangai rebelde.

Pero un último nombre le corresponde por derecho a la ciudad que salvó entre veinte mil y treinta mil vidas humanas: la que fue la Shangai judía se merece para siempre el nombre de «Shangai la Justa».*

---

* En hebreo se denomina «Los Justos de las Naciones» a aquellas personas, conocidas o anónimas, que salvaron a los judíos perseguidos por los nazis.

Agradecimientos

Quiero agradecer de corazón su colaboración a:

Viviane Alleton; Michèle Belaïch; Lucien Calmat; Israel Epstein; Pierre Fano; Élisabeth Ganglberger; Joan Grossman; Heinz Grünberg; Elsa Haïm; Yaël Hazan; Ernest G. Heppner, autor de *Shanghai Refuge*; Ralph Hirsch; Steve Hochstad, que generosamente me permitió el acceso a su obra *Shanghai Jewish Community, Oral History Project*, todavía inédito, donde he encontrado las entrevistas a: Helga Beutler, Georges y Fanny Borenstein, Melitta Colland, Hans Eisenstaedt, Martin y Susie Friedlander, Sonia Mühlberger, Henry Rossetty y Otto Schnepp; Pierre Jin Changkun; Henriette Kaganski; Gerd Kaminski; J. M. Huon de Kermadec; Bobby Klein; Rena Krasno, autora de *Strangers Always, a Jewish Family in War Time Shanghai*, que me ha abierto las puertas de Shangai; Heinrich Krausz; Françoise Kreissler, autora de *L'Action culturelle allemande en Chine*, por sus esenciales informaciones; Jean-Claude Kuperminc, Bibliothèque de l'Alliance Israélite Universelle; Gertrud Landl Fichtner; Daniel S. Levy; Claude Lévy; Christine Lixl; Wilhelm Mann; Charles Meyer; Nguyen Thi Xuan Phuong; el profesor Georges Pan Guang; Maria Plattner; Marie-Claire Quiquemelle; Annie Reinhardt; Sidney Shapiro; Alberte Tang; Lydie Weil; Olga Willner; Alfred y Eva Zunterstein.

Mi profundo agradecimiento también para Marie Holzman, sinóloga, por su lectura minuciosa del manuscrito; a Régine Deforges y a Pierre-Michel Kahn por su inestimable aliento.

M. K.

Se puede obtener una bibliografía de las obras consultadas escribiendo a: michele.kahn@michelekahn.com o enviando un mensaje a través de la página: http://www.michelekahn.com

Índice